高等院校电子商务专业规划教材

电子商务法

E-commerce Law

张继东 编著

机械工业出版社
China Machine Press

本书可作为电子商务专业的基础课程教材。全书分为三篇：第一篇概括介绍电子商务主客体及其与基础运营平台之间的法律关系；第二篇详细阐述电子商务法律如何规范和调整电子商务基本行为；第三篇是对前两篇的具体应用，教师可根据教学课时部分选择或调整顺序。本书旨在为学习者提供有关电子商务法的基本原理和基本规律，使其初步掌握用法律手段来规范电子商务行为，解决电子商务纠纷，保护个人或组织的合法权益。

图书在版编目（CIP）数据

电子商务法/张继东编著 . —北京：机械工业出版社，2011.1
（高等院校电子商务专业规划教材）

ISBN 978-7-111-32870-4

Ⅰ. 电… Ⅱ. 张… Ⅲ. 电子商务 – 法规 – 中国 – 高等学校 – 教材 Ⅳ. D922. 294

中国版本图书馆 CIP 数据核字（2010）第 257079 号

机械工业出版社（北京市西城区百万庄大街 22 号　邮政编码　100037）
责任编辑：张　昕　　　版式设计：刘永青
北京京北印刷有限公司印刷
2011 年 1 月第 1 版第 1 次印刷
185mm×260mm · 17.75 印张
标准书号：ISBN 978-7-111-32870-4
定价：32.00 元

凡购本书，如有缺页、倒页、脱页，由本社发行部调换
客服热线：(010) 88379210；88361066
购书热线：(010) 68326294；88379649；68995259
投稿热线：(010) 88379007
读者信箱：hzjg@hzbook.com

作者简介

　　张继东，1976 年 8 月生，山东安丘人。本科、硕士、博士均毕业于武汉大学信息管理学院，现任教于湖北工业大学管理学院信息管理系。副教授、硕士研究生导师，系副主任，"信息资源管理"学术带头人，2010 年国家公派出国留学访问学者（赴美）。研究方向为电子商务理论、计算机信息系统、数字图书馆。发表国家级核心期刊论文 20 余篇，EI 论文 4 篇，独著出版学术专著 1 部（经济日报出版社）、本科生教材 1 部（人民出版社）。现主持国家自然科学基金项目 1 项（批准号：70803009），主持湖北省社会科学基金项目"十一五"规划资助课题 1 项（批准号：[2010] 175），另外还主持湖北省教育厅项目 3 项。

前言

"电子商务法"是电子商务专业的基础课程，电子商务法律法规是电子商务健康发展的重要保证。本书旨在为学习者提供有关电子商务法的基本原理和基本规律，使其初步掌握运用法律手段，规范电子商务行为，解决电子商务纠纷，保护个人或组织的合法权益。

根据电子商务活动本身的层次结构，即运营基础、基本行为以及电子商务活动，编者将全书分为三大篇。第一篇概括介绍电子商务主客体及其与基础运营平台之间的法律关系。第二篇是全书的核心内容，详细阐述电子商务法律如何规范和调整电子商务基本行为，如电子签名与认证服务、订立电子合同、电子支付等。第三篇是对前两篇的具体应用，说明在具体的电子商务活动中如何运用电子商务法和相关传统法律解决可能遇到的纠纷并保护个人或企业的合法权益；这一篇对学习者的法律基础知识要求较高，教师可根据教学课时部分选择或调整顺序。

我国古代的大教育家孔子曾说："知之者不如好之者，好之者不如乐之者。"以此为鉴，编者考察了国内外的部分通用教材，编写时始终将培养学习兴趣置于首位。学习者永远是第一位的，能够让学习者饶有兴趣地学习一直是编者的关注所在。为此，编者极力使这本教材变得更富趣味性："案例"帮助学习者思考和把握法律条文在具体案例背景下的实际运用；"参考资料"帮助学习者拓宽视野，理解立法背景，了解前沿具有争议的司法问题；"新闻摘录"帮助学习者了解新颁布的法律的社会反响以及法学名家的评述。在体例编排上，编者充分借鉴了国外一些流行教材的编排方式，力求使教材的形式更加丰富。在内容的安排上，编者也努力做到内容完善、浅显易懂、意义深刻。

教材的核心价值在于能否为用户创造价值。本书适合于电子商务专业本专科学生以及对电子商务有极大兴趣、立志于电子商务实践的相关人士，也可作为电子商务研究人士的参考资料。

感谢机械工业出版社华章公司的领导、编辑老师们，是你们给了我展现教学成果的机会，是你们的不懈努力最终促成了本教材的顺利问世。感谢湖北工业大学管理学院的领导和同事们，是你们的关怀和帮助让我在教学科研岗位上安心工作，并且取得今天的成果。在本书编写的过程中我参考了大量国内外的相关教材和专家的相关研究成果，在此向他们辛勤的劳动致以最诚挚的敬意。同时，也对相关媒体记者的辛勤劳动表示感谢，没有他们在第一线采写大量真实的事件报道和分析，就没有本书中丰富的案例。本书是教学互动的产物，我应该感谢我的学生，是他们给了我启发，在教学实践中通过和他们的交流，我才知道他们在想些什么，需要什么，怎样讲解才是他们最愿意接受的。最后感谢我所指导的湖北工业大学管理学院硕士研究生万莉、杨婷、霍伟鹏、尹群，他们为本教材的编写做出了非常重要的贡献。

我们对电子商务法律体系的探索刚刚开始，本书是第一版，我们还将定期进行修订，把最新的电子商务法领域的理论成果都体现在教材中。同时，由于编者本身学识有限，错误和不足在所难免，期望读者不吝赐教，以便本书再版时进行修正。

张继东

2010 年 8 月于湖北工业大学

教学建议

教学目的

本书旨在为学习者提供有关电子商务法的基本原理和基本规律，使其初步懂得如何利用法律手段规范电子商务行为、解决电子商务纠纷、保护个人或组织的合法权益。通过本课程的教学，让学生掌握现代法律制度如何应对网络技术发展的挑战，了解电子商务法的调整对象和范围、国内外电子商务立法现状，掌握网站设立中的法律问题及网络信息服务法，了解并掌握在线交易主体及规制，掌握电子合同和电子商务中消费者权益保护的法律问题，并能对相关典型案例进行分析。本课程系统地讲授电子商务法的基本原理和电子商务立法的主要内容，包括电子商务法概述、电子商务法律制度的形式与确立、电子签名的法律效力、电子商务认证法律关系、电子合同的成立、电子信息交易制度、电子支付中的法律问题等。

前期需要掌握的知识

电子商务概论、法律基础、管理学原理、计算机网络、电子商务安全等课程相关知识。这些知识本教材都有所提及并给予解析，学生如果提前学习相关课程则效果更好。

课时分布建议

教学内容	学习要点	课时安排		案例使用建议
		专科	本科	
第1章 电子商务法概述	(1) 了解电子商务基础理论 (2) 了解电子商务法的一般理论 (3) 了解电子商务法立法概况	4	4	案例1-1
第2章 电子商务交易主体法律制度	(1) 掌握电子商务交易主体的认定、登记和公示过程 (2) 掌握电子商务网站设立的法律问题 (3) 了解在线商店的登记管理	4	4	案例2-1～2-3
第3章 网络服务提供商的管理与法律责任	(1) 掌握网络服务提供商侵权行为的类型 (2) 掌握电子商务网络服务提供商的设立与管理 (3) 掌握互联网服务提供商的义务和法律责任	4	4	案例3-1～3-3

（续）

教学内容	学习要点	课时安排 专科	课时安排 本科	案例使用建议
第 4 章　电子签名与电子认证法律制度	（1）掌握电子签名基本理论 （2）了解国内外电子商务签名立法 （3）掌握电子认证基本理论 （4）掌握电子认证相关法律问题	8	5	案例 4-1
第 5 章　电子合同法律制度	（1）掌握电子合同基本理论 （2）掌握电子合同的订立 （3）了解电子合同的生效 （4）了解电子合同的履行 （5）了解电子合同的违约责任	8	5	案例 5-1
第 6 章　电子支付法律制度	（1）掌握电子支付的相关理论 （2）掌握电子支付法律问题 （3）掌握网络银行的法律问题 （4）了解电子货币及其法律规范	8	5	案例 6-1 ~ 6-3
第 7 章　电子商务知识产权法律制度	（1）掌握知识产权的相关理论知识 （2）了解电子商务环境下的著作权保护 （3）了解电子商务环境下的工业产权法律保护	8	5	案例 7-1、7-2
第 8 章　消费者权益保护与隐私权保护法律制度	（1）了解消费者权益基础理论 （2）掌握消费者权益保护理论 （3）掌握电子商务中消费者隐私权 （4）掌握网络服务经营者保护消费者隐私的责任和义务 （5）掌握电子商务中消费者的隐私保护问题	4	4	案例 8-1、8-2
第 9 章　特殊形态电子商务的法律规范	（1）掌握网络广告法律规范 （2）掌握网上拍卖与网上竞买法律规范 （3）了解网上证券交易法律问题	4	3	案例 9-1 ~ 9-5
第 10 章　电子商务税收的法律问题	（1）了解税法基本理论 （2）了解电子商务对税收的影响 （3）掌握电子商务税收的法律规制	4	3	案例 10-1、10-2
第 11 章　电子商务安全规范	（1）了解电子商务网络安全理论 （2）了解我国网络安全法律规定 （3）掌握网络安全的法律保障机制 （4）了解电子商务安全和管理措施	4	3	案例 11-1、11-2
第 12 章　电子商务纠纷的法律解决	（1）掌握电子商务民事诉讼管辖权 （2）掌握电子商务诉讼中证据问题 （3）了解电子商务纠纷解决的替代方式——互联网争议解决方式	4	3	案例 12-1
课时总计		64	48	

说明：

1. 在课时安排上，专科生可以是 64 学时或者 48 学时，本科生为 48 学时，标注课时的内容建议讲授，其他内容则灵活处理。

2. 各个章节的教学时间包括讨论、案例分析等。

目录

第一篇

电子商务法基础

第 1 章

电子商务法概述

清华教授打赢网易侵权案：获赔 1 万元

清华大学哲学系教授肖鹰最近赢了一场官司。败诉方是网易，中国最大的门户网站之一。

肖鹰接到北京市海淀区人民法院的判决书。判决生效后，他将得到 1 万元的名誉损害赔偿金、5 500 元的公证费，以及网易公司的书面道歉。

诉讼由一条 300 字的消息引发。它刊发在 2009 年 3 月 25 日的网易娱乐频道，并广为转载。消息的标题相当吸引眼球——"清华教授肖鹰：郭德纲才是文化流氓"。

此前几天，郭德纲公开斥责一些"专家"为"流氓"。而这篇"网易娱乐专稿"适时传递了"专家"对郭德纲的一种回应，被很多媒体解读为新一轮"对骂"。

肖鹰澄清，自己并未怒斥郭德纲为"文化流氓"，也不曾接受网易娱乐频道的"采访"。网易编辑刊发该稿前一天，就"郭德纲炮轰专家"提出采访肖鹰的请求。肖鹰回复电子邮件时说："这是郭德纲借骂专家、挺小沈阳来做自我炒作！这是文化流氓！我决定不接受这个采访，因为不能以清华教授的身份给这种文化流氓捧场！"

次日早晨，肖鹰上网时发现，自己拒绝采访的私人邮件，经过加工成了教授与娱乐明星针锋相对、破口大骂的轰动"新闻"。

网易报道称："肖鹰教授在认真看了网易娱乐相关视频和报道后，直言郭德纲是'借骂专家、挺小沈阳来做自我炒作！这是文化流氓！'肖教授表示不会对郭德纲的言论发表任何评论，因为'不能以清华教授的身份给这种文化流氓捧场！'"

两天之后，网易再出"独家报道"，请郭德纲再度就肖鹰的"回应"给出"回应"。郭德纲气愤地痛斥他"你这是用另类的方法玷污清华和北大"。

突然卷入"对骂"，肖鹰深感苦恼："后来我走到哪儿，人家都问我为什么要跟郭德纲对骂，你们有什么过节。"

一怒之下，他将网站的证据材料作了保存和公证，与网易对簿公堂。"以前很多学者名誉权被侵犯，都忍了。本来我们学者都怕打官司，麻烦。但网易太肆无忌惮，有意制造噱头和对立，把我'绑架'进去。"他说。

经审理，法院认为，网易的相关报道系在肖鹰明确拒绝采访后做出，报道行为违背了肖鹰回复邮件的初衷，致使肖鹰被迫面对舆论的评价。"文章标题显然缺少确凿证据，造成读者相信肖鹰本人确做出该明确表述的误导，且客观上增加了对肖鹰不利的网络评论。"法院判定，网易的行为"确已损害肖鹰的合法权益，应构成对其名誉权的损害"。

据此，法院判决，网易公司除应赔偿损失外，还须就侵权行为向肖鹰书面道歉，并在刊登侵权报道的相同位置连续刊登 5 日。

肖鹰在接受中国青年报记者采访时强调，网易在这起事件中充当"标题党"，造成了两个方面的损害：一是当事人的名誉权受损，二是令网络新闻本身失去公信力。"网络新闻这样发展下去的话，我们没有名誉安全，社会文化也没有稳定和健康。这就是我起诉的原因。"他说，"与网络新闻影响力的高速发展不相称的，是网络新闻活动缺少合理有效的法规监管，导致网络新闻制作和传播的无序化、娱乐化，甚至低俗化发展。"

资料来源：http://china.findlaw.cn/jingjifa/dianzishangwufa/swal/1834.html.

1.1 电子商务内涵及发展

电子商务模式是指通过应用信息技术和网络技术，使得交易各方当事人能够借助电子方式进行联系并完成交易。电子商务以其交易范围广、成本低、周期短等优势对传统交易模式产生了巨大冲击。同时，由于运行环境和商务模式的改变，使得传统的法律体系难以适应电子商务的发展，人们迫切需要新的法律法规来规范和调整相关主体间的交易模式和利益关系，由此产生了新兴的电子商务法。

1.1.1 电子商务概述

1. 电子商务

电子商务（electronic commerce）是指利用信息技术，特别是互联网技术对商务活动业务流程所做的改造、优化或创造。通过互联网技术和其他现代通信技术，使得交易各方当事人能够借助电子方式订立合同并完成资金支付，而无须依靠纸面文件或单据的传输，实现了整个交易过程的电子化。电子商务包括通过国际互联网、增值网络、电子公告牌、企业在线式服务、连接企业计算机网络等方式进行的交易；如果商务活动的一部分涉及企业内外部计算机网络，则该项交易或商务活动也属于电子商务的范围。

对于电子商务概念的科学理解应包括以下几个方面：

（1）电子商务是整个或部分商务活动的电子化和数字化；

（2）电子商务是利用各种电子工具和电子信息技术从事各种商务活动的过程；

（3）电子商务渗透商务活动的各个阶段，以信息流、物流或资金流为核心，包括信息交换、售前售后服务、销售、电子支付、运输、组建虚拟企业和共享资源等；

（4）电子商务的参与者包括消费者、销售商、供货商、企业雇员、银行或其他金融机构以及政府等各种机构或个人；

（5）电子商务的目的就是要实现企业乃至全社会商务活动的高效率和低成本运作。

2. 电子商务的概念模型

我们可以对电子商务活动进行一般的抽象描述，得出如图 1-1 所示的电子商务概念模型。电子商务概念模型由电子商务交易主体、电子市场、交易事务和信息流、商流、资金流、物流等基本要素构成。

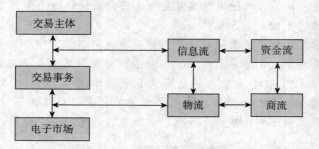

图 1-1 电子商务概念模型

电子商务交易主体是指能够从事电子商务的客观对象，可以是企业、银行、商店、政府机构和个人等。

电子市场是指电子商务实体从事商品和服务交换的场所，它由各种各样的商务活动参与者，利用各种通信装置通过网络连接成一个统一的整体。

信息流既包括商品信息的提供、促销行销、技术支持、售后服务等内容，也包括诸如询价单、报价单、付款通知单、转账通知单等商业贸易单证，还包括交易方的支付能力、支付信誉等信息。

商流是指用户在选定商品以后，提出购买清单，而商家对用户的购买行为进行确认和回复过程中的信息交换；是商品在购销之间进行交易和商品所有权转移的运动过程，具体是指商品交易的一系列活动。它是在商品交易的过程完成之后，通过物流来实现的。

资金流主要是指资金的转移过程，包括付款、转账等过程。

物流是指物质实体（商品或服务）的流动过程，具体指运输、存储、配送、装配、包装、流通加工、物流信息管理等各种活动。

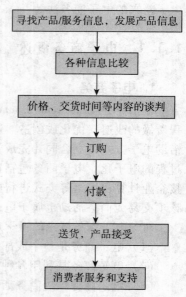

图 1-2 电子商务的一般流程

3. 电子商务的一般流程

电子商务的一般流程如图 1-2 所示。

首先用户通过电子信息与商家进行交流，选定商品、确定价格，然后用户通过第三方电子支付系统付款，随后商家确认订货清单，进行调配发货，由物流进行配送，最后用户签收货物，确认付款并接受售后服务。

假设你要购买一辆车作为你父亲的生日礼物，那么从买家角度出发需要经过如图 1-3 所示的流程。

实际上，对于上面买方进行的每一项活动，卖方都有一个相应的业务与之对应，流程如图 1-4 所示。卖方通常进行市场调查来确定像你这样的众多潜在顾客的需要，并根据这些需要进行产品开发。开发过程包括新产品的设计、测试、原料的采购和生产制造等过程。

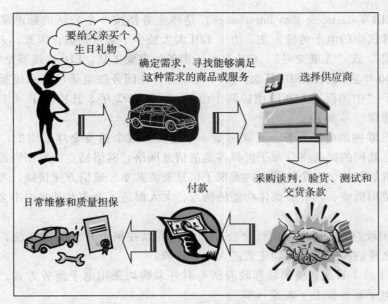

图 1-3 购买一辆汽车的主要流程

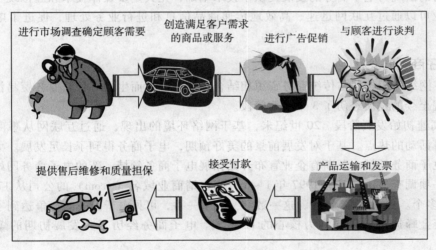

图 1-4 卖家做些什么

1.1.2 电子商务的产生和发展

1. 电子商务的产生

纵观电子商务产生发展的历史，电子商务的产生基本可以分为三个阶段，即基于电子通信工具的初期电子商务、基于电子数交换（EDI）的电子商务和基于互联网的电子商务。

（1）基于电子通信工具的初期电子商务。电子商务并非一种全新的事物，早在 1837 年当电报刚出现时，人们就开始了运用电子手段进行商务活动，当买卖双方贸易过程中的意见交换、贸易档案等开始以电报码形式在电线中传输的时候，就有了电子商务的萌芽。随着电话、传真、电视等电子工具的诞生，商务活动中可应用的电子工具进一步扩充。

（2）基于电子数据交换（EDI）的电子商务。电子数据交换（EDI）于 20 世纪 60 年代末产生于美国，EDI（electronic data interchange）是将业务档按一个公认的标准从一台计算机传输到另一台计算机中的电子传输方法。由于 EDI 大大减少了纸张票据，因此，人们也形象地称之为"无纸贸易"或"无纸交易"。EDI 是电子商务的重要工具，EDI 系统就是电子商务系统。

我国于 1990 年正式引入 EDI 概念；1991 年 8 月，在国务院电子信息系统推广应用办公室支持下，成立了"中国促进 EDI 应用协调小组"，并于 1992 年 5 月拟定了《中国 EDI 发展战略与总体规划建议（草案）》。

（3）基于互联网的电子商务。互联网是一个连接无数个遍及全球范围的广域网和局域网的互联网络。互联网的兴起将分布于世界各地的信息网络、网络站点、数据资源和用户有机地联合为一个有机的整体，在全球范围内实现了信息资源共享、通信方便快捷。互联网因其具有覆盖范围广、费用低廉、具有多媒体功能的特点，大大促进了企业尤其是中小企业电子商务的产生和发展。

1991 年美国政府宣布互联网向社会公开开放，可以在网上开发商务系统，至此，一直被排斥在互联网之外的商业贸易活动正式进入这一领域。

从 1997 年 1 月 1 日起，美国联邦政府所有对外采购均采用电子商务方式，这一举措被认为是"将美国电子商务推上了高速列车"。

互联网的出现为电子商务的发展提供了技术基础，尤其是多媒体技术和虚拟现实技术的发展，使企业可以通过互联网迅速、高效地传递商品信息和进行业务处理，促进了电子商务的发展。

2. 电子商务的发展

作为在网络应用技术与传统商务资源相结合背景下应运而生的一种新商务贸易活动，电子商务从出现至今的发展经历了 3 个主要阶段。

（1）高速初始发展阶段。20 世纪末，基于网络环境的出现，通过互联网从事商务贸易活动成为经济活动的热点。基于对发展前景的美好预期，电子商务得到了长足发展。大量的风险投资涌入电子商务领域，不断有企业宣布开始拓展电子商务领域，新的电子商务网站不断地大量涌现。一项调查显示，美国 1997 年 1～6 月间申请商业域名（.com）的公司从 17 万多个增加到 42 万多个。到 1997 年年底，这一数字又翻了一番，可见电子商务的竞争达到了白热化程度。各种资金蜂拥进入以网络为核心的 IT 领域。电子商务经历了其发展初期的爆发式发展阶段。

（2）调整蓄势阶段。2000 年年初，在投资者的疯狂追捧下，电子商务高速发展。然而就在这个时候，电子商务业经过十多年的高速发展之后积累的问题开始暴露。一些电子商务网站的营业收入虽然已经做得很高，但支出更大，一直不能实现盈利。此外，随着规模的扩大，物流、管理等方面的问题开始突出，电子商务如何继续发展成为了问题。

从 2000 年中期开始，电子商务开始了调整。随着资金的撤离，许多依赖资本市场资金投入的网站陷入了困境，不少网站开始清盘倒闭。据不完全统计，超过 1/3 的网站销声匿迹了，电子商务经历了其发展过程中的寒冬。

（3）复苏稳步发展阶段。2002 年年底至今，电子商务步入复苏和稳步发展的阶段，经过电子商务发展"寒冬"的严峻考验，生存下来的电子商务网站开始懂得电子商务网站的经营必须要有务实精神（即首先要在经营上找到经济的盈利点），有了这些宝贵经验和经营实践，务实的经营理念使这些经营性网站实现了盈利。

电子商务毕竟是巨有强大生命力的新生事物，短暂的调整改变不了其上升趋势。在惨烈的调整之后，从 2002 年年底开始复苏，其标志是不断有电子商务企业开始宣布实现盈利。

3. 我国电子商务的发展历程

我国电子商务的发展始于 20 世纪 90 年代初，在 1997 年以后逐渐成为一个热门话题。从 1997 年苏州第一届电子商务学术研讨会到 2000 年第四届中国国际电子商务大会，电子商务引起了社会各界的广泛关注。我国在电子商务方面做了大量工作，进行了积极有益的探索，大大促进了我国电子商务的发展。其主要发展过程如下：

1990 年，我国的电子商务首先从应用 EDI 开始，主要集中在外贸、海关及航空运输等领域。

1991 年 8 月，在国务院电子信息系统推广应用办公室的支持下，成立了"中国促进 EDI 应用协调小组"。

1992 年 5 月，中国促进 EDI 应用协调小组拟定了《中国 EDI 发展战略与总体规划建议（草案）》。

1993 年，我国正式启动国家信息化建设，金关、金卡、金桥"三金工程"为电子商务的发展打下了基础。

1994 年，我国部分国有企业开始涉足电子商务。

1995 年，我国互联网开始商业化，互联网公司开始崛起。

1998 年 3 月，我国第一笔互联网网上交易成功，国家经贸委与信息产业部联合启动以电子贸易为主要内容的"金贸工程"，北京、上海等城市启动电子商务工程。

1999 年 3 月，8848 等网站正式开通，网上购物进入实际应用阶段；政府上网、企业上网、电子政务（政府上网工程）、网上纳税、网上教育、远程诊断等广义电子商务开始启动。

2000 年开始，我国电子商务进入实质发展阶段，电子商务全面启动并已初见成效。

2001 年年底，我国加入 WTO 后，国内电子商务呈现快速增长势头。

2005 年 1 月，国务院发布《国务院办公厅关于加快电子商务发展的若干意见》，阐明发展电子商务对我国国民经济和社会发展的重要作用，提出加快电子商务发展的指导思想。

2005 年 4 月，《中华人民共和国电子签名法》颁布，这标志着我国电子商务法律建设进入到一个新的阶段，从法律制度上保证了电子商务交易的安全。

2006 年 5 月，中共中央办公厅、国务院办公厅联合印发了《2006—2020 年国家信息化发展战略》，明确提出我国未来的"电子商务行动计划：营造环境，完善政策，发挥企业主体作用，大力推进电子商务；以企业信息化为基础，以大型重点企业为龙，通过供应链、客户关系管理等，引导中小企业积极参与，形成完整的电子商务价值链；加快信用、认证、标准、支付和现代物流建设；完善结算清算信息系统，注重与国际接轨，探索多层次、多元化的电子商务发展方式"。

4. 我国电子商务发展中存在的问题

（1）国家发展电子商务还缺乏明确有力的技术经济政策。我国还缺乏发展电子商务专项规划，国家发展电子商务还缺乏明确有力的技术经济政策。各部门间缺乏有效的协调，目前颁发的《国务院办公厅关于加快电子商务发展的若干意见》，需要积极贯彻落实，加快制定电子商务专项规划和明确有力的技术经济政策。

（2）电子商务法律法规、电子商务标准、规范严重滞后，亟待加强。现有的行政法规不适应电子商务发展之处未得到及时修订，研究制定电子商务的相关法律法规较滞缓，目前依然缺乏电子交易法、网上知识产权保护、隐私保护法、网上信息管制等法律法规，对网络犯罪的定罪和处罚尚缺少实施细则。

技术标准的总体技术水平不高，市场适用性较差，在涉及应用平台标准、数据交换标准和安全标准等方面同发达国家相比还有较大差距，影响我国电子商务平台建设和协同商务技术的应用。安全基础设施（PKI）标准不统一，运营不规范。

（3）计算机应用水平低，上网企业与上网家庭数量还较少，信息技术在企业与家庭中应用不够普及。截至 2004 年 6 月，我国网民已经达到 4.04 亿，但是从占总人口的比例看依然偏低，只占总人口的 28.8%，而且主要分布在北京、上海和广州等东部的大中城市。发达国家网民占总人口的比例较高，瑞典高达 67%，瑞士为 60%，德国为 49%。我国企业信息化水平较低，开展电子商务的企业所占比例不足 20%，在 1.5 万家左右国有大中型企业中，只有约 10% 的企业基本上实现了较高水平的企业信息化，约 70% 的企业拥有一定的信息手段或着手向实现中级企业信息化的方向努力，20% 的企业只有少量的计算机，除了用作财务、打字外很少有其他应用；在中小企业中约有 20% 的企业尚未开展企业信息化。相比之下，美国有 60% 的小企业、80% 的中型企业、90% 以上的大企业已借助互联网广泛开展商务活动。

（4）电子商务发展所需要的市场经济环境、运行环境尚不完善。社会信用体系尚未完全建立，商业信用体系不健全，系统和资源共享的商业信用体系（包括个人和企业信用）还没有建立起来，商业信用意识欠缺，电子商务发展缺乏良好的信用环境、规范的交易秩序作为保障。运行环境尚不完善，网络带宽、反应速度尚不满足要求，电子支付手段尚不完备，物流配送体系尚不配套。电子商务的大量物流活动仍主要依靠企业的储运组织自我服务完成，依靠第三方物流承担物流业务的企业为数不多，而且信息共享程度较低，适合电子商务发展的社会化、专业化、现代化物流体系还没有形成。

（5）拥有自主知识产权的技术和产品支持能力低。国产化软硬件产品技术水平与市场占有率低，重大电子商务应用工程、应用系统所用的软硬件产品主要依靠国外公司，系统集成、信息服务水平有待提高。计算机应用有关标准、规范既缺乏又不统一，急需加强。与电子商务有关的标准比较滞后，投入明显不足。

（6）管理体制、机制、理念与组织机构尚不能适应市场经济的要求。部分领导对电子商务应用的重要性、紧迫性认识不足。企业采用电子商务等高新技术尚缺乏内在动力、人力、财力与物力。基础工作薄弱，信息技术人才特别是既懂信息技术又懂行业业务技术的复合型人才更为缺少，广大职工信息意识、人文素质与信息技术应用知识有待提高。

1.1.3 我国电子商务的发展现状及趋势

1995 年，中国电子商务开始起步。这一年，中国电信向公众开放互联网接入服务；在北方，国家发展计划委员会立项建设我国第一个计算机网络商品交易系统——中国商品订货系统（CGOS）；在南方，马云创办"中国黄页"，在国内率先将互联网应用于商务。也是在这一年，IBM 提出了电子商务（e-business）的概念。经过几年的启蒙和酝酿，我国电子商务和互联网行业在 1998～1999 年开始暴发：阿里巴巴、当当网和网盛等一批当下依然活跃的电子商务企业都创立于这一时期，政府主导的中国商品订货系统、中国商品交易中心和中国商品交易市场相继开通，北京市启动"首都电子商务工程"，海尔、联想等开始推进企业电子商务应用。与全球互联网行业一样，从 2000 年开始我国电子商务行业也经历了互联网泡沫破灭、寒冬和复苏的调整过程，然后以 2003 年淘宝网创立为标志，步入以立足本土、面向市场、务实创新为特点的延续至今的高速成长阶段。经过十多年的发展，我国电子商务应用大大普及和深化，电子商务服务业异军突起、快速发展，成为我国电子商务发展的中坚和引擎，电子商务的经济社会影响日益广泛、深刻，由此催生新商业文明快速浮现。

中国电子商务的春天已经到来。未来 5~10 年，我国电子商务将继续高速发展，并有望领先世界。与此同时，围绕电子商务发展的制度性调整和适应将成为影响我国电子商务发展的主要矛盾。

1. 发展现状和特征

（1）电子商务进入大规模发展、应用和运营阶段，普及程度大大提高。经过近几年的高速成长，我国电子商务已经步入大规模发展、应用和运营的阶段，主要表现为电子商务交易额快速增长、电子商务用户数量显著增加，并达到相当规模。2008 年，我国电子商务交易额达 3.1 万亿元，同比增长 43%。其中，全国 423 480 个中小规模以上工业企业电子商务交易额达 11 968.5 亿元（其中，电子商务销售额达 14 361.8 亿元，电子商务采购额达 9 575.2 亿元）。通过互联网寻找过供应商的中小企业达 31%，通过互联网从事营销推广的中小企业达 24%。电子商务正在改变企业经营管理模式和生产组织形态，提升传统产业的资源配置效率、运营管理水平和整体创新能力。

2008 年，网络零售实现了 3 个里程碑式的突破：网络零售消费者突破 1 亿、交易额突破 1 000 亿元、占社会消费品零售总额比例突破 1%。这一良好发展势头在 2009 年进一步延续：2009 年我国网络零售交易额为 2 630 亿元，同比增长 105.2%，网络零售交易额占社会消费品零售总额比例为 2.10%，较 2008 年提高 0.92 个百分点。值得关注的是，2007~2009 年，我国网络零售交易额年均增长速度为 117.0%，是同期社会消费品零售总额年均增长速度的 6.5 倍。2009 年网商规模达到 6 300 万，呈现普及化、主流化和社会化的特征。

（2）电子商务服务业快速成长，服务平台日益重要，服务水平不断提升，支撑体系逐步完善，信息时代的商业基础设施开始显现我国电子商务服务业快速成长，崛起为一个重要的新兴产业。2009 年，我国电子商务网站总数达 1.56 万家，同比增长 32.34%，其中 B2C 网站数量超过 9 400 家。电子商务服务平台数量显著增长，2009 年年底达到约 5 000 家。

电子商务服务平台的服务水平不断提升，吸引海量电子商务用户和电子商务应用向平台集中。以网络零售为例，2003 年通过电子商务服务平台完成的网络零售占 67%，以后逐年上升，到 2008 年占 93%，电子商务平台已经成为网络零售的主流模式。电子商务平台与用户、合作伙伴之间的商业生态特征日益突出。

电子商务支撑体系日益完善。认证、信用、物流和电子支付等支撑体系的建设、应用日益成熟。以电子支付为例，2008 年我国电子支付业务持续增长，商业银行网上支付、电话支付和移动支付合计 30.75 亿笔、286.30 万亿元，同比分别增长 36.24% 和 10.54%。电子支付应用已经从商品交易扩展到公共事业缴费、电子政务、航空、保险和教育等领域，电子商务服务业快速发展，面临着重大的历史机遇。回顾历史，从农业文明到工业文明都有最具代表性的商业基础设施，以巨型电子商务平台为核心的电子商务服务体系，正在成为信息时代最具代表性的商业基础设施。

（3）电子商务的溢出效益日益显著。①电子商务与传统产业进一步融合，直接带动物流、金融和 IT 等行业发展。以物流为例，电子商务的广泛应用有力地带动了快递业务，2008 年我国由电子商务带动的快递包裹超过 5 亿件，全国 1/3 的快递服务业务量是由电子商务带动的。电子商务促进新兴产业的发展，最直接的表现是电子商务服务业的兴起。随着企业、个人和政府越来越多地应用电子商务，在电子商务交易服务、业务流程外包服务和信息技术外包服务等领域涌现出大量的电子商务服务商，通过提供丰富的产品和服务满足企业、个人和政府的电子商务应用需求。电子商务服务业正在崛起为一个重要的新兴产业。②电子商务促进地方产业升级，带动区域经济效应显现。随着越来越多的企业开始应用电子商务，特别是一些产业集群、专业市场中的中小企业大规模"集体上网"，电子商务为产业集群、专业市场的发展注入了新的活力，有助于促进产业的升级发展，进而带动区域经济的发展。近几年，浙江、广东、江苏、四川等地政府不遗余力地发展电子商务，把电子商务作为产业升级、经济结构优化的有力举措，充分体现了电子商务对促进区域经济发展的价值。③电子商务推动外贸、拉动内需，助力2009年经济增长实现"保八"目标。金融危机导致北美、西欧、日韩等成熟市场需求萎缩，外贸企业通过电子商务低成本开拓中东、南美等新兴市场，为发展外贸寻找到新的增长点。同时，随着网络购物成为大众化消费方式，电子商务成为拉动内需的新希望。2008年以来，不仅北京、上海、广州等一线城市的网络购物蓬勃发展，二、三线城市的网络购物更是异军突起，2008年我国网络购物交易额中二、三线城市比例已达50%。④电子商务成为创造就业机会的新动力。一方面，电子商务的发展直接创造就业机会，企业应用电子商务和电子商务服务业的发展，都创造出大量新的就业机会。据不完全统计，2009年上海市来自电子商务的就业岗位占新增就业岗位近1/2，浙江约1/4，广东近1/5。另一方面，电子商务通过带动相关产业发展，间接为社会提供更多的就业机会。例如电子商务带动物流业发展，物流业又带动相关领域就业岗位的增长。2008年，我国社会物流从业人员约2 000万人，物流业每成长1个百分点，即可新增10万个就业岗位。据测算，在网络零售中平均1个人直接就业可以带动2.85个人间接就业，电子商务促进就业的"乘数效应"显著。

（4）电子商务在金融危机、北京奥运会和自然灾害等重大情形中发挥积极作用。①电子商务在帮助企业应对金融危机方面发挥了重要作用。在金融危机下，电子商务帮助企业特别是中小企业更加有效地开拓市场、塑造品牌和降低成本，提高企业存活率，帮助企业"过冬"。在金融危机中，运用电子商务的中小企业生存状况远好于运用传统商务的中小企业：未运用电子商务的企业陷入困顿的比例达84.2%，而运用电子商务的企业陷入困顿的比例为16.8%，相差近5倍。②电子商务成为建设"科技奥运"的坚实基础。在北京奥运会期间，电子商务广泛地发挥着支持作用，集中体现在奥运移动电子商务应用服务系统、奥运电子商务网站、"数字奥运"信息亭、奥运电子支付应用管理平台和电子物流配送体系服务网等。电子商务大大提高了"科技奥运"、"数字北京"的水平。③电子商务在应对南方雪灾、四川地震等自然灾害中发挥了积极作用。中国人民银行通过电子支付系统为受灾地区群众、企业和金融机构提供优质的支付清算服务，为救灾款项的及时划拨开辟了"绿色通道"；支付宝、财付通和易宝支付等第三方电子支付平台成为公众捐款赈灾的重要渠道。

（5）各级政府加大对电子商务的支持力度，促进电子商务发展。近年来，各级各地政府不断加大对电子商务的支持力度，通过资金补贴、专场培训和人才培养等措施，鼓励和促进企业应用电子商务。为帮助中小企业应对金融危机，浙江率先在全国启动了"万家企业电子商务推进工程"，广东启动了"广东省中小企业电子商务起航工程"，福建启动了"福建工业企业电子商务千万工程"，天津、江苏、四川、河北和陕西等省市也以不同形式大力支持企业应用电子商务。2008年以来，杭州市成为"中国电子商务之都"，广州市成为"国家移动电子商务试点示范城市"，湖南省成为"国家移动电子商务试点示范省"，深圳市成为"国家电子商务示范城市"，区域电子商务形成百舸争流的喜人局面，各级各地政府大力支持农村电子商务发展。《中共中央国务院关于推进社会主义新农村建设的若干意见》指出：一定要"支持发展农产品直销配送、连锁经营、电子商务交易"。国务院及相关部委、各地政府在发展农村信息化和农村电子商务方面采取了积极行动，农业部推出了中国农业信息网商务版，地方农业厅局网站构建了众多农业电子商务平台，商务部在全国 20 个省进行试点，建成 20 个县级服务平台和 1 400 多个基层信息服务点，初步形成以新农村商网平台为核心，依托县级服务平台、基层信息服务点，将信息服务覆盖到试点地区的"农村商务信息服务体系"。

2. 我国电子商务发展趋势分析预测

我国拥有全球最大规模的互联网用户和手机用户，有着全球最丰富、最前沿、最大规模的电子商务实践。展望未来，我国网民规模将继续快速增长，不足 30% 的电子商务渗透率（美国约 70%）还会极大增长，电子商务应用还会极大普及和深化，电子商务模式还会极大创新，电子商务生态还会极大丰富，在还会极大发展的电子商务服务业引擎的推动下，未来 5～10 年我国电子商务将继续高速发展。

据预测，到 2015 年，我国网民总数将从 2009 年的 3.84 亿增长至 7 亿，网上消费将从 2009 年的 1.5 亿增长至 5 亿，电子商务渗透率将从 2009 年的不足 30% 至超过 60%，网络零售交易额将从 2009 年的 2 630 亿元增长至 20 000 亿元，占社会消费品零售总额的比例将从 2009 年的 2.10% 增长至 7%。到 2015 年，我国将形成全球最大规模的电子商务服务体系和最具竞争力的电子商务基础服务企业，电子商务应用规模将位列世界第一，电子商务发展环境将进一步优化，电子商务技术创新、商业创新引发的制度创新将进一步突出，电子商务的经济社会影响将进一步扩展和深化，具有新商业文明特征的基础设施、商业行为、商业组织、社会生活和制度环境将进一步显现。

（1）我国电子商务服务业将持续快速发展，进一步走向国际、影响世界，成为全球领先的战略性新兴产业。我国网商和电子商务服务商的国际化发展将进一步加快。在金融危机中，针对北美、西欧和日韩等发达国家贸易需求减少的情况，不少网商和电子商务服务商加大了开拓新兴市场的力度，在巴西、土耳其、俄罗斯和印度等地寻找到新的商业机会。金融危机在客观上提高了他们对电子商务重要性的认识，也强化了他们对新兴市场的重视，通过电子商务低成本拓展海外市场正在成为越来越多企业的共同选择。与此同时，一些国外电子商务服务商进入中国市场的步伐也将加快，中国良好的经济发展势头和巨大的市场空间将吸引更多的国外电子商务服务商进入。

（2）电子商务作用更加突出，与经济社会和传统产业进一步融合，电子商务的生态特征和生态关系更加突出。随着越来越多的企业在采购、销售、营销、财务和人力资源管理等环节广泛应用电子商务，电子商务将向企业内部的深层次延伸，与企业内部价值链深度整合。电子商务与传统产业的融合将进一步深化。电子商务将广泛深入地渗透到生产、流通和消费等各个领域，改变企业的经营管理模式和生产组织形态，提升传统产业的资源配置效率、运营管理水平和整体创新能力。电子商务也将与搜索引擎、虚拟社区、网络游戏和移动通信等进一步融合。随着电子商务应用日益广泛和深入，在与电子商务相关的信用、支付、物流、IT 和金融等领域，将出现大量外围服务商，为电子商务应用提供更加多样化的服务，成为电子商务生态系统不可缺少的组成部分。更进一步，电子商务服务业将成为新的商业基础设施，电子商务服务业将日益成为公共服务，为全社会提供无处不在、随需随取、极其丰富和极低成本的电子商务服务。电子商务的生态特征和生态关系也将更加突出，并进一步凸显电子商务的经济社会影响。

（3）与电子商务相关的技术创新和商业模式创新步伐将进一步加快。新兴技术的广泛渗透与消费结构加速升级相结合，云计算、物联网、虚拟化和自然语言等新兴技术将极大地推动电子商务技术创新和商业模式创新。作为未来电子商务服务业基础的云计算，将为电子商务服务商提供强大的技术支持，解决计算能力、存储空间和带宽资源等瓶颈问题，帮助电子商务服务商提升面对大规模用户的服务能力，对于摆脱西方巨头垄断、支持信息经济、现代服务业和小企业发展的意义重大。电子商务服务商有望借助云计算帮助中小企业实现按需计算和按需服务，进一步降低中小企业应用电子商务服务的门槛。物联网将有助于提升电子商务活动中信息获取、储存、处理和传递的效率及智能化水平，将在信息、支付和物流等领域给电子商务带来前所未有的变化，进一步推动电子商务应用创新和服务模式创新。大规模、个性化的消费需求和持续升级的消费结构，将进一步推动电子商务商业模式创新。微观上，消费者需求日趋个性化和碎片化，从而使电子商务相对于传统商务的优势越发明显。电子商务能够以极低的成本支持个性化服务，满足个性化需求，从而催生出海量的服务商及形式多样的商业模式。宏观上，中国正在经历一个从生活必需品向耐用消费品过渡的阶段，消费升级过程中的巨大市场容量，为电子商务提供了前所未有的发展空间。随着越来越多的商品从传统渠道拓展到网络渠道，特别是基于电子商务的大规模个性化定制的广泛涌现，电子商务商业模式创新的空间将显著扩大，创新步伐将显著加快。

（4）移动电子商务将加速向普及化方向发展。2009年我国政府正式颁发3G牌照，是中国移动电子商务发展的标志性事件。未来几年，在各级政府、电信运营商和互联网服务商的推进下，3G应用将不断扩展，手机上网将进一步普及，用户将可以通过手机、上网本和PDA等移动终端实现随时随地购物，由电视、互联网和手机构成的立体化电子商务体系将逐渐成形，移动电子商务将向商务、工作、生活和学习等各个领域加速渗透，日益普及。数量巨大的移动电话用户，为移动电子商务在我国的发展和普及提供了坚实的用户基础。到2009年年底，我国移动电话用户已达7.4亿人，且仍然拥有较大的扩展空间。电信运营商大力推动移动信息基础设施建设，也将为移动电子商务的发展和普及提供坚实的技术基础。各级各地政府的大力促进也是移动电子商务发展和普及的一大推动力。

（5）农村电子商务将大有可为。随着中央关于推进农村改革发展与切实加强农业基础建设进一步促进农业发展农民增收等文件的深入贯彻，农业和农村信息化的发展，数千涉农网站的大力推动，农业、农村和农民电子商务将进入大发展时期。①农村网民将成为网民增长的重要来源。一方面，农村网民的增长速度远高于城镇网民。2007～2009年，农村网民年均增长71.6%，远高于城镇网民年均增长34.6%的速度。到2009年年底，农村网民规模达1.068 1亿人。另一方面，农村互联网普及率远低于城镇，增长空间巨大。未来几年，农村网民将成为中国网民增长的主要动力，也是中国互联网未来发展的潜力所在。农村市场蕴藏着巨大的电子商务应用需求，调查显示，近年来农村网民使用网络购物和网络支付的比例稳定增长，显示出农村网民对电子商务认可度的提升和实际应用比例的提高。农村拥有丰富的农产品，急需成本较低、覆盖面较广的市场渠道，而这正是电子商务的优势所在。②政府对农村电子商务高度重视将营造有利的发展环境。信息化和电子商务在商贸流通中发挥着重要促进作用，但广大农村缺乏十分必要的公共商务信息服务，为此，商务部将在现有基础上完善新农村商网平台功能，丰富服务内容和服务方式，依托基层农村商务信息服务站点、"万村千乡"农家店和"双百"市场，利用全国农村党员远程教育网村级终端站点等各种现有资源，扩大农村公共商务信息服务的覆盖面，惠及更多农民。

（6）新商业文明浮现。电子商务悄然改变着中国企业和消费者的商务、工作和生活，既带来巨大的经济社会价值，也改变着人们的行为和文化，在网络化、个性化和全球化的促动下，一个信息时代的商业文明——开放、透明、分享、责任的新商业文明正在浮现，必将成为人类商业史上一次新的跃迁，与此相关的基础设施、商业行为、商业组织、社会生活和制度环境等都将发生根本性变革：基础设施，提供公用计算服务的巨型商用计算中心，以及集成各类商务服务和海量用户、可提供云计算服务的电子商务服务平台，正在成为信息时代最具代表性的商业基础设施。商业行为，以柔性化制造、个性化营销和社会化营销为支柱的大规模个性化定制的商业模式将兴起，文化和价值观上将呈现更加开放、分享、责任和全球化的特质。商业组织，扁平、透明甚至"无组织"的组织将大行其道，商业生态及其战略将成为主流组织形态和战略选择。社会生活，人将从工业时代被异化的"经济人"向信息时代更完整的"社会人"回归，将从工作与生活相互分离走向相互融合，创业和就业形态也将发生很大变化，如网络创业和就业。制度环境，信息化、全球化和市场化将导致一个持续的制度变迁过程，企业与企业、企业与员工、企业与消费者、企业与社会、企业与环境，等等，都将发生一系列与信息时代相适应的制度变迁。

1.2　电子商务法的一般理论

1.2.1　电子商务法的概念

电子商务法是指以电子商务活动中所产生的各种社会关系为调整对象的法律规范的总和，电子商务法是一个新兴的总和法律领域。

1. 广义的电子商务法

广义的电子商务法，是与广义的电子商务概念相对应的，它包括了所有调整以数据电信方式进行的商事活动的法律规范。其内容极其丰富，至少可分为调整以电子商务为交易形式的和调整以电子信息为交易内容的两大类规范。前者如联合国的《电子商务示范法》（亦称狭义的电子商务法），后者的内容更是不胜枚举，诸如联合国国际贸易法委员会的《电子资金传输法》、美国的《统一计算机信息交易法》，等等，均属此类。需要指出的是，电子商务的形式性规范，与以电子信息为内容的实体性规范之间的关系，犹如行政诉讼法与行政法，其形式规范可以以一部法典或法律而制定，但其实体性规范由于涉及面极广，无法以统一的法典或单行法律予以囊括，而只能分别以单行法律、法规甚至是判例的形式出现，也可能融合在其他部门法的规范之中。虽然广义的电子商务法概念，有时在应用时比较通俗、方便，特别是在对涉及将电子商务法作为一个法律群体给予称谓时，似乎易于使用，但是，在具体的立法与司法中却比较难以运用。一方面，不可能制定一部调整对象如此广泛的电子商务法，同时，也不可能在某一具体的案件中，将这样广义的电子商务法适用于其中。

2. 狭义的电子商务法

如果从联合国及世界各国，以"电子商务法"或"电子交易法"命名的法律文件的内容上分析，其间存在着明显的共性，即它们所解决的问题，都集中于诸如计算机网络通信记录与电子签名效力的确认、电子鉴别技术及其安全标准的选定、认证机构及其权利义务的确立等方面。这些实质上都是解决电子商务交易的操作规程问题的规范。所以，倘若从便于立法和研究角度出发，有理由认为，电子商务法是调整以数据电信（data message）为交易手段而形成的因交易形式所引起的商事关系的规范体系。

需要指出的是，虽然本书主要是从狭义电子商务法的角度来论述这一问题，当提到电子商务法时，一般是指狭义角度的概念，但由于电子商务法有广狭两种含义，当具体遇到电子商务法这一术语时，应注意区别其语境而理解与使用，不可一律对待。

1.2.2　电子商务法的特点

1. 安全性

计算机及网络技术的发展使各行各业对计算机信息系统具有极强的依赖性，与此同时，计算机"黑客"和计算机病毒也变得越来越猖狂，它们对计算机信息系统的入侵或攻击可能使商家的商业秘密遭窃取，经营数据破坏或丢失，甚至使计算机信息网络陷入瘫痪，这将给商家乃至整个社会造成极大的损失。电子商务法通过对电子商务安全性问题进行规定，可以有效地预防和打击各种计算机犯罪，切实保证电子商务乃至整个计算机信息系统的安全运行。

2. 程式性

电子商务法作为交易形式法，它是实体法中的程式性规范，主要解决交易的形式问题，一般不直接涉及交易的具体内容。电子交易的形式，是指当事人所使用的具体的电子通信手段；而交易的内容，则是交易当事人所享有的利益，表现为一定的权利义务。在电子商务中以数据信息作为交易内容（即标的）的法律问题复杂多样，需要由许多不同的专门的法律规范予以调整，而不是电子商务法所能胜任的。比如数据信息在电子商务交易中，既可能表示货币，又可代表享有著作权的作品，还可能是所提供的咨询信息。一条电子信息是否构成要约或承诺，应以合同法的标准去判断；能否构成电子货币，应依照金融法衡量；是否构成对名誉的损害，要以侵权法来界定。而电子商务法对交易中的电子信息代表的是何种标的，在所不问。所以说，电子商务法是商事交易上的程式法，它所调整的是当事人之间因交易形式的使用，而引起的权利义务关系，即有关数据电信是否有效，是否归属于某人；电子签名是否有效，是否与交易的性质相适应；认证机构的资格如何，它在证书的颁发与管理中应承担何等责任等问题。这些规范的主要作用，都是给电子商务的开展提供一个交易形式上的"平台"，将传统纸面环境下形成的法律价值，移植于电子商务中。从民商法角度看，这些电子商务法律规范所解决的都是商事意思表达程式方面的问题，并没有直接涉及交易的实体权利义务。至于其交易内容如何，狭义电子商务法不可能对之进行全面规范，而应由相应的法律予以调整。以美国的《统一电子交易法》为例，全文只有21条，主要规定了电子记录、电子签名，以及电子合同的效力、归属、保存等电子商务交易环境下的特殊性问题。而与此同时，美国州法统一委员会还颁布了一部以电子信息交易的实体内容为主的《统一计算机信息交易法》，该法分为9个部分，共106条，对以计算机信息为标的的交易问题，作了较全面的规定，简直是一部"电子版"的合同法。二者相较，《统一电子交易法》的程式性就越显突出。此外，从联合国国际贸易法、委员会的《电子商务示范法》和新加坡的《电子交易法》来看，也都是以规定电子商务条件下的交易形式为主的。

3. 技术性

在电子商务法中，许多法律规范都是直接或间接地由技术规范演变而成的。比如一些国家将运用公开密钥体系生成的数字签名，规定为安全的电子签名。这样就将有关公开密钥的技术规范，转化成了法律要求，对当事人之间的交易形式和权利义务的行使，都有极其重要的影响。另外，关于网络协议的技术标准，当事人若不遵守，就不可能在开放环境下进行电子商务交易。所以，技术性特点是电子商务法的重要特点之一。倘若从时代背景上看，这正是21世纪知识经济在法律上的反映。技术规范的强制力，源于其客观规律性，它是当代自然法的主要渊源，理想的实证法只能对之接受而不能违抗。

4. 开放性

从民商法原理上讲，电子商务法是关于以数据电信进行意思表示的法律制度，而数据电信在形式上是多样化的，并且还在不断发展之中。因此，必须以开放的态度对待任何技术手段与信息媒介，设立开放型的规范，让所有有利于电子商务发展的设想和技巧，都能容纳进来。目前，国际组织及各国在电子商务立法中，大量使用开放型条款和功能等价性条款，其目的就是为了开拓社会各方面的资源，以促进科学技术及其社会应用的广泛发展。它具体表现在：电子商务法的基本定义的开放、基本制度的开放以及电子商务法律结构的开放等方面。

5. 复合性

这一特点是与口头及传统的书面形式相比较而存在的。电子商务交易关系的复合性，源于其技术手段上的复杂性和依赖性。它表现在通常当事人必须在第三方的协助下，完成交易活动。比如在合同订立中，需要有网络服务商提供接入服务，需要有认证机构提供数字证书等。即便在非网络化的、点到点的电信商务环境下，交易人也需要通过电话、电报等传输服务来完成交易。或许有企业可撇开第三方的传输服务，自备通信设施进行交易，但这样很可能徒增成本，有悖于商业规律。此外，在线合同的履行，可能需要第三方加入协助履行。比如在线支付，往往需要银行的网络化服务。这就使得电子交易形式具有复杂化的特点。实际上，每一笔电子商务交易的进行，都必须以多重法律关系的存在为前提，这是传统口头或纸面条件下所没有的。它要求多方位的法律调整，以及多学科知识的应用。

电子商务法对网上购物是一种保证，没有法律保证的网上购物只能是一场噩梦，如图1-5所示。

图 1-5　没有法律保证的网上购物只能是一场噩梦

1.2.3　电子商务法的基本原则

1. 中立原则

电子商务法的基本目标，归结起来就是要在电子商务活动中，建立公平的交易规则。这是商法的交易安全原则在电子商务法上的必然反映。电子商务既是一种新的交易手段，同时又是一个新兴产业。面对其中所蕴涵的、深不可测的巨大利益诱惑，可以说没有哪个企业是无动于衷的。各种利益集团、各种技术，以及各个利益主体都想参与其中，在这个无比广阔的舞台上施展才华，谋取便利。其具体参与者有硬件制造商、软件开发商、信息提供商、消费者、商家等，不一而足。要达到各方利益的平衡，实现公平的目标，就有必要做到如下几点。

（1）技术中立。电子商务法对传统的口令法、非对称性公开密钥法以及生物鉴别法等认证方法，都不可厚此薄彼，产生任何歧视性要求。同时，还要给未来技术的发展留下法律空间，而不能停止于现状，以致闭塞贤路。譬如新计算机的问世、新一代高速网络的出现等，都将考验电子商务法的技术中立性。这是在总结了传统书面法律要求的经验教训，而得出的方针。当然，该原则在具体实施时，会遇到许多困难。克服这些具体困难的过程，也就是技术中立原则实现的过程。

（2）媒介中立。媒介中立与技术中立紧密联系，二者都具有较强的客观性，并且一定的传输技术与相应的媒介之间是互为前提的。媒介中立，是中立原则在各种通信媒体上的具体表现，所不同的是，技术中立侧重于信息的控制和利用手段，而媒介中立则着重于信息依赖的载体。后者更接近于材料科学。从传统的通信行业划分来看，不同的媒体可能分属于不同的产业部门，如无线通信、有线通信、电视、广播、增值网络等。而电子商务法，则应以中立的原则来对待这些媒介，允许各种媒介根据技术和市场的发展规律而相互融合，互相促进。只有这样，才能使各种资源得到充分的利用，从而避免人为的行业垄断、活媒介垄断。开放性互联网的出现，正好为各种媒介发挥其作用提供了理想的环境，达到兴利除弊，共生共荣。

（3）实施中立。实施中立是指在电子商务法与其他相关法律的实施上，不可偏废；在本国电子商务活动与跨国际性电子商务活动的法律待遇上，应一视同仁。特别是不能将传统书面环境下的法律规范（如书面、签名、原件等法律要求）的效力，置于电子商务法之上，而应中立对待，根据具体环境特征的需求，来决定法律的实施。如果说前述技术中立和媒介中立，反映了电子商务法对技术方案和媒介方式的规范，具有较强的客观性，那么，对电子商务法的中立实施，则更偏重于主观性。电子商务法如同其他规范一样，其适用离不开当事人的遵守与司法机关的适用。

（4）同等保护。此点是实施中立原则在电子商务交易主体上的延伸。电子商务法对商家与消费者、国内当事人与国外当事人等，都应尽量做到同等保护。因为电子商务市场本身是国际性的，在现代通信技术条件下，割裂、封闭的电子商务市场是无法生存的。

一言以蔽之，电子商务法上的中立原则，着重反映了商事交易的公平理念。其具体实施将全面展现在当事人所依托于开放性、兼容性、国际性的网络与协议，而进行的商事交易之中。

2. 自治原则

允许当事人以协议方式订立其间的交易规则，是交易法的基本属性，因而，在电子商务法的立法与司法过程中，都要以自治原则为指导，为当事人全面表达与实现自己的意愿，预留充分的空间，并提供确实的保障。譬如以《电子商务示范法》第四条为例，就规定了当事人可以协议变更的条款。其内在含义是：除了强制性的法律规范外，其余条款均可由当事人自行协商制定。其实，《电子商务示范法》中的强行规范不仅数量上很少，仅4条，而且其目的也仅在于消除传统法律为电子商务发展所造成的障碍，为当事人在电子商务领域里充分行使其意思自治而创造条件。换言之，《电子商务示范法》的任意性条款，从正面确定权利，以鼓励其意思自治，而强制性条款，则从反面摧毁传统法律羁绊，使法律适应电子商务活动的特征，更好地保障其自治意思的实现，可以说是一正、一反，殊途同归。

3. 安全原则

保障电子商务安全地进行，既是电子商务法的重要任务，又是其基本原则之一。电子商务以其高效、快捷的特性，在各种商事交易形式中脱颖而出，具有强大的生命力。而这种高效、快捷的交易工具必须以安全为其前提，它不仅需要技术上的安全措施，同时，也离不开法律上的安全规范。譬如电子商务法确认强化（安全）电子签名的标准，规定认证机构的资格及其职责等具体的制度，都是为了在电子商务条件下，形成一个较为安全的环境，至少其安全程度应与传统纸面形式相同。电子商务法从对数据电信效力的承认，以消除电子商务运行方式的法律上的不确定性，以至于根据电子商务活动中现代电子技术方案应用的成熟经验，而建立起反映其特点的操作性规范，其中都贯穿了安全原则和理念。

1.2.4　电子商务法的性质与地位

1. 电子商务法的性质

（1）电子商务法既有任意性，又有强制性。任意性规范主要体现在电子商务交易法中，它给予交易主体以充分的选择权，体现了当事人的意愿；强制性规范表现为它要求当事人必须在法律规定的范围内为或不为，违反这种规定就要受到国家强制的制裁。违反电子商务法不但有民事责任，还有行政责任和刑事责任。

（2）电子商务法的表现形式是制定法。联合国国际贸易法委员会制定的《电子商务示范法》是以制定法的形式表现出来的。电子商务法应该是由一系列成文的法律法规所组成的，它是调整电子商务活动的法律规范的总称。

（3）电子商务法具有国际性。它的法律框架不应局限在一国范围内，而应适用于国际间的经济往来，得到国际间的认可和遵守。

2. 电子商务法在商法中的地位

（1）电子商务法是交易形式法。电子商务法是商法的组成部分，按组织法与行为法划分，电子商务法应在性质上属于行为法，或者说是交易行为法。如果更确切地说，则应是交易形式法。比如美国、新加坡、澳大利亚等国将其电子商务法定名为"电子交易法"，这并不是一种巧合，而是有其道理的。电子商务法主要调整以数据电信为交易手段而形成的以交易形式为内容的商事关系。从一定意义上说，它具有程式性的特点，所以必须同其他相应的商事法律配合，以调整具体的电子商务法律关系。

（2）电子商务法将在 21 世纪的商事法中占主导地位。随着电子通信与计算机技术的飞速发展和广泛应用，电子商务法将在商事法领域起着越来越重要的作用。毫不夸张地说，21 世纪将是一个以电子商务法占商法的主导地位的时代，这一断言绝非夸大其词。对此，不仅可从电子商务技术应用与市场的迅猛发展中，察觉到其巨大的动力，而且可从国际组织和世界各国的异常活跃的电子商务法中，找到确凿的论据。瞻望前途，电子商务法将随着电子商务活动的发展，渗透到每一个社会关系中，发挥其不可替代的重要作用。

1.2.5　电子商务法的调整对象与范围

1. 电子商务法的调整对象

任何法律部门或法律领域，都以一定的社会关系为其调整对象。电子商务法作为新兴的商事法律制度概莫能外。在以口头和传统书面为主要商事交易手段之时，交易形式问题并没有成为商法独立的调整对象，而是由程序法中的证据制度来解决，并且只是在当事人就该类问题发生纠纷、不能自行处理、提交法院或仲裁机构时，才适用这些规范。因为在口头和传统书面条件下，交易形式问题相对简单，当事人之间因交易形式的选用，所产生的权利义务关系一目了然，没有必要由专门的法律对之进行调整，但是，随着电子计算与通信技术的发展，及其广泛地商业化应用，商事交易形式问题变得越来越多样性、复杂化，已经到了必须由专门的法律规范对之调整的地步。私法之所以调整这种因数据电信的使用而引起的商事关系，就是因为现代化商事交易手段的运用，已经形成了绝大部分重要的商事关系中不可分割的部分。无论是证券交易、票据流通、公司的运作，还是银行、保险、投资等行业的营业，都丝毫不能离开数据电信手段，以产生实体交易法律关系。特别是随着因特网的广泛应用，甚至将会出现如果不以专门的电子商务法来对之进行调整，就可能严重阻碍商事关系发展的情况。也就是说电子交易形式关系，已经成为必须由法律调整的重要的社会关系。这是电子商务法产生的重要原因之一。

通常，人们在描述某一法律部门或领域的概念时，往往免不了要提及其特定的对象。实际上前面在解释电子商务法的基本含义时，已经涉及电子商务法的调整对象问题。本书认为，电子商务法是调整以数据电信为交易手段而形成的以交易形式为内容的商事关系的规范体系。也就是说，以数据电信为交易手段而形成的以交易形式为内容的商事关系，就是电子商务法调整的对象。

数据电信本来是一个计算机通信方面的专业术语，简单地说就是电子信息的总称，但在电子商务法中它有着特定的含义。联合国国际贸易法委员会在《电子商务示范法》中所给"data message"的定义是："就本法而言，数据电信是指以电子手段、光学手段或类似手段生成、发收或储存的信息，这些手段包括但不限于电子数据交换、电子邮件、电报、电传或传真"。当以数据电信为交易手段，即为无纸化形式时，一般应由电子商务法来调整。

电子商务是一个内涵十分丰富、外延非常广泛的概念，而狭义的电子商务法的任务是，在电子通信技术的商业化应用上，建立一个使之顺畅运行的法律平台，亦即要从法律上造成一个使各种通信技术，都能畅通无阻地应用于其中的商事交易活动的环境。它本质上是电子网络精神在法律上的实现。从广义上来理解，电子资金传输、电子化的证券交易等，都属于电子商务关系，但这些具体的商事交易关系，却并不单纯由狭义的电子商务法来调整，而同时亦属于证券法、金融法的调整范围。因为这类关系中的数据电信，并不是仅仅作为交易手段而应用的，它同时也表现为证券、货币等交易标的，即是作为交易内容而应用的。

电子商务法是商法在计算通信环境下的发展，是商事法新的表现形式，它必然以商事关系为其调整对象，但是该种商事关系又有以下一些特点：

（1）它是以数据电信为交易手段的商事关系。换言之，凡是以口头或传统的书面形式所进行的商事关系，都不属于电子商务法的调整范围。

（2）它是由于交易手段的使用而引起的，一般不直接涉及交易方式的实质条款。因为交易手段只是交易行为构成中的表意方式部分，并非法律行为中的意思本身，亦不充当交易标的物。

（3）它并不直接以交易的标的为其权利义务内容，而是以交易的形式为其内容，即因交易形式的应用而引起的权利义务关系。诸如对电子签名的承认、对私用密钥的保管责任等，均属此类。

需要说明的是，任何分类都是相对的。当数据电信既作为交易手段又成为交易内容时，这种狭义电子商务法调整对象的确定，就显得不够准确，甚至是很别扭了。此时，电子商务交易中的对象与手段在数据电信上似乎合而为一了。即便是在这种特殊情况下，狭义电子商务法的概念也仍然是有用的，因为作为交易手段的数据电信的规范方法，它与作为交易对象的电子信息的规范制度，是有区别的。

2. 电子商务法的适用范围

（1）从交易手段上观察。电子商务法的适用范围，就是以数据电信所进行的、无纸化的商事活动领域，换言之，仅仅是以口头或传统的书面形式所进行的商事活动，都不属于电子商务法调整的范围。随着电子通信技术的日益发展与创新，以及电子商务活动的多元化发展，电子商务法的适用范围，也将越来越广。

联合国国际贸易法委员会《电子商务示范法》第一条规定："本法适用于在商务活动方面使用的、以一项数据电文为形式的任何种类的信息。"在其《电子商务示范法实施指南》中又解释道：电子商务是"无纸化的"贸易形式，也就是说，电子商务法是适用于"无纸化"贸易关系的，然而，无纸化是相对于纸面形式的交易活动而言的。如果以有无纸面来判断电子商务活动的话，那么口头交易也是无纸化的，这种划分方法，虽然形象、明白，但不够严密。倒是用数据电信来解释电子商务法的适用范围更为贴切。美国《统一电子交易法》第三条 A 款规定："……本法适用于与任何交易相关的电子记录与电子签名。"韩国《电子商务基本法》第三条则规定："本法适用于所有使用电子信息进行的买卖或交易。"数据电信只不过是电子信息、电子记录、电子签名的上位概念。

（2）从行为主体上考察。一般而言，电子商务法作为商法的分支，应调整平等主体的当事人之间的交易关系。无论是商人（商事主体）之间的电子商务关系，还是商人与非商人（通常指消费者）之间的电子商务关系，都应属于电子商务法的适用范围。就目前而言，商人之间的电子商务关系较为普遍，这是由于此类主体较早、较多地占有了电子商务资源的缘故。所以，有关的"EDI 协议"等，都是为他们而量身定做的。随着电子商务应用的不断普及，将有大量的商人与非商人之间的电子商务交易关系发生。电子商务法针对此种关系，可能要考虑到消费保护的问题。事实上，欧盟、韩国等已经在其电子商务法中，充分注意了这一问题。

值得斟酌的是，商人与政府之间的有关商事管理活动，是否属于电子商务法的适用范围。美国许多州的电子商务法，都将这部分关系纳入了电子商务法的范畴，而联合国国际贸易法委员会的《电子商务示范法》，则明显将这类活动排除在电子商务法的范围之外。如果以商品交易法的观点来观察，这些商事管理活动，并不是典型的电子商务交易活动，应当划归其他的法律部门调整。当然，这并不是说不能在同一部电子商务法规中有所规定，相反，为了立法和执法上的方便，很可能将两类不同性质的法律规范，交叉规定在同一部法律里，这种情况在现代立法中并不鲜见，不过，在理论上应当分清二者的性质。

1.3　电子商务法立法概况

1.3.1　电子商务法产生的必然性

1. 传统法律的发展存在的障碍

传统民商事法律对电子商务的发展构成的障碍主要有三种情况。

（1）法律规则的缺位。这体现在基于纸介质的传统法律规则对合同和其他文件的"书面形式"、"签名"以及"原件"、"保存"等的要求，数据电文的合法性及其效力没有法律上的依据。

（2）法律规则的模糊。这体现在现行程序法及证据规则对待数据电文的证据力及其可执行力的不确定性，电子合同是作为书面证据还是其他类型的证据，如果作为书面证据，是否承认其作为"原件"的性质，等等，都还没有明确的界定。

（3）法律规则不协调。这体现在合同成立的时间、地点上的不同规定。在传统商务环境中，这种不协调可以通过冲突规则等予以缓解或在某种程度上予以解决，而在电子数据的发送、传输情况下，规则不协调的冲突与矛盾又一次显现出来。

正是由于这样一些法律障碍，使人们难以建立起对电子商务的信心，而信心的缺乏则严重制约了电子商务的普及和运用。

2. 电子商务法产生的必然性

电子交易具有不同于传统交易的法律上的表象。为了保证其规范和有序进行，法律必须做出相应的调整，从而消除传统民商事法律对电子商务运作构成的障碍。

就电子商务交易形式法律制度而言，由于数据电文在商事交易中的运用，特别是互联网这一开放性商事交易平台的建立，对商事法律关系带来了一系列新问题。为解决这些特殊问题而形成的区别于传统商事交易制度的特有的电子商务法律制度：①数据电文法律制度；②电子签名的法律效力问题；③电子认证法律制度。这些法律制度所解决的问题，实际上就是如何在互联网上建立起商事交易的法律平台。

总之，电子商务立法已成为我国立法机关和法学理论界共同面临的亟待解决的问题。

相关背景

2010 年两会期间，全国人大代表、广东移动公司董事长徐龙建议制定《中华人民共和国电子商务法》以加速国民经济信息化进程。

提案中，徐龙指出：近年来，我国网民规模出现了井喷式增长，根据中国互联网络信息中心（CNNIC）统计，截至 2009 年 12 月，我国网民规模已达 3.84 亿，互联网普及率稳步提升，达到 28.9%；手机网民也已达到 2.33 亿，占 60.8%。随着网民规模的发展和壮大，我国电子商务市场规模也迅速增长，根据商务部网站数据，2009 年我国电子商务市场规模已超过 3.5 万亿元，比 2008 年增长了 48.5%。电子商务的快速发展，大大加快了我国国民经济信息化进程。

在高速发展中，我国的电子商务面临前所未有的发展机遇，但也存在着许多急需解决的突出问题：

（1）与发达国家相比，我国电子商务仍处在起步阶段，还存在着标准不统一、平台建设滞后、应用范围不广、安全性不够、诚信度不高等问题，比如：在网上购买了 A 品牌剃须刀，但实际收到 B 品牌产品；在进行电子支付时卡号和密码被盗，遭受重大经济损失；因网上购物时留存的手机号、电子邮箱等个人信息泄露，而遭受推销广告等垃圾短信、垃圾邮件频繁轰炸；某网站原本推出客户凭购物订单号参加奥运竞猜活动，但不久该网站在未做任何说明的情况下将竞猜相关链接全部取消等。

（2）相对于电子商务快速发展的现实情况，我国电子商务立法明显滞后，目前没有统一系统的电子商务法来规范电子商务行为，已制定的电子商务相关法规也存在效力层级不高、体系不清、内容不全等突出问题，无法有效对电子商务实践中存在的突出问题进行引导和规范。如果不及时出台电子商务法，不仅上述棘手的问题得不到解决，而且还会使问题更加复杂、积重难返，容易导致电子商务市场处于无序混乱状态，严重制约我国电子商务快速健康发展。

基于现实发展问题，徐龙提出：我国迫切需要尽快制定统一系统的《中华人民共和国电子商务法》。

对徐龙的建议，阿里巴巴等国内电子商务龙头企业均表示大力支持。阿里巴巴方面表示，国内电子商务方面的法律法规不健全，对电子商务的发展确实存在一定的制约。"如网络创业对于个人创业者来说，门槛低、经营方式灵活、市场前景广阔，是现阶段解决就业创业问题的很好方法，但在电子商务网络创业扶持方面，我国还缺乏相应的法律政策的支持。这造成网络创业的社会认知度不够，创业者相应法律地位缺乏，直接影响了人们网络创业就业的积极性。"

阿里巴巴相关人士表示，徐龙提到的网购诚信、支付安全等问题也一直是淘宝网和支付宝最关注的问题。阿里巴巴坦承，支付宝的出现也是企业在没有相关社会法律保护情况下推出的服务，但随着电子商务发展到今天的规模，仅仅依靠企业的自律和规范已经不能满足整个中国电子商务发展的要求。制定体系清楚、高法律效力的电子商务法对推动中国电子商务的发展至关重要。此外，网络开店涉及工商、税务等方面，而支付方面，电子支付则受到中国人民银行的监管。所有相关业务发展问题，都呼唤相关法律法规的出台。

资料来源：http://news.qq.com/a/20100324/001424.htm 2010 年 03 月 23 日。

1.3.2 我国电子商务立法的现状

1. 我国电子商务立法现状

电子商务将成为我国经济增长的新动力，为了适应电子商务的发展，我国政府已经着手解决电子商务的有关法律问题，虽然还没有出台专门的电子商务法，但也对一些法规做了一定的修改，并出台了一系列网络管理的规则，把电子商务初步纳入健康的发展轨道。从世界范围来看，我国的电子商务立法滞后于世界上电子商务发展较快的国家。

2005 年 4 月 1 日正式实施的《中华人民共和国电子签名法》（以下简称《电子签名法》）是我国信息化领域的第一部法律。这部法律为电子商务和电子政务的发展创造了良好的法律环境，同时也为电子认证服务业的发展提供了法律保障，为我国电子商务安全认证体系和网络信任体系的建立奠定了基础。近年来，我国电子商务和电子政务应用得到迅猛发展，促进了商务和政务活动的展开。与此同时，传统商务和政务环境下电子商务和电子政务的发展也遇到了法律障碍。《电子签名法》通过确立电子签名法律效力、规范电子签名行为、维护有关各方合法权益，在法律制度上保障了电子交易的安全，是我国信息化立法的一个突破。

（1）司法和行政管理体系迅速完善。经过多年的工作，我国在电子商务行政管理方面，安全保障体系建设也已初见成效，与电子商务安全法律法规体系相配套的标准体系建设、应急处理体系建设、等级保护体系建设、电子认证体系建设、安全测评体系建设、计算机病毒疫情调查和控制体系建设以及违法和不良信息举报制度建设等都得到较快的发展，为电子商务做出了贡献。

（2）目前法律规定中法律少而规章等偏多，缺乏基本法。虽然可以说目前我国电子商务法律体系已初步形成，但还很不成熟，在这一体系中，部门规章、地方法规及规章等占了绝大多数，而法律、法规只占到 65 部中的 8 部，为 12%。部门规章、地方法规及规章等效力层级较低，适用范围有限，相互之间可能产生冲突，也不能作为法院裁判的依据，直接影响了这些措施的效果。

（3）相关法律规定篇幅偏小，行为规范较简单。

（4）相关的其他法律有待完善。

2. 中国电子商务的法律法规概况

（1）电子商务的法律法规。1989 年发布的《计算机病毒控制规定（草案）》，开始推行"计算机病毒研究和销售许可证"制度。1991 年 5 月，国务院通过《计算机软件保护条例》，对保护计算机软件设计个人权益，鼓励计算机软件的开发与流通，促进计算机应用事业的发展起到一定作用。1994 年 2 月 18 日，国务院发布《中华人民共和国计算机信息系统安全保护条例》，为保护计算机信息系统的安全，促进计算机的应用和发展，保障经济建设的顺利进行提供了法律保障。公安部据此于 1997 年 12 月发布《计算机信息网络国际联网安全保护管理办法》，2000 年 4 月发布《计算机病毒防治管理办法》，加强计算机病毒的预防和治理。

为了加强金融机构计算机信息系统安全保护工作，公安部、中国人民银行于 1998 年 8 月 31 日颁布了《金融机构计算机信息系统安全保护工作暂行规定》。1999 年 10 月 7 日国务院颁布《商业密码管理规定》，为了加强商用密码管理，保护信息安全，保护公民和组织的合法权益，维护国家的安全和利益，而对简用密码的科研生产、销售使用和安全保密等做出管理规定。

2000 年 1 月 1 日国家保密局发布《计算机信息系统国际联网保密管理规定》，从遵守《国家保密法》的基础出发，对计算机系统国际联网中的有关保密制度、保密监督等做出规定。

（2）有关网络与域名管理方面的立法。1996 年 2 月国务院发布的《中华人民共和国计算机信息网络国际联网管理暂行规定》开始涉及互联网的管理，提出了对国际联网实行统筹规划、统一标准、分级管理、促进发展的基本原则。

2000 年 12 月 28 日，第九届全国人民代表大会常务委员会第十九次会议通过《全国人民代表大会常务委员会关于维护互联网安全的决定》，规定对一些危害互联网运行安全，危害国家和社会稳定，破坏社会主义市场经济秩序和社会管理秩序，侵犯个人、法人和其他组织的人身、财产等合法权利等行为，构成犯罪的依照刑法追究刑事责任，违反其他法律、行政法规，尚不构成犯罪的，依法给予行政处分或纪律处分。

2002 年 8 月信息产业部发布《中国互联网络域名管理办法》，该办法对于保障中国互联网络域名系统安全运行，规范中国互联网络域名系统管理具有极为重要的作用。

（3）其他法律中涉及电子商务的规定。1999 年 3 月我国颁布了新的《中华人民共和国合同法》（以下简称《合同法》），在合同形式方面大胆地吸收了数据电文形式，并将之视为书面合同，这为电子合同的推广应用以及为今后的电子商务立法奠定了基础。《合同法》第十一条明确了数据电文为合同书形式："书面形式是指合同书、信件以及数据电文（包括电报、电传、传真、电子数据交换和电子邮件）等可以有形地表现所载内容的形式。"第十六条和第三十四条分别规定了采用数据电文形式订立合同的成立时间和地点。

新《著作权法》中的"信息网络传播权"，已明确了作品通过网络传播在著作权中的基本定位，使得电子商务的三个根本元素——物流、资金流、信息流的法律地位得到了相当程度的确认。

3. 电子商务法律法规的建设

2004 年 8 月 28 日，《中华人民共和国电子签名法》由第十届全国人民代表大会常务委员会第十一次会议通过。

2005 年 10 月 26 日，中国人民银行正式颁布了《电子支付指引（第一号）》，这是一次试图解决电子商务中的支付软肋，并将电子商务指向正途的一次尝试。

2006 年 1 月 26 日，银监会发布的《电子银行业务管理办法》和《电子银行安全评估指引》于 2006 年 3 月 1 日起施行。

1.3.3   我国电子商务立法中存在的问题

（1）我国尚未形成完善的电子商务法律体系。为了调整电子商务环境中的各种矛盾、规范管理秩序，各部门已经或者将要制定相应的法规或规章。由于在立法实践中，缺乏纵向的统筹考虑和横向的有效协调，特别是行政法规或部门规章的牵头起草制定部门出于自身工作的考虑，忽视了其他相关部门的职能及相互间的交叉等问题，致使出台的法规和规章虽然数量不少，但内容重复交叉，难以形成体系性的法律法规。

我国的这种现状，一方面造成部门间更多的职能交叉，协调难度也随之加大，影响了整体的执法效果；另一方面在一定程度上造成了法律资源的严重浪费，同时也说明了我国现行的电子商务法律基本上还处于法规规章的层次上，在法律层面上的电子商务立法还比较少，而且很不完善。

（2）法律结构不具开放性和兼容性。我国的法律结构比较单一、层次较低，难以适应信息网络技术发展的需要和不断出现的电子商务问题。

（3）可操作性差。我国的电子商务法律中就存在难以操作的现象。

1.3.4　电子商务立法的完善

对电子商务立法完善主要有两种：

（1）制定新的立法，这方面的立法主要是涉及电子商务交易形式的狭义电子商务法，最典型的是关于数据电文效力、电子签名法、电子认证等方面的立法。目前，我国应该尽快制定这种狭义上的电子商务法。

（2）对传统法律进行修改、补充，比如对法律适用和管辖规则加以修改，以适应对网络案件的管辖和审理。我国应当系统地清理阻碍电子商务法律的现行法律法规，使得电子商务法形成一个比较完整的体系。

总之，电子商务法并不是一套完全取代过去法律的规则，而是在现行法律基础上建立的适应网络环境的特殊规则。

【本章小结】

电子商务法是调整政府、企业、个人以及其他组织等行为主体通过电子化通信方式所产生的商业行为以及由此引发的相关问题的法律规范的总和。电子商务法的对象为在线商业行为及其所形成的商事法律关系。《电子签名法》是我国第一部真正意义的电子商务法，是我国电子商务发展的里程碑。

【复习与思考】

1. 简述电子商务的发展历程及发展中存在的问题。
2. 试述我国电子商务发展现状及趋势。
3. 试述电子商务法产生的必要性。
4. 查阅相关资料，比较国外电子商务法立法，思考对我国立法的借鉴意义。

第2章

电子商务交易主体法律制度

应娟利诉亿贝易趣网络信息服务公司服务合同纠纷案

原告应娟利与被告亿贝易趣网络信息服务（上海）有限公司因服务合同发生纠纷。原告应娟利诉称：2004 年 10 月，原告通过被告的网站竞拍由网名为"我想有个家1"的卖家提供的三星 YP520H 型号的 MP3。10 月 21 日，原告收到被告的成交通知。原告随后根据被告提供的资料与卖家进行联系。10 月 22 日，原告在嘉兴市农业银行向卖家"我想有个家1"汇付了 1 092 元的 MP3 货款。货款汇出后数日仍未收到 MP3。11 月 3 日，原告正式向被告传真了投诉书，请求被告帮助原告追回该笔货款。11 月 24 日，原告向被告传真了一份法律函，要求被告承担责任，然被告未做正面答复。

原告认为，被告作为网络交易的平台，在本案中理应承担相应的法律责任；被告注册协议中的免责条款无效；被告的交易规则存在严重的安全漏洞，被告未尽到"谨慎注意义务"，故请求判令被告双倍返还原告已付的货款 1 092 元。被告亿贝易趣网络信息服务（上海）有限公司辩称：被告提供的是网络信息的交流平台，并不参与交易。原告在注册成为被告的用户前应仔细阅读注册协议并予以认可后，方能注册成为用户。协议中的免责条款作为合同的一部分是双方真实意思的表示，具有法律效力。原告在网上以"一口价"的方式竞拍成功网上用户名为"我想有个家1"、网上姓名为张旭的卖家提供的 MP3，但原告根据被告提供的电话号码与卖家联系后，实际是以 156 元成交的，且原告在获悉卖家的银行户名为何金海而非张旭时仍将货款汇出，由此造成的损失应由原告自行承担，故请求驳回原告的诉讼请求。

法院经审理查明，亿贝（eBay）易趣购物网（以下简称易趣网）为被告经营的交易网站。2004 年 8 月 10 日，原告在阅读并接受易趣网的《用户协议》后注册成为易趣网的用户。《用户协议》约定：易趣网不参与实际交易，如买卖双方发生争议，易趣网免责。2004 年 10 月，原告通过易趣网竞拍由网上用户名为"我想有个家1"的注册卖家提供的三星牌 YP520H 型号的 MP3 播放器（以下简称三星播放器）。2004 年 10 月 21 日原告以一口价方式，即每台人民币 1 元的价格竞拍三星播放器成功，并收到被告成交的通知。原告通过易趣网获悉物品提供者是案外人天津卖家张旭，以及张旭的电话号码、电子邮箱的地址。之后，原告称其与张旭电话联系，约定张旭以每台人民币 156 元的价格向原告出售 7 台三星播放器；履行方式为款到发货；银行户名为另一案外人何金海；账号为中国农业银行 95599××××××××3913。2004 年 10 月 22 日，原告根据张旭告知的上述银行户名及账号，通过中国农业银行向何金海汇付了 7 台三星播放器的全部货款人民币 1 092 元。货款汇出后至今，原告未能按约定收到三星播放器。2004 年 11 月 3 日，原告向被告发出投诉书，要求被告尽快与案外人取得联系，拿出解决问题的可行性方案，案外人至少应退回全部货款。原告还要求被告对案外人做出严厉的处罚，建议将案外人从易趣网上除名，同时建议就案外人盗用他人名义进行交易一事上报天津市公安机关。

2004 年 11 月 24 日，原告再次向被告发函，表示对被告就投诉所做的回复不予接受，要求被告双倍返还原告已付的全部货款 1 092 元，因遭被告拒绝而涉讼。以上事实，有原告提供并出示的成交通知、中国农业银行银行卡存款凭条回单、投诉书、法律函；有被告提供并出示的易趣网《用户协议》、原告在易趣网的注册信息、原告以一口价方式所购买的物品页面、原告投诉信及附件、被告的回复等证据所证实。

法院认为，依法成立的合同受法律保护，对签订合同的各方当事人具有约束力。原告在被告经营的网站以网上竞标的方式竞拍的三星 MP3 播放器是发生在原告与案外人张旭之间的交易，而原告实际与案外人交易时，合同的当事人及成交的货物价格、数量均发生了变化。显然是两个不同的交易行为，且原告也未提供证据证明后一个交易行为是通过被告提供的交易平台实现的，故该交易行为与被告无关。此外，原、被告之间不存在买卖合同关系，原告最终是向案外人汇付了全部货款，被告始终没有收到过货款，故对原告要求被告双倍返还货款的诉请法院难以支持。据此，依照《中华人民共和国合同法》第 8 条、第 52 条、第 53 条之规定，判决如下：原告应娟利要求被告亿贝易趣网络信息服务（上海）有限公司双倍返还原告已汇付的货款 1 092 元之诉，不予准许。案件受理费人民币 97 元，由原告应娟利负担。

资料来源：《电子商务法规》，作者：尹衍波。

电子商务网站是电子商务运营的基础，在电子商务环境下，交易双方的身份信息、产品信息、意思表示（合同内容）、资金信息等均需要通过交易当事人自己设立的网站或其他人设立的网站发布、传递和储存。必须加强对网络服务提供商的管理，规范电子商务网络服务提供商的法律责任是电子商务法的首要任务。

2.1　电子商务交易主体

2.1.1　网上企业交易主体的认定

1. 网上企业交易主体

在网络上进行交易的主体，包括直接参与交易的当事人和为交易提供服务的第三人。网上交易的当事人是直接通过网络缔结合同并享有和承担合同所确定的权利和义务的主体，如买卖合同中的买方和卖方。现实中的自然人、法人和其他组织均属于这类主体。另外，网络交易中还要涉及相关交易平台、资金支付、货物配送、身份认证等第三方服务，这些服务为交易的顺利进行提供了可靠的保障，同时也间接参与了网上交易。正常情况下，网上交易的直接当事人，如企业或其他组织与银行等金融机构、认证机构及货物配送机构等很容易区分，而与网上交易平台的提供者却十分容易混淆。因为对于进行网络交易的一般当事人来说，仅通过网络有时难以确定谁是服务者谁又是交易者，而把二者混称为网上企业交易主体。

2. 网上企业交易主体认定的复杂性

网上交易企业的认定就是认定交易合同的当事人双方，如在买卖合同中，就是要认定合同的买方与卖方。交易主体的认定问题存在于一切交易活动中。例如，在现实交易中，必须防止交易一方假冒他人名义或以一个不存在的主体名义参与交易，导致交易落空。而在网上交易中，交易的远程性及主体形式的虚拟性增加了交易的风险，主体的认定比现实交易中主体的认定更为复杂：第一，网上交易当事人之间经由网络订立合同，双方并无实际的接触，这为交易主体的判定增加了难度；第二，网上交易主体往往以网站或主页的形式出现，此虚拟形态的企业在现实中是否真实存在，必须加以判定。

根据交易平台经营者在交易中的地位或作用，网上交易可以分为两种模式：一种是直接销售模式；另一种是间接（中介）销售模式。网上交易的直接模式就是在网上开设独立的门面对外进行交易，其前提条件是企业设立交易网站独立地对外进行交易。在这种模式下，消费者与商家之间直接见面或联系，并由此建立交易法律关系，通常不易引起混淆。因为登录该企业网站就如同进入该企业的大门，与该企业进行网络谈判，订立电子合同，消费者可以确信自己是与该企业进行交易。中介模式是指交易双方都没有自己的网站或不是通过自己的网站，而是在他人网站所提供的交易平台上进行交易，典型的如网上商品交易中心及拍卖中心。中介模式下，交易平台提供者与交易主体可能发生混淆。另外，由于登记不详细、公示不清楚、管理不善等多方面原因，也会增加主体判定的复杂性。

3. 网上企业交易主体认定的基本原则

一般认为，判断网上交易的合同主体应当遵循以下 3 个基本原则。

（1）民事主体真实原则。民事主体真实原则，即民事法律关系的主体必须是真实存在的，而不应当是"虚拟"的或不存在的。例如，某人捏造某有限责任公司的存在，并伪造营业执照等相关证明文件，进而以该公司的名义与他人进行交易。在这种情况下，该公司就不是真实存在的交易主体。

（2）民事主体资格法定原则。民事主体资格法定是民法的一个基本原则，即哪些主体可以参与民事法律关系，享有民事权利和承担民事义务都由法律规定。民事主体资格法定突出地表现在商事主体法定上。在我国，凡从事营业或以企业或商事主体身份从事商事交易，必须获得企业登记；不具有法人资格的独资企业、合伙企业或其他营业主体（如分支机构），只要取得营业执照或进行营业登记，也可以具有从事商事交易的主体资格。从民法的角度看，只要获得营业执照，即可认定为具有参与民事法律关系的主体资格（即权利能力）。

（3）主体公示原则。法律所承认的民商主体具有一个共同的特征，即都有自己的名称。例如，自然人有自己的姓名，而公司、合伙、个人独资企业在成立时也必须具备自己的名称。名称最主要功能是区别交易主体，不同的名称即视为不同的主体，以谁的名义缔结合同，谁即是合同的当事人。这种区分的作用事实上也就是公示的作用。网上交易中，网络好比一层面纱，会将当事人模糊化。而主体公示就是要将网络这一层面纱揭开，指明真实的主体。一般认为，应当由网上交易主体公开其对应的现实社会真实的主体身份及其相关资料，来达到公示的目的和效果。例如，公司准备设立一个网站专门从事网上交易行为，那么该公司应当在其主页上对自身的身份及相关资料予以公示。

4. 网站与网站设立人

网上交易中，网站起着不可替代的作用。很多企业或个人设立了自己的网站，并通过网站进行网上交易。还有一些网站，为企业和消费者提供了诸如网上贸易中心或拍卖中心等网上交易平台，企业和消费者可以通过这一平台进行网上交易。在实践中，人们常常谈到网站与用户的关系或网站的责任问题等，那么网站是不是一个独立的民事主体呢？事实上，网站只是网络中的一个站点，包括相关硬件、软件和储存的信息，法律不可能承认其法律主体的地位；而网站设立人是投资设立网站的自然人、法人或其他主体，均是法定的民事主体。因此应将网站看做是网站设立人的经营场所，无论网站与哪一主体发生了法律关系，其实都是网站设立人与对方主体发生的法律关系。

如果企业设立了网站并进行网上交易，此时该企业往往就是网上交易的一方当事人。如某一网站只是作为网上交易的平台，那么网站设立人一般只是网上交易的服务提供者，而非网上交易主体，通过这一平台发生直接交易关系的企业或个人才是网上交易主体。但是也有例外：一个网上商店设立人未将自己的真实姓名告诉交易相对人，平台提供者也未能提醒消费者，那么中介网站可以被推定是网上交易的当事人；如果平台提供者与网上商店设立人之间是合伙关系，则平台提供者也是网上交易的当事人。

2.1.2　网上企业交易主体的登记与公示

在网络环境中，企业从事网络经营或网上交易，往往是通过网站或网页反映其存在的，至于其是否真实存在并不能给人以直观的认识。因此，如何确保网上企业交易主体的真实性就成为保障网上交易安全的一个重要问题。为了保障网上企业交易主体的真实存在，可以通过两种方式来实现：①企业登记，凡是以企业名义从事网络经营或网上交易的企业，应当进行工商登记，取得营业执照；②网上企业的公示，指网上企业应当公开其对应的现实社会真实的主体身份及其相关资料。

1. 企业登记

不管是传统企业设立经营性网站，还是新型网络企业设立经营性网站，均必须进行企业登记。

（1）新设企业的登记。根据《中华人民共和国电信条例》和《互联网信息服务管理办法》的规定，经营性网站的设立不仅需要获得网络信息服务的许可，而且也要办理企业登记。这里的经营性网站只包括网络服务提供者，而不包括一般性企业网站。也就是说，新设企业从事网络服务或以网络为平台从事电子商务，必须按照上述两部法律法规办理企业登记手续。

（2）已经设立的企业从事网上交易的登记。已经取得营业执照的企业设立网站，从事网上交易一般不需要办理营业登记，因为网上企业或网站并没有异于现实企业的主体资格。不过可以考虑令其进行变更登记，将增加的新型营业方式，即网上交易记载于登记簿中。

2. 从事网上经营活动企业的公示

凡是设立网站从事电子商务或从事网上交易的，必须在网站上公示企业注册信息，以表明其是真实存在、合法有效的企业。这就是网上交易企业的公示制度。我国目前尚没有统一的关于网上交易企业公示的法律制度，但对于电子商务发展较快的省市，如北京、上海、江西等，都出台了地区性法规以规范当地的网上企业交易主体的认定。

（1）北京市网上交易企业的公示制度。北京市于 2001 年 9 月 1 日正式出台了《经营性网站备案登记管理暂行办法》（以下简称《备案登记办法》）。《备案登记办法》第二条规定：经营性网站备案登记实施全国统一备案登记。根据《备案登记办法》，凡是企业设立的网站或网站的设立人之一为企业及利用网站开展以营利为目的的经营活动的，均须向备案登记主管机关（即北京市工商管理局）申请备案登记，领取《经营性网站备案登记证书》，并在其网站首页安装备案登记电子标识。网站备案登记由网站所有者提出申请，按照备案登记主管机关的要求如实填写并提交有关文件及证明材料。其中有两个较为独特的地方。其一，要求网站的经营范围应当与网站经营者的经营范围一致。也就是说，网站所有者须有相应的经营范围，否则须办理企业变更登记（经营范围变更）。而个人设立经营性网站的，应先办理有关工商登记手续，领取营业执照（事先有个体工商户营业执照的，其范围一致的，不需要）；如果本办法颁布前已经开办经营性网站的，应当补办营业执照手续。这就是经营性网站设立人必须具有营业执照，且执照的经营范围与网站一致。其二，经营性网站应在办理备案登记的同时申请网站名称注册，经登记核准，取得《网站名称注册证书》。备案登记的内容包括网站基本情况和网站所有者基本情况。网上经营行为登记备案、主要事项备案通过互联网进行，完成后向网站所有者颁发《经营性网站备案登记证书》，编制网上经营行为备案代码并通过互联网提供备案标志，该网络经济组织应在其网站首页设置备案标志。这种标志被称为电子版营业执照，单击某网站首页上的"工商"电子标志，可以浏览到它的登记备案资料。

（2）上海市网上交易企业的公示制度。上海市工商管理局以行政规范性文件发布了《上海市营业执照副本（网络版）管理试行办法》（以下简称《试行办法》，2000 年 9 月 1 日实施），探索对网上经营主体和经营行为进行管理的"上海模式"。根据《试行办法》第二条，营业执照副本（网络版）是指由工商行政管理部门颁发的营业执照的电子数字证书，是在互联网上确认经营主体资格的证明文件。凡是在上海市登记注册、利用互联网从事经营活动的企业和个体工商户，如果要从事网上经营活动，必须申请和使用营业执照副本（网络版）。对于新设互联网企业和个体工商户，在办理营业执照时，同时发给营业执照网络版；已设企业或个体工商户新增在线经营业务的，要进行经营范围的变更登记，经核准变更登记注册，同时核发营业执照副本（网络版）。营业执照副本（网络版）记载营业执照正本中的主要登记记载事项和以下事项：自营网站的域名或者委托上传交易信息的网站的域名；前项中的有关网站的 IP 地址；已取得可以从事相关商品及服务的许可证及有效期；营业执照副本（网络版）的有效期。

由此可见，营业执照副本（网络版）只是普通纸面营业执照的电子版，它与传统营业执照没有什么区别，只是从事网上交易企业公示其合法主体资格的手段，而《试行办法》规定了公示要求。其一，凡领取营业执照副本（网络版）的企业和个体工商户应当依法使用。凡有独立域名，并在互联网上设立网站从事经营活动的企业和个体工商户，应当在网页显著位置公示指定的营业执照副本（网络版）专用标识。其二，凡接受委托，在自己的网站上为他人提供交易平台，上传交易信息的企业，应当在网站内设置公示委托人营业执照副本（网络版）标识的网页，并在网站主页醒目处设置链接窗口。总之，通过公示营业执照网络版，以达到公示网上企业经营者的目的。

（3）江西省互联网上经营主体的公示制度。江西省工商局为服务于网络经济的发展要求，提高互联网上经营主体的信用程度，以利于其开展电子商务，制定实施了《江西省互联网上经营主体登记后备案办法（试行）》（2005 年 9 月 10 日起施行，以下简称《备案办法》）。根据《备案办法》第二条，凡是在江西省内各级工商行政管理机关登记注册，利用互联网从事以营利为目的的经营活动的各类企业和个体工商户，自愿办理备案的（以下称备案申请人），依照本办法免费办理备案。也就是说，办理备案登记的必须是已经在相关工商行政管理机关注册登记的各类企业和个体工商户。《备案办法》中所称的利用互联网从事以营利为目的的经营活动是指在互联网上自行设立网站或利用他人网站，上传有关经营信息资料及发布相关网页，自己从事或帮助他人从事营利性的经营活动，包括利用自办网站或他人网站进行网上交易的；利用自办网站为他人网上交易提供交易平台或其他服务的；利用自办网站或他人网站发布广告或其他商业信息的；其他利用互联网进行的以营利为目的的活动。根据《备案办法》规定，备案申请人依照本办法规定，向备案机关（省、市、区工商行政管理局）申请，提交有关文件和证明材料（以下称备案材料）。备案机关负责受理备案申请，审查备案申请人提交的备案材料，向备案申请人的登记管辖机关核实其登记注册基本情况，通过省工商行政管理局网站或区市工商行政管理局网站颁发《互联网上经营主体备案证书》及网页标识，发布备案公告；负责撤销备案，收回《互联网上经营主体备案证书》及网页标识，发布撤销备案公告。这里所称的《互联网上经营主体备案证书》是指由备案机关颁发的，在互联网上确认网上经营主体身份的电子数字证书。该证书分为普通类和特殊类。普通类证书适用于利用他人网站从事以营利为目的的经营活动的企业或个体工商户；特殊类证书适用于自办网站从事或帮助他人从事以营利为目的的经营活动的企业。备案申请人需要提交的备案材料有：①营业执照复印件；②互联网上普通类经营主体备案申请表；③互联网上特殊类经营主体备案申请表；④网页设计、制作、发布合同（或协议）复印件；⑤《增值电信业务经营许可证》复印件；⑥域名登记证复印件；⑦互联网接入服务合同（或协议）复印件；⑧有关网络管理人员的身份证复印件；⑨其他依照国家法律、法规规定利用互联网从事以营利为目的的经营活动，进行企业或个体工商户登记注册时应当前置行政审批的，提供相关许可证明复印件。

另外，《备案办法》还规定了经营范围的规范用语，即利用他人网站从事以营利为目的的经营活动的企业或个体工商户，登记管辖机关在为其办理登记注册，核准其经营范围时应使用"网上经营××商品"或"网上提供××服务"的规范用语；自办网站从事或帮助他人从事以营利为目的的经营活动的企业或个体工商户，登记管辖机关在为其办理登记注册，核准其经营范围时用语应根据《增值电信业务经营许可证》所核定的服务范围及项目进行规范。

3. 其他从事网上交易主体的公示制度

从目前我国的电子商务实践来看，没有营业执照的自然人或其他组织，均可以从事网上交易，这种交易可以是长期、固定的营业，也可以是零星的二手货交易。这种自由开放的状态有利于电子商务的繁荣，也符合国际上电子商务的发展潮流。对于没有工商登记或营业执照的网上经营主体，也应当要求其公示其真实身份资料。这里的公示，只是公示现实姓名或名称、住址、联系方式等身份资料，而不具有赋予营业主体资格的作用。由于没有工商登记环节，这些网上交易主体的公示只能依赖于第三方认证或网上交易平台身份认证实现。通过身份认证，发放身份认证证书或准予登记为用户，以确保网上交易主体的真实性和合法性。

4. 网上商店的公示

网上商店是由网站作为平台提供者，为企业或个体工商户开设一个专门的网上商店或专卖店。随着网上商店的兴起，与此相关的纠纷也日益增多，其中一些纠纷就涉及了交易主体的认定问题。通常认为，凡是企业或个体工商户，在其设立网上商店从事网上交易时，商店主页中应当依法公示其工商登记的身份信息，对此可以参照或遵循从事网上经营活动企业的公示规则进行。非企业组织、个人，零星从事网上交易或网络经营活动的，也应当公示其真实身份资料，可由交易平台经营者在用户登记注册时对其身份进行必要的认证，以达到公示的效果。另外，平台经营者应当在适当的位置，声明平台提供者与网上商店设立人之间的法律关系。平台提供者与网上商店之间的法律关系，若无特别声明（如声明双方是合伙关系），应当认定为一种新型的服务合同法律关系。作为网上交易平台，网站要为商家提供一定的磁盘空间、制作专卖店的主页面、提供其他配套服务等，这类似于现实生活中商场向商家出租柜台、提供相关服务（如安全、宣传等）的关系，因此双方之间的合同具有租赁合同的性质。专卖店的商品信息、要约或要约引诱信息、确认信息（合同成立等）是由网站传递给客户的，客户的订购、支付等信息也是经网站公司传递给专卖店的；网站一般要按照专卖店营业额收取交易"佣金"，从这两方面来看，两者之间的合同又具有居间合同的性质。从受托的网站为委托方提供网页制作和维护等技术服务来看，两者之间的合同又类似于技术服务合同。综上分析，网站设立人与网上商店设立人之间的合同兼具租赁合同、居间合同及技术服务合同的内容，但又不同于这三者中的任何一种，因此应看做是一种混合合同。当平台提供者声明其与网上商店设立人之间是合伙关系时，显然平台提供者也是网上交易的主体之一。

2.2　网站设立法律问题

2.2.1　网络服务提供商的设立程序

符合上述条件的电子商务网络服务提供商可以向国家有关部门提交申请，建立商务网站或提供互联网接入服务，申请设立程序如下：

（1）办理经营许可证。从事经营性互联网信息服务，应当向省、自治区、直辖市电信管理机构或者国务院信息产业主管部门申请办理互联网信息服务增值电信业务经营许可证（以下简称经营许可证）。省、自治区、直辖市电信管理机构或者国务院信息产业主管部门应当自收到申请之日起 60 日内审查完毕，做出批准或者不予批准的决定。予以批准的，颁发经营许可证；不予批准的，应当书面通知申请人并说明理由。申请人取得经营许可证后，应当持经营许可证向企业登记机关办理登记手续。

（2）办理企业登记。经营性网站是作为企业或公司来进行登记的。因此，取得经营许可证后，还应当持经营许可证向企业登记机关即工商行政管理机关办理登记手续。这种登记包括企业名称、注册资本、办公地点等事项。

（3）域名申请。域名注册申请人必须是依法登记并能够独立承担责任的组织，公民个人不能申请域名。符合条件的组织可以向中国互联网络信息中心提交相应申请材料。

（4）签订域名注册合同。域名注册合同是记录域名注册人与域名注册组织之间权利和义务的依据，可以有效预防域名纠纷的产生。域名注册实行"先申请先注册"和"由申请人选择和负责"制度。由域名注册而产生的侵犯他人在先权利（如商标）的法律、经济纠纷，与各级域名管理单位无关。

（5）站点的设立与开发。在申请域名的同时就可以着手进行站点的设计，竭力为电子商务用户提供合理的导航系统和方便的使用平台。

2.2.2　网络信息服务及其管制

国务院 2000 年 9 月 25 日颁布的《互联网信息服务管理办法》（以下简称《办法》）是我国目前对提供互联网信息服务实行管制制度的主要行政法规。

1．网络信息服务的概念及分类

互联网信息服务是指通过互联网向上网用户提供信息的服务活动。网络信息服务种类和性质不同，采取不同的管制。这些管制实际上构成网站设立的条件，因为如果网站要从事某种服务就必须办理某种手续或取得许可。《办法》第三条规定："互联网信息服务分为经营性和非经营性两类。经营性互联网信息服务是指通过互联网向上网用户有偿提供信息或者网页制作等服务活动。非经营性互联网信息服务是指通过互联网向上网用户无偿提供具有公开性、共享性信息的服务活动。"

2．网络信息服务的管制

根据《办法》规定，我国对互联网信息服务的管制大致分为以下 4 种情形：经营性行为许可制度、非经营性行为备案制度、特殊行业服务审批制度和特殊信息服务专项备案制度。

（1）经营性网络信息服务许可制度。《办法》第六条规定，"从事经营性互联网信息服务，除应当符合《中华人民共和国电信条例》规定的要求外，还应当具备下列条件：有业务发展计划及相关技术方案；有健全的网络与信息安全保障措施，包括网站安全保障措施、信息安全保密管理制度、用户信息安全管理制度；服务项目属于本办法第五条规定范围的，已取得有关主管部门同意的文件。"《办法》第七条规定："从事经营性互联网信息服务，应当向省、自治区、直辖市电信管理机构或者国务院信息产业主管部门申请办理互联网信息服务增值电信业务经营许可证。省、自治区、直辖市电信管理机构或者国务院信息产业主管部门应当自收到申请之日起 60 日内审查完毕，做出批准或者不予批准的决定。予以批准的，颁发经营许可证；不予批准的，应当书面通知申请人并说明理由。申请人取得经营许可证后，应当持经营许可证向企业登记机关办理登记手续。"

（2）非经营性网络信息服务备案制度。《办法》第四条明确规定："国家对经营性互联网信息服务实行许可制度；对非经营性互联网信息服务实行备案制度。未取得许可或未履行备案手续的，不得从事互联网信息服务。"从事非经营性网络服务的网站只需到主管部门进行备案，即可以开站运营。根据第八条规定，从事非经营性互联网信息服务，应当向省、自治区、直辖市电信管理机构或者国务院信息产业主管部门办理备案手续。办理备案时，应当提交下列材料：主办单位和网站负责人的基本情况；网站网址和服务项目；服务项目属于本办法第五条规定范围的，已取得有关主管部门同意的文件。

（3）特殊行业服务审批制度。《办法》第五条规定："从事新闻、出版、教育、医疗保健、药品和医疗器械等互联网信息服务，依照法律、行政法规以及国家有关规定须经有关主管部门审核同意的，在申请经营许可或者履行备案手续前，应当依法经有关主管部门审核同意。"也就是说，从事上述行业的网络信息服务的，如果法律法规规定必须经有关部门审批的，必须在申请办理网站设立备案或许可前办理必要的审核批准手续，这是一种前置审批程序。不管是经营性信息服务，还是公益性或非经营性信息服务，如果涉及这些行业，都必须办理审批手续。

（4）特殊信息服务专项备案制度。《办法》第九条规定："从事互联网信息服务，拟开办电子公告服务的，应当在申请经营性互联网信息服务许可或者办理非经营性互联网信息服务备案时，按照国家有关规定提出专项申请或者专项备案。"电子公告板（即 BBS）是供公众自由发表言论的地方，网站如开辟这项服务，要到有关部门办理专项申请或备案。

2.2.3　服务行为合法的义务

社会公众和网站之间存在着一种"服务关系"，网络服务提供商与公众之间的权利和义务直接由法律规定，法律直接规定网站在向公众提供信息服务过程应当履行哪些义务，以确保网络信息发布和传输能够按照合法、有效的方式运营。正是基于此，《互联网信息服务管理办法》规定了网站的基本义务。这些义务大致可分为两方面：一是服务行为合法义务；二是保证信息内容合法义务。实际上，这两项义务都是基于网站作为一种新型媒体对社会公众应当承担的义务。

互联网信息服务提供商应当按照经许可或者备案的项目提供服务，不应超出经许可或者备案的项目提供服务。这是我国对互联网服务提供商实行管制的必然结果。这意味着网站服务内容必须依照许可证上列明的服务事项，特别是非经营性互联网信息服务提供者不得从事有偿服务。另外，互联网信息服务提供商还应当在其网站主页的显著位置标明其经营许可证编号或者备案编号。这一规定实际上要求网站公示其服务身份的合法性。如果没有这样的公示，那么其身份就不合法，消费者不要接受这些网站的服务。

案例 2-2

中影打赢"酷 6 网侵权案"获赔偿 网站可向上传者追偿

中国电影集团公司电影营销策划分公司以侵犯著作权为由，在北京市海淀区人民法院起诉被告酷 6 网（北京）信息技术有限公司，称其未经许可在酷 6 网提供电影《赤壁》的视频，请求判令被告停止侵权，赔偿经济损失 50 万元，承担诉讼费等。日前，本网从海淀法院得到消息，法院对中影集团诉酷 6 网传播电影《赤壁》侵权的认定和赔偿标准已经确定。

被告酷 6 网（北京）信息技术有限公司辩称，酷 6 网仅提供存储空间，涉案视频均由网友上传，网站未改变上传内容。在得知上述作品侵权后，酷 6 网已经删除了涉案影片。上述行为符合法律规定的免责要件，不构成侵权。涉案影片的内容不在网站显著位置，点击量少，没有给原告造成影响，原告主张的赔偿和合理支出没有依据。

海淀法院经审理查明如下事实：电影《赤壁》由中影集团、美国狮子山制作公司及另外 14 家投资单位联合出品。上述权利人认可中影集团作为各出品单位的版权代表人，对涉案影片在中国大陆地区行使或授权第三人行使该片相关著作权，同时认可原告有权代表中影集团行使上述著作权及维权事宜。中影集团亦出具著作权声明，将包括音像制品的复制权、发行权和出租权、信息网络传播权等部分权利授权给原告在中国大陆地区行使，中影集团自身不再自行行使上述权利，原告有权以自身名义维权。

2008 年 7 月 10 日，原告委托律师通过电子邮件致函被告，明确原告对于涉案影片的权利，要求被告严格管理网站，不得非法传播涉案影片的全部或者片断。当日为该片上部的首映日。

2008 年 7 月 18 日，原告委托律师进行公证，登录酷 6 网，输入"赤壁"进行搜索，显示共有 6 796 个视频，点击页面上方的"最新更新"栏目，显示在搜索结果最上方的是"《赤壁》高清版"和"2008 大片《赤壁》"两个集合，均注明有 4 个视频，播放次数为 0；点击后者进入下级页面，屏幕右侧列表将该片分成 4 段，注明为"2008 大片《赤壁》抢鲜版"，时长分别是 35 分、36 分 20 秒、33 分 46 秒和 30 分 01 秒；第一段播放时显示上传时间为 7 月 15 日，上传者为冰惑，播放次数为 303 次。

被告表示，酷 6 网注册、上传、后台管理操作程序和网站公示的版权协议说明，网站的视频内容由注册网友直接上传和分类，版权协议中明示上传者自行对所传内容的权属负责；如权利人发现上传内容侵权，在提供相关权属证据后，网站可以将侵权内容删除。同时提交的还有新浪网和优酷网的相关注册上传等管理内容，证明其他同类型网站均采取相似做法。被告表示其在收到原告的警告函件后，给网站员工发出预警，要求通过将"赤壁"设置为关键词的方式，注意对上传的相关视频予以阻止和删除，只保留片花和新闻报道。

原告认为被告忽视审查义务，并以分享收益诱惑网友上传作品，系共同侵权。公证结果证实酷 6 网中仍有涉案影片的视频，证实预警的目的没有实现。

法院经审理认为，原告取得电影《赤壁》权利人的独家授权，享有该影片在中国大陆地区的信息网络传播权和再许可权。

被告经营的酷 6 网所体现的经营方式系提供空间和平台，鼓励网友上传视频，其表示不能得知上传内容是否侵权，符合《信息网络传播权保护条例》第 22 条规定的避风港规则的条件，应当免责。该条款明确网络服务提供者为服务对象提供信息存储空间，供服务对象向公众提供作品，应符合 5 项条件，包括需明确自身基本状况，并明示仅提供信息存储空间；不改变作品；不知道也没有合理的理由知道作品侵权；未直接获得经济利益；接到权利人通知后进行删除。

法院认为被告侵权成立，应当承担停止侵权、赔偿损失的民事责任。《中华人民共和国著作权法》规定，侵权人应当按照权利人的实际损失进行赔偿，如难以计算，可以按照侵权人的违法所得给予赔偿，上述两种情形均不能确定的，由人民法院根据侵权行为的情节，判决给予 50 万元以下的赔偿。

关于网站的使用传播程度主要通过涉案作品在侵权网站获得的点击量来确认，该信息不仅可以用于估算网站因点击量获得的广告收益，亦能在一定程度上体现出权利人由此损失正常收视率的部分信息（当然不能以一次点击少卖一张电影票这种狭隘的标准衡量），但仅通过网站表面看到的信息可能不尽准确，网站也可能对此进行修改或其他方式的操控，因此只能作为一定的参考依据。

在本案中，电影《赤壁》的投资规模和影响力在当年的影片中名列前茅，票房收益高，且原告公证的时间正好处于该片上集公映初期，给原告造成的损失应当高于一般影片；原告曾致函被告要求其对涉案影片的上传行为予以注意，被告的注意程度亦应高于一般影片。关于网站对该片传播使用的程度，通过公证的内容可以看出，酷 6 网中涉案影片的视频主要为宣传片和简短的花絮，原告公证时点击播放的影片完整内容并非通过最初的搜索即可直接获得，且播放次数有限，上述情形使被告的侵权程度降低。虽然酷 6 网中显示的播放次数并不准确，公证内容中每层页面显示的播放次数均有差异，但总体次数明显不高。

综合考虑以上情形，海淀法院确定被告应停止在其经营的酷 6 网传播影片《赤壁》，并赔偿原告经济损失 5 万元，支付诉讼合理开支 5 000 元。

酷 6 网作为视频提供网站，其被认定侵权系基于未能尽到合理的审查义务，存在过错，直接的侵权者系上传者。如果被告能够通过网友注册等信息确定上传者的真实身份，可以依据网友在注册时点击认可的版权协议，要求上传网友就其直接侵权行为，就被告向原告赔偿的损失，向被告进行赔偿。

资料来源：法律巅峰网 http://www.lawtop.com.cn/newsxx.asp? news_id=1027.

2.3 在线商店的登记管理

2.3.1 在线企业的概念

网络环境为电子商务的发展提供了广阔的空间，作为现实市场中的企业可以将其业务范围、业务手段拓展到网络空间中。

现实企业可以在网络中宣传和销售自己的企业和商品。不管是以生产加工为主的工业企业、以批发零售为主的商业企业还是以科技咨询和服务为主的服务企业，都可以在网络中使用各种方式参与交易，如申请设立网站或通过主页形态等方式。这种网络企业是现实企业在网络中的延伸，与现实企业相联系，以现实企业为坚实的后盾，通过网络扩大自己的空间，打开产品销路或拓展提供服务的范围等。

虽然网络世界是虚拟的，但法律主体是不允许虚拟的，网络交易的参与者不管是通过网站还是通过主页展示自己，它必须是真实存在的。在线企业是指在互联网上开展商务活动的企业，又称为虚拟企业，以区别于现实中从事传统商务的企业。在线企业是现实中的企业在网上的延伸，它将经营领域拓展到网上，通过网络宣传自己、销售产品、建立与客户的联系，因此，在线企业不能是虚拟而不存在的。企业的许多活动都可以通过网络完成，网络为企业增加了许多交易模式，如开设在线交易市场、在线超市，在网上进行咨询、服务等。

2.3.2　在线企业的分类

根据技术使用的不同，在线企业可分为以下两种：

（1）具有独立站点的在线企业。具有独立站点的在线企业拥有自己的域名和服务器，经营性网站就是这类企业。这类企业中，有的是现实中的企业，有自己的工厂和零售店铺，为开辟新的营销领域而在网上建立自己的网站，建立在线销售渠道和网上交易系统，并表明自己是网络企业；有的企业专门从事网络技术和信息服务，设立网站交易平台、在线超市，开展网络信息服务，网站的经营活动是这类企业的主营业务。

（2）具有主页形态的在线企业。许多企业在网上交易的主要方式是在某个网站的交易平台上设立自己的主页面，在主页上标明自己的企业名称、营业执照号码、地址和联系方式、经营范围和资信情况等。这类企业在网站中一般都以行业不同分别集中在一起，形成行业集散地，为消费者提供集中在线交易服务。主页形态的企业又称为网络专卖店或在线店铺，它们是现实企业的网络销售窗口。

2.3.3　在线企业设立的法律问题

1. 在线企业设立中的法律问题

在线企业分为两种形式，一种是设立独立的网站，一种是在他人设立的交易平台上设立窗口或专卖店。前一种必须按照经营性网站的要求设立，而后一种需要与网站签订设立合同。

以营利为主要目的的在线交易企业，通过设立网站来进行交易。在设立的时候，根据我国《中华人民共和国电信条例》和《互联网信息服务管理办法》的规定，对于经营性网站的设立需要获得网络信息服务的许可和办理企业登记。

以网页形态存在的企业一般需要和网站签订合同。网站和企业之间存在着一种相互依存的关系。网站的生存和扩大需要企业的加入，网络交易平台靠企业来维持。而企业为了在网络中有更好的经营业绩，就必须选择具有一定规模的网站，在其专业网站上设立店铺，开拓市场。网站的主要业务是为在线企业提供服务，管理网站的运营。

网站与专卖店的设立人之间的关系属于什么性质还没有准确的界定，有以下几种观点：①合伙关系；②租赁关系；③居间关系；④技术服务关系。

2. 专卖店设立合同的基本内容

专卖店和在线企业所签订的合同属于合作和服务合同，主要内容如下：①合作目的；②专卖店设立的条件；③专卖店页面的要求及其制作；④网站服务的内容；⑤网站收益及其支付方式；⑥网上交易主体的公示；⑦双方合作的义务；⑧营销及其合作；⑨在线企业的关闭；⑩其他条款。

2.3.4 在线企业的登记管理

在线交易中，电子商务的交易双方最为关注的还是交易对方是否真实存在，这涉及交易的安全问题，即未来的交易目的能否实现，交易利益能否获得。网络是现实中的企业在线交易的平台，现实企业是在线企业的真实主体。因此，在线交易应该是真实存在的现实企业以虚拟网络主体的形式进行在线交易。这成为在线交易安全的一个重要问题。

对于企业来说，进行在线交易可以通过两种渠道：在线自由交易和在线登记交易。

在线自由交易为电子商务的发展带来广阔的空间，是未来电子商务的基本模式，但在现今的形势下，在线自由交易的安全问题还不容忽视。因为环境和交易手段的虚拟性，在线交易的企业通过网页的形式表现自己，其真实性就打了折扣。为了实现对电子商务的有效监管，在法律界尝试实行在线交易的登记，但在实际操作中难度较大。

对于经营性网站的设立，有关法律规定需要获得网络信息服务的许可和办理相关的登记。但是对于没有设立网站的在线交易企业，法律并没有严格规定其是否登记。

1. 网络交易中心设立的法律规定

网络交易中心应当认真负责地执行买卖双方委托的任务，并积极协助双方成交。网络中心在进行介绍、联系活动时要诚实、公正、守信用，不得弄虚作假、招摇撞骗，否则须承担赔偿损失等法律责任。

网络交易中心必须在法律许可的范围内进行活动。网络交易中心经营的业务范围、物品的价格、收费标准等都应严格遵守国家的规定。法律规定禁止流通物不得作为合同标的物。对显然无支付能力的当事人或尚不确知具有合法地位的法人，不得为其进行居间活动。

在国际互联网上从事居间活动的网络交易中心还有一个归口管理的问题。按照《中华人民共和国计算机信息系统安全保护条例》第十一条规定，进行国际联网的计算机信息系统，由计算机信息系统的使用单位报省级以上人民政府公安机关备案。拟建立接入网络的单位，应当报经互联单位的主管单位或者主管部门审批；办理审批手续时，应当提供其计算机网络的性质、应用范围和所需主机地址等资料。联网机构必须申请到经过国务院批准的互联网络的接入许可证，并且持有邮电部门核发的放开电信许可证，才可以面向社会提供网络接入服务。由于网络交易中心提供的服务性质上属于电信增值网络业务（value-added network），其所提供的服务不是单纯的交易撮合，而是同时提供许多经过特殊处理的信息于网络之上，故而增加了单纯网络传输的价值。所以，在业务上，网络交易中心还应接受各级网络管理中心的归口管理。

买卖双方之间各自因违约而产生的违约责任风险应由违约方承担，而不应由网络交易中心承担。因买卖双方的责任而产生的对社会第三人（包括广大消费者）的产品质量责任和其他经济（民事）、行政、刑事责任也概不应由网络交易中心承担。

2. 网上经营行为登记备案制度

有下列行为的网络经济组织应申请网上经营行为登记备案：①利用互联网签订合同，从事经营活动，进行网上交易；②利用互联网发布经营性广告；③利用互联网进行经营性形象设计、产品宣传；④利用互联网专业从事国际互联网接入业务、网络技术服务、电子商务、提供信息源服务；⑤其他以营利为目的的活动。

网上经营行为登记备案的主要事项包括：网络经济组织名称、注册号（或有效证件号）、住所（家庭地址）、法定代表人、注册资本（金）、类型、经营范围、网络管理负责人、网络从业范围、通信地址、联系电话、电子邮件地址、注册域名、IP 地址及网络提供商、网站网址、服务器的机器名及所在地点和其他事项。

网上经营行为登记备案的主要事项发生变化的，该网络经济组织应当向登记备案机关申请变更备案。登记备案机关应在接到网络经济组织变更备案申请后，调整相关备案内容。

网络经济组织注销或终止网上经营行为的，应向登记备案机关申请注销备案登记。

3. 非经营性互联网信息服务的法律规定

非经营性互联网信息服务是指利用通过互联网域名访问的网站或者利用仅能通过互联网 IP 地址访问的网站，提供非经营性互联网信息服务。

信息产业部《非经营性互联网信息服务备案管理办法》规定，在中华人民共和国境内提供非经营性互联网信息服务，应当依法履行备案手续。未经备案，不得在中华人民共和国境内从事非经营性互联网信息服务。

根据以上及有关法律的规定，在线交易企业必须进行备案，以便于主管部门的监督管理，交易双方对相对人身份的确认，保障交易安全，从而确立良好的在线交易秩序。

案例 2-3

淘宝网店主涉嫌卖盗版《盗墓笔记 4》遭索赔 20 万

近日，中国友谊出版公司以杨某、李某两名淘宝网网店店主未经其授权，在网上销售其享有专有出版权的《盗墓笔记 4》，侵犯了其著作权为由，将二人告上了法庭。而国内知名的购物网站淘宝网也因为二人提供交易平台，被原告一并起诉。北京市东城区人民法院已经立案受理了该起著作权纠纷案件。

原告中国友谊出版公司诉称，其与磨铁（北京）文化发展有限公司签订了《盗墓笔记 4》的《图书出版合同》，在中国大陆地区享有以图书形式出版该作品的专有使用权。该图书出版发行一段时间后，销售业绩下滑，原告经查后发现淘宝网上的网店以明显不合理的低价大量销售该图书，涉嫌销售盗版图书。经公证处公证，原告在杨某、李某分别开设于淘宝网的网店上购买了《盗墓笔记 4》。经检查、核对，该图书质量低劣，其特征与正版图书不符，可以认定为盗版图书。

原告认为，杨某、李某在网上销售盗版图书的行为侵犯了原告的专有出版权；同时，二人未取得营业执照即在网页上公开经营主体信息，也违反《北京市信息化促进条例》。淘宝网络有限公司作为提供交易平台的主体，对其网上销售的盗版产品及销售主体资格未尽到合理的审查义务，为非法销售盗版图书提供了渠道，使得盗版销售得以实施，实际上帮助了销售盗版行为人实施侵权行为，三被告应为共同侵权。原告为出版及宣传销售《盗墓笔记 4》一书花费了巨大的人力财力，三被告的侵权行为给原告造成了巨大的经济损失。故向法院提起诉讼，请求判令三被告立即停止侵权，在公开发行的媒体上赔礼道歉，并赔偿原告经济损失 20 万元及为制止侵权支出的合理费用。

资料来源：法律巅峰网 http：//www.lawtop.com.cn/newsxx.asp？news_id=1027.

【本章小结】

在网络上进行交易的主体，包括直接参与交易的当事人和为交易提供服务的第三人。网上交易的当事人是直接通过网络缔结合同并享有和承担合同所确定的权利和义务的主体，如买卖合同中的买方和卖方。现实中的自然人、法人和其他组织均属于这类主体现实企业可以在网络中宣传和销售自己的企业和商品。不管是以生产加工为主的工业企业、以批发零售为主的商业企业、以科技咨询和服务为主的服务企业，都可以在网络中，使用各种方式参与交易，如申请设立网站或通过主页形态等方式。

【复习与思考】

1. 网上企业交易主体的概念是什么？网上企业交易主体认定的基本原则有哪些？
2. 简述网络服务提供商的设立程序。
3. 简述在线企业的概念、分类及在线企业设立的法律问题。
4. 详细阐述网络服务提供商的基本义务。

第3章

网络服务提供商的管理与法律责任

案例 3-1

迅雷与商业软件联盟发声明　共建网络版权保护机制

商业软件联盟与深圳迅雷网络技术有限公司（以下简称"迅雷公司"）发表联合声明，双方共同谴责网站提供盗版软件下载的行为，宣布将建立长期合作以促进网络知识产权保护。据悉，此次合作旨在积极响应政府相关部门连续多年开展的打击网络侵权盗版专项行动，支持和配合执法机关打击盗版，为净化网络环境、倡导尊重知识产权的社会风气做出积极努力。

"商业软件联盟一直致力于软件知识产权保护工作。去年，商业软件联盟跟踪了700多万个在共享网络上的非法软件侵权行为，这种盗版形式目前正在迅速蔓延。此次与迅雷联手协作将有效遏制日益猖獗的盗版软件互联网在线下载行为。"商业软件联盟总裁兼首席执行官罗伯特·霍利曼表示，"希望通过更多行动来维护软件权利人利益，打击网络盗版。同时也希望有更多互联网搜索、下载服务提供商参与到保护知识产权行动中来，营造一个健康的软件和互联网产业环境。"

有专家指出，较之纸面函件通知方式，数字化信息共享机制将大大提高沟通效率和便捷性。"狗狗"软件搜索频道一旦对软件名称等特定关键词采取屏蔽措施，可起到预防作用，使得搜索引擎无法生成盗版软件下载链接搜索结果，阻碍盗版软件在互联网的传播范围和速度。

对于此次迅雷与商业软件联盟的合作，国家版权局版权管理司副司长王志成表示，"这是一次积极的合作和有益的尝试。"王志成认为，"目前，互联网上侵权盗版正成为各国面临的一项巨大挑战。中国政府已连续五年开展打击网络侵权盗版的专项行动，取得了积极成效，2010年的专项行动已正式启动。与此同时，国家版权局积极推动行业内建立调解机制，鼓励通过合作与调解来解决有关著作权纠纷。这样既可以有效维护权利人的合法权益，又可以促进各类服务企业的持续发展，进而营造健康、有序的版权环境。希望此次双方的友好合作能给业界提供一种解决问题的思路。"

资料来源：http：//www.iprlawyers.com/ipr_Html/04_01/2010-7/23/20100723093210371.html.

　　电子商务网站是电子商务运营的基础，在电子商务环境下，交易双方的身份信息、产品信息、意思表示（合同内容）、资金信息等均需要通过交易当事人自己设立的网站或其他人设立的网站发布、传递和储存。必须加强对网络服务提供商的管理，规范电子商务网络服务提供商的法律责任是电子商务法的首要任务。

　　目前对 ISP 侵权责任的研究中很多人将网络服务提供商和网络服务提供者这两个名称混用，没有进行明确界定，这不利于我国 ISP 侵权民事法律责任的认定。网络服务提供商与网络服务提供者的区别表现在：

　　（1）网络服务提供商应当是一种商业机构，其成立应当符合一定的标准和条件，是经过许可、登记程序后为互联网用户提供某种服务的一种组织。从"商"的运用可以看出一般这种机构是一种营利性组织，当然如果其提供免费服务，如免费电子邮箱是否还属于服务商呢？答案是肯定的，互联网的商业生存法则同一般传统意义上的商业法则有所不同，即使是免费服务，网络服务提供商也是利用这种免费的形式吸引更多的网民使用、注册，以达一定的访问量从而获取广告等形式的商业机会间接盈利，正所谓互联网经济是一种"注意力经济"。

　　（2）网络服务提供者应当是一个上位概念，它应当包括网络服务提供商和提供网络服务的个人。后者一般指一些个人网站、主页，其设立不需要经过特别的许可程序，只要有硬件设备或者与网络服务提供商有服务合同关系，就可以租用网络服务提供商服务器的空间发布信息。其提供的服务是个体行为，也可以具有特定的目的性，如专门建立网站提供反动内容下载，虽然也提供了网络服务，但可以看出其并不是专业的网络服务提供商。在法律责任的承担上，后者的责任一般只需利用现有法律的侵权规定就可以解决。

3.1　网络服务提供商侵权行为的类型

　　依据不同的类型化标准，网络服务提供商侵权行为可以主要分为以下 3 类。

1. 依据主体分类

　　（1）网络接入服务提供商的侵权行为。IAP 是网络接入服务提供商，一般指为互联网提供通信设施如光纤、交换机、路由器等基础服务的机构，比如中国电信、网通、移动、联通等。接入的方式可以是多种多样的，如借助电话线就可以上网的 ADSL（asymmetric digital subscriber line）、专线接入、无线网络接入等多种形式。虽然其提供服务的形式是多样的，但是其特点是一样的，即 IAP 仅提供传输作用，其没有对传输中的信息内容加以注意、修改的义务。网络使用者就是通过网络接入服务提供商的服务与国际互联网相连接，从而完成信息的交流。网络接入服务商的侵权行为可以是故意利用其从业机会实施的，如 IAP 故意对传输中的信息进行修改、删除、屏蔽，造成传输信息的错误、丢失、延迟，从而侵害了信息发出者与接收者的合法权益。也可以是 IAP 由于对第三人的侵权行为不作为而产生对受害人的侵权，在这种情况下，IAP 应当经权利人有效通知后及时采取措施防止损害的进一步发生。

　　（2）网络内容服务提供商的侵权行为。网络内容提供商的侵权行为常发生于著作权侵权案件中。直接侵权的现象经常发生，主要原因在于 ICP 为充实其网站信息内容而又不愿意投入精力和资金，往往就通过未经著作权人许可的方式将权利人的信息放置于自己的网页，从而导致侵权发生，侵害了著作权人对其作品享有的使用权和获得报酬权。我国《最高人民法院关于审理涉及计算机网络著作权纠纷案件适用法律若干问题的解释》第三条规定："已在报刊上刊登或者网络上传播的作品，除著作权人声明或者上载该作品的网络服务提供者受著作权人的委托声明不得转载、摘编的以外，网站予以转载、摘编并按有关规定支付报酬、注明出处的，不构成侵权。但网站转载、摘编作品超过有关报刊转载作品范围的，应当认定为侵权。"在现实生活中，ICP 希望使自己的网站内容丰富多彩，获得较高的访问量，通过盗接他人网页内容链入自己的网页，就成为其快速充实自己网站内容的一个重要手段。如果 ICP 没有经著作权人的同意擅自盗链他人网页内容就会引起著作权侵权责任，在这种情况下，ICP 主观上是故意的，应承担直接侵权责任是毫无疑问的。ICP 的间接侵权主要因为其提供链接或网络信息服务时，其用户对第三人构成侵权。ICP 有义务对链入的网站进行形式审查，如有无明显的反动网站。但是对于侵害他人著作权、名誉权的侵权行为 ICP 则难以审查、判断，所以这种情况下只有当 ICP 不作为时才承担责任。

（3）网络平台服务提供商的侵权行为。网络平台服务提供商是为用户提供管理服务平台的机构，如提供 BBS、电子邮件空间、个人主页空间服务。互联网由最初的学术研究发展到公众应用，其发展速度惊人，取得这种成果的一个很重要的原因在于互联网的开放性和匿名性，人们不用透露自己的身份就可以利用网络平台提供商提供的服务在网上与他人交流。这种便利也带来了一些问题，比如一些别有用心的人通过互联网发布诽谤、侮辱他人的信息，损害他人的名誉权，由于互联网的普及率很高，加上它的自身特性，往往比其他侵权方式所带来的损害更大。BBS 具有公开、更新快、影响面广等特点，网络用户通过在 ICP 注册就可以以注册用户的身份上传信息。BBS 上的内容往往会涉及侵犯他人著作权、名誉权、隐私权的侵权信息，所以受害人一旦遭受侵权，往往将注册用户和 ICP 一同告上法庭。

2. 依据侵权客体分类

（1）网络服务提供商侵害知识产权的行为。网络服务提供商侵害知识产权的行为包括对著作权、专利权、商标权、商业秘密的侵害。ISP 侵害著作权的形式是多样的，例如网络内容提供商未经权利人许可将文字作品上传到服务器上，现在很多网站提供的电影、音乐下载相当一部分是未经权利人许可的，提供以上服务的 ISP 就构成了侵权。如果是第三方上传的侵权作品，ISP 承担经权利人有效通知后终止对侵权行为提供服务的义务。ISP 网页中的非法链接可以导致商标侵权，因为链接会绕过被链接者的网站商标，直接将消费者引入有效网页，可能会导致访问者对权利人信息的混淆。ISP 将他人的商业秘密放置在网页、BBS 上，使得网络用户任意下载，则直接构成了对商业秘密的侵权。

（2）网络服务提供商侵害人身权的行为。网络服务提供商主要侵害以下几种人身权：姓名权、肖像权、名誉权、隐私权。网络服务提供商通过网络侵犯用户隐私权的行为方式很多，比较常见的是"cookie"。网络用户在访问网页时，ICP 只需要利用技术上的 cookie 和自动保存在网络服务器上的日志文件，就可以通过一定的分析方法获取网络用户的相关信息，其中包括用户名、地址、兴趣爱好、经常访问的网址等个人信息。侵权人往往会通过网络平台服务提供商所负责的 BBS 发布侵害他人姓名权、肖像权、名誉权、隐私权的信息，ICP 在一定程度上负有审查 BBS 内容的义务，一般 BBS 都配有版主负责日常的维护，对发布的明显反动、侵害他人名誉权和隐私权的帖子负有立即删除的义务。ICP 应当负有一定的"注意义务"，对网络用户的真实身份和网页内容进行形式审查，受害人提供有效证据后仍不中断侵权服务的应当承担责任。受害人应首先对直接侵权人提出赔偿请求，如果直接侵权人难以查明的，ICP 应当先承担补充责任，然后再向直接侵权人追偿。

（3）网络服务提供商侵害物权的行为。网络中虚拟财产的性质是物。有学者指出："法律应当规定完善的网络虚拟财产权制度，在物权制度中，规定网络空间等虚拟财产都是物权的标的，都可以建立所有权等物权，适用一切物权保护方法及侵权损害赔偿的法律保护方法进行保护。"笔者赞同这种观点。有学者在此基础上提出了"虚物"的概念，即它是能满足人们某种需求的能被排他支配的独立"电磁记录"。除了网络虚拟财产之外，还包括网络空间、计算机文件、网络集合物。网络服务提供商将用户存储在其服务器中的电子数据进行增加、修改、删除，破坏了原信息的完整性，就侵害了用户的合法权益。通过技术手段妨碍虚物上物权的行使，比如网络服务提供商未经用户同意修改用户密码或者其他证明信息，造成用户无法正常使用网络等情况都是侵害物权的行为。

（4）网络服务提供商侵害债权的行为。通过网络"钓鱼程序"欺骗网络用户，造成网络用户的错误支付行为就是侵害债权的行为。比较常见的还有网页欺骗，网络服务提供商可能直接实施这种行为，也可能是其用户利用网络服务提供商的服务如存储空间、域名等实施侵害债权行为，后一种情况下如果网络服务提供商在主观上知道这种侵权行为而放任行为人实施的，就应当与直接侵权人承担连带责任。网络服务提供商可以利用其系统管理的便利条件，对电子交易数据库中的订单等电子文本进行修改造成交易双方的履行瑕疵，从而侵害债权。

3. 依据行为划分

（1）网络服务提供商的链接侵权行为。超链接是从一个网页指向一个目标的连接关系。链接也是一把"双刃剑"，在给网络普及带来诸多便利的时候，如果被人恶意利用，同样可以损害权利人的利益。一般认为链接的形式可以分为两种，链入链接和链出链接。所谓链入链接指当点击此链接时用户会被链入制作人的网页或网站，如果这个网页中的内容是未经权利人许可的，则可能引起法律纠纷。而链出链接一般链入他人的网页，与自己的网页脱离关系，一般不会引起侵权问题。如果链入的网页内容中有侵犯他人权利的信息，ISP 没有尽到应有的审查义务，就应当承担法律责任。有人认为，设链者无须审查所有被链内容的合法性，因为这超出了设链者的实际监控能力。但是，如果在法律上允许网络服务提供商不负审查义务，必将导致大量恶意链接的存在，要知道从主观上判断设链人的恶意、善意是非常困难的一件事情。

（2）网络服务提供商直接上载信息的侵权行为。一般直接上载信息的网络服务提供商为网络内容服务提供商与网络平台服务提供商。网络服务提供商通过软件技术上载未经权利人许可的信息应当承担直接侵权责任。如果 ISP 与网络用户之间有提供真实信息的协议，当网络服务提供商上载的信息不真实从而导致网络用户损失的，网络用户可以主张侵权责任或者违约责任。如果双方事先没有订立提供真实信息的协议并且网络服务提供商面向不特定主体提供无偿信息时，网络服务提供商可以主张免责。

（3）网络服务提供商转载他人侵权信息的侵权行为。转载是将已经公开发表或者出版的作品上载到网站的行为，网络服务提供商转载他人信息应当经权利人许可。转载他人提供的侵权信息有两种情况：一种情况是网络服务提供商明知是侵权信息仍然利用并持续在互联网上传播，这时网络服务提供商主观上是故意的，应当与提供侵权信息方承担共同责任；另一种情况是网络服务提供商事先并不知道所转载的信息为侵权信息，在知道后仍然继续传播的，从其知道侵权行为开始与提供侵权信息方承担共同责任，如果知道后主动采取措施避免了权利人损害进一步扩大的可以主张免责。

3.2　电子商务网络服务提供商的设立与管理

3.2.1　网络服务提供商的分类

按其在信息传输中的作用，网络服务提供商可分为两类：一类是网络中介服务提供商（internet services providers，ISP），是指租用或建立必要的接入设施或者接入能力，为用户接入公众多媒体通信网提供服务的单位，一般为基础电信运营商；一类是网络内容服务提供商（internet content providers，ICP），是指建立多媒体信息库，采集、加工、存储多媒体信息，并通过公众多媒体通信网向用户提供多媒体信息服务的单位，包括 BBS、邮件新闻组、聊天室等有关内容服务提供者，一般为增值电信服务商。在前一种角色下，是经营者以外的人通过某个服务器发布信息，网络服务经营者充当被动传输信息的角色；在后一种角色下网络服务器的经营者直接向消费者（接受者）发布信息，充当主动传输内容的角色。

具体来说，网络中介服务提供商是指为用户提供互联网物理接入服务、为用户定制基于互联网的信息发布平台以及提供基于物理层面上技术支持的服务商，包含一般意义上所说的网络接入服务提供商（internet access provider，IAP）、网络平台服务商（IPP internet platform provider）和目录服务提供商（internet directory provider，IDP）等。网络内容服务提供商是指利用 ISP 线路，通过设立的网站提供信息服务，其内容包括允许用户在其域名范围内进行信息发布和信息查询。

为了规范和引导互联网信息服务提供商的行为，我国 2005 年 4 月制定的《互联网著作权行政保护办法》中特别指出：由于互联网信息服务提供者难以对互联网内容提供者所提供的内容尽到全面审查义务，因此不对互联网上侵犯著作权的行为承担过重的法律责任。只有在明知互联网内容提供者通过互联网实施侵犯他人著作权的行为，或者虽不明知，但接到著作权人的通知后未采取移除，同时损害公共利益的情况下，才承担行政法律责任。

3.2.2　我国对互联网信息服务的管理

根据我国《互联网信息服务管理办法》规定，我国互联网信息服务分为经营性和非经营性两类。经营性互联网信息服务，是指通过互联网向上网用户有偿提供信息或者网页制作等服务活动。非经营性互联网信息服务，是指通过互联网向上网用户无偿提供具有公开性、共享性信息的服务活动。

从事经营性互联网信息服务，除应当符合《中华人民共和国电信条例》规定的要求外，还应当具备下列条件：

（1）有业务发展计划及相关技术方案；

（2）有健全的网络与信息安全保障措施，包括网站安全保障措施、信息安全保密管理制度、用户信息安全管理制度；

（3）服务项目属于《互联网信息服务管理办法》规定范围，已取得有关主管部门同意的文件。

国家对经营性互联网信息服务实行许可制度；对非经营性互联网信息服务实行备案制度。未取得许可或者未履行备案手续的，不得从事互联网信息服务。互联网信息服务提供者应当按照经许可或者备案的项目提供服务，不得超出经许可或者备案的项目提供服务。非经营性互联网信息服务提供者不得从事有偿服务。互联网信息服务提供者变更服务项目、网站网址等事项的，应当提前 30 日向原审核、发证或者备案机关办理变更手续。

《互联网信息服务管理办法》还规定了互联网信息服务提供者的主要义务：

（1）在法定范围内经营的义务；

（2）BBS 业务专项申请义务；

（3）身份明示义务，互联网信息服务提供者应当在其网站主页的显著位置标明其经营许可证编号或者备案编号；

（4）提供合法信息的义务，互联网信息服务提供者应当向上网用户提供良好的服务，并保证所提供的信息内容合法；

（5）信息内容记录义务，主要是针对从事特殊服务项目的网站的要求。

3.3　互联网服务提供商的义务和法律责任

案例 3-2

闻晓阳与北京阿里巴巴信息技术有限公司侵犯著作权纠纷一案

闻晓阳原审诉称：闻晓阳为大陆演艺界人士许晴拍摄了照片，对其拍摄的照片享有著作权。闻晓阳发现阿里巴巴公司未经许可，在其经营的网址 "www. yahoo. com. cn" 和 "www. cn. yahoo. com" 的网站上通过深层链接的方式复制并传播了闻晓阳拍摄的一张许晴照片，既未署名，也未支付报酬，严重侵犯了闻晓阳对涉案照片享有的署名权、复制权和信息网络传播权，并给其造成了巨大的经济损失。故其起诉要求阿里巴巴公司停止通过网络传播其享有著作权的涉案照片；在阿里巴巴公司经营的网站主页和《法制日报》上发表声明，向其公开赔礼道歉；赔偿其经济损失 3 000 元及公证费 1 000 元、律师费 1 000 元。

依据相关法律规定，网络服务提供者为服务对象提供搜索或者链接服务，在接到权利人的通知书后，断开与侵权的作品、表演、录音录像制品的链接的，不承担赔偿责任；但是，明知或者应知所链接的作品、表演、录音录像制品侵权的，应当承担共同侵权责任。阿里巴巴公司作为搜索链接服务提供商，仅应在收到权利人合乎法律要求的通知后不断链或者明知、应知被链内容侵权的情况下才应当承担相应的法律后果。本案中，闻晓阳并未举证证明其向阿里巴巴公司发出了符合相关法律要求的通知，亦未举出充分证据证明阿里巴巴公司明知或者应知涉案被链第三方网站上的照片侵权。故法院认为，在阿里巴巴公司接到通知后，断开了与涉案照片的链接的情况下，闻晓阳关于阿里巴巴公司应当赔偿其损失的主张，法院不予支持。

虽然阿里巴巴公司网站在提供搜索链接服务的过程中，提供了不同的分类信息，出现了缩略图，并采用了直接显示被链内容的链接技术，且其提供上述服务具有一定的盈利目的。但是，分类信息仅是为方便用户选择搜索结果的便捷方法，闻晓阳目前证据无法证明分类信息系对搜索结果经过了人工整理；在搜索照片过程中所形成的涉案照片的缩略图，是为实现照片搜索的特定目的，方便网络用户选择搜索结果的具体方式，不是对涉案照片的复制，闻晓阳目前证据也不能证明阿里巴巴公司网站上存储有缩略图库；涉案照片的缩略图和大图页面中也显示了涉案照片的来源，不会使网络用户产生涉案照片来源于阿里巴巴公司网站的误认。因此，阿里巴巴公司的上述行为不能改变其提供的服务属于搜索链接服务的性质，亦不能证明其对涉案照片的搜索结果是否侵权属于 "应知"，故闻晓阳提出阿里巴巴公司提供搜索服务的过程中，对相关照片信息经过了搜集整理分类，按照不同标准制作了相应的分类信息，制作了缩略图库，提供了照片的深层链接，使用户可以直接在其网页上得到相应的大图，并取得广告收益；这种搜索链接服务的模式决定阿里巴巴公司对其被链内容是否侵权负有更大的审查义务，对其被链内容侵权属于"应知"；阿里巴巴公司缩略图的行为侵犯了闻晓阳的复制权、缩略图及点击缩略图得到大图的行为侵犯了闻晓阳的信息网络传播权的主张，依据不足，法院不予支持。

资料来源：http://china.findlaw.cn/jingjifa/dianzishangwufa/swal/2838.html.

3.3.1　互联网服务提供者的权利与义务

互联网服务提供商对其侵权行为须承担相应的法律责任。从狭义的电子商务（即在线交易）的角度出发，电子商务法律关系的主体即在线交易的参与主体，是指参与在线交易，并依照电子商务法的规定享有权利和承担义务的人。包括在线交易当事人和在线交易服务提供者。在线交易当事人又称网络交易主体，是指直接通过互联网缔结买卖合同或服务合同的在线交易参与主体。其中，利用互联网出售商品或提供服务的一方为卖方，利用互联网购买商品或获得服务的一方为买方。互联网交易服务提供者可分为两大类：网络交易平台提供商和网络交易辅助服务提供者。

互联网交易服务提供者（包括网络交易平台提供商和网络交易辅助服务提供者）的权利和义务如下。

（1）提供合法的主体资质证明。互联网交易服务提供者提供网上交易相关服务，应遵守国家有关法律规定；需要办理相关审批和登记注册手续的，应依法办理；需要具备一定物质条件的，包括资金、设备、技术、管理人员等，应符合要求的条件。网络交易平台提供商通常应具备法人资格，并须在网络交易平台上提供相应的法人资质证明，如营业执照、税务登记证、特殊业务许可证等。网络交易平台提供商应有工商部门备案的独立的 IP 固定地址。

（2）规范服务，完善制度。互联网交易服务提供者应提供规范化的网上交易服务，建立和完善各项规章制度，如用户注册制度、平台交易规则、信息披露与审核制度、隐私权与商业秘密保护制度、消费者权益保护制度、广告发布审核制度、交易安全保障与数据备份制度、争议解决机制、不良信息和垃圾邮件举报处理机制以及法律、法规规定的其他制度。

（3）信息披露。互联网交易服务提供者应以合理的方式向用户公示各项协议、规章制度和其他重要信息，提醒用户注意与其自身合法权益有密切关系的内容，从技术上保证用户能够便利、完整地阅读和保存。

（4）维护交易秩序。互联网交易服务提供者应按照国家信息安全登记保护制度的有关规定和要求建设、运行、维护网络交易平台及网络辅助服务系统保证其正常运行，提供安全可靠的交易环境和公平、公正、公开的交易服务，维护交易秩序，建立并完善网上交易的信用评价体系和交易风险警示机制。

（5）维护用户利益，保护消费者权益。互联网交易服务提供者应采取合理措施保护用户的注册信息、隐私和商业秘密。交易各方发生争议时，应依照法律和约定协商解决或协助有关部门处理。

互联网交易服务提供者应尊重和保护消费者的合法权益，尽可能为消费者提供必要的卖方信用信息查询服务，方便消费者选择可靠的卖方。

网络支付平台提供商应根据网上交易的特点，采取合理的措施保障交易资金的安全，保障使用人的身份信息、账号信息及密码的安全。不得以任何方式恶意占压资金、非法套现、挪用或转移资金以及非法融资等。

（6）保存交易记录，保证数据安全。互联网交易服务提供者应特别注意保存网上交易的各类记录和资料，应利用相应的技术手段保证上述资料的完整性、准确性和安全性。

（7）监督平台信息。互联网交易服务提供者应注意监督用户发布的商品信息、公开论坛和用户反馈栏中的信息，依法删除违反国家规定的信息，减少垃圾邮件的传播。

（8）维护系统安全。互联网交易服务提供者应按照国家信息安全等级保护制度的有关规定和要求建设、运行、维护网络交易平台系统和辅助服务系统，落实互联网安全保护技术措施，提高网上交易的安全性。

网络交易平台提供商是指从事网络交易平台运营和为网络交易主体提供交易服务的法人。网络交易辅助服务提供者是指为优化网上交易环境和促进网上交易，为网络交易主体提供网络购物辅助服务的法人或自然人。电子商务法律关系的客体为互联网交易参与主体所享有的权利和承担的义务所指向的对象，包括购销商品的行为与提供或接受服务的行为，即互联网贸易与互联网服务。互联网贸易是指当事人通过互联网购买或销售商品的行为，其结果是当事人财产权利的转移。包括有形商品互联网贸易和无形信息产品互联网贸易。与互联网贸易不同，互联网服务并不转移任何财产权利，而只提供某种设施、互联网平台、信息传输等服务。可分为两类：一类是互联网交易服务；另一类是互联网服务业。互联网交易服务即互联网交易当事人之外的第三人为电子商务运行提供的服务，包括网络交易平台服务与网络交易辅助服务。互联网服务业是互联网交易主体一方借助互联网开展的服务业务。电子商务法律关系的内容是指互联网交易参与主体所享有的权利和承担的义务。互联网交易当事人的权利与义务包括：使用真实身份和真实信息，遵守合同订立的各项要求，依法使用电子签名，依法如实发布商品和服务信息，保证提供商品和服务的质量，尊重、保护知识产权，保存交易凭据等。互联网交易服务提供者的权利与义务包括：提供合法的主体资质证明；规范服务，完善制度；信息披露；维护交易秩序；维护用户利益，保护消费者权益；保存交易记录，保证数据安全；监督平台信息；维护系统安全等。

商务部曾就《电子商务模式规范》和《网络购物服务规范》出台征求意见稿，对实名制、支付交易和信息记录等都做出了具体规定。业内人士表示，这有助于规范电子商务市场良莠不齐的交易行为，然而个别条款仍然值得商榷。这两个管理办法涵盖了对商家法人资格、备案执照、经营行为、支付方式、服务体系等各个环节的考核要求，适用于 B2B、B2C、C2C 和 G2B（政府和企业之间）4 种形式的网上交易，对网上交易规范提出了较为详细的要求。实名制将是这两个规范的最大关注点。根据《电子商务模式规范》，B2B、B2C 行业的合格网络交易方应具备法人资格，在交易过程中，企业必须使用真实身份和真实信息，同时需要提供相应的资质证明等以供核准查询，如营业执照、税务登记证、特殊业务许可证等。这样可以弥补此前由于卖家非实名制、无工商登记、无税务登记而给买家造成的售后服务不到位的利益缺失。

《网络购物服务规范》规定，网络购物平台提供商应要求网络购物交易方进行用户注册，并提供真实的身份信息。网络购物平台提供商应在可行的范围内最大限度地采取合理的措施对用户注册信息的真实性进行审查和注册资料的备份。如果发现和证实用户使用虚假信息进行注册和交易，网络购物平台提供商有权力和责任及时对该用户进行注销。

但是，实名制也带来了业界对于纳税和个人信息泄露的担忧。早在意见稿酝酿期间，业界就引发了"是否应对网商收税"的讨论。尽管此次出台的意见稿并没有明确表示是否将对上述 4 种网络交易收税，但分析人士普遍认为，实名制的推出必将指向对网商课税。众所周知，电子商务之所以取得快速发展，除方便快捷之外，其价格低廉也是吸引人的重要因素。但是实名制将最终引向税收，这无疑将对电子商务的价格优势构成挑战。引入实名制并进行注册登记后，网商的短期成本会有上升，准入门槛也会提高。这方面，国外采取税收优惠方式扶持电子商务，是我们很好的借鉴。

另一方面，实名制容易使个人隐私暴露，也对买卖双方的交易积极性造成影响。例如，此前移动运营商将个人手机号码泄露就给消费者带来了不小的骚扰。实际上，实名制并不是消费者个人信息泄露的全部原因，往往是因为运营机构没有保护好，甚至"别有用心"地利用消费者信息进行牟利。因此，相关法律的出台不能"到此为止"，必须通过颁布后继法规来强制要求运营机构保护消费者的隐私权。

3.3.2 服务行为合法的义务

1. 网络服务提供商作为公共信息服务提供者的义务

国务院颁布的《互联网信息服务管理办法》（以下简称《办法》）规定了网站的基本义务，这些义务大致可分为两方面：一是服务行为合法义务；二是保证信息内容合法义务。实际上，这两项义务是基于网站作为一种新型媒体对社会公众应当承担的义务。

（1）网络信息服务提供者应当按照经营许可范围提供服务。《办法》第十一条规定："互联网信息服务提供者应当按照经营许可或者备案的项目提供服务，不得超出经营许可或者备案的项目提供服务。非经营性互联网信息服务提供者不得从事有偿服务。"这是我国对网络服务提供商实行管制的必然结果。这意味着网站服务内容必须依照许可说明的服务事项，特别是非经营性互联网信息服务提供者不得从事有偿服务。

（2）网络信息服务提供者应当公示其服务身份的合法。《办法》第十二条明确规定："互联网信息服务提供者应当在其网站主页的显著位置标明其经营许可证编号或者备案编号。"

（3）从事特殊服务项目的网络信息服务提供者的登记备案义务。《办法》第十四条规定："从事新闻、出版以及电子公告等服务项目的互联网信息服务提供者，应当记录提供的信息内容及其发布时间、互联网地址或者域名；互联网接入服务提供者应当记录上网用户的上网时间、用户账号、互联网地址或者域名、主叫电话号码等信息。互联网信息服务提供者和互联网接入服务提供者的记录备份应当保存60日，并在国家有关机关依法查询时，予以提供。"

2. 保证信息内容合法义务

《互联网信息服务管理办法》明确规定了9种不合法的信息：①反对宪法所确定的基本原则的；②危害国家安全，泄露国家秘密，颠覆国家政权，破坏国家统一的；③损害国家荣誉和利益的；④煽动民族仇恨、民族歧视，破坏民族团结的；⑤破坏国家宗教政策，宣扬邪教和封建迷信的；⑥散布谣言，扰乱社会秩序，破坏社会稳定的；⑦散布淫秽、色情、赌博、暴力、凶杀、恐怖或者教唆犯罪的；⑧侮辱或者诽谤他人，侵害他人合法权益的；⑨含有法律、行政法规禁止的其他内容的。

网络服务提供商的保证提供信息的合法性义务至少要求互联网内容服务提供商提供的信息不包括以上9种不合法信息。《办法》第十六条规定：互联网信息提供者发现其网站传输的信息明显属于上述9种内容之一的，应当立即停止传输，保存有关记录，并向国家有关机关报告。这也就是说，不仅网站经营者自己不能发布这些不合法的内容，而且也负有禁止他人在网上传播不合法信息的义务。该条主要确定了互联网服务提供商发现后停止继续传输义务和向国家有关机关报告的义务。对于提供内容服务的网络公司，上述义务的履行和责任承担是明确的。但是，对于提供中介服务的互联网服务提供商，情形较为复杂。在这一点上需要根据中介服务提供商的服务内容及其对被动上传的信息的监控能力来确定。

3. 网络服务提供商与特定用户之间的网络信息服务合同

网络服务提供商除了给网络用户实现网上信息展示、传输、存储、交流等提供基础性服务外，还可以向特定用户提供有偿传输电子邮件、信息检索和查询等服务。所有这些信息服务既可能是通过明示的合同建立起来的，也可能是通过用户（消费者）的注册登记而建立的。一般而言，如果用户请求网站提供某种信息或者提供某种信息传输服务，一般必须进行登记或注册，将姓名、性别、年龄、国籍、身份证号、住址、电话等个人信息登记于网站的信息库中，这种注册或登记意味着消费者通过注册登记和网站之间达成一种信息服务合同。

作为一种合同关系，网络服务提供者和用户之间的权利和义务应当遵循合同法总则和分则的有关规定。而且，对于特定的服务，当事人还可以通过合同加以约定。例如，作为传输服务提供者，网络服务提供者负有不迟延或在合理的时间内将信息传递给相对人，并且负有不删节、不遗漏、不篡改信息的义务。作为一般规则，信息服务中网络公司的义务和责任应当按照服务合同确定，在没有明确规定的情况下，应当按照行业惯例和法律规定执行。目前，我国还没有关于信息服务或信息交易方面的立法，而现行法对网络服务提供者的基本义务也没有明确的规范，实践中主要根据法律一般原则、行业习惯、网站经营者提供的格式合同，来确定双方的权利、义务和责任。因此，经营者必须遵守《合同法》第 39～41 条的规定，合理的提示格式合同的存在，如果格式合同中存在免除其责任、加重对方责任、排除对方主要权利的条款，则该条款无效。

4. 网络信息服务合同几个法律问题

在法律没有明文规定的情形下，网络服务提供者在向特定用户提供信息服务过程中的一些基本的权利、义务和责任是一个值得探讨的问题。

（1）对信息内容的一般义务和责任。在向特定用户提供信息服务的过程中，网络服务提供者对于信息内容承担的义务要超出作为公共信息服务者的义务，除了保证信息的合法外，还应当保证信息真实、有效。所谓合法，即提供的信息不为法律所禁止，也就是不得含有前面提供的为法律所禁止传播的内容。所谓真实，即所提供的信息符合事实或不虚假。所谓有效，即保证所传递的信息是有效期限内，而不是失效的信息。

（2）有偿合同和无偿合同的区别。网络服务提供者对用户承担的责任，是否因服务合同的有偿无偿而有所区别？根据注册用户是否向网络服务者支付费用，可以将网络服务者与用户间的合同分为有偿合同和无偿合同。而在现实中，大多数网络用户与服务提供商之间有的服务合同是无偿的。例如，电子邮件服务大多数是无偿的，只有个别网络服务商开始提供有偿邮箱服务。作为一般原则，合同不因无偿而免责，向用户提供免费信息服务的网络服务商同样要承担基本合同义务和责任。但是，根据权利义务对等原则，在因服务瑕疵而给用户造成损失时，可以考虑只要求服务商承担轻赔偿责任。也就是只有在网络服务商对其服务有故意或重大过失的情况下，才承担赔偿责任，而在一般过失或疏忽情形下，不承担责任或只承担实际损失的责任。

（3）应请求的中止行为的责任。网络服务提供者的中止行为主要是针对信息的处理。网络服务提供商对于网络内容存在监控能力和义务时，按照"表面合理标准"进行审查。网络服务提供者在向特定用户提供信息服务的过程中的一些基本的权利、义务和责任是一个值得探讨的问题。

3.3.3 网络侵权行为及其法律责任

网络作为一种新型的信息传播媒体，在其上可能发生多种侵权或违法行为，包括侵犯他人的著作权（如未经著作权人许可将其作品上传到网络）、侵犯隐私权（如将他人的个人资料上传到网上供人利用）、侵犯名誉权（在网络上散布不实信息侮辱、诽谤他人）、侵犯消费者权益（如发布不实商品信息，导致消费者损失）、侵犯商业秘密（如擅自在网上披露他人的商业秘密）、传播非法或有害信息（如色情信息或图片）等。

互联网服务提供商虽然是在虚拟世界中提供有关服务，但其行为必须遵守真实世界里的法律规定，并对侵权行为承担相应的法律责任。2000 年全国人大通过的《关于维护互联网安全的决定》第 6 条 2 款首次明确了网上侵权责任："利用互联网侵犯他人合法权益的，构成民事侵权的，依法承担民事责任。"利用网络侵权仍然适用传统法中谁侵权、谁担责的基本规则。

ICP 的网页内容侵权责任。网上的公开信息所产生的侵权责任问题，存在一个基本原则，即谁发布，谁承担责任。也就是说，如果是张三在网上发布的侵犯他人隐私或著作权的信息，那么由张三承担由此而引起的侵权责任，此时，网站经营者如尽到自己及时处理并保持记录的义务是无须承担责任的。网络信息内容提供者由于对网络信息内容具有一定的编辑控制能力，因此在明知侵权行为发生或经著作权合法所有人提出确有证据的警告后，负有移除侵权内容等措施停止侵权内容继续传播的义务。如果网络接入服务提供者违反该义务的，主观上具有过错，客观上实施了不作为的侵权行为，根据《中华人民共和国民法通则》（以下简称《民法通则》）第一百三十条规定，与行为人构成共同侵权，应当承担连带法律责任。

网页侵权信息一般通过以下几种形式存在：①ICP 直接将侵权信息上载至网页；②ICP 非法转载传统媒体或其他网站上的合法著作权作品；③ICP 再次非法转载其他网站上的侵权作品。对于上述三种网页侵权内容的存在方式，由于 ICP 网站在其"侵权行为"中所体现的主观过错程度以及损害后果等因素的差异，法律责任也各有不同。

ICP 一般多提供链接服务，网络链接一般分为"普通链接"和"深度链接"两种。普通链接的链接对象是被链接网站的首页。当浏览者点击链接标志时，浏览器的地址栏上显示的是另一个网站的网址，屏幕上显示的全部是被链接网站，浏览者明白地知道已从一个网站跳到另一个网站上。深度链接不同，链接的对象是被链接网站的中的某一具体内容。当浏览者点击链接标志时，计算机会自动绕过被链接网站的首页，直接指向具体内容页。当被链接的网页中包含有侵权内容时，浏览者就可以通过链接访问侵权网站，下载侵权内容，使侵权内容进一步被复制和传播。这样，提供链接服务的网络接入服务提供者也难免会与实施侵权网站相联系。

目前我国法律对网络链接行为是否构成著作权侵权尚无具体、明确的规定，但是从网络链接发生的纠纷中，根据链接行为人的链接方式、主观过错及链接的客观后果等因素和权利义务相一致的原则，可以确定网络链接行为是否构成侵权，是否应当承担法律责任。从以上分析的原则看，一是网络接入服务提供者在事前不知侵权网站的侵权内容时，不对侵权行为负连带法律责任，这是由于在网络上传播信息内容具有丰富性和快捷性的特点，提供链接服务的网络接入服务提供者不可能对所链接的所有信息内容是否侵权做出判断，做不到对链接内容逐一进行事前审查；二是网络接入服务提供者在事后得知侵权情况没有及时移除和制止时，应当根据具体情况负相应连带法律责任。

具体来说，网络接入服务提供者在链接他人网站中因对网络信息内容不具备编辑控制能力，对信息内容的合法性没有监控义务。因而对他人在网络上实施的侵权行为没有主观过错，根据

《民法通则》第一百零六条规定，不必承担法律责任，侵权的法律责任应由提供信息内容的行为人本人承担。如果网络接入服务提供者通过网络参与实施侵犯著作权的行为，或通过网络帮助、教唆他人实施侵犯著作权行为，根据《民法通则》第一百三十条规定，属于共同侵权，应当与直接实施侵权行为的人承担连带法律责任。

在有些情形下，被侵权权利人难以找到网络内容的提供商，有时即使找到了，又可能在别的国家，本国法院又难以行使管辖权，因此，网络接入服务提供商最易成为侵权诉讼的被告。这就使得网络中介服务提供商面临很大的风险。对于网络上的侵权行为而言，每一行为均具有直接实施侵权行为的网络内容提供商，同时还牵涉到为侵权信息的传播提供媒介服务的网络中介服务提供商 ISP。尽管 ISP 在技术上确实难以对网络信息进行监控（或者说是监控的经济成本大到了不可承受的地步），但不能完全否定未来随着技术的发展，这种监控在技术上或经济上成为可行的可能性。待将来技术监控可行之后，ISP 就必须承担起更重的监控责任。

虽然目前 ISP 无法在技术上实现网络信息的"净化"，但 ISP 在网络信息的监管中也是可以有所作为的。如：ISP 可以要求 ICP 定期向其汇报 ICP 发布的信息的合法性。ISP 也可以定期或不定期地对 ICP 发布的信息进行抽样调查。一旦 ISP 发现了 ICP 的侵权行为而放之任之的话，即在明知 ICP 及其网络用户存在侵权行为而不采取任何补救措施的，应该就此承担共同侵权责任。这种"明知"也包括经著作权人依法对其发出警告的情况之下。但在满足下列条件时，ISP 应该免责：①ISP 事先并不知所存储的信息为侵权信息；②ISP 在知道所存储的信息为侵权信息之后，立即采取有效措施删除或隔离侵权信息。

只为用户网上信息交流提供通道、空间及技术服务，且不能事先选择、改变传输信息的内容，也不能选择信息的接受者，一旦他人（用户）利用其系统或网络发送侵权或违法信息，侵犯他人的合法权益或危害社会公益，是否应为此而承担责任，责任的性质、范围如何，采取什么样的归责原则，我国法律目前对这些尚无明确规定。为平衡著作权人、ISP 的利益，在保护著作权人的权利的同时，有利于促进 ISP 的发展，我们认为，应该有条件的追究 ISP 的责任。

即问即答：网络侵权行为的归责基本原则是什么？

案例 3-3

网络电子交易平台音像侵权案开庭　淘宝支付宝成被告

2009 年 8 月 9 日，国内首例网络电子交易平台音像侵权案在杭州市中级法院开庭。淘宝（中国）网络科技有限公司和浙江支付宝网络科技有限公司同时成为被告。

原告湖南金蜂音像出版社称，2004 年 7 月，该出版社以 7.8 万美元价格从韩国 MBCProduction 处受让了电视连续剧《火鸟》在中国大陆的音像版权。在《火鸟》音像制品还未制作出来之前，全国各地批发商的订单就纷至沓来，但不久，批发商陆续取消了大部分订单。究其原因，是淘宝网上已经开始出售各种规格、版本的《火鸟》，最低价格只要 20 多元，连国家明文禁止的压缩光盘 HDVD 等也在该网站有出售。而支付宝则为网上交易提供支付平台。

据原告方称，出版社为引进、翻译和发行《火鸟》共投入近 100 万元资金，根据预算，至少要发行两三万套正版《火鸟》才能收回成本。但到目前为止，金蜂音像出版社发行的《火鸟》不到 8 000 套，损失在 100 万元以上。

原告认为，阿里巴巴下属的淘宝网站作为全球最大的网上交易平台，不仅没有担负起审查销售商资格和音像制品的义务，还通过支付宝方式参与销售非法音像制品，允许大量被文化部明文禁止的版本进行销售。被告的行为已严重侵害原告的合法权益，给原告造成了巨大的经济损失。"金蜂"要求法院判令淘宝网和支付宝立即停止侵权；责令被告赔偿经济损失和合理费用共计 54 万元。

两被告的同一代理人浙江海浩律师事务所律师俞思瑛称，淘宝网只是互联网信息服务提供商，并没有出售涉嫌侵权的音像制品。审查信息发布者的市场准入资格不是淘宝网的法定义务。支付宝受客户之托提供网络支付的技术平台和代收代付货款的免费服务。两者既非信息内容的发布者，也非货物的销售者，只是提供交易的中介。为尽可能避免网络侵权行为，被告方在上网用户发布信息前，就以网站服务协议条款的形式，提醒"用户在淘宝网交易平台上不得销售国家禁止销售的或限制销售的物品、不得买卖侵犯他人知识产权或其他合法权益的物品，具体内容详见禁止和限制销售物品规则"。因此，不论卖方所售产品是否侵犯原告的知识产权，被告均无须承担责任。因为双方均不愿意接受调解，法院将择日做出判决。

资料来源：http：//china. findlaw. cn/jingjifa/dianzishangwufa/swal/1845. html.

参考资料

ISP 侵权法律责任的相关理论

在网络著作权侵权行为中，ISP（包括 IAP、IPP 等）所扮演的角色往往被认为是提供侵权工具。对此，ISP 是否须承担连带责任，目前主要有以下三种意见：

（1）"免责说"。主张 ISP 不应承担责任，其认为 ISP 仅仅提供了网络接入服务、搭建网络平台等服务，只起信息流通的"渠道"作用。ISP 所处的地位就如同电话公司一样，ISP 没有能力控制网络上无穷无尽的信息，即使责令他们在著作权侵权中承担再严格的责任也起不到惩罚与威慑侵权行为人的作用。要求 ISP 承担其并不知情或者无力干预的行为所造成的法律后果，显然对其不公平；否则，必然逼 ISP 用高昂的经济成本用于监视和干预 ICP 及其用户的行为，这显然是不经济和不合理的，必然会阻碍网络业健康发展。

（2）"负责说"。主张 ISP 应该承担侵权责任，其认为 ISP 所提供一般大众得以连上互联网系统之设备服务，足以使侵权人方便侵害，大大提升著作权侵害物通过网络对公众散布之速度，这是不争之事实。从著作权人之立场，未经其同意或授权，将其著作内容于网络上重制或散布之人故应负直接侵害之责，而 ISP 提供直接侵权人犯罪之设备与服务，岂可置身事外。

（3）"折中说"。认为 ISP 单纯提供网络服务或设备，并不必然要负起责任。要求 ISP 对于他人利用其所提供的网络服务或设备侵害他人之著作权的侵权行为负责，必须合乎以下条件：①ISP 必须明知或可得知他人之侵权行为；②ISP 可能及可以被合理的期待将侵权资料阻绝不被他人接触，在技术上可行且经济上合理时仍不采取措施防止侵权行为的继续或扩大。否则，ISP 可以免责。

ISP 承担责任的前提往往是有 ICP 利用其提供的设备从事了侵权活动，即 ICP 的侵权责任往往是 ISP 承担侵权责任的逻辑基础。由于 ISP 对于 ICP 的侵权行为无法控制，因而有学者认为，不应要求其承担共同侵权责任。从目前的技术水平来看，ISP 确实难以对特定信息进行删改从而有效控制与防止 ICP 侵权行为的发生。但是，这不能成为 ISP 免责的全部理由。

在规范 ISP 网络著作权侵权责任方面，必须防止两种倾向，一是要求 ISP 承担完全责任，即只要网页上出现侵权内容，则为其提供网络接入服务、网络平台服务的 ISP 就须承担相应的法律责任。这一立法模式对 ISP 的发展极为不利，因而几乎没有被各国立法采纳；二是完全免除 ISP 的侵权责任，这一"完全免除"也仅仅是相对意义上的"完全"，新加坡的立法模式即是这一倾向的典型代表。这一模式过于倾向于保护 ISP 的权益，忽视了对著作权人利益的保护。

资料来源：http：//www. iprlawyers. com.

【本章小结】

网络服务提供商可分为两类，网络中介服务提供商和网络内容服务提供商。符合条件的组织可以向中国互联网络信息中心按照规定的程序申请网络服务商资格。《互联网信息服务管理办法》规定了互联网信息服务提供者的主要义务。ICP 或 ISP 对其侵权行为承担法律责任。

【复习与思考】

1. ICP 和 ISP 区别与联系。
2. 网络服务供应商的分类。
3. 互联网服务提供商网络侵权行为主要类型及其法律责任。
4. 互联网服务提供商的权利与义务。

第二篇

电子商务行为法律

第4章

电子签名与电子认证法律制度

NCR 子公司 Galvanon 推出电子签名解决方案

NCR 公司（纽约股市代码：NCR）旗下的 Galvanon 子公司推出一种电子文档管理解决方案——电子签名，协助医疗卫生机构实现数字化采集、识别和保管患者署名文档。

采用优化的 Galvanon 患者自助服务解决方案，电子签名可协助医院和诊所逐步实现无纸化工作流程，无须再手动打印、复印、归档、扫描和保存包括住院单和同意书、隐私声明以及其他通知在内的患者档案。电子签名具有法律约束力并可以进行安全保存以防篡改。

基督再临论者健康系统（adventist health system，AHS）在其位于佛罗里达州橙市（orange）的 Florida Hospital Fish Memorial 医疗中心部署了电子签名解决方案。该机构患者探访和健康信息管理中心主任 Bill Tyler 表示："采用电子签名解决方案后，我们不再需要复印和扫描附有患者签名的纸质表格，因此改善了工作流程，降低了管理成本。"

作为美国最大的非营利性新教徒医疗保健机构，AHS 还计划在其他 25 家医疗中心陆续部署电子签名解决方案。

通过电子签名解决方案，医疗机构可使用 Galvanon 的 eClipboard、剪贴板或署名板采集患者署名，再将签名图像存储并发送至该机构的电子医疗记录或文档管理系统。医院工作人员随即可以通过电子化方式访问相关表格，从而节省了跟踪查阅纸质文档所需的时间。同时，也符合《健康保险流通与责任法案》（Health Insurance Portability and Accountability Act，HIPAA）及美国医疗机构评鉴联合会（joint commission on accreditation of healthcare organizations）要求。

Tyler 补充道："同样重要的是，我们的患者也很快接受了新技术并体验到其使用的简易性。现在，该解决方案还可支持许多未来的自助服务应用，例如患者自助登记及共同负担费用。"

电子签名解决方案现已投放市场，既可作基础独立产品使用，也可升级成为综合查询亭及在线自助服务整体解决方案。

美国医院协会（american hospital association）的一项委托研究结果显示，在外科和急诊情况下，书面工作将患者的医护过程平均每小时延长了 36 分钟。通过表格管理自动化和最大程度地减少重复性管理工作，电子签名解决方案可大大缓解因此产生的负担。

Galvanon 总裁 Raj Toleti 表示："随着因监管要求而不断产生的书面工作，医院和诊所需要简单且成本效益显著的方式来实现自动化表格管理。向无纸化工作流程的目标迈出重要的一步之后，用户可以提高工作效率并降低医护工作的总体成本。同时，这些机构还可采用电子签名解决方案硬件和软件建立灵活的自助服务平台，以部署其他的自助服务设施。"

资料来源：http://www.enet.com.cn/networks/2009 年 08 月 13 日.

4.1　电子签名概述

4.1.1　电子签名的产生

传统交易中，为了保证交易安全，一份书面合同或文件一般要由当事人签名或者盖章。传统意义上的签名是指执笔者为了表示对文件、单据负责而亲自写上自己的姓名或画上记号，具有法律意义的行为。

签名主要有三项功能：①能表明文件的来源，即签名者；②能表明签字者已确认文件的内容；③能构成证明签字者对文件内容正确性和完整性负责的证据。经过签名的合同或文件，通过个性化的签名，可以实现对当事人身份的认证；签名本身表明签字者对合同或文件及内容的确认，一般情况下，签字者不可以对附有其签名的合同或文件予以否认；签名行为本身也表明签字者对合同或文件内容的完整性予以确认。因此，也可以说，签名具有确认相对人、防止否认、确认完整性的功能。

此外，经由当事人亲笔签名的书面合同或文件，签名本身和合同或文件的内容依靠纸张而成为一个整体，能够有效地保证内容的完整性，防止改动，因此，被认为是合同或文件的"原件"。基于交易安全的考量，法律对民事活动中的物权凭证、流通票据等一般要求以原件形式出现；从证据法上看，原件具有很强的证明力。

当然，传统签名也存在一定的局限性。首先，必须以书面等有形固体物作为介质；其次，必须由个人亲笔书写，不仅给书写人带来不便，更为大规模的交易带来一定的麻烦；最后，传统签名存在着相当大的被假冒的可能性。

由于传统签名的局限性，伴随交易形式、规模、范围、主体等的发展，签名的形式也逐渐发生着变化。除了手写签名外，最重要的就是盖章，法人之间签订合同时，一般要加盖单位的印章，盖章和签名具有同样的功能和法律效力。后来，与传统签名、盖章具有同样功能的其他签名形式逐渐得到了法律的承认。早在 1978 年联合国《海上货物运输公约》中就有规定，"提单上的签名可以是手书的、传真打印、打孔、盖章、使用符号或通过任何其他机械的和电子的手段，如果这不与提单签发地国家的法律相违背的话。"美国《统一商法典》也规定，"签名包括当事人意图鉴别一份书面材料时所使用的任何符号"，其官方评论对此做出了进一步的解释，"将鉴别包括在该定义里，以说明完整的签名是不必要的。相反，鉴别可能是打印的、盖章的或书写的，还可能仅仅是简签或指模，甚至在某些特定的案件里，可将信笺印刷的字迹作为签名。"可见，随着签名形式的演变，签名概念相应地也越来越抽象和宽泛。

随着 EDI 及电子商务无纸化贸易的兴起与发展，传统签名的局限性愈发显现，数据电文赖以存在与传递的无形空间给传统签名带来了新的挑战，交易方式的革新要求签名形式必须进行相应的变革，计算机网络环境下能够达到与传统签名盖章相同功能的新的签名形式即电子签名便产生了。

参考资料

《电子签名法》产生历程

《电子签名法》的产生在我国并非一蹴而就。早在 1999 年"两会"期间就提出了电子商务立法的问题，鉴于当时条件的不成熟，该提案并没有得以立即实现，但有关部门实际上已经开始着手相关问题的研究。从 2002 年开始，鉴于电子商务立法的复杂性，有关部门决定先从局部着手进行立法，这个法就是今天的《电子签名法》。《电子签名法》在其制定过程中历经几次改名，曾经被定为《电子签章法》、《数字签名法》，最终本着技术中立的原则，被确定为《电子签名法》。

时间很快指向 2003 年 4 月，《电子签名法》的制定由国务院法制办牵头，进入了正式起草阶段。依据《中华人民共和国电信条例》的相关原则，在各方面的共同努力下，2004 年 8 月 28 日，《电子签名法》获得全国人大常委会审议通过，以国家主席胡锦涛签署的第 18 号主席令的方式对外公布，全称为《中华人民共和国电子签名法》，自 2005 年 4 月 1 日起实施。

《电子签名法》共分 5 章 36 条。根据文中表述我们可以看出，该法立法的直接目的是为了规范电子签名行为，确立电子签名的法律效力，维护各方合法权益；立法的最终目的是为了促进电子商务和电子政务的发展，增强交易的安全性。《电子签名法》重点解决了五个方面的问题：①确立了电子签名的法律效力；②规范了电子签名的行为；③明确了认证机构的法律地位及认证程序，并给认证机构设置了市场准入条件和行政许可的程序；④规定了电子签名的安全保障措施；⑤明确了认证机构行政许可的实施主体是国务院信息产业主管部门。

4.1.2 电子签名的定义

关于电子签名，目前没有统一的定义，国际组织、各国立法以及不同学者对此仍存在分歧。由于电子签名相对传统签名而言，首先是一个技术问题，因此，各种不同的定义之间主要的分歧在于如何界定电子签名所使用的技术范围。相应地，对电子签名概念存在广义和狭义两方面的理解。

1. 广义的电子签名

联合国国际贸易法委员会的《电子签名示范法》及许多国家包括我国在内的立法，均从广义的角度对电子签名进行了定义。

《电子签名示范法》第二条规定，"电子签名是指在数据电文中，用电子形式所含的或在逻辑上与该数据电文有联系的用于识别签名人的身份和表明签名人认可该数据电文内容的数据。"这一定义从形式和功能两方面对电子签名进行了描述，而不涉及电子签名所运用的技术手段。这是广义电子签名定义的典型代表，许多国家及地区的立法包括欧盟的《电子签名指令》、美国的《国际国内商务电子签名法》、日本的《电子签名与认证服务法》、澳大利亚的

《电子交易法案》、菲律宾的《电子商务法》等都作了与之相类似的规定，我国的《电子签名法》也不例外。

我国《电子签名法》第二条规定，"电子签名，是指数据电文中以电子形式所含、所附用于识别签名人身份并表明签名人认可其中内容的数据。"根据此条规定，广义的电子签名包含以下内容：

（1）电子签名是以电子形式存在的数据。与传统的签名形式不同，电子签名以电子形式作为其存在方式，这是电子签名与传统签名在存在形式上本质的不同。

（2）电子签名附着于数据电文。电子签名可以是数据电文的一个组成部分，也可以是数据电文的附属，与数据电文具有某种逻辑关系、能够使数据电文与电子签名相联系。

（3）电子签名要能实现传统签名的基本功能。电子签名必须能够识别签名人身份并表明签名人认可与电子签名相联系的数据电文的内容。

可见，广义的电子签名强调的是传统签名功能的实现，除了以电子形式存在这一最基本的技术要求外，忽略其他技术上的要求，它是电子商务法技术中立原则在电子签名定义上的反映。因此，从广义上讲，凡是在电子计算机通信中，能够起到证明当事人身份及当事人对文件内容认可的电子技术手段，都是电子签名。本书采用广义的电子签名定义。

2. 狭义的电子签名

狭义的电子签名，是指以一定的电子签名技术为特定手段的签名。与广义的电子签名定义不同，狭义的电子签名限定了签名所使用的技术手段。通常，狭义的电子签名指的就是以非对称加密方法产生的数字签名。

狭义的电子签名定义强调的是技术的安全性，相比较而言，如果以某种技术进行电子签名是安全的，这种电子签名就应当被赋予法律效力；而其他的电子签名技术的安全性，如果尚未被验证认可，则不应赋予其法律效力。由于目前数字签名被认为是技术成熟、安全可靠、成本适宜、使用普通的电子签名技术，因此，一些国家及地区通过立法直接将数字签名规定为法律上认可的唯一安全的电子签名。如我国香港特别行政区的《电子传输法例》明确规定"非对称性密钥加密为法律认可的技术方案"。

此外，德国的《数字签名法》、美国犹他州的《数字签名法》等一些国家和地区采取直接以数字签名法作为其电子签名立法的形式，从法律上仅确立了数字签名作为安全的电子签名。一般来说，在狭义电子签名定义下，电子签名指的就是数字签名。

4.1.3　电子签名的分类

广义的电子签名包括了各种电子手段在内的电子签名，根据电子签名技术实现方式的不同，可以将电子签名划分为不同的种类。就目前技术发展的现状而言，可以将电子签名主要分为电子化签名、生理特征签名、数字签名。各种电子签名技术具有各自的优势和局限性，目前使用最为普遍的是数字签名。但是，可以预见，随着技术的不断发展，电子签名的形式也将不断地发展更新。

（1）电子化签名。电子化签名是指对手写签名进行模式识别的签名方法。电子化签名的实现采用签名者传统的手写方式，但需要一定的技术将手写签名转换为电子化签名。在硬件方面，需要一块与计算机相连的手写感应板及电子笔；在软件方面，需要高度精确的模式识别技术、笔迹压缩技术和加密技术等。

签名者签署电子化签名时，首先用电子笔在手写感应板上书写自己的签名，然后感应数据并传送至计算机，由计算机将数据进行加密等处理，并将该签名数据与其所要签署的文件绑定在一起，完成与传统手写签名几乎完全一致的签署行为。对电子化签名进行验证时，需将该签名与留存的签名样式用模式识别的数学计算方法进行比对，以辨认该签名之真伪。

电子化签名的主要优点在于实现方式与传统手写签名方式相类似，符合人们的传统习惯，易于被人们接受。但是，由于每次手写签名的差异性，对模式识别技术及比对技术要求很高，现有的模式识别技术还有待进一步提高。

（2）生理特征签名。生理特征签名是一种基于用户指纹、视网膜结构、手掌掌纹、声音纹、全身形体特征以及脸部特征等独一无二的生理特征通过生物识别技术进行身份识别的签名方法。

生理特征是一个人与他人不同的唯一表征，是可以测量、自动识别和验证的。生理特征签名不需要用户进行相应的签名行为，而是由生物识别系统自动采集、处理，完成对用户的身份认证。以用户指纹作为生理特征的签名为例，签名主要涉及两个过程，即登记过程和识别过程。其中登记过程包括三个环节：读取指纹图像、提取特征和保存数据。首先，通过指纹读取设备读取人体指纹的图像，对其进行初步的处理；其次，用指纹辨识软件对指纹进行特征提取，建立指纹的特征数据；最后，对这些指纹的特征数据作为模板加以保存。在进行识别的过程中，对待认证的指纹重复读取指纹图像和提取特征环节，然后将待认证的指纹特征数据与模板中保存的指纹特征数据进行比对，得出两个指纹是否匹配的结果，以确认待认证对象的身份。其他生理特征签名过程与此相类似，主要区别在于采集和识别技术上的不同。

生理特征签名是现代生物技术与计算机技术的结合，因此，其签名的安全性和可靠性很高，而且可以免去携带、保存、丢失、记忆等其他签名方式的不便。但是，将生理特征转化为电子资料的设备以及技术较为昂贵，使得这种签名方式所需的成本较高；此外，这种确认身份的方式不太人性化，可能会使人产生排斥心理。

（3）数字签名。ISO7498 - 2 标准将数字签名定义为："附加在数据单元上的一些数据，或是对数据单元所作的密码变换，这种数据和变换允许数据单元的接收者用以确认数据单元来源和数据单元的完整性，并保护数据，防止被人（例如接收者）进行伪造。"这主要是从数字签名实现的功能角度所下的定义。美国电子签名标准（DSS，FIPS186 - 2）从技术的角度对数字签名作了进一步阐释："利用一套规则和一个参数对数据计算所得的结果，用此结果能够确认签名者的身份和数据的完整性。"其中所谓的规则和参数指的是非对称加密系统和哈希函数。所以，数字签名指的是基于公钥基础设施（public key infrastructure，PKI）运用非对称加密系统和哈希函数变换的电子记录组成的电子签名。

数字签名是目前国内外电子商务、电子政务中应用最普遍、技术最成熟、可操作性最强的一种电子签名方法。数字签名除了具有传统签名的身份识别、防止否认、确认完整性功能外，还具有数据保密等新增功能。数字签名被认为是目前最适合于互联网和广域网上的安全认证。

4.1.4 电子签名的法律效力

尽管电子签名从技术上解决了电子商务环境下的签名方式问题，但电子签名与传统签名仍存在显著的区别，具有签名的非直观性、认证的特殊性、更改的隐蔽性和安全上的脆弱性等特有的技术特征。因此，将电子签名应用到电子商务实践时，仍然遇到了许多难题。首先必须解决的就是电子签名的法律效力问题，这一问题如不能得到明确且及时的回答，法律上的不确定性必将为电子签名的应用带来除技术以外的风险，进而阻碍其应用与发展。

由于电子签名的技术实现方式并不唯一，对于其法律效力问题，实际上包含两个问题：一是电子签名是否与传统签名或盖章具有同等的法律效力；二是不同技术实现的电子签名是否都具有同等的法律效力。对于第一个问题，目前理论上及各国立法实践已基本达成共识，运用功能等同原则和非歧视原则赋予电子签名与传统签名或盖章同等的法律效力。前一个问题仅笼统地回答了电子签名的法律效力问题，对于第二个问题的认识，则存有很大争议，针对不同电子签名技术的法律效力，目前存在三种不同的解决方案。

1. 确立电子签名法律效力的基本原则

为了避免电子签名仅仅因为其与传统签名不同的存在方式而被否认法律效力，在确立电子签名法律效力时，国际组织及各国立法大都运用功能等同和非歧视电子商务法的两大基本原则，确保电子签名与传统签名具有同等的法律效力。

（1）功能等同原则。联合国国际贸易法委员会《电子商务示范法》第七条规定，"如法律要求要有一个人签字，则对于一项数据电文而言，倘若情况如下，即满足了该项要求：（a）使用了一种方法，鉴定了该人的身份，并且表明该人认可了数据电文内含的信息；和（b）从所有各种情况看来，包括根据任何相关协议，所用方法是可靠的，对生成或传递数据电文的目的来说也是适当的。"这条规定即体现了签名的功能等同原则，规定符合法律上签名要求的电子签名要具备两项基本功能：一是能够对签字者进行身份认证；二是能够表明签字者对所签署数据电文内容的认可。换言之，具备这两项基本功能的电子签名，根据功能等同原则，等同于传统签名。

另外，一些国家立法在界定电子签名时，定义中直接包含了签名的基本功能，清晰地表明功能等同原则在其电子签名法律效力中的应用。

（2）非歧视原则。联合国国际贸易法委员会《电子商务示范法》第五条规定，"不得仅仅以某项信息采用数据电文形式为理由而否定其法律效力、有效性或可执行性。"这一规定同样涵盖了对电子签名的非歧视，不得仅仅以因采用电子签名的形式而否定其法律效力。非歧视原则从另一个角度，明确了电子签名的法律效力。

我国《电子签名法》第三条第二款也明确做出规定，"当事人约定使用电子签名、数据电文的文书，不得仅因为其采用电子签名、数据电文的形式而否定其法律效力。"

目前，电子签名的法律效力在世界范围内已经基本得到认同。

2. 电子签名技术方案的选择

就现有技术而言，目前已有多种可选用的电子签名技术，而且还会不断有新的电子签名技术产生。对于是否接受任何一种技术作为与传统签名具有同等法律效力的电子签名，国际上的立法与实践有 3 种不同的做法，与之相应，形成了电子签名法 3 种不同的立法模式。

（1）技术特定模式。技术特定模式，指的是法律只明确规定采用某种特定技术的电子签名的法律效力，对采用其他技术的电子签名的法律效力未做规定。就目前各国立法实践来看，采用技术特定模式的国家通过法律所明确的某种特定技术大多为数字签名技术，也就是说，仅承认数字签名与传统签名具有同等的法律效力。

技术特定模式的主要优点在于这种立法更加直观，使用者非常清楚地知道哪一种技术是被法律承认为有效的，降低了交易中法律不确定的风险。缺点在于随着技术的发展，一度被认为有效的技术可能不再能够充分保障安全性；此外，确立一种技术的权威性，也使得这种技术更容易遭到攻击，为破坏这项技术提供了更大的可能性；而最大的问题在于，法律选择确定了一种特定的技术，很可能阻碍其他技术的发展。

世界上第一部关于电子签名的立法，1995 年美国犹他州的《数字签名法》，采用的就是技术特定模式。此外，韩国、德国、意大利、丹麦、马来西亚、印度及我国香港特别行政区的电子签名法都采用了技术特定的立法模式，只承认数字签名为合法的电子签名。

（2）技术中立模式。技术中立模式，指的是法律规定只要符合一定的条件，电子签名就具有与传统签名同等的法律效力，而不限制达到规定条件的电子签名应该采用的技术。也就是说，只要符合规定的电子签名技术，均与传统签名具有同等的法律效力，不使任何一种技术比其他技术更受优待。

技术中立模式不规定具体应适用的技术，而只以相同的标准来对待电子交易和传统交易，不使一种技术比其他技术更受优待，也不使一种商业模式优于另一种。因此，这种模式的主要优势在于法律对各种电子签名技术不存在偏好，电子签名技术手段的优劣和应用，由市场和用户自己做出选择，有利于更安全、更符合电子商务实践、新的电子签名技术的发展，尽可能地避免法律对某种特定技术做出不当选择的风险。当然，由于立法者只规定了电子签名原则性的标准，可能会由于法律制定过于笼统而缺乏可适用性，造成具体电子签名技术在法律上的不确定性，不利于电子商务的发展。可见，技术中立模式与技术特定模式的优缺点是相对的。

美国、英国、澳大利亚、新西兰等国的电子签名立法采用了技术中立的电子签名技术选择方案。

（3）折中模式。折中模式，指的是法律承认所有安全电子签名都具有与手写签名同等效力，同时以目前国际上比较公认的成熟技术为基础，推荐一定的安全条件和标准。这种模式在立法中的体现是分别对电子签名和安全电子签名做出规定，符合安全电子签名条件的任何签名技术都具有同样的法律效力，是技术中立与技术特定两种模式的折中。

折中模式力图在技术中立模式与技术特定模式之间寻找一个中间地带，以兼采两种模式之长。与技术中立模式相比，折中模式规定了安全电子签名与手写签名具有同等效力，安全电子签名可以理解为满足一定条件的广义的电子签名，折中模式为电子签名技术设定了高于技术中立模式的标准；另一方面与技术特定模式不同，折中模式通过定义安全电子签名，扩大了法律肯定的技术范围，只要达到安全电子签名标准的技术均具有法律效力，不仅包括了数字签名，还为其他能够达到安全电子签名标准的新技术预留了法律空间。折中模式在为电子签名技术的发展预留了很大的法律空间的同时，又综合考虑了技术的发展现状，具有现实性和可行性，受到广泛的关注和肯定。

联合国国际贸易法委员会的《电子签名示范法》采纳了这一技术选择方案和立法模式，并积极推行此种模式。目前以《电子签名示范法》作为模板制定本国电子签名法的国家有中国、墨西哥、泰国、越南等，均采用了技术中立与技术特定的折中模式，此外，美国伊利诺伊州 1997 年的《电子商务安全法案》、菲律宾电子商务法、我国台湾地区的电子签章法也都以折中模式确立了电子签名的技术选择方案。

4.1.5　电子签名法律效力的推定

1. 归属的推定

归属的推定是指在交易当事人对签署者的身份发生争议时所应采用的规则。《电子签名示范法》对此做出了规定，当确定了电子签名既不是称谓者签署的也不是其代理人所为的行为时，此推定将归于无效。即当法律要求某一文件需要签字时，除非有足够和充分的证据证明该电子签名不是其本人签署或经他授权的代理人签署的，在文件上签名的人即其本人或其代理人。同样，经电子签名的文件从发出到收到未发生变化，即推定文件是完整的，文件是属于发件人的。

我国《电子签名法》对电子签名效力归属作了正面规定，第九条规定："数据电文有下列情形之一的，视为发件人发送：①经发件人授权发送的；②发件人的信息系统自动发送的；③收件人按照发件人认可的方法对数据电文进行验证后结果相符的。"

2. 未经授权使用电子签字的法律责任

未经授权使用分两种情况，一是绝对无权使用，即使用人未经任何授权非法使用且签名所有人没有过错；二是相对无权使用，即使用人虽无权使用但签名所有人也有过错。

（1）绝对无权使用。该情况下，电子签名的所有人不知情也无法控制，主观上不存在过错，该数据信息不能归于本人，因此无须对签名负责，相对人所受损害由行为人承担。如黑客攻击获得密钥使用，或者认证机构内部工作人员非法使用用户的密钥等。

（2）相对无权使用。签名所有者存在疏忽或过错，根据《电子签字示范法》，未经授权的电子签名的使用规定，包含着两种责任的可能性和具体的处理结果。可能性有二：①由签名所有者承担。其前提是签名所有者主观上有过错，即没有履行合理的注意义务，保管好自己的密钥，致使他人未经授权使用。②由收件人承担。其前提是收件人本身有过错，即他知道或应该知道该签名不是签名所有者的。例如，收件人收到信息后，签名所有人告知其该信息未经授权，并且收件人有合理的时间处理却不处理导致损失的扩大；或者收件人只要履行合理的注意就可知签名是未经授权的，却仍按该信息行事，由此产生的损失签字所有者不承担责任。

4.1.6　数字签名基本原理

尽管存在多种电子签名技术，存在多种电子签名技术选择方案，法律上对数字签名技术以外的签名也尽可能减少障碍，但数字签名仍然是目前最主要的、应用最广泛的电子签名技术。

1. 数字签名基础技术

数字签名是经由非对称加密系统和哈希函数变换的电子记录组成的电子签名。非对称加密技术和哈希函数是理解数字签名技术原理最基本的两个术语。

（1）非对称加密技术。数字签名是以电子形式存在的数据，容易被伪造且不易被发现，为保护其数据的安全，需要利用加密术对数据进行加密，因此，使用加密术是数字签名的一个主要特征，数字签名是通过加密术生成和确认的。

加密，是通过加密算法将数据转换为局外人不可读取的形式，加密后的数据成为完全随机产生的没有任何意义的字符串，以达到保密的效果。加密前的原文被称为明文，加密后的信息被称为暗文或密文。通过加密算法的运算将明文转换成暗文，加密算法由一些公式、法则或程序构成。加密算法中的可变参数称之为密钥，密钥是一个很长的、看似随机的数字，以比特（bit）为单位，密钥的长度决定了加密性的强度，目前普遍使用的密钥长度大多在 128 比特以上。通常，加密算法是公开的，而密钥则是非公开的。根据加密和解密时是否使用同一密钥，可将加密术分为对称加密和非对称加密。

对称加密技术，也称私钥加密技术。发送方使用一个密钥对数据进行加密，然后将加密后的密文发送至接收方，接收方使用同一个密钥对密文进行解密，得到数据原文的加密方法。由于发送方和接收方在加密和解密过程中使用的是同一密钥，因此这种加密措施被称为对称加密。在对称加密中，由于不同密钥加密后的密文是不同的，也只有同一密钥才能对同一数据原文生成的密文解密，密钥仅为接收双方掌握并保存，所以又被称为私钥加密。对称加密技术中，加密算法是公开的，广泛使用的有 DES 和 IDEA 等，解密算法为加密算法的逆算法。对称加密技术是应用较早的加密术，技术成熟，主要优点在于算法公开、计算量小、加密速度快、加密效率高。但对称加密技术本身也存在着重大的缺陷，一方面，由于加密和解密使用的是同一密钥，如发生发送方拒绝认可其所发送的信息或接收方私自篡改所接收的信息时，则无从认定；涉及多方传递信息时，情况就更为复杂。另一方面，基于安全性的需要，每对用户每次传递加密信息时，都需要使用其他人不知道的唯一密钥，这会使发送方和接收方各自拥有的密钥数量成几何级数增长，密钥管理成为用户很大的负担。因此，对称加密技术无法满足签名的功能要求，不适合用于数字签名的加密。对称加密流程如图 4-1 所示。

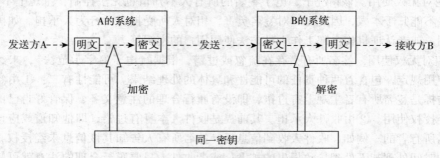

图 4-1 对称加密流程图

为了克服对称加密技术的缺陷，非对称加密技术产生了。非对称加密技术，也称公钥加密技术，发送方用一个密钥对数据原文加密后，将密文发送给接收方，接收方用另一个密钥将密文解密成数据原文。由于加密和解密分别使用不同的密钥，所以称之为非对称加密。与对称加密技术中加密和解密使用同一密钥不同，非对称加密技术需要一对密钥，这两个密钥是运用适当的算法得到的两组相互匹配的数字串，称为密钥对。其中一个作为私人密钥，采用私密的安全介质保密存储起来，不对任何外人泄露，简称为"私钥"；另一个作为公开密钥，可公开发表，用数字证书的方式发布在称为"网上黄页"的目录服务器上，简称为"公钥"。两个密钥必须配套使用，用一把密钥对信息进行加密后必须用另一把进行解密。密钥对的用法有两种。一种是用公钥加密，用私钥解密，当发件方向收件方通信时，发件方用收件方的公钥对原文进行加密，收件方收到发件方的密文后，用自己的私钥进行解密，这种方法用于通信；另一种是用私钥加密，用公钥解密，发件方向收件方签发文件时，发件方用自己的私钥加密文件传递给收件方，收件方收到密文后，用发件方的公钥进行解密，这种方法用于签名。与对称加密技术相比，非对称加密显然安全性更高，但运行速度相对较慢。非对称加密流程如图 4-2 所示。

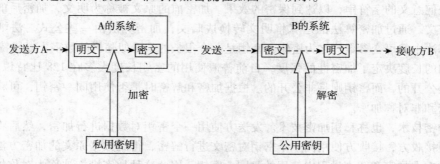

图 4-2 非对称加密流程图

（2）哈希函数（hash function），又称散列函数、杂凑函数或单向函数等，指的是一种算法，它将各种不同长度的信息转换成固定长度但较短的信息字串（称之为哈希值），即对原文作数字摘要。

运用哈希函数，不同的信息字串将产生不同的哈希值，因此，对原文的任何改变，都不可避免地产生不同的哈希值，这一特点使得发件方和收件方可以分别用同一方法计算生成的两个哈希值进行对比，以核对其完整性，为信息传输的完整性和未被篡改提供了一个有效的技术解决方法。此外，哈希函数具有不可逆性或单向性，即从已知的哈希值无法反向推导出变换前的原信息；通过哈希函数对原信息字串进行压缩产生的哈希值，加密解密的速度远远快于对原文进行加密解密。

2. 数字签名的技术实现过程

数字签名的技术实现过程，是将非对称加密技术和哈希函数相结合，生成和验证数字签名的过程。

数字签名的生成过程是，首先，用户生成或得到独特的加密密钥对；其次，发件人用安全的哈希函数对原始数据信息进行运算，得到信息摘要；最后，发件人使用私钥对信息摘要进行加密，形成发送方的数字签名。可见，数字签名就是经过加密的信息摘要。

数字签名生成后，由发件人将数字签名作为数据信息的附件与数据信息一起发送给接收方。接收方收到后，对数字签名进行验证。首先，将接收到的数据信息用同样的哈希函数计算出新的信息摘要；其次，用发送方的公钥对接收到的数字签名进行解密，得到发送方生成的信息摘要原文；最后，将两个信息摘要进行比较，如果完全相同，接收方就能确认该数字签名是发送方的。数字签名的实现过程如图 4-3 所示。

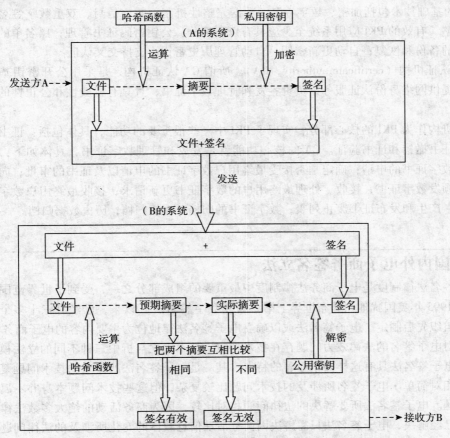

图 4-3　数字签名的实现过程

通过数字签名的运用，可以实现手写签名的主要功能。由于发件人是以私钥产生的电子签名，经收件人验证后，可以确认电子文件的来源；而私钥是由发件人控制的，验证后的数字签名可以达到不可否认的目的；通过验证，确认收到的电子文件在传输中没有被篡改，保证了数据的完整性。

3. 数字签名的运行环境

为了验证数字签名，接收方必须取得签署者的公共密钥，并且保证其与签署者的私人密钥相匹配。即便如此，这一密钥对并不天然地与任何人相联系，它只是两组数字而已。因此，真正实现数字签名的功能，需要一套专门的体系，能够可靠地将密钥对与某个特定的人或实体联系起来。

（1）公钥基础设施所谓公钥基础设施就是通过使用公开密钥技术和数字证书来确保系统安全并负责验证数字证书持有者身份的一种体系。数字签名解决的身份确定，仅限于文件是由与公钥匹配的私钥拥有人所发送的，至于此人在物理世界的真实身份，还需要通过 PKI 技术进一步确认。

公钥基础设施技术采用证书管理公钥，通过第三方的可信任机构即认证中心把用户的公钥和用户的其他标识信息捆绑在一起，在互联网上验证用户的身份。其核心是数字证书和认证机构。目前，通用的办法是采用建立在 PKI 基础之上的数字证书，通过把要传输的数字信息进行加密和签名，保证信息传输的机密性、真实性、完整性和不可否认性，从而保证信息的安全传输。

PKI 的基础技术包括加密、数字签名、数据完整性机制、数字信封、双重数字签名等。一个典型、完整、有效的 PKI 应用系统至少应具有以下部分：公钥密码证书管理；黑名单的发布和管理；密钥的备份和恢复；自动更新密钥；自动管理历史密钥；支持交叉认证。

（2）认证机构（certificate authority，CA）。所谓 CA 认证机构，是采用公开密钥基础架构技术，专门提供网络身份认证服务，负责签发和管理数字证书，且具有权威性和公正性的第三方信任机构。

认证机构作为 PKI 的核心部分，实现了 PKI 中一些很重要的功能，具体包括：证书发放、证书更新、证书撤销和证书验证。CA 的核心功能就是发放和管理数字证书，具体如下：接收验证最终用户数字证书的申请；确定是否接受最终用户数字证书的申请以及证书的审批；向申请者颁发、拒绝颁发数字证书；接收、处理最终用户的数字证书更新请求；接收最终用户数字证书的查询、撤销；产生和发布证书废止列表；数字证书的归档；密钥归档；历史数据归档。

4.2 国内外电子商务签名立法

电子签名法律制度是电子商务法律制度中最重要的组成部分之一，受到了世界范围内的广为关注，自 1995 年美国犹他州颁布世界上第一部《数字签名法》以来，已经有三十多个国家、地区和国际组织先后制定了电子签名法或以确立电子签名法律地位为主要内容的电子商务法。

尽管对电子签名的法律效力问题存在技术特定、技术中立与折中三种不同的立法模式，但综合来看，电子签名法具有这样两个显著的特点。其一是电子签名法所涉及的技术问题复杂，但法律问题却相对简单。电子签名所涉及的技术问题比较复杂，但这些技术问题本身并不属于法律要解决的问题。电子签名法所要解决的法律问题相对比较，因为商务活动的绝大多数法律问题在传统法律中已经解决，电子签名法只需解决因商务活动信息载体的变化所涉及的法律问题，而这些问题大多只需采用"功能等同"的办法做出相应规定即可。其二是电子签名法具有很强的国际统一趋势。电子商务的全球性要求电子签名法律制度应该尽可能是国际统一的，目前联合国有关机构为统一各国的电子签名法律制度做了大量工作，颁布了示范法，供各国立法参照，目前许多国家的主要规定大体上都是一致的。

4.2.1　联合国国际贸易法委员会的《电子签名示范法》

1. 起草背景

（1）《数字签名统一规则》的酝酿。1996 年联合国国际贸易法委员会的《电子商务示范法》在其第七条原则性地规定了电子签名的功能等同标准，为使这一规定更具实际可行性，国际贸易法委员会在 1996 年第二十九届会议决定将数字签名和认证机构问题列入其议程，并要求电子商务工作组审查拟订这些题目的示范法的适宜性和可行性。

1997 年 2 月国际贸易法委员会电子商务工作组第三十一届会议工作组秘书长作了《电子商务问题今后工作的规划：数字签名、认证机构和相关法律问题》的报告，认为缺少关于数字签名和其他电子签名的法律制度会对通过电子方式进行经济交易造成障碍。各国考虑采取的做法和可能采取的解决办法各不相同，使这个专题成为适合国际贸易法委员会加以统一的对象，肯定了国际贸易法委员会立法的必要性。这次工作就立法所采取的技术选择模式进行了讨论，最后达成初步的一致意见，工作组准备拟订的统一规则不应阻止采用任何可以提供一个"适当可靠方法"的技术，以作为符合《电子商务示范法》第七条规定的代替亲手签名或其他纸质签名的手段。但为了便于进行审议，工作组决定以数字签名问题为其初步工作重点，酌情从较广泛的角度，审议与其他电子签名技术有关的问题，因此，初步将其命名为《数字签名统一规则》。此外，工作组在这次会议上就数字签名中应当审议的法律问题和可能的条款也进行了初步的讨论。

（2）《电子签名统一规则》的起草。1998 年 1 月电子商务工作组第三十二届会议上，工作组决定用《电子签名统一规则》代替《数字签名统一规则》，标志着技术折中立法模式得到了工作组明确的接受和采纳。工作组进一步明确了《电子签名统一规则》起草的目的：通过建立一种安全框架，并提供同等法律效力的书面电文和数据电文，促进有效利用数据通信。这次会议上制定了 4 章 19 条的 1998 年草案框架。1998 年 6 月工作组正式推出了《电子签名统一规则》草案，其后于 1999 年 2 月、1999 年 9 月、2000 年 2 月在工作组第三十四届、三十五届、三十六届会议上进一步对草案进行了修改和完善。第三十六届会议决定将以前草案中的"强化电子签名"条款删除，原因是强调强化电子签名，可能会影响其他电子签名方法的使用和发展，进一步明确了避免陷入技术特定立法模式的态度。

（3）《电子签名示范法》的通过。2000 年 9 月，电子商务工作组第三十七届会议决定将《电子签名统一规则》修改为《电子签名示范法》并附加了指南。此后，经过 2001 年 3 月第三十八届会议进行最后修改与审定，这部历经五年、七易其稿的示范法草案终于制定完成，共 12 条。2002 年 1 月 24 日联合国第五十六次全体会议正式通过这部《电子签名示范法》，使之成为继联合国国际贸易法委员会《电子商务示范法》后又一部重要的示范法。

2. 基本原则

（1）平等对待签名技术。根据《电子签名示范法》第三条和第五条的规定，除了当事人协议外，其他规定都不得用于排除、限制或者取消一种生成电子签名方法的法律效力，只要该方法满足了《电子签名示范法》第六条的要求或者各国国内法的规定。虽然示范法意识到数字签名是一项特别普及的技术，仍然遵守了不偏重任何技术的原则，采用了折中的技术选择方案。平等对待签名技术这一原则，贯穿于整部示范法；而且，从示范法的起草过程中名称的变更到强化电子签名的删除等，也能清晰地看到立法者坚持平等对待签名技术的立法思路。

（2）保持国际协调性：《电子签名示范法》第四条规定，在对示范法做出解释时，应考虑到其国际渊源以及促进其统一适用和遵守诚信的必要性。示范法如被作为本国立法颁布，就具有了本国特性，但在解释时应考虑其国际渊源，以确保所有颁布国在示范法解释上的统一性。

实际上，保持国际协调性也是制订《电子签名示范法》的目的所在。示范法颁布指南指出，各国对电子签名可能采取不同的立法处理方式，这就要求有统一的立法规则，对这种本质上的国际现象制定基本规则，在这方面，法律上的协调一致和技术上的通用性是一项适当的目标。

（3）尊重当事人意愿。《电子签名示范法》第五条规定，示范法的规定可经由协议加以删减或改变其效力，除非根据适用法律，该协议无效或不产生效力。当事人可以通过约定自主选择电子签名的使用、方案及权利义务等，是意思自治原则在电子签名法中的体现。但不允许当事人就强制性规范如与公共政策有关的规范等做出任意的删减。

（4）不歧视外国电子签名。《电子签名示范法》第十二条是关于"对外国证书和电子签名的承认"的规定，在确定某一证书或某一电子签名是否具有法律效力或在多大程度上具有法律效力时，不应考虑签发证书或制作或使用电子签名的地理位置，以及签发人或签名人营业地的地理位置，而应取决于其技术的可靠性。也就是说，来源地本身绝对不应成为外国证书或电子签名是否具有法律效力或法律效力的程度的考虑因素，在颁布国境外签发的证书或制作、使用的电子签名，具有实质上同等可靠性的，在该颁布国境内具有与在该颁布国境内签发的证书或制作、使用的电子签名同样的法律效力。

3. 主要规定

（1）适用范围。《电子签名示范法》第一条规定，本规则适用于商务活动过程中电子签名的使用，这里的"商务"应作广义理解，包括契约型或非契约型的一切商务性质的关系所引起的种种事项。同时，国际贸易法委员会建议意欲扩大本规则适用范围的国家采用排除式立法技术，使其能够适用于包括商务领域以外使用的电子签名。

由于在起草示范法时并未特别考虑在保护消费者方面可能产生的问题，因此，保护消费者的法律可优先于示范法的规定。

（2）电子签名的基本要求。《电子签名示范法》第六条规定了符合签名要求的标准，目的在于确保可靠的电子签名与手写签名具有同样的法律效力。符合标准的电子签名应当满足以下条件：①凡法律规定要求有一人的签名时，如果根据各种情况，包括根据任何有关协议，使用电子签名既适合生成或传送数据电文所要达到的目的，而且也同样可靠，则对于该数据电文而言，即满足了该项签名要求。②无论第一款所述要求是否作为一项义务，或者法律只规定了无签名的后果，第一款均适用。③就满足第一款所述要求而言，符合下列条件的电子签名视作可靠的电子签名：签名制作数据在其使用的范围内与签字人而不是还与其他任何人相关联；签名制作数据在签字时处于签名人而不是还处于其他任何人的控制之中；凡在签名后对电子签名的任何更改均可被觉察，以及如果签字的法律要求目的是对签字涉及的信息的完整性提供保证，凡在签名后对该信息的任何更改均可被觉察。

（3）电子签名地位的预先确定。电子商务当事人在使用电子签名技术时而不是将争端提交法院时，需要有确定性和可预见性，这就要求在规定符合签名要求的标准以外，应该有对可靠性和安全性的技术特性进行评估的方法。《电子签名示范法》第七条规定，颁布国可指定任何主管个人、公共或私人机关或机构，依据与公认的国际标准相一致的标准，对哪些电子签名满足《电子签名示范法》第六条规定的做出决定。

（4）签名者、认证服务提供者及信赖方的义务。根据《电子签名示范法》第八条规定，签名者未履行下述义务应承担相应的损害赔偿责任：①合理的注意义务。签名者应采取合理的谨慎措施，避免他人未经授权使用其签名制作数据。②及时地通知义务。签名者在知悉签名制作数据已经或很可能已经失密的情况下，应当及时通知认证服务提供者、信赖方及其他相关方。③准确性和完整性的担保义务。在使用证书支持电子签字时，签名者应采取合理的谨慎措施，保证在证书的整个有效期内或需要列入证书内容的所有实质性表述均精确无误和完整无缺。

《电子签名示范法》第九条规定了认证服务提供者的五项义务：①勤勉义务。认证服务提供者应当按照其关于自身政策和行为的表述行事。②证书的准确性和完整性担保义务。认证服务提供者应采取合理的谨慎措施，保证在证书的整个有效期内或需要列入证书内容的所有实质性表述均精确无误和完整无缺。③确认义务。认证服务提供者必须提供合理可及的手段，使信赖方从证书或其他方面能够确认下列内容：认证服务提供者的身份；证书中所指明的签名者在签发证书时拥有对签名制作数据的控制；在证书签发之时或之前签名制作数据有效；鉴别签名者的方法；签名制作数据或证书的可能用途或使用金额上的任何限制；签名制作数据有效且未发生失密；认证服务提供者规定的责任范围或程序上的任何限制、是否存在保障签名者履行及时通知义务的途径、是否开设及时的撤销服务等。④承诺服务的提供义务。认证服务提供者如开设前述的及时通知途径及撤销服务，应确保途径的有效性及相关服务的提供。⑤保障义务。认证服务提供者应使用可信赖的系统、程序和人力资源，保障其所提供服务的品质。

《电子签名示范法》第十一条规定了信赖方也应履行合理的注意义务，一方面，采取合理的步骤确认签名的可靠性；另一方面，在电子签名有证书证明的情况下，采取合理的步骤，确认证书是否合理有效、是否被中止或者被撤销，并遵守对证书的任何限制。

4.2.2　美国电子签名法律

美国是最早对电子签名进行立法的国家，美国的电子签名法律制度包括州法和联邦法两个层面。对于电子签名不同的技术选择模式或立法模式的探讨与实践是从州法开始的。美国各州电子商务发展的不均衡，法律传统、商业习惯以及社会观念等方面的差异，导致了各州的电子签名立法具有多样性的特点。1995 年犹他州的《数字签名法》仅确立数字签名具有法律效力的电子签名，1995 年加利福尼亚州的《统一电子交易法》规定了符合电子签名要求的具体标准，1996 年佛罗里达州的《电子签名法》概括地承认任何意图确认符合书面或签名要求的电子符号的有效性，1997 年伊利诺伊州《电子商务安全法案》规定并确认了不限于数字签名的强化电子签名的法律效力。目前世界公认的电子签名三种立法模式正是在此基础上形成的。

面对各州不同立法模式的差异，美国统一州法全国委员会从 1997 年起着手制定《统一电子交易法》（The Uniform Electronic Transactions Act，UETA），并于 1999 年 7 月 30 日获得通过，供各州采纳。截至目前，除佐治亚州、伊利诺伊州、纽约州和华盛顿州外，其他 46 个州以及华盛顿特区均采纳了 UETA。作为技术中立型立法，UETA 旨在消除电子签名和电子记录在使用过程中的法律障碍。UETA 规定一个记录或签名的效力，或其可执行性，不得仅因其电子形式而被否认，合同的效力或可执行性，不得仅因合同使用了电子记录而被否认；如果某一法律要求记录为书面形式或要求有签名，则电子记录或电子签名即满足了该法的要求。事实上，UETA 的确起到了统一州法的效果。

在 UETA 的基础上，美国国会于 2000 年通过了《国际与跨州商务电子签名法》（The Electronic Signatures in Global and National Commerce Act，E-SIGN）。E-SIGN 采取了技术中立的立法模式，规定了非常广泛的电子签名定义，确认了电子签名、合同或其他记录不得仅因为其采用电子形式，而否定其法律效力、有效性或可执行性；并以联邦立法的形式重申了电子记录或电子签名与其相应的书面记录和手写签名具有同等的法律效力，有效地消除了各州对于书面记录和签名要求的不一致性。除此之外，E-SIGN 在消费者权益的保护上做出了规定，如果法律要求关于交易的资讯应以书面提供给消费者或使消费者可得时，如欲以电子文件取代书面必须经过消费者的同意，并且此同意也应以电子方式做出。

值得注意的是，在 E-SIGN 与州法的关系上，明确的是 E-SIGN 优先于数字签名法律的适用；如果一州采纳了 UETA 的官方文本，则州法优先于 E-SIGN，由于 UETA 没有关于消费者保护的条款，这种情况下 E-SIGN 中消费者保护条款的效力问题尚不明确；对于没有采纳 E-SIGN 作为州法或采用数字签名模式的州，E-SIGN 在何种程度上优先于这些法律也是不明确的。

4.2.3 欧盟电子签名法律

与美国各州电子签名立法的多样性类似，欧盟各成员国电子签名法律也不统一，如德国和意大利属技术特定型，而英国则采用技术中立型立法。为协调欧盟各成员国之间的电子签名法律，1999 年 11 月，欧盟制定了《欧盟关于建立电子签名共同法律框架的指令》（EU Directive on a Community Framework for Electronic Signatures）。指令包括说明、正文以及 4 个附件，正文包含 15 条规定。

指令采取了折中立法模式，对电子签名做出了宽泛的定义，原则上允许一切形式的电子签名；同时，根据不同技术带来安全性的差别，将电子签名区分为基本电子签名和高级电子签名，前者适用于低水平交易，后者用于需要较高安全水平的交易，在法律上区别对待。四个附件分别对合格证书的要求、签发合格证书的认证服务提供者的要求、可靠签名生成设备的要求、建议认证可靠签名做出了详细规定。

指令在电子认证服务提供者的管理上采取了放宽入门标准、鼓励先进的政策。指令禁止各成员国设立许可限制，但成员国可以引入或者维持一个自愿认证体系，由认证服务提供者自行选择是否申请认证。该认证体系必须做到客观、透明、合理以及非歧视性。另外，欧盟指令要求成员国设立相应的监督体系，对有权颁发政府认可的合格电子签名证书的电子签名服务机构实行监督。

尽管指令规定认证服务提供者不需要申请获得有关主管部门的许可，但必须证明其有能力提供认证服务，并且拥有及时的和安全的目录，在必要时有能力立即撤销已经发出的电子签名；而且，认证服务提供者必须在发出证书之前检查其客户的身份，保存与合格的证书有关的一切信息，便于在发生由电子签名引起的损害时追究责任。

指令的一个主要目的是保护在线商务中使用电子签名的消费者，从而要求认证服务提供者承担主要的义务，要求服务提供者对他们签发的认证证书内容的准确性和有效性负责，这一义务标准在所有电子签名法律中是最高的；同时，认证服务提供者还有义务证明自己无过错，否则就要承担对自己不利的法律后果。

4.2.4 我国的《电子签名法》

1. 我国《电子签名法》的制定过程

随着电子商务在我国的迅猛发展，相关法律问题越来越突出并受到了广泛的关注。鉴于电子商务立法的复杂性，出台一部全面的电子商务法的条件还不成熟，在电子商务立法上，借鉴其他国家立法的经验，我国采取了先从局部即电子签名领域进行立法的策略。

2002年，国务院信息办委托有关单位起草《中华人民共和国电子签章条例》（以下简称条例）。由于当时要求尽快出台有关法律法规的呼声比较高，而立法程序比较复杂，因此最初的定位是行政法规，并争取列入十届人大的立法规划，在条例颁布并执行两三年后再提交人大立法。

2002年10月，国务院信息办将《条例》提交国务院法制办审查，国务院法制办认为还是应该上升到法律。

2003年4月，根据国务院立法工作计划，国务院法制办会同产业部、国务院信息化办公室开始着手电子签名法起草工作。考虑到电子签名法的专业性、技术性很强，起草过程中，多次组织专家论证会，广泛听取电子商务法专家、民商法专家、电子商务专家的意见，并多次进行调查研究，听取有关公司、企业的意见。起草中还对联合国国际贸易法委员会的《电子商务示范法》和《电子签名示范法》、欧盟的《电子商务指令》和《电子签名指令》、美国的《统一电子交易法》和《国际和跨州商务电子签名法》以及新加坡、日本、韩国等国家的有关立法进行了比较研究，尤其是联合国国际贸易法委员会的《电子签名示范法》，更是成为我国《电子签名法》的模板。在广泛征求各方面意见，并研究借鉴国际有关立法的基础上，经反复研究论证，形成了《中华人民共和国电子签名法（草案）》。

2004年4月2日，十届全国人大常委会第八次会议首次对《中华人民共和国电子签名法（草案）》进行了审议，中间又经过两次修改和审议，最终于2004年8月28日，第十届全国人大常委会第十一次会议通过了《中华人民共和国电子签名法》，自2005年4月1日起施行。

2. 我国《电子签名法》的意义

《电子签名法》被认为是为我国首部真正意义上的信息化法律，不仅规范了电子签名、数据电文、认证机构等相关法律问题，填补了法律空白，而且标志着我国法律体系正式迈入网络时代，对我国电子商务发展及电子商务法制建设具有重要意义。

（1）确立电子签名的法律效力，扫清网络交易行为的障碍。《电子签名法》界定了数据电文和电子签名等重要概念，明确了数据电文和电子签名的法律效力，并对数据电文的发送和接受地点的认定、电子签名与认证、法律责任等进行了规定；此外，规定不得仅仅以其是数据电文为理由，拒绝将其作为证据使用，并具体阐明了司法机构在审查数据电文真实性时所依据的标准，从而在法律上清楚地肯定了数据电文的证明效力。法律上的确定性，有利于建立电子商务交易各方从事电子商务的信心，从而为电子商务的发展扫清法律障碍。

（2）规范网上行为，保障交易各方的合法权益。《电子签名法》通过确立电子签名的法律效力和签名规则，设立电子认证服务市场准入制度，加强对电子认证服务业的监管，规定电子签名安全保障制度等，来规范各方当事人在电子签名活动中的行为，确立其行为准则，并规定违反法定义务和约定义务的当事人要承担相应的法律责任，以达到平等保护各方当事人合法权益的目的。

（3）为互联网从单纯的媒体时代过渡到全面应用时代奠定基础。作为一种新兴的媒体，互联网的力量已经为世人所共知。但实际上，网络的数据传输和信息交换作用远不只限于媒体领域。完善的法律制度是互联网走向全面应用时代的基础，而完善电子签名制度又是其中重要的环节。电子签名获得法律效力，意味着互联网上用户的身份确定成为可能。使用电子签名业务的用户将不再对与其交流信息的对方一无所知，在这个基础上，网络才有可能真正跃出媒体之外，充分运用到政务、商业、科学研究、日常生活等诸多方面，从而使"虚拟空间"真正全面地与现实世界接轨。

（4）为电子商务、电子政务的发展拓展了空间。《电子签名法》坚持技术中立原则，采取折中的立法模式，没有具体指定必须确立哪一种电子签名技术，而只是对可靠的电子签名及其认证机构所需达到的条件做出要求，为电子签名技术的发展预留了法律上的空间；此外，该法在确保与我国法律体制相容的前提下，总的原则与国际规则相适应，为我国电子商务的发展提供了较宽广的空间。

3. 我国《电子签名法》的适用范围

（1）一般规定。《电子签名法》第三条第一款规定："民事活动中的合同或者其他文件、单证等文书，当事人可以约定使用或者不使用电子签名、数据电文。"

根据这一条款，我国《电子签名法》适用于民事活动。但需要注意的是，电子签名、数据电文的使用并不仅限于民事活动，还会用于电子政务活动和其他社会活动。根据《电子签名法》第三十五条，国务院或者国务院规定的部门可以依据本法制定政务活动和其他社会活动中使用电子签名、数据电文的具体办法。

当事人在民事活动中可以约定使用或者不使用电子签名、数据电文。一方面，这是意思自治原则在电子签名活动中的体现。意思自治是民事法律中的一项基本原则，通过电子形式进行的民事活动，本质上与一般的民事交易活动没有区别，同样应当遵循意思自治原则。另一方面，也是基于电子签名应用现状的考虑。鉴于电子签名的推广需要一个过程，《电子签名法》没有规定在民事活动中的合同或者其他文件、单证等文书中必须使用电子签名，而是规定当事人可以约定使用或者约定不使用电子签名、数据电文。

（2）排除性规定。电子交易是一种新兴的交易方式，电子签名、数据电文并未在社会活动中获得广泛应用，广大民众的认知度不高。同时，电子签名、数据电文的应用需要借助一定的技术手段，物质条件也会限制一部分民众使用这种交易方式，再加上基于交易安全因素的考虑，《电子签名法》第三条第三款采用排除法排除下列几种情况下电子签名、数据电文的使用：①涉及婚姻、收养、继承等人身关系的；②涉及土地、房屋等不动产权益转让的；③涉及停止供水、供热、供气、供电等公用事业服务的；④法律、行政法规规定的不适用电子文书的其他情形。

4. 我国《电子签名法》的主要内容

《电子签名法》全文约 4 500 字，共 5 章 36 条，分为总则、数据电文、电子签名与认证、法律责任、附则。主要规定了以下几方面内容。

（1）确立电子签名的法律效力。《电子签名法》从两个方面确立了电子签名的法律效力，一是通过立法确认电子签名的合法性、有效性。《电子签名法》第三条第二款明确规定，当事人约定使用电子签名、数据电文的文书，不得仅因为其采用电子签名、数据电文的形式而否定其法律效力。二是明确满足什么条件的电子签名才是合法的，有效的。在技术选择方案的三种模式中，我国立法选择了折中模式。在众多的电子签名方法和手段中，并不是所有的都是安全有效的，只有满足一定条件的电子签名，才能具有与手写签名或者盖章同等的效力。第十四条规定，可靠的电子签名与手写签名或者盖章具有同等的法律效力。第十三条规定了可靠的电子签名应同时符合下列条件：①电子签名制作数据用于电子签名时，属于电子签名人专有；②签署时电子签名制作数据仅由电子签名人控制；③签署后对电子签名的任何改动能够被发现；④签署后对数据电文内容和形式的任何改动能够被发现。此外，法律允许当事人选择使用符合其约定的可靠条件的电子签名。

（2）对数据电文作了相关规定。数据电文，也称为电子信息、电子通信、电子数据、电子记录、电子文件等。根据《电子签名法》第二条的规定，数据电文是指以电子、光学、磁或者类似手段生成、发送、接收或者储存的信息。这一概念包含两层含义：一是数据电文使用的是电子、光、磁手段或者其他具有类似功能的手段；二是数据电文的实质是各种形式的信息。因此，简言之，数据电文就是电子形式的文件。由于现行的民商事法律关系是基于以书面文件进行商务活动而形成的，使电子文件在很多情况下难以适用，《电子签名法》从数据电文的法律效力、证据地位、发送人、发送时间和地点的确定标准三个方面做出了规定，明确了电子文件与书面文件具有同等效力，使现行的民商事法律同样适用于电子文件。

第一，数据电文的法律效力。对于数据电文的法律效力采取的是非歧视原则，当事人约定使用数据电文的文书，不得仅因为其采用数据电文的形式而否定其法律效力。明确了数据电文的法律效力，依然需要对数据电文使用中的具体问题做出规定。由于我国很多法律对于法律文件有书面形式、原件形式、文件保存的要求，如对保证合同、仲裁协议等法律要求采取书面形式，对书证、物证诉讼法要求提交原件的，以及审计或税收部门对文件保存的要求等，仅规定数据电文的法律效力是不够的。因此，《电子签名法》进一步对数据电文符合法律、法规要求的书面形式、原件形式以及文件保存要求的条件做出了规定。

第四条规定，能够有形地表现所载内容，并可以随时调取查用的数据电文，视为符合法律、法规要求的书面形式。这一规定运用了功能等同法，"能够有形地表现所载内容"强调的是以计算机数据形式存储的信息应当具有可读性或可理解性，"可以随时调取查用"强调的是信息的稳定性和可存储性。

第五条规定，满足法律、法规规定的原件形式的数据电文，应当符合下列条件：①能够有效地表现所载内容并可供随时调取查用；②能够可靠地保证自最终形成时起，内容保持完整、未被更改。但是，在数据电文上增加背书以及数据交换、储存和显示过程中发生的形式变化不影响数据电文的完整性。

第六条规定，符合下列条件的数据电文，视为满足法律、法规规定的文件保存要求：①能够有效地表现所载内容并可供随时调取查用；②数据电文的格式与其生成、发送或者接收时的格式相同，或者格式不相同但是能够准确表现原来生成、发送或者接收的内容；③能够识别数据电文的发件人、收件人以及发送、接收的时间。

第二，数据电文的证据地位。《电子签名法》第七条同样采用非歧视原则赋予数据电文作为证据的合法性，数据电文不得仅因为其是以电子、光学、磁或者类似手段生成、发送、接收或者储存的而被拒绝作为证据使用。第八条规定了数据电文真实性的验证方法，审查数据电文作为证据的真实性，应当考虑以下因素：①生成、储存或者传递数据电文方法的可靠性；②保持内容完整性方法的可靠性；③用以鉴别发件人方法的可靠性；④其他相关因素。

第三，发送人、发送时间和发送地点的确定标准。第九条规定，数据电文有下列情形之一的，视为发件人发送：①经发件人授权发送的；②发件人的信息系统自动发送的；③收件人按照发件人认可的方法对数据电文进行验证后结果相符的。当事人对前款规定的事项另有约定的，从其约定。

第十一条规定了数据电文发送时间的确定。数据电文进入发件人控制之外的某个信息系统的时间，视为该数据电文的发送时间。收件人指定特定系统接收数据电文的，数据电文进入该特定系统的时间，视为该数据电文的接收时间；未指定特定系统的，数据电文进入收件人的任何系统的首次时间，视为该数据电文的接收时间。当事人对数据电文的发送时间、接收时间另有约定的，从其约定。

第十二条规定了数据电文发送地点的确定。发件人的主营业地为数据电文的发送地点，收件人的主营业地为数据电文的接收地点。没有主营业地的，其经常居住地为发送或者接收地点。当事人对数据电文的发送地点、接收地点另有约定的，从其约定。

（3）设立电子认证服务市场准入制度。考虑到认证机构的可靠与否，为了防止不具备条件的人擅自提供认证服务，《电子签名法》对电子认证服务设立了市场准入制度。从事电子认证服务，应当向国务院信息产业主管部门提出申请，并符合法律规定的相应条件。此外，为防止认证机构擅自停止经营，造成证书失败，使电子签名人和交易对方遭受损失，还规定了认证机构暂停、终止认证服务的业务承担制度。

（4）规定电子签名安全保障制度。《电子签名法》通过明确有关各方在电子签名活动中的权利、义务以及相应的法律责任，以确保电子签名的安全。

在电子签名活动中，电子签名人应履行两方面的义务：一是保管和通知义务。第十五条规定，电子签名人应当妥善保管电子签名制作数据。电子签名人知悉电子签名制作数据已经失密或者可能已经失密时，应当及时告知有关各方，并终止使用该电子签名制作数据。二是信息提供义务。第二十条规定，电子签名人向电子认证服务提供者申请电子签名认证证书，应当提供真实、完整和准确的信息。

电子签名人违反上述义务，给其他人造成损害的，应当承担相应的民事赔偿责任。第二十七条规定，电子签名人知悉电子签名制作数据已经失密或者可能已经失密未及时告知有关各方、并终止使用电子签名制作数据，未向电子认证服务提供者提供真实、完整和准确的信息，或者有其他过错，给电子签名依赖方、电子认证服务提供者造成损失的，承担赔偿责任。

电子认证服务提供者的义务有三方面：①制定并遵守电子认证业务规则的义务。电子认证业务规则应当包括责任范围、作业操作规范、信息安全保障措施等事项。由于电子认证服务是专业性很强的活动，由电子认证服务提供者制定有关业务规则是合理的，但电子认证服务提供者应当制定、公布符合国家有关规定的电子认证业务规则，并向国务院信息产业主管部门备案。②对认证信息的审查和担保义务。电子认证服务提供者收到电子签名认证证书申请后，应当对申请人的身份进行查验，并对有关材料进行审查；电子认证服务提供者签发的电子签名认证证书应当准确无误，并应当载明相关内容。电子认证服务提供者应当保证电子签名认证证书内容在有效期内完整、准确，并保证电子签名依赖方能够证实或者了解电子签名认证证书所载内容及其他有关事项。③信息保存义务。电子认证服务提供者应当妥善保存与认证相关的信息，信息保存期限至少为电子签名认证证书失效后5年。

电子认证服务提供者不遵守认证业务规则、未妥善保存与认证相关的信息，或者有其他违法行为的，由国务院信息产业主管部门责令限期改正；逾期未改正的，吊销电子认证许可证书，其直接负责的主管人员和其他直接责任人员10年内不得从事电子认证服务。吊销电子认证许可证书的，应当予以公告并通知工商行政管理部门。

电子认证服务提供者违反信息的审查和担保义务，给电子签名人或电子签名依赖方造成损害的，承担过错推定责任。电子签名人或者电子签名依赖方因依据电子认证服务提供者提供的电子签名认证服务从事民事活动遭受损失，电子认证服务提供者不能证明自己无过错的，承担赔偿责任。

第三十条规定，电子认证服务提供者暂停或者终止电子认证服务，未在暂停或者终止服务60日前向国务院信息产业主管部门报告的，由国务院信息产业主管部门对其直接负责的主管人员处1万元以上5万元以下的罚款。

（5）其他法律责任。《电子签名法》还规定其他相关主体的法律责任。

第三十二条规定，伪造、冒用、盗用他人的电子签名，构成犯罪的，依法追究刑事责任；给他人造成损失的，依法承担民事责任。

第三十三条规定，依照本法负责电子认证服务业监督管理工作的部门的工作人员，不依法履行行政许可、监督管理职责的，依法给予行政处分；构成犯罪的，依法追究刑事责任。

4.3　电子认证概述

4.3.1　电子认证的概念及作用

1. 概念

认证是指权威的、中立的、没有直接利害关系的第三人或机构，对当事人提出的包括文件、身份、物品及其产地、品质等，具有法律意义的事实与资格，经审查属实后做出的证明。电子认证指以特定的机构，对电子签名及其签署者的真实性进行验证的具有法律意义的服务。广义上的电子认证包括认证机构、电子认证行为和数字证书在内的一整套法律制度。狭义上的电子认证仅指电子认证行为，即由认证机构采用电子方法以证明电子签字持有人真实身份或电子信息真实的行为。

认证作为公共服务，应用于开放的电子商务交易活动中，目的在于减少交易风险，保证交易安全，保障民商法中诚实信用原则在电子交易领域得到落实。CA 认证验证交易双方身份的真实性；CA 认证维护交易数据的保密性；CA 认证保证信息的完整性和不可抵赖性。

2. 电子认证与公证及电子签名的异同

（1）电子认证与公证的区别。公证与电子认证都在行使证明权，但两者是不同的，表现为：

机构性质不同。公证机构是司法机构，而认证机关目前并未归属于国家行政系统，将来也不可能归属于行政行为。

业务性质不同。公证是非诉讼的法律活动；而认证是根据当事人的申请，根据约定证明电子签名与特定当事人的关系的真实性，相当于信用信息服务。

证明方式不同。公证基于纸面，而认证基于信息技术。

效力不同。公证具有特殊的法律效力，为国家立法所肯定；而认证非法定环节，未赋予法律上当然的效力，其证据效力具有多方面的局限性。

（2）电子认证与电子签名的区别。电子认证与电子签名都是电子商务活动运作的保障，但两者存在区别，表现为：

目的不同。电子签名目的是保护数据电文安全，防止其内容的仿冒、更改和否认；电子认证的目的是把电子签名和交易方联系起来，确保对方得到的电子签名来自于该签名方自己，而不是别人假冒。

法律调整重点不同。法律强调对电子签名安全技术标准的认定；法律强调对电子认证机构的组织结构和权利、义务的分配，以及认证机构的设立和监管，认证机构的归责原则及其赔偿责任。

作用不同。电子签名是技术手段上的保证；电子认证是组织制度上的保证。

电子认证服务是电子商务信用的基础，如图 4-4 所示。

图 4-4 电子认证服务是电子商务信用的基础

4.3.2 电子认证的方法与分类

1. 电子认证的界定及性质

（1）电子认证的界定。从词义上来说，"认"是指"认知、分辨"，"证"是指"证明、作证"。认证一词的涵义广泛，在不同词语搭配中有不同的含义，如传统生活中的签名认证、身份证认证、公证认证、网络空间的口令认证、电子签名认证、司法审判中对证据的认定，虽然都属于认证的一种模式，但其涵义不尽相同，其不同点缘于认证主体和认证对象的不同。一般来说，认证是指权威的、中立的、没有直接利害关系的第三人或机构，对当事人提出的包括文件、身份、物品及其产地、品质等具有法律意义的事实与资格，经审查属实后做出的证明。

电子认证，作为认证的一种模式，是指为配合电子签名之使用，而以电子签名认证机构为中心，由其依照法律规定审验电子签名使用人的身份、资格等属性，确保电子签名与签名使用人之间唯一对应。电子认证是一种特殊的服务，这种服务按照我国原信息产业部颁布的《电子认证服务管理办法》第二条规定"是指为电子签名相关各方提供真实性、可靠性验证的公众服务活动"。

（2）电子认证与电子签名。在网络安全体系中，电子认证是解决网络通信双方身份认可的重要技术。它与电子签名一样，都是电子商务活动中的安全保障机制。电子签名可以依赖于很多技术来实现，有些电子签名可能并不需要认证，例如一些以生物识别技术生成的电子签名，其直接依据签名人的生理特征就可以辨别电子签名的真伪。目前，各国电子商务或者电子签名立法中确认的需要的电子签名一般指的是数字签名。数字签名是从技术手段上对签名人身份做出辨认并对签署文件的发件人与其发出的电子文件所属关系做出确认的方式。但如何解决、如何判定公共密钥的确定性以及私人密钥持有者否认签发文件的可能性等问题，则是数字签名技术本身无法解决的问题。电子认证是加密与认证的综合运用，其最终目的就是为了在电子商务交易的当事人之间发生纠纷的情况下，提供有效的认证解决方法。换言之，这里面有一个解决私人密钥持有人信用度的问题。这里面包括两种可能性：一是密钥持有人主观恶意，即有意识否认自己做出的行为；二是客观原因，即发生密钥丢失、被窃或被解密情况，使发件人或收件人很难解释归责问题。

在传统的签字（盖章）使用中，为了防止签字（盖章）方提供伪造虚假或被篡改的签字

（盖章）或者防止发送人以各种理由否认该签字（盖章）为其本人所为，一些国家或地区采取通过具有权威性公信力的授权机关对某印章提前做出备案，并可提供验证证明的方式，防止抵赖或伪造等情形发生。在电子交易过程，同样需要一个具有权威性公信力的第三者作为安全认证机构对公开密钥行使辨别及认证等管理职能，以防止发件人抵赖或减少因密钥丢失、被偷窃或被解密等风险。由此可见，电子签名的安全使用必须配合安全认证机关体系的建立。事实上，西方很多国家（美国、加拿大、德国等）以及日本都已经或正在建立相配套的公共密钥基础设施。这样，网络上电子签名与 CA 认证的相互结合就解决了前面阐述的由于电子签名技术方面无法解决的信用度的问题。

（3）电子认证的性质。电子认证是作为第三方的数字签名认证机构通过给从事交易活动的各方主体颁发数字证书、提供证书验证服务等手段来保证交易过程中各方主体电子签名的真实性和可靠性。据此可以判断，电子认证是一种信用服务。这缘于提供电子认证的认证机构并不向在线当事人出售任何有形商品，也不提供资金或劳动力资源，它所提供的服务成果，只是一种无形的信息，包括交易相对人的身份、公共密钥、信用状况等情报。

（4）电子认证的技术实现。电子认证的具体操作程序为：发件人在做电子签名前，签署者必须将他的公共密钥送到一个经合法注册，具有从事电子认证服务许可证的第三方，即 CA 认证中心，登记并由该认证中心签发电子印鉴证明（certificate）。尔后，发件人将电子签名文件同电子印鉴证明一并发送给对方，收件方经由电子印鉴佐证及电子签名的验证，即可确信电子签名文件的真实性和可信性。由此可见，在电子文件环境中，CA 认证中心扮演的角色与上述传统书面文件签字（盖章）环境中的第三者（如公证机关）的角色有异曲同工之妙。CA 认证中心正起到一个行使具有权威性公证的第三人的作用。而经 CA 认证机关颁发的电子印鉴证明就是证明两者之间的对应关系的一个电子资料，该资料指明及确认使用者名称及其公共密钥。使用者从公开地方取得证明后，只要查验证明书内容确实是由 CA 机关所发，即可推断证明书内的公开密钥确实为该证明书内相对应的使用者本人所拥有。如此，该公共密钥持有人无法否认与之相对应的该密钥为他所有，进而亦无法否认经该密钥所验证通过的电子签名不为他所签署。

2. 电子认证的功能

电子认证功能集中表现在以下两个方面：

（1）担保功能。通过发放认证证书，认证机构对所有合理信赖证书内信息的人承担一定的担保义务：签名人的身份；用以识别签名者的方法；在签发证书时，签名生成数据是由证书所列签名人控制；在签发证书之时签名生成数据有效；证书的效力状况等。这样，通过中立的认证机构的信用服务，一方当事人可以相信与其进行交易的另一方当事人是真实可靠的交易人。

（2）预防功能：①防止欺诈功能。在开放型电子商务环境下，交易各方可能是跨越国境，互不见面的当事人，其间不仅缺少封闭型社区交易群体的道德约束力，而且发生欺诈事件后的救济方法也非常有限，即便有救济的可能，其成本也往往要超过损失本身。认证机构通过向其用户提供可靠的在线证书状态查询，满足用户实时证书验证的要求，从而解决可能被欺骗的问题。②防止否认功能。电子认证的最终目的是为了在电子商务交易的当事人之间发生纠纷的情况下，提供有效的认证解决方法。其机理在于诚实信用原则的渗透：依此原则，在电子商务活动中，信息发送人难以否认电子认证程序与规则，而信息接受人（包括电子商务消费者）不能否认其已经接受到信息，这样的规则为交易当事人提供了大量的预防性的保护，避免一方当事人试图抵赖曾发送或收到某一数据信息而欺骗另一方当事人的行为发生。

3. 电子认证的分类

电子认证可以有效地解决计算机网络系统面临的多方面的信息安全问题，是目前最为有效的信息安全解决方案。电子认证依据不同的分类标准而不同，如电子认证依功能和对象的不同，可分为：①站点认证，即在正式传递数据电文之间，应首先认证通信是否在预定的站点之间进行。此过程通过验证加密的数据功能能否成功地在两个站点间进行传送来实现。②电子意思表示认证，即必须保证该数据电文是由确定的发出方传送给确定的接受方，并且其内容未被篡改或发生错误，可按确定的次序接收。③身份认证。其目的在于识别合法用户和非法用户，阻止非法用户访问系统。用于身份认证的方法大致可分为四类：验证他知道什么；验证他拥有什么；验证他的生理特征；验证他的下意识动作特征。④电信源的认证。其目的在于预防非法的信息存取和信息在传输过程中被非法窃取，确保只有合法用户才能看到数据，防止信息泄密事件发生。

按照认证主体的不同，电子认证可分为：①双方认证，又称相互认证。一般在封闭型的网络通信中实行。此时通信各方相互了解，认证比较容易。②第三方认证，即由交易当事人之外的、双方共同接受的、可信赖的第三方所进行的认证。它一般在开放性的网络通信或大规模的封闭型网络通信中使用。

根据电子签名认证所使用的技术不同，可分为以下三种：消息认证、身份认证和电子签名。所谓"消息认证"又称为"完整性校验"，在 OSI 安全模型中称为"封装"，在银行业称为"消息认证"。其内容包括：①证实消息的信源和信宿；②查验消息内容是否遭到篡改；③获知消息的序号和时间性。"消息认证"不一定是实时的，比如存储系统或电子邮件系统就不要求实时认证。所谓"身份认证"，是指用来验证通信用户或终端个人身份的安全服务，即获得对谁或对什么事信任的一种方法。"身份认证"可分为三种：一是自然人掌握的某种信息，如口令、账户等；二是自然人的个人持有物（token，也称令牌），如图章、磁卡、智能卡等；三是自然人的个人特征，如指纹、掌纹、声波纹、视网膜、基因、笔迹等。

4. 电子认证的法律效力

电子认证的法律效力包括：

（1）确认电子签名的真实性和有效性。经过电子认证的电子签名，认证申请人可以相信其真实性和有效性。认证申请人发现该电子签名是不真实的，在法律规定的条件下可以要求认证机构赔偿损失。

（2）电子认证不具有公信力。必须说明的是，经过电子认证的电子签名，认证申请人可以相信其真实性和有效性，但其他人不一定相信其真实性和有效性。

（3）电子认证具有证明力。电子签名经过电子认证后，一旦当事人之间发生纠纷，认证机构颁发的认证证书可以作为证据使用。

电子认证的效力一般通过两种途径得到保障。第一种也是最直接的是通过立法的形式加以确认。这主要是通过法律授权政府机关主管部门制定相应规则，从而最终达到保障电子认证的效力，具有法律上的依据与保障。美国很多州都是采取此种方式。这主要是表现在以下几个方面：

①以直接的立法形式明示直接承认可被接受的技术方案标准，如美国犹他州、中国香港特别行政区等。②授权政府主管部门制定相应规则如享有颁发或吊销 CA 机构从事电子认证业务许可的权力，同时对违规/违法经营操作的 CA 机构具有行政处罚权。③制定明确的设立及管理 CA 机构的条件及程序。同时，在监管 CA 机构层面上，政府主管部门还设置所有合法登记、注册经营电子认证业务的 CA 机构的资料库供客户查询。如美国犹他州法律规定，主管机构在其设置的公共密钥凭证资料库中，专门开辟一个存有所有登记注册 CA 机构详尽档案数据库。其中除了一般

公司信息（如公司名称、住址及电话及被授权的营业范围）外，还包括目前使用的核发认证凭证的机构有无违规经营遭到处罚的记录等信息。

第二种方式是采取当事人之间通过协议方式来确认电子认证的效力。在这种情形下，法律只规定原则性条文，如确认电子签名与书面签名的同等效力性，至于当事人之间如何选择技术方案以及由谁来做"第三者"——电子认证人，则由当事人之间协议确定。在此情形下，银行、ISP 公司等均可扮演电子认证的机构的角色。但相对第一种形式，电子认证的效力就相对薄弱。特别是在发生纠纷的情况下以及如何对抗第三人等，法院如何判定合约效力及责任归属问题，就无专门法律可依。

4.4 电子认证相关法律问题

4.4.1 认证机构

1. 电子认证机构的定义

凡是能颁发认证证书的机构，都可称之为认证机构。电子商务中的认证机构一词，来源于英文的"certification authority"，缩写为 CA，又被称为"认证中心"、"验证机构"、"认证证书管理中心"等，专指电子商务中对用户的电子签名颁发数字证书的机构，是受一个或多个用户信任，提供用户身份验证的第三方机构。联合国国际贸易法委员会在其《统一电子签名规则（草案1999 年 2 月稿）》定义中规定："认证机构，是指任何人或实体，在其营业中从事以数字签名为目的，而颁发与加密密钥相关的身份证书。"新加坡在其《电子交易法》第二条规定："认证机构是指颁发数字证书的人或组织。"由于认证工作提供是提供一种信息服务，因此，我国《电子签名法》将认证机构界定为电子认证服务提供者。我国《电子认证服务管理办法》第二条则对电子认证服务提供者界定为："是指为电子签名人和电子签名依赖方提供电子认证服务的第三方机构（以下称为'电子认证服务机构'）。"可见，关于"认证机构"的定义，各国立法并没有相同的表述。

电子认证机构作为电子商务中承担安全电子交易认证服务、签发数字证书，并能确认用户身份的服务机构，其存在是开放性电子商务活动得以健康发展的重要保障。它是 PKI 的核心执行机构，是 PKI 的主要组成部分。电子认证机构主要有证书签发服务器，负责证书的签发和管理，包括证书归档、撤销和更新等；密钥管理中心，用硬件加密机产生公/私密钥对，CA 私钥不出卡，提供 CA 证书的签发；目录服务器负责证书和证书撤销列表（CRL）的发布和查询。CA 的组成大致是：它是一个层次结构，第一级是根 CA（RCA），负责总政策；第二级是政策 CA（PCA），负责制定具体认证策略；第三级为操作 CA（OCA），是证书签发、发布和管理的机构。

2. 认证机构的种类

从认证机构的结构角度来看，认证机构可以分为单层次的爪状结构、多层次的树状结构和网状结构三种。

单层次的爪状结构只存在一个最高级的认证机构（称为根认机构）和若干从属的认证机构，所有从属的认证机构颁发的认证证书都由最高级的认证机构加以再认证。多层次的树状结构有一个认证机构作为最高级的认证机构，下有若干从属的认证机构作为高级认证机构，而每个高级的认证机构下有若干从属的认证机构，如此反复一直延伸至最基层的认证机构。在这种机构中，认证申请人如果对某个认证机构颁发的认证证书的效力有疑问，可以向上一级的认证机构继续提出认证申请，要求对该认证证书的真实性和有效性予以认证，而最高级的认证机构由其自身保证所颁发的认证证书的真实性。网状结构存在若干认证机构，彼此之间相互独立，没有隶属关系。在这种结构中，一个认证机构的认证证书由另一个认证机构加以认证，认证申请人可以不断地向其他认证机构提出再认证申请，直到认证申请人相信某认证机构的再认证的真实性和有效性。

3. 电子认证机构的服务内容

电子认证机构的主要功能是接受注册要求，处理和批准请求以及颁发和管理数字证书；保管公共密钥，应有关当事人的申请进行身份认证。根据我国《电子认证服务管理办法》第十七条的规定，电子认证服务机构应当保证提供下列服务：①制作、签发、管理电子签名认证证书；②确认签发的电子签名认证证书的真实性；③提供电子签名认证证书目录信息查询服务；④提供电子签名认证证书状态信息查询服务。

4.4.2 认证机构的设立、职权和相关法律关系

认证机构在我国《电子签名法》中称为认证服务提供者，是指从事颁发为电子签名的目的而使用的与加密密钥相关的证书的机构。

认证机构为保障电子交易活动顺利进行而设定，主要解决电子商务活动中交易活动中交易参与各方身份的认定，维护交易活动的安全。2000 年 6 月 29 日中国第一家认证服务提供者——中国金融认证中心（CFCA）正式挂牌，标志着中国正式开始 CA 认证。2002 年 8 月，中国国家信息安全测评认证中心正式授予 CFCA "国家信息安全认证系统安全证书"。在商业领域，中国电信 CA、工商行政管理部门、税务部门、外贸部门也都积累有丰富的信用信息资料。目前我国电子商务 CA 认证中心的建设欠规范，出现有大量行业性的认证中心，如中国电信认证中心（CTCA）、中国邮政认证中心（CPCA）、经贸委认证中心，也有区域性的，如上海、海南、大连等地的 CA 机构，而在电子商务发达的美国，目前也只有三家大型的认证机构，国内目前局面有待规范。

1. 设立

国际上对认证机构设立有三种管理模式，一是强制性许可制度，认证机构必须通过许可才能开展业务，如日本、德国；二是非强制性许可制度，可经许可也可不经许可，不经许可的认证机构，没有政策优惠，但仍可以运营，如新加坡；三是行业自律，完全依市场调节，如美国。

（1）条件。为了防止不具备资格的机构擅自提供认证服务，保证电子认证的权威性，我国《电子签名法》第十七条对电子认证服务设定了市场准入，该法规定："提供电子认证服务，应该具备下列条件：①具有与提供电子认证服务相适应的专业技术人员和管理人员；②具有与提供电子认证服务相适应的资金和经营场所；③具有符合国家安全标准的技术和设备；④具有国家密码管理同意使用密码的证明文件；⑤法律、行政法规规定的其他条件。"

其中，专业技术人员和管理人员应具有财产能力和从事信用服务的素质和资格，具有品行良好和相应的业务水平，《电子认证服务管理办法》第五条规定："从事电子认证服务的专业技术人员、运营管理人员、安全管理及客户服务人员不少于 30 人"。

资金和经营场所方面，《电子认证服务管理办法》第五条规定："注册资金不低于人民币3 000 万元"。认证机构财产方面还应向有关部门缴纳一定金额的风险保证金或参加一定数额的责

任保险。经营场所方面要求"具有固定的经营场所和满足电子认证服务要求的物理环境"。

技术和设备安全标准要求国内统一性和国际协调性，最大限度地消除因地区、行业、国家不同而产生的认证差异结果。

其他条件指认证机构内外部管理，包括健全内部管理章程，符合外部审计监督要求等。

（2）提交材料。与设立条件相一致，《电子认证服务管理办法》第六条规定："申请电子认证服务许可的，应当向信息产业部提交下列材料：①书面申请；②专业技术人员和管理人员证明；③资金和经营证明；④国家有关认证检测机构出具的技术设备、物理环境符合国家安全标准的凭证；⑤国家密码管理机构同意使用密码的证明文件。"

（3）程序。《电子签名法》第十八条规定，"从事电子认证服务，应当向国务院信息产业主管部门提出申请，并提交符合本法第十七条规定条件的相关材料。国务院信息产业主管部门接到申请后依法审查，征求国务院商务主管部门等有关部门的意见后，自接到申请之日起 45 日内做出许可或者不予许可的决定。予以许可的，颁发电子认证许可证书；不予以许可的，应当书面通知申请人并告知理由。申请人应当持电子认证许可证书依法向工商行政管理部门办理企业登记手续。取得认证资格的电子认证服务提供者，应当按照国务院信息产业主管部门的规定在互联网上公布其名称、许可证号等信息。"根据这一规定，电子认证机构设立的程序有三：①提出申请；②领取电子认证许可证；③办理工商登记。

2. 认证机构的职权

认证机构的职权主要表现在它对用户电子签名认证证书的管理上。电子签名认证证书是指可证实电子签名人与电子签名制作数据有联系的数据电文或者其他电子记录。

（1）发放证书。认证服务提供者在收到申请后，应申请人的请求，经审查符合条件的，予以发放证书。《电子签名法》第二十条规定："电子签名人向电子认证服务提供者申请电子签名认证证书，应当提供真实、完整和准确的信息。电子认证服务提供者收到电子签名认证证书申请后，应当对申请人的身份进行查验，并对有关材料进行审查。"第二十一条规定了电子签名认证证书上应包括的内容为：电子认证服务提供者名称、证书持有人名称、证书序列号、证书有效期、证书持有人的电子签名验证数据、电子认证服务提供者的电子签名和其他。

（2）中止证书。认证服务提供者已经发生或可能发生的影响认证安全的紧急事件，应采取措施暂时阻止证书的使用。中止证书是应用户请求，或根据有关法律文件，或者是证书机构发现发放的证书可能存在虚假三种情况下做出，其他情况下，不得自行中止证书。认证服务提供者中止证书的同时，应当在信息公告栏和可查询处予以公告，并通知有关当事人。中止证书不能超过规定的时间。

（3）撤销证书。认证机构在用户的主体资格或行为不符合认证机构规定时，应当终止证书的效力。撤销证书可以是基于当事人的请示或法律文件的规定，也可以是认证机构的决定，因此，撤销证书可分为申请撤销和决定撤销。申请撤销是应当事人请求或法律文件的规定而撤销；决定撤销是认证机构发现证书中信息已发生变化时主动撤销证书，如用户死亡或解散；认证机构的密钥或信息系统遭到破坏，影响证书安全或用户的私密钥遭到危险；认证机构发现证书虚假等。决定撤销无须经证书持有人同意，但应通知证书持有人，并公开相关信息。

（4）保存证书。认证机构在证书有效期满或撤销后，应当将证书保存 5 年并允许查询。《电子签名法》第二十四条规定："电子认证服务提供者应当妥善保存与认证相关的信息，信息保存期限至少为电子签名认证证书失效后 5 年。"

3. 法律责任

认证机构在认证过程中存在经营风险，如技术应用过失致使记录丢失、没有严格审查致使证书内容虚假、没有经过合理的管理证书行为，遭受外部人员攻击等，给签名所有人或者依赖人造成损失，认证服务提供者应承担相应法律后果。

（1）归责原则。《电子签名法》第二十八条规定："电子签名人或者电子签名依赖方因依据电子认证服务提供者提供的电子签名认证服务从事民事活动遭受损失，电子认证服务提供者不能证明自己无过错的，承担赔偿责任。"对认证机构采取过错推定归责原则，认证是一个高风险的行业，认证机构在审查当事人真实身份时应尽合理的注意，无过错的不应承担责任。在下列三种典型情况下，认证机构应担责任：①电子认证服务提供者不遵守认证业务规则；②未妥善保存与认证相关信息；③其他违法行为。

（2）认证服务提供者赔偿范围限制。认证服务提供者只就其违约或失职行为所造成的直接损失承担赔偿责任。确定赔偿问题时，不依据《合同法》的规定。因为认证机构是开展电子商务活动的基础设施和公用事业机构，证书用户众多，如果一旦发生赔偿，认证机构很可能无法正常运营。因此，认证服务提供者只能就其违约或失职行为所造成的直接损失承担赔偿责任，对于当事人丧失利润或机会的损失、精神上的损失不予赔偿。

4. 电子认证各方法律关系

电子认证的当事人包括认证服务提供者（认证机构）、证书持有人和依赖人。电子签名的可信赖性是由多方面因素决定的，与签署方、证书服务提供方、依赖方都存在必然的关系，认证机构是其中一个重要的机构。认证机构是电子商务中一个重要的独立的第三方主体，权利义务仅以合同约定不足以明确认证机构在电子商务中的地位和责任，也不利于交易的安全和秩序，因此，必须以法律加以界定。

（1）认证各方关系。

认证服务提供者与电子签名人是合同关系。地位平等，当事人的合同关系表现在认证证书上，证书本身虽不是合同，但它是合同存在的证明。合同的标的是认证服务提供者的服务行为。

认证服务提供者与证书依赖人是基于法律上的信赖。证书依赖人是指依赖认证证书所载的信息真实从而与证书持有人进行交易的人。它与认证服务提供者是利益信赖关系，这种关系的基础源于法律的规定，而非当事人的约定。

电子签名人与依赖人关系是基础合同关系。

（2）认证各方应承担的义务。

CA运行的好坏关系到电子商务发展的成败，为保障电子商务的安全，结合国际上电子商务立法先例，认证机构一般需承担以下义务。

信息披露义务。认证服务提供者应向社会公开其从业资格、重要的业务记录，以接受监督和获得协作。披露内容包括：认证机构根认证书说明；用户的公钥；作废证书名单；认证业务说明；认证服务提供者登记时应公开的有关记录；其他影响证书安全性能和认证机构服务能力的事实。《电子签名法》第二十三条规定，"电子认证服务提供者拟暂停或终止电子认证服务的，应当在暂停或者终止服务90日前，就业务承接及其他事项通知有关各方"，"电子认证服务提供者被吊销电子认证许可证的，其业务承接事项的处理按照国务院信息主管部门的规定执行。"

业务说明义务。《电子签名法》第十九条规定："电子认证服务提供者应当制定、公布符合国家有关规定的电子认证业务规则，并向国务院信息产业主管部门备案。电子认证业务规则应当包括责任范围、作业操作规范、信息安全保障措施等事项。"法律规定要求认证机构公开其工作流程和为用户提供的服务和服务内容，证书机构在说明中应注意行业政策和习惯，并遵守其说明，保证陈述的准确性和完整性，说明义务包括责任范围、作业操作规范、信息安全保障措施和其他事项。

保险义务。认证服务是一个高风险的行业，既面临内部人员操作错误甚至恶意操作等机构运营带来的风险，又必须提防外部攻击，技术的飞速进步也会致使机构业务发生重大变化，而且一旦发生风险往往超出认证服务提供者本身的控制。因此，为了减少认证机构的风险和稳定交易秩序，有必要施以认机证机构参加责任保险。认证机构可在下列责任范围投保：外部进攻者对被保险人用户的数字证书业务系统的攻击造成用户交易账户资金的损失；病毒入侵造成用户交易账户资金的损失；火灾、水管爆裂造成用户交易账户资金的损失；被保险用户数字证书丢失，报失后，他人利用其数字证书进行交易造成用户交易账户资金的损失。

保密义务。除非有关国家机关的正式要求，认证服务提供者不得对外披露：证书用户在申请数字证书时向认证服务提供者披露的身份信息及有关信息；证书用户的私人密钥。

担保义务。向证书持有人和证书信赖人担保证书所述信息真实的义务。《电子商务法》第二十二条规定："电子认证服务提供者应当保证电子签名认证证书内容在有效期限内完整、准确，并保证电子签名依赖方能够证实或者了解电子签名认证证书所载内容及其有关事项。"

举证义务。用户在使用证书时发生纠纷，认证机构可以根据交易双方或其中的一方的要求，为其提供举证服务。

（3）电子签名人的义务。《电子签名法》第三十四条第一款规定："电子签名人是指持有电子签名制作数据并以本人身份或者以其所代表的人的名义实施电子签名的人。"其义务包括以下几项：

真实告知义务。电子签名人应真实告知，如因用户违反真实陈述义务给认证机构造成损害的，应予弥补。其一，申请时如实告知证明信息的义务。申请人为个人的，应依法如实提供有关身份信息的证明；申请人为法人或其他组织时应提供公司或组织的名称、地址、法定代表人或主要负责人的姓名和地址、联系方式、有关执照或登记证等。其二，证书持有期间履行及时通知的义务。电子签名人在密钥可能为非授权人知道或存在危害证书安全的情况下，应立即通知认证机构。

妥善保管义务。电子签名人在证书有效期间应尽合理的注意义务，保管其私人密钥，防止将其披露给任何未经授权的第三人。《电子签名法》第二十七条规定："电子签名人知悉电子签名制作数据已经失密或者可能已经失密未及时告知有关各方、并终止使用电子签名制作数据，未向电子认证服务提供者提供真实、完整和准确的信息，或者有其他过错，给电子签名依赖方、电子认证服务者造成损失的，承担赔偿责任。"

私钥失密后及时通知。包括通知所有按其合理预计可能受证书影响的人以及认证机构，向认证机构申请中止或撤销证书。

（4）依赖方的义务。《电子签名法》第三十四条第二款规定电子签名依赖方，是指基于对电子签名认证证书或者电子签名的信赖从事有关活动的人。其义务包括：①采取合理步骤确认签名的真实性；②在电子签名有证书证明的情况下，采取合理步骤确认证书是否合法有效、被中止签名或被撤销；③遵守任何有关证书的限制。

依赖方也不能草率行事，因为认证机构对证书信赖人的责任范围，集中表现在认证机构的担保义务上：认证机构对证书的疏漏和虚假陈述承担责任；认证机构对未按其认证业务说明的要求或程序进行操作承担责任。如果依赖方未能履行确认要求，且经过合理的查证未发现签名或证书是无效的，则依赖方不能推卸对该签名或证书的接受。

参考资料

《电子认证服务管理办法》保障金融认证服务健康运行

作为我国首部真正意义上的信息化法律和法规，《电子签名法》和《电子认证服务管理办法》将于后天（2005 年 4 月 1 日）正式实施。这将对我国的电子商务和电子政务发展起到巨大的推动作用，也有利于我国整个社会信息化的深化，有利于金融业的改革与发展。《管理办法》共计 8 章 43 条，是中华人民共和国信息产业部为了配合《中华人民共和国电子签名法》的发布和实施，制定出用以规范电子认证服务行为、监管电子认证服务的行政法规。

电子认证服务机构所提供的验证应该是被交易双方所公认的，具有有效说服力的。这就要求电子认证服务机构应该是除交易双方之外的独立的一方，即具有第三方性的认证机构。因为不论是从法的角度还是从理的角度来说，参与交易的任何一方都不能够成为电子认证服务的提供者，他们不能既当"运动员"，又当"裁判员"，因为这样就破坏了"比赛"的规则。目前，绝大多数的银行都采用了中国金融业统一的、权威的第三方安全认证机构——CFCA 的数字证书机制，向用户提供 CFCA 颁发的数字证书，也有个别的银行向用户提供的是自己颁发的数字证书。由银行自身提供的认证信息是没有充分的公信力的，一旦银行与用户发生交易纠纷，银行所出示的证明很难受到法律的认可。因此，从法律的角度来看，电子认证服务机构的第三方性有着举足轻重的意义，CFCA 的权威性、公正性和第三方性就决定了它所提供的电子认证服务是"真实性、可靠性验证"。

《电子签名法》出台之前，按照保守统计，国内已经有 100 多家电子认证服务机构。为了规范和管理现有的认证机构，促使认证机构健康发展，《管理办法》对认证服务提出了实际操作规范。《管理办法》第五条、第六条规定了电子认证服务机构的人员编制、注册资金、政府相关部门的批件等资质要求，其准入门槛相当之高。

在网上交易中，交易双方的身份必须通过第三方认证，电子认证服务机构由此产生。认证机构相当于一个权威可信的中间人，它的职责是核实交易各方的身份，负责电子证书的发放和管理。如果认证机构自身出了问题，所发放的证书的权威性、公正性和可信赖性就要大打折扣，网上交易的可信性就更加无从谈起了。电子认证业务本身所具有的特殊性，要求开展这项业务、参与市场竞争的企业首先要有很强的实力。例如要"具有固定的经营场所和满足电子认证服务要求的物理环境、具有符合国家有关安全标准的技术和设备、具有国家密码管理机构同意使用密码的证明文件"等条件。其中一条还明确规定电子认证服务机构的"注册资金不低于人民币 3 000 万元"，这个资金标准是一个 CA 正常运行的必备条件，是用户接受认证服务、信赖服务方的心理依靠，也是 CA 承担相应责任义务的物质基础。

资料来源：金时网，作者：吕大军、王红琇、王德平。

4.4.3 交叉认证的法律解决

无论国内还是国际，认证机构都是各自为政，其认证标准和效力不能互通。不同认证机构产生不同的用户群体，形成各自不同的封闭性的信任环境，这称为认证的域。持有由不同认证机构认证证书的当事人进行交易，要突破域，彼此就会产生交叉认证，交叉认证既存在国内不同机构之间，也存在于国际的认证机构之间。

交叉认证是指两个认证机构安全的交换密钥信息，相互有效地承认各自签发的证书的过程，它是第三方信任的扩展形式。

1. 交叉认证的法律问题

不同认证体系在证书等级、系统案例性、业务规范、采用的关键技术、机构运营过失等方面存在判别，所以在赔偿金额、方式、取证等方面会有所不同，并可能产生纠纷。目前，国内对于交叉认证的建设模式看法不一，主张有三：

（1）根认证。有人主张建立一个国家级的根认证机构，对其他认证机构发放的证书进行认证。

（2）认证担保。有人建议通过认证机构之间相互订立担保合同方式来实现认证担保。

（3）认证交互中心。建立国内一定地区和范围内的 CA 认证交互中心。目前，该方式在我国已经有成立，在协调关系、统一标准、转换格式、确定责任方面起到了较大的作用。比较典型的是上海、北京、天津地区联手的"中国协卡认证体系"；广东、海南、湖北等省协作组成的"网证通" CA 联盟，以及中国金融认证中心 CFCA。

2. 对外国认证证书的承认

国际间对外国认证机构和认证证书的承认主要有三：

（1）通过国际条约或双边条约来处理。凡加入条约或约定的国家，均可承认对方国家认证机构在本国颁发的证书的效力。

（2）行政审核方式。即符合本国规定的认证政策和可信性条件的境外认证机构，在获得境内行政部门的许可后，可在境内开展认证活动。其颁发的认证证书与境内机构颁发的证书具有同等效力。

（3）认证担保方式。在没有双边协定和国际条约的情况下，境外认证机构可以通过寻求境内认证机构提供担保，由后者承担前者在国内发放证书所产生的风险。

我国《电子签名法》第二十六条对外国证书的承认问题作了具体的规定："经国务院信息产业主管部门根据有关协议或者对等原则核准后，中华人民共和国境外的电子认证服务提供者在境外签发的电子签名认证证书与依照本法规定的电子认证服务提供者签发的电子签名认证证书具有同等的法律效力。"也即在我国承认前两种交叉认证的效力。

【本章小结】

详述数字签名的基本原理，数字签名技术的实现过程，并介绍国内外电子签名的法律制度，电子认证法律制度及相关法律问题。经比较可得出电子签名和电子认证的区别和联系。

【复习与思考】

1. 简述电子签名的概念和法律效力的确定原则。

2. 简述数字签名的实现过程。

3. 电子签名与电子认证的区别和联系。

4. 电子认证的法律效力是什么？

5. 电子认证机构的特点是什么？

6. 简述我国《电子签名法》的主要内容及意义是什么？

7. 试列举电子认证法律关系的种类，并分析每一种法律关系的主体，以及他们各自享有的权利、承担的义务，以及因为没有履行相应义务而应承担的法律责任。

第 **5** 章

电子合同法律制度

案例 5-1

景荣实业有限公司（被告）已经注册了电子信箱（E-mail）："jrsy@ jrsy. com. cn"；衡阳木制品加工厂（原告）也注册了电子信箱："h-ymz@ online. sh. cn"。3 月 5 日上午，景荣实业有限公司给衡阳木制品加工厂发出要求购买其厂生产的办公家具的电子邮件一份，电子邮件中明确了如下内容：

（1）需要办公桌 8 张，椅子 16 张；

（2）要求在 3 月 12 日之前将货送至景荣实业有限公司；

（3）总价格不高于 15 000 元。

电子邮件还对办公桌椅的尺寸、式样、颜色作了说明，并附了样图。

当天下午 3 时 35 分 18 秒，衡阳木制品加工厂也以电子邮件回复景荣实业有限公司，对景荣实业有限公司的要求全部认可。为对景荣实业有限公司负责起见，3 月 6 日衡阳木制品加工厂还专门派人到景荣实业有限公司作了确认，但双方都没有签署任何书面文件。

3 月 11 日，衡阳木制品加工厂将上述桌椅送至景荣实业有限公司。由于景荣实业有限公司已于 10 日以 11 000 元的价格购买了另一家工厂生产的办公桌椅，就以双方没有签署书面合同为由拒收，双方协商不成，3 月 16 日衡阳木制品加工厂起诉至法院。庭审中，双方对用电子邮件方式买卖办公桌椅及衡阳木制品加工厂去人确认、3 月 11 日送货上门等均无异议，4 月 15 日法院判决衡阳木制品加工厂胜诉。

资料来源：《知识产权管理与执法电子图书库》。

电子合同是《电子签名法》的典型应用，实施《电子签名法》，电子合同是重中之重。在网络环境下，作为电子商务重要工具的电子合同正日益取代长期以来普遍采用的书面合同，从形式上发生了巨大变化。我国《电子签名法》确立了电子记录归属于特定人、等同于原件等基本原则，为电子合同的可执行性提供了依据。虽然我国《合同法》承认电子合同的法律效力，但由于网上交易方式的新特点，现行的合同理论对新兴的电子合同并不能完全适用，产生了许多新的法律问题。本章将从传统交易环境和网络交易环境作为比较的角度，结合国际和国内相关立法规定，分析合同在网络环境中的变化和产生的新的法律问题。

5.1　电子合同概述

5.1.1　电子合同的概念

合同是保障市场经济正常运行和促进贸易发展的重要手段，各国民法中，合同（或称契约）均指地位平等的双方当事人之间设立、变更、终止民事权利义务关系的协议，反映了双方意思表示一致的法律行为。我国现行《合同法》第二条规定：合同是平等主体的自然人、法人、其他组织之间设立、变更、终止民事权利义务关系的协议。

我国现行的《合同法》和《电子签名法》也引入了数据电文形式，从而在法律上确认了合同可以采用电子手段缔结。电子合同是指通过互联网以电子数据交换、电子邮件等数据电文形式，完全准确地反映双方当事人意思表示一致的商品和服务交易合同。

电子合同的实现过程就是电子合同的文本（一组数据信息）以可读形式存储于计算机磁性介质上，该信息首先通过某一方的计算机进入内存，然后经过通信网络转发到对方计算机内存中。电子合同信息无法像传统的纸本合同文件那样由人眼直接阅读，除非将其打印在纸面上或显示在屏幕上。

在电子合同中，旨在约定双方权利和义务的合同内容并无变化，意义和作用也没有发生质的改变，只是其载体和合同订立方式发生了改变。然而这种改变，却可能直接影响到这一新型合同形式的法律效力，带来了一系列法律新问题。

5.1.2　电子合同的特征

作为一种崭新的合同形式，相对于传统的书面合同，电子合同具有以下特征。

（1）电子合同的要约和承诺均通过计算机网络进行。在传统的书面合同订立过程中，当事人一般是面对面或者通过信件、电报、电话或传真等方式发出要约和做出承诺。电子合同则不同，它的要约、承诺均是合同双方当事人通过电子数据的传递来完成：一方电子数据的发出即视为要约，另一方的电子数据的回送即视为承诺；签订合同的全过程均由双方当事人通过计算机网络在虚拟的市场上"无纸化"进行。这使得电子合同的订立及合同内容较之传统书面合同而言更为开放、迅捷。

（2）电子合同的成立、变更和解除均通过计算机网络进行。为了适应电子合同这一新情况，我国《合同法》将电子数据交换作为书面形式的一种，这就使得以数据电文形式存在的电子合同符合《合同法》的"书面形式"要求，受到《合同法》的保护。

（3）电子合同的成立不需要经过传统的签字。不论是国内贸易还是国际贸易，传统合同的成立，都必须具有签字（签名或盖章）。但在电子合同中，人们只需要每一方采用电子密码签名，并经电子认证服务机构的认证即可。这种电子签名方法，不仅成为电子合同成立的特征，而且越来越获得国际社会的广泛认可。

（4）电子合同比传统合同更易于失真。由于电子数据信息的无形化、共享性、传输快速、复制廉价等特点，交易双方对信息的发送、接收都是经由计算机应用系统来完成，而电子文件极易在其所有权人毫不知情的情况下被电脑黑客不留痕迹地入侵和修改，而且也容易感染层出不穷的计算机病毒，这些原因都会使电子合同比传统合同更易于失真。因而，电子合同更需要相关的法律来加以规范。

5.1.3 电子合同的分类

1. 按合同内容不同分类

（1）有形商品交易合同。从交易的对象看，虽然以有形货物为主要标的物的电子合同与传统交易合同相似，但在订立方式和法律适用上与传统合同有着一定的区别。在电子商务中，这类合同通常采用电子邮件、EDI 数据交换、点击方式或者其他数据通讯方式订立。合同成立与履行应当由数据电文法律制度即广义的电子商务法律（如美国《统一电子交易法》、新加坡《电子交易法》以及我国《合同法》有关条款）来进行调整。这类有形商品交易合同是最基本的电子商务合同，也是数量最大的合同形式。

（2）无形商品交易合同。这类无形商品一般指的是信息商品，与有形商品合同的履行相区别，它不需要传统的物流配送系统，直接在互联网上就能基本完成合同履行的全部环节，从合同条款的洽谈、合同的签订到付款、交货、验收、使用以及售后服务，实现全程电子化交易。如计算机软件使用许可合同、技术开发与转让合同以及在线书籍、杂志、音乐、电影、游戏的交易等都属于此类。

（3）信息技术合同

这类合同主要包括网络软硬件设备购买、技术服务和技术开发等合同，如网络服务器、路由器等大型硬件设备系统的技术交易，这一类设备的核心技术往往由大型跨国公司所掌握，这类合同格式规范、条款详尽，且一般不允许随意更改，具有格式合同的特点。电子商务中，互联网的接入与运用，新的交易平台、技术平台和系统软件、应用软件的开发，都需要有技术、设备的支持以及协议的约束。因此，电子商务企业需要与网络服务提供商 ISP 签订网络接入、技术服务、主机托管等一系列技术性很强的合同协议，需要与相应的专业技术服务公司签订技术开发、咨询、服务合同以及商业秘密保护协议等。

（4）合作协议。信息经济时代，信息的商业价值越来越受到重视。在信息的传播、应用过程中，常常出现信息的权利归属纠纷。因此，在互联网中，对于对信息进行提供、采编的网站来说，防止这类纠纷的主要手段就是签订合作协议。这类协议主要包括网站新闻信息提供协议、网站合作协议、互换广告协议、网站链接协议等。

（5）商务开发合同。这类合同主要指的是电子商务企业与物流配送机构、银行、电子认证机构签订的合作协议，规定各方的权利和义务。通过这类合同，可以规范交易程序，减少交易环节，为电子商务企业创造更好的效益。

（6）市场策划合同。市场策划合同是电子商务企业与市场调查公司、管理咨询公司、券商、风险投资机构、投资银行、会计事务所、律师事务所等签订的确立相互间权利义务的相关合同，如促销委托协议、信息发布协议等。

2. 按合同订立方式的不同分类

（1）以 EDI 方式订立的合同。EDI 合同是以 EDI 方式订立的。由于使用 EDI 可以减少甚至消除贸易过程中的书面文件，因此 EDI 又被称为"无纸贸易"。EDI 于 20 世纪 60 年代末期，在美国首次被采用。现在，欧洲大部分国家、越来越多的亚太地区国家，都采用了 EDI 方式来进行电子商务。

（2）以电子邮件方式订立的合同。电子邮件方便、快捷、高效率、低成本、易于保存、全球畅通无阻的特点越来越受到使用者的青睐。电子邮件被广泛地应用，它使人们的交流方式发生了极大的改变，成为继电话、电报、传真以来又一重要的通信方式。在电子商务中，通过电子邮件订立的合同很多，它可使当事人订立合同的意思表达更加丰富、直观、明确，且不受地域、距离的限制，安全、快捷、高效。然而，数据信息的易消失和易篡改性给电子邮件的安全造成很大的威胁，而且在电子邮件订立合同的法律效力上容易产生法律纠纷。现行法律对电子邮件订立合同的法律效力作了规定：电子邮件是当事人订立书面合同的一种法定形式，其效力受法律保护；订立合同时的要约、承诺也可采用电子邮件；电子邮件的内容即是合同条款，其文字（或与图像、声音的组合）表达也是确定的，当事人双方一经协商确认后即应信守，任何一方未经对方同意而做出变更或者不履行条款的行为均构成违约。

（3）电子格式合同。格式合同，也叫标准合同，是指由一方当事人事先制定的，不需要另一方意思表示的参与，并适用于不特定的第三人，第三人不得加以改变，为了反复使用而事先拟定的合同。格式合同的非协议性特点，使其较多体现了合同提供方的意志，使用人只有接受或拒绝的选择权。因此，格式合同也被称为附合合同。在订约过程中，格式合同简化了合同订立中必要的要约、承诺环节，使当事人的真实意思很难得到真实反映，合同自由受到较多限制。格式合同之所以得到广泛应用，是电子商务追求高效率的必然结果。但是，为了维护当事各方利益，必须对格式合同加以规范。网络环境下，许多电子商务采用的电子合同都是电子格式合同。互联网中，许多网站服务的前提是用户接受服务方的服务条款，用户只有在点击"我同意"后，才能接受进一步的服务，而网站都声称，"点击"表明用户接受合同，该合同即告成立，这就是电子格式合同的订立过程，它体现了格式合同的特点。

5.1.4　电子合同与传统合同的区别

（1）形式不同。在电子商务中，电子合同与传统合同相比较，合同的意义和作用没有发生改变，但其形式却发生了极大的变化。传统合同采用书面文件作为合同合法生效的法律形式要件之一，而电子合同所载信息是数据电文，是通过计算机传输的，以无纸化的数字形式存在，也不存在原件与复印件的区分。传统合同经过签署者手写签名才可生效，而电子合同无法用传统的方式进行签名和盖章，要用高科技的电子签名代替手写签名。

（2）运作环境不同。合同订立和履行的环境不同。传统合同发生在现实世界里，交易双方可以面对面地协商、操作，而电子合同发生在虚拟空间中，交易双方一般互不见面，在电子自动交易中，甚至不能确定交易相对人，他们的身份依靠密码的辨认或认证机构的认证。

（3）合同订立的各环节发生了变化。电子合同的要约与承诺的发出和收到的时间较传统合同复杂，合同成立和生效的构成条件也有所不同。

（4）合同当事人的权利和义务也有所不同。在电子合同中，既存在由合同内容所决定的实体权利义务关系，又存在由特殊合同形式产生的形式上的权利义务关系，如数字签名法律关系。在实体权利义务法律关系中，某些在传统合同中不很重视的权利义务在电子合同里显得十分重要，如信息披露义务、保护隐私权义务等。

5.1.5　电子合同的安全性

绝大多数人对电子合同应用最关注的就是它的安全性问题。安全性是个相对概念。电子合同的安全性保障主要采用了电子签名的技术保证和电子认证的法律保证手段。

手书签名几乎不可能保持每次书写完全相同，而电子签名则通过严格的技术保证措施，能够保证电子密匙的唯一性。一个较完善的电子签名，一般应满足以下三个条件：第一，签名者事后不能否认自己签署的事实；第二，任何其他人均不能伪造该签名；第三，如果当事人关于签名的真伪发生争执，能够由公正的第三方仲裁者通过验证签名来确认其真伪。并且，电子签名技术是不断发展进步的。将来技术的发展，必将使得指纹、声波纹、脑电波、视网膜纹等不同生理征的生理特征签名（signature by biometrics）付诸实践。生理特征签名用以辨识签名使用者身份时，在技术上将上述生理特征与储存于资料库中的各项生理特征描述加以对比，几乎可以保证电子签名的万无一失。

另外，我国《电子签名法》也赋予电子签名与文本签名具有同等法律效力，并明确了电子认证服务市场的认证规则和法律责任，从法律角度来保障电子合同与电子交易的安全。我们给电子合同提供的 CA 数字证书就像是一个网上的身份证，它使合同的签订方和合同本身是都可信任的，就像你要证明你是谁，最好的方式就是出示你的身份证。不过，CA 数字证书比我们现在用的身份证更加安全可靠。

安全性不论从哪个角度来讲都不是绝对的。此处所讲的电子合同安全性是说不论是从电子签名技术还是电子认证服务角度来讲，电子合同都要比传统合同的安全性高很多。

新闻摘录

电子合同实例

一些企业尝到了使用电子签名来签订电子合同的甜头。2005 年 4 月 1 日，当顺天府（北京大型超市）的副总裁李东升拿到顺天府第一份具有法律效力的电子合同时，他知道自己噩梦般的遭遇结束了。之前每个月的 1～12 号，当李东升面对几千家供应商的对账确认单时，他不得不接受这样糟糕的场面：顺天府的总部挤满了供应商，以及他们手中上千张的单据，而顺天府多达几十位的财务人员，则把每个月 2/3 的时间都花在这件事情上。李东升称，这涉及双方货款的确认和结算，动辄几十万的金额谁都不敢马虎，即使翻来覆去干的都是低级简单的重复劳动。

而联想集团也是电子签名的一个完美案例。自 1999 年启动了有电子签名功能的电子商务系统以来，联想商用 PC 99% 的合同走的是电子商务平台，其中 95% 的部分需要供应商的身份确认，这些都通过电子签名系统完成。在此之前，联想合同平均 14 天生效，而现在 30 分钟就生效，为联想的库存、生产、运输、销售等公司的内部运营节省了大量成本。联想电子签名提供商天威诚信老总李延昭表示："联想 90% 通过电子合同下订单，而且都是上亿元的订单，必须要保证它的合同安全性。一旦它的电子商务系统垮了，联想也就完了。因为联想运转的低成本，完全靠的是企业内部的平台在支撑。"

资料来源：www. eNet. com. cn，2005-04-13，作者：董晓常，唐潇霖。

5.1.6 电子合同主体与电子代理人

与传统合同一样，电子商务合同的主体在缔约时不仅要具有一般的民事行为能力，而且还要具有相应的缔约能力。应当指出，对电子商务合同主体资格的限制，往往是某一国根据其电子商务发展的具体阶段而做出的。如果电子合同主体资格不符合国内法的规定，该电子合同也就无法取得充分的法律效力。但是，对电子合同交易主体过分严格地限制，势必伤害"契约自由"的原则，使交易主体对电子合同的效力失去信心，不利于电子商务的发展。因此，原则上电子商务活动应当自由进行；为了保证社会公共利益和买卖双方的权益，在必要时进行适当的监管。

在电子商务交易中，美国最早出现了电子代理人。电子代理人是指能够自动发送，接收或处理交易订单的智能化交易系统，其功能是代替商事交易主体完成常规的商贸活动，是商事主体双方的头脑和身体功能的延伸。电子代理人所完成工作的内容一般是：在一定条件下自动搜索货物的种类、名称、价格等信息，并做出比较判断、发出要约、完成承诺、履行合同等部分商事活动，它减轻了商事主体的工作量，大大扩展了现代商业交易的深度和广度。电子代理人作为一种智能交易工具，被预先设置了常用的商事意思表示模式，能自动发送、接收和处理信息，能代替该特定商事主体发出或接受要约；从交易相对方角度来看，一定程度上就像是当事人本人在发送、接收和处理信息，具有一定程度的辅助当事人订立或履行合同的能力。

确定电子代理人的法律地位，是保障电子商事活动安全有序的必要条件。从本质上讲，电子代理人并不具备法律人格所要求的主体资格。因为在电子合同缔约过程中，电子代理人只能完成固定的商业程式或处理比较简单的商事活动，只是一种能执行特定商事主体意思的智能化的交易工具。法学界一般认为电子代理人的思维能力是预设的，缺乏独立思维判断能力，不享受独立的利益，不具有自己的财产，不能独立承担责任。因此，电子代理人不具有法律人格（见图5-1），不具有独立缔约能力。由于电子代理人根据特定的商事主体的思想行事，执行的是该特定商事主体的意思，所以将电子代理人的行为后果归属于对电子代理人享有支配和控制权的商事交易主体。在司法实践中，一般将电子代理人和其操纵者之间的法律关系确定为电子代理人的意思表示就是其控制者的意思表示，由电子代理人订立或履行的电子合同同样具有法律效力。

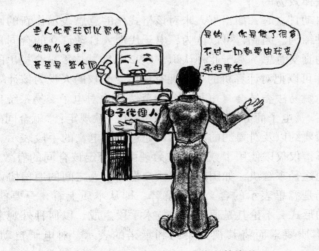

图 5-1 电子代理人无法律主体资格

5.1.7 电子代理人的法律性质和效力

1. 电子代理人的法律性质

从上文可以看出，电子代理人只是一种能够执行人的意思的、智能化的交易工具，并不是具备法律主体资格的民事主体。正是由于它被人预先设置了自动化程序，它才可以代替人处理事务，按照预设模式发出或接受要约，但其思维能力毕竟是有限的，不具备人所特有的综合判断行为后果的能力，而且它没有承担义务的财产基础，因此它只是人的工具。而法律之所以要规范它，是因为它是商事交易当事人的人脑、手功能的结合与延伸，虽然不具有法律人格，但却执行预设程序人的意思表示，或根据其意思而履行合同，与当事人的权利义务有着十分密切的联系。

2. 电子代理人行为的法律效力

电子代理人订立和履行合同代表着当事人的意思，关系着电子合同当事人的权利义务，因此电子代理人订立的合同的法律有效性和可执行性，电子代理人履行合同的行为的法律效力必须得到法律的确认。电子代理人是由具有自动化功能的软件和硬件设施结合而成的，尽管电子代理人能够按照预设模式发出或接受要约，但其思维能力毕竟是有限的，不具备人所特有的综合判断行为后果的能力，而且它没有承担义务的财产基础，所以不具有法律人格，因此，也不具有缔约能力。但这类电子设施中的确包含了一些物化的人工智能，对当事人订立、履行合同也起着不可估量的辅助作用，如扩大了交易机会、减少了营销成本等，正因其具备了上述诸多优点，所以正在被广泛地应用，而且，这一应用还呈现出扩大化的趋势，在国内法律和国际法律文件中都对此作了专门规定。

客观来看，计算机程序无论如何复杂，终究也是由人控制、操纵的，其程序是由人编制、预设的，在其程序运行过程中当事人也可以随时介入。不能因为计算机的自动化处理未经当事人的具体参与而否认其效力。实质上，当事人的意思表示正是通过其所编制或认可的程序而得到了反映。换句话说，计算机的自动化处理并不是没有体现当事人的真实意思，而只是这种真实意思以格式化的自动化的电子信息表现出来。因而，一般来讲，电子代理人订立的合同，与当事人之间直接进行信息交流而订立的合同一样，也是合同当事人合意的结果，由电子代理人自动反应订立的合同，应该是具有法律效力的。

在某一具体合同自动订立时，如当事人未对该格式化的意思表示作新的修改，则意味着当事人仍同意按既定的条件缔约。因此，可以认为，电子代理人自动订立的合同，反映了当事人的真实意思，而且是即时的真实意思。基于此种认识，1992 年欧共体委员会提出的《通过 EDI 订立合同的研究报告》指出，可以把对计算机的运作拥有最后支配权的人视为该计算机所发要约与承诺的责任人。联合国国际贸易法委员会《电子商务示范法》也对电子交易系统自动完成、处理的合同的法律效力予以肯定。《电子商务示范法》第十一条第一款规定："就合同的订立而言，除非当事各方另有协议，一项要约以及对要约的承诺均可通过数据电文的手段表示。如使用了一项数据电文来订立合同，则不得仅仅以使用了数据电文为理由而否定该合同的有效性与可执行性。"对这一问题也可通过其他途径来解决，如国际组织或交易当事人之间的通信协议等。但无论何种解决途径，关键之所在仍是意思表示的含义及其解释，即从本质上看，只要能够表现当事人真实的、自由的内心意志的形式，不论其是通过何种技术手段生成、以何种外观来呈现的，都应因其蕴含了意思表示的最本质要素而将其视为要约和承诺的表示，对电子自动交易系统也应等同视之。

5.1.8 电子格式合同在电子商务中的应用

电子格式合同是世界各国近年来商务合同中普遍运用的主要合同形式，是合同法发展和趋于统一的标志，它的出现不仅改变了传统的订约方式，而且对合同自由原则形成了重大挑战。电子格式合同在电子商务中应用极为广泛，一些大型的电子商务网站都拟订了极为详尽的格式条款。应当承认，格式条款对于极大地降低交易成本、规范和完善合同内容、预防和减少合同纠纷起到了重要作用。因此，原则上应肯定其效力。

格式条款往往都是由单方制定的，相对方无权变更和修改格式条款内容，不能体现相对当事人的意志，也不能充分体现平等公平订立合同的精神。在电子商务交易中，许多商家网站的格式条款要求消费者事先接受其完整内容要到承诺做出以后方可知晓的协议；还有的网站对于格式条款中所包含的免责内容根本未以醒目的方式提请相对人注意。凡此种种，均有可能对相对人利益构成不同程度的损害。而且，可以预料的是，随着电子商务的突飞猛进，所谓的"格式之战"将会愈演愈烈；相应地，对商业网站的格式条款的规范和对相对人利益的保护将会是一个越来越突出的问题。

5.1.9　电子合同法的概念与特征

1. 电子合同法的概念

前已述及，电子合同是指平等主体的自然人、法人、其他组织之间通过信息网络以电子形式达成的设立、变更、终止财产性民事权利义务关系的协议。那么，电子合同法是指调整电子合同关系的法律规范的总称。

电子合同法的调整对象是当事人通过信息网络以电子形式达成的合同关系。这种合同关系具有以下特点：

（1）以高信息技术为意思表示和合同履行的手段。因此，凡是以口头或者传统书面形式进行的民事活动所形成的民事法律关系都不属于电子合同法的调整范围。

（2）该种民事关系是由于电子交易手段的使用而引起的，一般不直接涉及交易方式的实质内容。

（3）不直接以交易的标的为其权利义务内容，而是以交易的形式为其内容，即因交易形式的应用而引起的权利义务关系，如对电子签字的确认、对私用密钥的保管责任等。

2. 电子合同法的特征

（1）电子合同法规范对象的特殊性。电子合同法应在普通合同法的规定之外，对以下问题做出专门规定：电子合同法的适用范围；电子合同的形式和内容；电子合同的要约与承诺；电子合同的成立和生效；电子合同的撤销和撤回；电子签名的效力；电子认证的地位和效力；电子代理的责任问题；电子错误的认定与处理；电脑程序的修改认定与处理；电子格式合同的规范及网上法律声明的效力；电子监控权的权限范围；电子自助的条件；电子合同的履行方式；电子合同的变更与转让；电子合同权利义务的终止；电子合同的管辖问题；电子证据的举证责任及其效力认定以及几类典型的合同——信息系统使用合同和网上拍卖合同的有关问题等。上述问题都是普通合同法所没有涵盖的，因此就决定了电子合同法存在的独特意义。

（2）与普通合同法关系的特殊性。电子合同法与普通合同法的关系是特殊法与一般法的关系。在内容和体系上是对普通合同法的补充和完善；效力上应优先于普通合同法的适用。

┃ 5.2　电子合同的订立

5.2.1　电子合同的书面形式

1. 合同的形式

合同的形式是缔约当事人达成协议的表现形式，是合同内容的外在载体。各国法律对合同形式都有一定的要求，符合法定要求是合同具有法律效力的一个必要条件。根据我国合同法的规定，合同形式一般有书面形式、口头形式和其他形式三大类。

（1）书面形式是指以合同书、信件和数据电文等可以有形地表现当事人订立的合同内容的形式。合同书是典型的书面形式，信件、数据电文也属书面形式。是否采用书面形式，当事人有选择权。法律规定必须采用书面形式订立合同的，若未采用书面形式，则此合同一般不成立。但若当事人未采用书面形式，而一方已经履行主要义务，对方接受的，合同也成立。

（2）口头形式是指当事人只用语言不用文字来表示合同的内容。口头形式简便易行，但缺乏凭证，发生纠纷时无据可查，因此这种形式的运用受到限制。

（3）其他形式是指当事人除采用口头形式、书面形式外，还可根据当事人的行为，用其他人证明的方式推定合同是否存在，如公证、鉴证、批准、登记等。

2. 电子合同的形式

根据上文合同形式的分类，我们可以将电子合同的形式分为两种。

（1）不完全的电子商务模式，即以网络为信息传递手段进行合同的订立，再结合现实的物流配送、支付机构帮助合同的履行。

（2）完全的电子商务模式，即电子合同从订立到履行，都是在网上完成的。合同是以数据电文的形式存在的。

3. 书面形式的要求

在各国国内立法、有关国际贸易的国际条约和国际惯例中，书面形式是一项常见的契约要求，是各国法律主要的规范对象，但具体要求却不尽相同。西方的两大法律体系——大陆法系和英美法系对合同的法定形式各有不同的侧重点。一般来说，德国法侧重于书面形式是合同有效成立的要件，法国法偏重于书面形式作为证据的要求，英国和美国法则根据不同类型的合同有不同的要求。

（1）英美法系的书面形式要求。英美法系以英国和美国为代表，它把合同分为两类：签字蜡封合同（contract under seal）和简式合同（simple contract）。签字蜡封合同也称做盖印契约，即合同必须以书面做成，且须遵守有关的法律手续及程序，由当事人签字，加盖正式印章，交付对方当事人。这种合同即使没有对价的支持，也为有效。但无签字蜡封的形式，合同就不发生法律效力。目前这种合同已大大减少，法律也对之变更或废止，国际贸易合同大多不属此类合同。简式合同是国际贸易中常用的合同形式。它是依当事人意愿，既可口头订立，也可书面订立。但是对于特定的简式合同，法律仍有书面形式要求，这种有书面形式要求的简式合同，按照其法律意义的不同，又可分为两类：一类以书面形式作为合同有效成立的要件，否则合同无效。如英国法中的汇票、本票、海上保险合同。另一类则以书面形式作为合同存在及其内容确定的证据。合同只有书面做成，才能成为法院强制执行的根据，这类合同主要源自英国历史上的《欺诈法》。目前，英美国家的这一类合同主要限于不动产合同、担保合同、订约后一年内不能履行的合同等。一般的货物买卖合同，英美法通常并没有书面形式的要求。但电子商务交易能否称为书面形式，在英美法系国家并未形成定论。

（2）大陆法系的书面形式要求。以德国和法国为代表，德国以不要式合同为原则，而法国则以法定形式作为合同存在及其内容的证据。《德国民法典》虽然在总则中规定，不依法律规定方式的法律行为无效，但对合同形式的要求以不要式为原则，要式合同仅属例外。除了赠与合同、保证合同、土地买卖、遗产买卖等少数几种合同必须具备书面形式方为有效之外，其他大多数合同，均可依当事人的自由意思而决定订约的形式。法国把要式合同分为两种情况：一种是把法定形式作为合同有效的要件；另一种是作为证据的要求。以书面形式为有效要件的合同，法院有权不依当事人的申请，而依其职权宣告按法定形式订立的合同无效。这种合同仅限于赠与、夫妻财产、协议抵押等少数几种，这些合同都以公证人的文书作为合同有效的要件。但关于证据意义上的书面形式要求，在法国的适用范围则非常广泛。法国《民法典》第 1341 条规定："一切物件超过 50 法郎者……均须在公证人面前做成证书，或双方签名做成证书，证书做成后，当事人不得就与证书内容不同或超出证书所记载的事项以人证明……"。但对于商业行为，前项规定则不适用，法国民法典第 1341 条第二款规定："前项规定不妨碍有关商业法律所作的规定。"作为商业法律典型代表的法国《商法典》在其第 109 条规定，对商人而言，"商业法律行为可采用一切证据方式来证明"。这一规定显然排除了《民法典》第 1341 条书面形式要求对商事法律行为的适用，即对 50 法郎以上的交易，也可用口头或其他非书面形式证明。这主要是为了适应商事交易快速的特点。在司法审判实践中，依据民法典的规定，还存在着对第 1341 条的例外。如允许当事人在缔约或争议发生时，放弃"禁止使用证言"的规则，不提出缺乏书面合同的抗辩。因此，在电子商务交易中，也可通过通信协议等形式，以事先约定来放弃法律对书面形式的要求。据此看来，法国在电子商务交易中使用书面方式的明显障碍应不存在。

（3）中国法律的书面形式要求。我国《民法通则》第五十六条规定，民事法律行为可以采用书面形式、口头形式或其他形式。现行《合同法》对书面形式要求首先确立了合同形式自由的原则，又明确将电子数据交换等数据电文形式包括在内。书面形式在电子商务中的适用在我国已经有了法律保障。在 2005 年 4 月 1 日开始实施的《中华人民共和国电子签名法》中第二章第四条和第五条分别对数据电文符合书面形式和原件形式的问题做出了明确规定。

综上所述，合同的书面形式制度，是各国法律的普遍要求，不仅体现在民法、合同法中，同时在其他法律部门都有规定，是同时由许多相互有着紧密联系的规范共同组成的。

4. 书面形式问题及解决方式

（1）书面形式问题。关于电子交易信息是否属于书面合同，则取决于对"书面"二字的理解。英美法系国家一般对"书面"都作广义理解。如美国《统一商法典》认为书面为"包括印刷、打字或任何其他有意做出的有形形式"。而在英国法的解释中，表示书面文件的 writing 和 document 并不完全相同。根据 1978 年《英国解释法》，writing 包括打字、印刷、手版印刷、照片及其他可见形式（visible form）表示或复制字词的方法；而 document 则被解释为"以有形形式（tangible form）传达信息的任何东西，包括磁带、胶片和照片"。对"可见形式"与"有形形式"的具体界定，则多体现于判例中。而大量的判例表明，"书面"一般都包括电报、电传形式。美国《统一商法典》和有关判例也都把电报、传真作为书面形式对待。关于电子商务交易究竟能否算做"书面"的一种，是否能满足防欺诈的书面要求，目前的判例尚没有形成定论。但一些学者认为，根据前述成文法的解释，电子数据通过其传输及存储载体，也可以满足"可视"与"有形"的要求，因而完全可以纳入"书面"之列。尽管如此，电子商务交易算不算书面形式，在英美法中，还并非处于完全确定状态。还有些学者探讨了一些绕过书面形式要求的途径，能使电子商务交易的应用，在事实上与法律上，获得更大的可能性与自由度。例如，美国《统一商法典》规定，如果卖方已经在实质上开始生产专为买方制造的，不宜售给其他买主的商品，则该合同虽未采取书面形式，但仍有约束力；而在合同已经履行的情况下，即使没有书面合同，对已履行部分仍有强制执行力。与此同时，根据英美法上的"禁止反悔"原则，有时也可根据《欺诈法》不能作为合同强制执行的某些承诺，得以强制执行。例如美国《合同法诠释》（第 2 版）第 139（1）条规定，"在允诺人应当合理的期望内，诱使受诺人或第三人做出某种行为或放弃某种作为，而且确实引起了这种行为或克制的情况下，如果只有通过强制执行，该允诺才能避免不公平，则即使与《欺诈法》的要求不符，该允诺仍可强制执行。"即使有以上法律的规定，但关于电子记录的法律地位和效力问题在法律上仍然没有严格的界定，关于电子信息的签名形式是否具有书面形式的法律效力也存在许多争议。

（2）书面形式的解决方式。联合国国际贸易法委员会对于电子商务书面形式的问题十分重视，做了许多尝试和努力。1985 年，提出"计算机记录的法律价值"报告，成立了国际支付工作组，就电子商务交易的书面形式问题进行了深入的研究。1992 年，提交了研究报告，根据书面形式在各国法律中的不同立法价值、合同存及其内容的证据，或使第三方对书面合同或单证产生信赖，或用于税收、审计、会计等行政管理的需要，该工作组指出，在法律上不可能完全取消书面形式要求，因此可行的解决办法便是 EDI 电文被视同书面形式。对此，有两种解决方式，即法律途径和合同途径。

第一种，法律途径解决书面形式问题。法律途径解决方式之一是对书面作扩大解释，将电子商务的数据电文信息纳入书面范畴。在联合国国际贸易法委员会工作组的研究报告中，指出书面形式的含义本身就是一个有争议的问题，但从现有各国立法对书面所下的定义可以看出，书面主要是依据记录于载体的方式而不是依据载体本身的特征来界定的。我国《合同法》通过法律途径，即对书面形式作扩大的法律解释，把书面形式的范围扩大到"数据电文（包括电子数据交换和电子邮件）等可以有形地表现所载内容的形式"。我国《电子签名法》第二章第四条明确规定："能够有形地表现所载内容，并可以随时调取查用的数据电文，视为符合法律、法规要求的书面形式。"至此，我国也从法律的角度解决了电子合同的书面形式问题。一些国内法与国际文件对书面的定义都包括了数据电文形式，因而联合国国际贸易法委员会工作组提出了理解"书面"的"功能等价原则"，即只要能实现书面形式所需实现的功能的东西，均可视为书面形式，而不论它是采用纸面形式，还是电子的形式。在现今电子商务法律界具有广泛影响的联合国国际贸易法委员会的《电子商务示范法》，也明确规定书面形式，其第六条第一款规定："如法律要求信息须采用书面形式，则假若一项数据电文所含信息可以调取以备日后查用，即满足了该项要求。"

另外，还有学者把《电子商务示范法》的立法作为解决书面形式问题的又一法律解决方式，称之为"另立类型法"，因为该法对数据电文作了非常完整的界定，基本能够解释关于书面形式的相关问题。

第二种，合同途径解决书面形式问题。通过合同约定解决合同的形式问题是贸易中常见的做法，在电子商务通信中，电子合同的双方当事人在合同中约定电子商务通信信息视为"书面"。有关组织制定的通信协议范本往往采取两种不同的协议方法使 EDI 电文等同于书面文件：一种方法是由当事人在通信协议中一致商定 EDI 电文即为书面文件。如《国际海事委员会电子提单规则》规定，EDI 电文所载信息，包括货物清单、收货日期和地点、装货日期和地点以及运输条件的规定，"应视同这些信息被载入书面提单具有同样的效力与效果"。《美国律师协会协议》明确规定，"按照本协议适当传递的任何信息应被视同'书面'"。而另一种方法则是由当事人在协议中共同声明放弃他们根据应适用的法律对 EDI 电文的有效性和强制执行力提出异议的权利。《贸易电子数据交换系统（TEDIS）协议》（草案）第十条第一款规定，"各方当事人明确表示，他们在以 EDI 进行交易时，将放弃以缺乏书面形式为由主张该项交易无效的任何权利"。《加拿大电子数据交换理事会协议》第六条也规定，"各方当事人明确表示，他们之间在任何关于一项合同或涉及合同的法律诉讼中，都将放弃以缺乏书面形式为由而提出的任何抗辩。"以上两种具体方法往往被分别简称为"定义法"（definition）和"弃权法"（waiver）。合同途径虽然可以在缺少成文法或判例法的情况下，由当事人选用以解决电子商务问题，但该方法也有着不可逾越的局限性。第一，它不能克服由于适用法律或判例法的强制性规定所产生的对使用电子商务的任何法律障碍。第二，交易当事人不能以其双方的合同有效地调节或制约第三方的权利和义务，至少对于没有参与合同协议的人是没有法律约束力的，必须借助示范法或国际公约形式的成文法规来处理合同当事人与第三方的关系。由此看来，合同途径并非解决书面形式问题的理想方法，只有法律途径才是最可靠的解决途径。当然，由于立法的滞后性和不能穷尽所有可能情况的特点，在缺乏明确的立法之前，合同途径仍是较为实际的解决方式。

5.2.2　电子合同的要约、要约邀请和承诺

电子合同是合同的一种特殊形式，因此，当事人订立电子合同仍然遵循合同订立的基本程序——要约和承诺方式，有的还有一个要约邀请阶段。

我国的《合同法》明确区分了要约与要约邀请。该法第十四条规定：要约是希望和他人订立合同的意思表示，该意思表示应当符合下列规定：第一，内容具体确定；第二，表明经受要约人承诺，要约人即受该意思表示约束。第十五条规定：要约邀请是希望他人向自己发出要约的意思表示。寄送的价目表、拍卖公告、招标公告、招股说明书、商业广告等为要约邀请。值得注意的是，为了避免使人将商业广告全都理解为要约邀请，该条随后特别指出，商业广告的内容符合要约规定的，视为要约。在通过网络所进行的电子商务交易中，商家登载于互联网上的广告到底应视为要约，还是应视为要约邀请？这是一个十分重要但仍存有争议的问题。人们一般倾向于根据不同情形分别对待，按照交易的性质将网上交易分为三类：销售实物、销售软件和网上服务。在第一种交易中，广告一般应视为要约邀请；而在后两种交易中，广告一般应视为要约。

承诺是受要约人同意要约的意思表示，即受要约人做出的接受要约而使合同成立的意思表示。经过要约和承诺两个阶段，双方当事人意思表示达成一致，合同即告成立。

法律上不会对虚拟主体进行规范和管理。必须承认，虚拟空间毕竟只是现实世界的延伸，交易的主体、内容等诸多因素并未改变，仅仅是交易形式、交易场所发生了变化。网络交易仍然是人与人之间的行为，电子商务只是人类利用电子方式进行的商业行为，在本质上与传统商业并无本质不同，现实世界的法律仍可适用于虚拟空间。所以，电子合同的成立也必须符合传统合同成立的这几个条件。

5.2.3　电子合同成立的时间

依法订立的合同自其成立时生效。在合同的订立过程中，确定合同的成立时间与成立地点具有重要意义，因为在一般情况下，合同的成立时间也就是合同的生效时间；而合同的成立地点往往在管辖地和证据的确定等问题上具有重要的参考价值。

传统的合同法理论以承诺生效时间为合同成立时间。比如，我国《合同法》第四十四条规定：依法成立的合同，自成立时生效。确定了合同的成立时间也就相应地确定了合同当事人开始履行合同义务的时间。合同成立的标准是双方意思表示一致的达成，即合意的达成。合意的达成又是以承诺的形成标志。因此，合同的成立时间应以承诺通知到达要约人的时间来作为判别标准。

电子商务环境下的合同订立问题。我国《合同法》规定："采用数据电文形式订立合同，收件人指定特定系统接收数据电文的，该数据电文进入该特定系统的时间，视为到达时间；未指定特定系统的，该数据电文进入收件人的任何系统的首次时间，视为到达时间。"我国《电子签名法》规定："数据电文进入发件人控制之外的某个信息系统的时间，视为该数据电文的发送时间。

收件人指定特定系统接收数据电文的，数据电文进入该特定系统的时间，视为该数据电文的接收时间；未指定特定系统的，数据电文进入收件人的任何系统的首次时间，视为该数据电文的接收时间。当事人对数据电文的发送时间、接收时间另有约定的，从其约定。"可以看出，关于数据电文接收时间的规定，二者的规定一致。并且，后者赋予了当事人约定的优先权：当事人可以对数据电文的发送时间、接收时间做出与本条规定不同的约定；在当事人之间有约定的情况下，当事人的约定优先于本条规定。这样的规定与联合国国际贸易法委员会《电子商务示范法》的相关内容也是一致的。

我们的理解可以更具体化：收件人未指定特定系统的，到达时间不取决于收件人是否注意到该信息已经在其收件系统中；只要该信息到达并进入了他的收件系统，则不论收件人是否曾读取，均视为到达。同时，在一条电子数据信息脱离发件人的控制而处于收件人控制之下的某一点时，该信息就具有了到达生效的资格。所以，电子邮件通常不是收到就被读取而立即回复，而是处于等待被读取的状态，在这种状态下，事实上是处于可被读取的状态，就是"到达"了。收件人指定特定系统接收数据电文的，应视为当事人一方为特定缔约目的而指定的信息系统。比如，收件人可以有几个不同的电子邮箱地址，但如果他在要约中明确规定须将数据电文发至某一地址时，信息电文若被发送至其他的邮箱，则不被视为"到达"。

5.2.4　电子合同成立的地点

合同成立地点与合同成立时间密切相连，国际商事合同成立地点又涉及不同国家管辖权的竞相行使问题，从而引发纠纷发生后，出现当事人挑选法院、择地诉讼等现象。按照传统合同法中承诺到达生效原则，承诺生效的地点为合同成立的地点。而电子合同的订立是通过连接于网络中的不同地点的计算机系统完成的，电子通信技术的使用使得电子合同订立地点的认定更加复杂。

我国《合同法》第三十四条规定："承诺生效的地点为合同成立的地点。采用数据电文形式订立合同的，收件人的主营业地为合同成立的地点；没有主营业地的，其经常居住地为合同成立的地点。当事人另有约定的，按照其约定。"我国《电子签名法》第十二条规定："发件人的主营业地为数据电文的发送地点，收件人的主营业地为数据电文的接收地点。没有主营业地的，其经常居住地为发送或者接收地点。当事人对数据电文的发送地点、接收地点另有约定的，从其约定。"可以看出，《合同法》的规定是要通过主营业地来确认合同的成立地点；而《电子签名法》的规定是要通过主营业地来确定数据电文的发送和接收地点，因为数据电文的发送和接收地点不仅与合同成立的地点相联系，在其他领域的法律关系中，例如确认以数据电文形式发布的公告或者通知的生效地点，以主营业地作为标准来确认数据电文的发送和接收地点同样具有法律意义。二者都赋予了当事人约定的优先权。当事人可以对数据电文的发送地点、接收地点做出与规定不同的约定。例如，作为企业法人的当事人可以约定，数据电文的发送或者接收地点为双方的注册登记地。在当事人之间有约定的情形下，当事人的约定优先于本条规定的适用。

之所以要确定数据电文接收地点规则，主要原因在于要处理电子商务中特有的情况，即收件人收到数据电文的信息系统或者检索到数据电文的信息系统常常与收件人不在同一管辖区内。由于信息系统地点的不确定性，为确保收件人与视做收件地点的所在地有着某种合理的联系，确保发件人可以随时查到该地点，各国法律都采取了把数据电文接收地的确定和有关营业地紧密联系起来的做法；而不是把收到数据电文的信息系统所在地作为数据电文的发送地和接收地。

5.2.5　电子自动交易及相关问题

电子商务中，新的交易模式层出不穷，许多方便、迅捷的方式受到人们的青睐，其中电子自动交易成为最为常见和有效的模式，它大大提高了交易的效率，节约了交易成本。

电子自动交易是指由一方或双方当事人在数据正常传送的情况下不干预交易的进行，而由当事人的计算机信息处理系统自动完成合同的订立、合同义务的履行或完成合同的其他随附义务。电子自动交易的前提是当事人要在自己的计算机系统中预先设置自动交易程序，由该程序根据情况自动完成订立合同等一系列环节。

电子自动交易的使用有以下几种情况：一是在 B2C 中，商家设置自动销售系统，该系统自动与消费者完成要约、承诺、交货的一系列过程，商家不用干预。这种自动交易在现今的电子商务中应用十分普遍，例如网上购物。二是在 B2B 中，长期合作的交易双方均设置自动交易程序，由该程序自动查询库存情况，自动发出订单、自动发货，整个交易过程不用人工干预和审核。再有一种电子自动竞价系统，作为当事人共同的电子代理人，自动寻找具有合适条件的当事人完成交易，在网络证券买卖中使用的就是自动竞价系统。

电子自动交易系统完成交易后，这个过程和结果是否得到当事人的确认，即电子自动交易是否具有法律效力却是法律界和当事人都十分关注的问题。因为交易行为是以合同形式实现的，而合同的成立和履行则取决于当事人的意思表示，而在计算机自动完成交易中，当事人没有干预，计算机系统的自动处理代表了当事人的意思，而交易中出现纠纷的焦点在于当事人否认了该意思表示，但这个纠纷比较容易解决，法律调整的虽然只是人与人的交易关系，而计算机自动交易是通过人预先设置的程序来完成的，这种自动交易归根结底还是人的交易，它不能改变人的法律关系。

但是，电子自动交易系统本身出现故障，造成信息被错误传递或在传输途中丢失，或在双方当事人并不知晓的情况下，电子自动交易系统自动订立了合同，此时，因自动处理或电子错误产生的合同效力应如何认定，当事人能否以其不知情为理由而拒绝承担责任，这些问题的解决将促进电子商务的快速发展。

5.2.6　电子错误对合同效力的影响

1. 电子错误的含义

在电子商务中，交易各方以数据电文形式进行着快速的信息交换，交易的速度明显加快了。然而，不论是自然人还是电子代理人，出现错误都是在所难免的。但交易过程中数据电文内容的错误势必对交易各方的利益产生影响。为了减少和解决由此产生的纠纷，电子商务立法需要根据不同情况对各方利益进行重新分配。错误是指表意人所表示出来的意思与真实意思不一致。合同的订立以当事人的合意为基本要件，如果当事人就合同的实质要件发生误差，例如对合同的对象，双方当事人的身份，标的物的数量、质量、价款等有违背当事人的真实意思的，就直接影响了合同效力，如此订立的合同为无效合同。

合同订立过程中的错误可分为共同错误、相互错误及单方错误。共同错误是指缔约双方犯了同样的错误，虽然双方都知道并同意对方的意图，但双方都在某些根本的、基础性的事实上犯了错误。共同错误通常导致合同内容被掏空，合同应当因此无效。相互错误是指当事人双方都错误地领会了对方的意图。这类阴差阳错订立的合同，不能按照双方各自头脑中的想法来解释，只能从中立的第三方的角度对各方言行作一般的合理的解释。交易的惯例、习惯都可以作为解释的根据。单方错误是指一方意思表示错误，但对方知道或者应当知道这一错误的存在。合同的订立以双方意思表示一致为基础，如果当事人对订立合同的标的、当事人的身份、标的的数量或性质等发生误差，显然与当事人的真实意思有误差，因此，合同中的错误会对合同的效力有一定的影响。如果错误导致当事人双方的合意发生根本性改变，合同即无效。

所谓电子错误是指在线交易过程中，交易双方因使用信息处理系统时产生的错误。这里的电子错误仅指计算机信息处理系统产生的错误。值得注意的是，所谓的电子错误与传统意义上的错误并非一回事，它与当事人的主观意思与客观行为没有关系，对于当事人而言，这是一种意外事件。在电子商务中，会由于各种原因导致错误的产生，从广义上看，由于当事人表意错误会造成合同内容与当事人的真实意思相违背；由于表示行为的错误，会导致合同的不合意。其中，电子传输错误是导致双方不合意的原因之一。网络交易中，尽管数据电文的传送、接收是经由高度智能化的电子交易系统的自动处理来完成整个交易过程，但电脑程序及通信设施毕竟是人所设计和控制的，由于技术本身的限制，信息在传输中难免出现错误，譬如应该发送的信息没有发送或发送延迟，或所发送的信息内容出现错误，与发送人的真实意思或与预设程序相抵触。

2. 当事人责任

国际商会、联合国国际贸易法委员会电子数据交换工作组都认为，电子传输错误的责任问题应由交易当事人之间的通信协议来明确。通信失误的电子传输错误又可分两种情形：一种是由于当事人违反数据电文的通信规则而发生的；另一种则是由电子系统本身的错误而发生的。这两种情形下当事人的责任划分与承担也有所不同。其一，如果电子传输错误是由于当事人违反通信协议造成的，则由此而引起的责任与损失应由当事人承担，如欧共体委员会制定的《贸易 EDI 系统协议》（草案）第十二条规定："每一当事方都应为任何失误、延误或错误而造成的任何直接损失承担赔偿责任，但当事方不应对由于任何此种违反、失误、延误或错误而造成的任何意外或间接损失而对另一方承担责任。"在这种情况下，通信失误而引起的责任应由违反协议或有错误一方承担，但承担责任的范围仅限于直接损失。其二，如果电子传输错误的产生并非基于当事人对通信协议的违反，此时责任应如何分担争议较大。有建议认为应在通信协议中列入下列条款：在不违反各方商定的认证或核查手续的情况下，错误发送电文的风险与责任应由发送人承担。但也有反对意见认为，此建议过分强调了发送人的责任，可能导致不公正的结果。我们认为，此时的错误虽然并未违反双方交易当事人通信协议约定的事由，但却因其行为造成了对方当事人的损失，所以，应根据公平原则，在双方当事人之间合理分摊这一责任。电子传输错误有时可能是由于提供网络通信服务的网络经营者的过失所造成的。这就是第三方（网络经营者）责任。譬如网络经营者没有发出或错误发出一项关于订立合同的要约、承诺、发货通知、支付命令或货损通知而使有关当事人受到损失，这时，网络经营者是否应承担责任，这是网上用户非常关心的问题，许多国际组织对此也十分关注。依据合同相对性理论，合同仅对双方当事人产生法律上的约束力。

3. 电子错误的法律归属和构成要件

电子错误是指在线交易过程中，交易双方因使用信息处理系统时产生的错误，非表示内容发生的错误。在电子商务中，由于数据传输等原因形成的电子错误，有以下的构成要件：

（1）电子信息须经当事人使用或指定的计算机信息处理系统进行信息传递或信息处理。

（2）该计算机信息处理系统的程序设置正当。当事人不得故意设置某一程序以改变原始信息的内容。

4. 电子错误的法律调整

（1）电子错误法律调整的参考因素。促进交易，保障安全。从经济学的角度来看，单位时间内的交易量越大，资源的利用率越高，越能增加社会财富，因此促进交易日益成为《合同法》的重要宗旨之一。电子商务使得交易更加迅捷和有效率，合同在此起到了关键作用。然而电子合同中存在较多新问题，不少地方尚需制定新规则，因此不应轻易否定合同效力，以便促进交易和电子商务的发展。同时，交易安全，防范欺诈也是保障电子商务健康发展的重要环节。应该大力保护消费者的合法利益。电子商务的发展与广大消费者的信心密切相关，保护消费者的利益实质上就是保护交易的公平有序。有关调整电子合同的规则不应与消费者保护的特别法相冲突，维护交易当事人的合法利益。交易主体尤其是 B2B 交易是电子商务交易最重要的主体，电子错误会给企业带来不确定因素和意外风险，因此防范电子错误，合理分担风险对于维护当事人合法利益、保障有序交易具有重要意义。

（2）电子错误法律调整的规则。我们根据交易的不同类型来确立相关的规则。在 B2B 交易中，分为两种情形。在当事人双方有约定的情形下：若当事人各方约定使用某种安全程序检测变动或错误，一方当事人遵此执行，而另一方当事人未遵守约定，在未遵守方如遵守约定就可以检测到该变动或错误的情形下，遵守方可以撤销变动或错误的电子信息所产生的效力，不论合同是否已订立或履行。在当事人双方没有约定的情形下：若一方采用某种程序检测到自己所发出信息有变动或错误，应及时通知另一方，相对方应在合理的时间内予以确认，经相对方确认后，发出方可以撤销变动或错误产生的效力；相对方未在合理时间内确认的，也可以撤销变动或错误所产生的效力；相对方在合理时间内予以否定的，应由发出信息一方证明变动或错误的存在，能证明的可以撤销变动或错误的效力；不能证明的，不能撤销所发出信息的效力。若一方采用某种程序检测到对方所发出信息有变动或错误，应即时通知相对方，相对方在合理时间内予以确认的，任何一方均可撤销该变动或错误的效力；相对方未在合理时间内予以确认的，接受方可以撤销该变动或错误的效力。

在 B2C 交易中，消费者可以撤销在与卖方的电子代理人交易过程中源自于其本人的错误的电子信息的效力，但其前提条件是电子代理人未能提供机会避免或纠正错误，或者该个人在知道电子信息出现错误时采取如下行为：

1）及时通知另一方当事人电子信息出现错误，并且告知本人无意受错误电子信息的约束；

2）采取合理措施，如遵照另一方的合理指示将所有的信息拷贝返还给另一方，或根据另一方指示取消收到的信息拷贝以及根据错误情形采取其他措施；

3）未使用或从该信息中获利或使该信息由他人获得；

4）电子错误或变动未被当事人双方发现或检测到，直至合同履行或履行完毕，原则上合同应有效，除非该错误构成有影响力的错误，动摇了合同成立的基础。

基于电子错误或变动导致合同或某一条款无效或撤销的，当事人应当返还因错误或变动所带来的利益，不能返还的应给予补偿。因电子错误或变动导致当事人一方受到损失的，若错误或变动可归责于一方的，由该方赔偿损失；不可归责于任一方的，该损失由自己承担。按照我国《民法通则》和《合同法》的规定，因重大误解订立的合同，当事人一方有权请求法院或者仲裁机构变更或者撤销。所谓"误解"与"错误"在含义上是有区别的。"错误"属于做出意思表示一方的问题，"误解"则是对别人意思表示的理解问题。我国法律中的"（重大）误解"不仅包括"误解"，而且包括"错误"，即不仅因错误，而且因（重大）误解订立的合同，当事人一方都有权请求变更或者撤销。我国电子商务经营者们尤其应该注意这一点。在电子商务中，单方错误是最突出的问题。因此，以下主要讨论电子合同缔结过程中单方错误的法律后果。在单方错误中，法律所关注的不是交易的哪一方出了错，而是哪一方处于更利于避免错误后果的地位，哪一方就应当承担错误造成的不利后果。这是因为既然一方知道或者应当知道对方的错误，当然处于更有利于避免错误后果的地位，因此知错的一方（不是犯错的一方）应当承担错误的不利后果。在电子交易中，如果交易双方事先就错误检验程序达成了协议，那么，不按照约定的错误检验程序行事的一方就应当承担因错误造成的不利后果，而约定遵照程序行事的对方则可以不受错误的影响。这是因为只要那一方按照约定的程序行事，本来应该知道对方错误的存在。从收件人的角度看，在收件人按照约定的验证程序行事，就会知道或者应当知道其收到的数据电文是错误的情况下，该数据电文不应被推定为出于发件人的意思表示，发件人也不应因此受到约束。

数据电文的重复传输也是造成错误的重要原因。在一般情况下，每一份数据电文都应当被收件人视为独立的信息，但同一份数据电文被发件人或者收件人的计算机系统重复传输的情况也是经常出现的。在后一种情况下，如果收件人按照约定的验证程序行事，就会知道或者应当知道其收到的某份数据电文是对另一份数据电文的重复，则该数据电文不能被视为一份独立的信息，发件人也不能受双份数据电文的约束。对一方是电子代理人的自动交易需要适用特殊的"错误"规则，给予对方当事人适度的照顾。对方如果符合下列条件，可以不受其本人错误的影响。

电子代理人没有给对方提供防止或更正错误的机会。电子代理人的主人应当设身处地地为对方着想，在电子代理人的运行程序中给对方提供防止或更正错误的机会。例如，电子代理人在对方提交了有关信息之后，按照预设程序将对方提交的信息再次向对方出示，请对方确认，这就能防止对方最终发出错误信息。又如，电子代理人在收到对方的信息后，回复对方，要求对方在交易成立之前再次予以确认，给对方提供更正错误信息的机会。如果电子代理人已经给对方提供了防止或更正错误的机会，对方仍然出错，那么承担错误所造成的不利后果的就应当是出错的对方，而不是电子代理人。

对方得知错误的存在后，及时将错误告知了电子代理人一方，说明了其不愿受错误数据电文约束的意图。对方的告知是否及时，应当根据所有相关情况综合判断，尤其应该考虑到对方与电子代理人的主人进行通信联系的能力。

对方没有从交易中获得任何利益，返还原物及恢复原状是处理发生错误的法律行为的一般要求。因此，对方应当采取合理的步骤，将因数据电文错误所得的对价返还，或者按照电子代理人主人的要求将所得对价销毁。在版权贸易等无形财产贸易中，为了使付出对价的一方保留控制权，对方在必要时将所得对价销毁的情况比较多见。

5.3 电子合同的生效

5.3.1 电子合同的生效要件

所谓合同生效，是指已经成立的合同在当事人之间产生了一定的法律拘束力，也就是通常所说的法律效力。

合同的生效要件：

（1）行为人具有相应的民事行为能力。在电子交易中，当事人一方如何能得知对方具有相应的行为能力，的确有实际困难。例如当事人可能以化名或代码进入某商业网站，所登录的身份与真实情况不符，其原因可能是客户基于对自身隐私的考虑，或者防止他人冒用自己的身份等。因此，在电子交易中，如何识别当事人的身份是一个十分重要的问题。

此外，在电子商务中，当事人常采用智能化交易系统来自动发送、接收或处理交易订单，这就是"电子代理"问题。对于电子代理人，法律应当如何规定，也是一个难题。

（2）意思表示真实。意思表示是指行为人将其设立、变更、终止民事权利义务的内在意思表示于外部的行为。

当事人间通过电子媒介所为意思表示，是否适用民商法有关错误的规定，也是一个重要的问题。特别是在涉及电子错误以及因诈欺、胁迫而撤销的问题时，尤为如此。

（3）不违反法律和社会公共利益。

5.3.2　电子合同的当事人

1. 当事人行为能力的认定

在电子交易中，当事人一方如何能得知对方具有相当的行为能力，的确有实际困难。目前网络使用者年龄层下降极为迅速，许多儿童或青少年皆在网上从事交易活动。因此，未成年人于网上订立网络交易合同时，有无必要就行为能力特别制定规定？

这就需要使用前面所提到的电子签名、数字证书等技术与服务了。

有人指出，由于网络交易有其特殊性，交易相对人无法面对面直接磋商，无法征信交易相对人之实际年龄，故认为在这种情况下，我们应该大胆地跳出传统的思维方式，转而顾及在网上交易过程中，借由数位行为所为之意思表示绝大多数都属于双方当事人在未曾谋面之情况下所做出的，因此，交易当事人之"行为能力"在网络交易中是否属于必要的考量点显然值得审慎考虑。也就是说，应否视同双方当事人系成立"事实上之契约关系"。如中国台湾地区电信法第九条规定："无行为能力人与限制行为能力人使用电信之行为，对于电信事业而言，视为有行为能力人。"

2. 当事人的确认

当合同是以电子交易方式来订立时，在大多数情形下，数字信息上显示出的发信人，与实际上制作并发出信息者的同一性，是无法按传统书面交易方式以对照印鉴或署名来确认；相对的，取而代之的是必须依赖预先安排的密码来确认。

在电子交易系统中，有不法第三人使用他人密码发送订货信息，虽然被冒用名义者并非真正电子信息的发送人，但相对人在检查并确认相关签名、密码相符后，仍有可能将无权限之人误信为有权限者。

在电子合同中，目前普遍接受的确认身份的有效方法是数字签名。此种方式将传统合同法对签名及其功能的信赖，移植于网络环境中。

数字签名是用来确认合同当事人，并确保传送信息与接收信息的真实与一致性的技术手段。使用数字签名虽能解决身份辨认问题，但如何确认其签名本身的真实性仍有困难。对此，目前一些国家电子商务界的做法，是通过认证机构的中介服务来加以解决。认证机构是一种可信赖的、专门提供网络文易人信息服务的公正第三人。通过该方法，可以确认电子交易过程中所使用数字签名的真实性与合法性。

综上所述，开放型网络所导致的交易当事人身份的不确定问题，一方面可以电子签名作为当事人身份确认的表征，另一方面则可通过认证机构来对签名的真实性加以认证，以达到保护交易当事人的目的。

5.3.3 电子格式合同问题

点击合同是典型的电子格式合同。所谓点击合同，又称"网站包装合同"，在点击合同中，网上商店经营者将交易双方的权利义务，尤其是对购买者的限制性事项预先登载在网页上，或者登载在所链接的网页上，要求购买者在进入下一步程序之前先阅读这些条款，然后用鼠标点击"我同意"或"我接受"框，表示接受有关条款的内容，交易才能继续。由于点击合同系通过预先设置程序运作，可以设置诸如表示确认意思的"两次点击"，或者点击后按确认键等程序，为购物者提供审查有关授权条款的机会，进而使得购物者在点击一次后还有纠错的余地，因而较易为购物者接受。近年来，一些国家的法院在审理点击合同纠纷案件时，也越来越多地承认这类合同的效力。

从合同法的角度，点击合同属于格式合同。而作为格式合同的制作方，有可能利用其优势地位，在格式条款中规定对自己有利，而对相对方不利的条款。这就需要对格式条款加以规范。我国合同法针对格式合同作了如下规定：

(1) 对格式条款的限制规定。《合同法》第三十九条第一款规定："采用格式条款订立合同的，提供格式条款的一方应当遵循公平原则确定当事人之间的权利和义务，并采取合理的方式提请对方注意免除或者限制其责任的条款，按照对方的要求，对该条款予以说明。"

(2) 无效条款的规定。《合同法》第四十条规定：提供格式条款一方免除其责任、加重对方责任、排除对方主要权利的，该条款无效。

(3) 合同条款的解释。《合同法》第四十一条规定："对格式条款的理解发生争议的，应当按照通常理解予以解释。对格式条款有两种以上解释的，应当做出不利于提供格式条款一方的解释。格式条款和非格式条款不一致的，应当采用非格式条款。"

此外，我国《消费者权益保护法》第二十四条规定："消费者不得以格式合同、通知、声明、店堂告示等方式做出对消费者不公平、不合理的规定，或者减轻、免除其损害消费者合法权益应当承担的民事责任。"

可以说，《合同法》和《消费者权益保护法》的规定较好地处理了格式合同项下的当事人权利义务关系。

5.3.4 电子合同效力认定的相关法律问题

《合同法》第四十四条规定：依法成立的合同，自成立时生效。但依法成立的合同并非都有法律效力，对电子合同而言，影响其效力的主要原因如下。

(1) 无权代理订立的合同。《合同法》第四十八条规定："行为人没有代理权、超越代理权或者代理权终止后以被代理人名义订立的合同，未经被代理人追认，对被代理人不发生效力，由行为人承担责任。"在电子商务的 B2B 交易方式下较容易产生代理权限纠纷。由于交易双方不能像在传统贸易中那样审查代理人的授权，可能导致所签合同得不到被代理人的认可。这种情况在电子交易中可能有两种情形：一是双方或一方使用的是未经加密、认证的电子邮件系统，在这种情形下传输的数据电文有被他人截获、篡改的可能，因此合同的效力很难得到保障；二是双方均采用了数字认证等安全系统。在这种方式下，虽然数据电文的真实性和原始性得到了保障，但如果交易一方认为已经成立的合同于己不利而想毁约时，他可能会声称所做的意思表示是其工作人员或系统操作员未经授权的擅自作为。对此，除非主张合同无效的一方有确凿的证据，否则相对一方可依据《合同法》第四十九条关于表见代理的规定主张该代理行为有效。所谓表见代理，是指客观上存在使相对人相信无权代理人的行为有代理权的情况和理由，且相对人主观上为善意时，代理行为有效。《民法通则》第六十六条规定，本人知道他人以自己的名义实施民事行为而不作否认表示的，视为同意，就属于这种情况。

（2）限制民事行为能力人订立的合同。在 B2C 的交易方式下，判断消费者的民事行为能力是比较困难的，即使是消费者一方使用了数字签名技术，电子商务经营者也只能了解消费者的年龄而无从知晓其精神状况。根据《合同法》第四十七条规定："限制民事行为能力人订立的合同，经法定代理人追认后，该合同有效，但纯获利益的合同或者与其年龄、智力、精神健康状况相适应而订立的合同，不必经法定代理人追认。相对人可以催告法定代理人在一个月内予以追认。法定代理人未做表示的，视为拒绝追认。合同被追认之前，善意相对人有撤销的权利。撤销应当以通知的方式做出。"因此，主张合同无效只能由限制民事行为能力人的法定代理人行使，其代理人未对合同效力提出异议的，合同有效；如果电子商务经营者一方已知购买方的购买行为与其年龄、智力、精神健康状况不相适应，在能够通知其法定代理人的情况下则应催告代理人追认，不能通知的情况下应主动撤销合同。

（3）可撤销的合同。根据《合同法》第五十四条规定："重大误解和显失公平的合同，当事人一方可请求变更或者撤销。"在进行网络购物时很容易产生重大误解的情形，因为网上购物不同于现实生活中可以通过目视、触摸、试用等方法详细了解产品的性能、规格等。如果消费者对产品没有足够的认识和了解，就会对产品的基本情况产生重大误解，按照《合同法》的理论这属于可撤销合同，但消费者要证明这一点却并不容易。对此法律应当加以限制，即规定经销商必须在 web 页面上以醒目的字体和颜色对性能上的差异做出特别说明，否则由此造成误解的当属可撤销的合同。

（4）格式合同及免责条款。格式合同是当事人为了重复使用而预先拟定，并在订立时未与对方协商的合同。由于网络购物的特殊性，在 B2C 方式中几乎无一例外地采用格式合同。一些商家从自己的利益出发，在冗长的格式合同中掺杂了大量不利于消费者的条款，特别是免责条款，消费者上网购物时因为费用和时间的限制通常都不能细加研究，即使有消费者发现这些条款存在问题也只能被动地选择"接受"或"不同意"，而不能进行修改或提出自己的意见。对基于格式合同或免责条款引起的纠纷，应当按照《合同法》第三十九、四十、四十一条的规定进行处理，即"采用格式条款订立合同的，提供格式条款的一方应当遵循公平原则确定当事人之间的权利和义务，并采取合理的方式提请对方注意免除或者限制其责任的条款，按照对方的要求，对该条款予以说明"。格式条款具有《合同法》第五十二条和第五十三条规定情形的，合同无效，即"一方以欺诈、胁迫的手段订立合同，损害国家利益；恶意串通，损害国家、集体或者第三人利益；以合法形式掩盖非法目的；损害社会公共利益；违反法律、行政法规的强制性规定"。"合同中的下列免责条款无效：造成对方人身伤害的；因故意或者重大过失造成对方财产损失的"。或者提供格式条款一方免除其责任、加重对方责任、排除对方主要权利的，该条款无效。对格式条款的理解发生争议的，应当按照通常理解予以解释。对格式条款有两种以上解释的，应当做出不利于提供格式条款一方的解释。格式条款和非格式条款不一致的，应当采用非格式条款。如果电子商务经营者有意免除自己责任、加重消费者责任、排除消费者主要权利的，除合同无效外还应当赔偿消费者的损失。

（5）系统设置与系统障碍。在 B2B 方式下，交易一方或双方设置了系统自动确认或自动回复功能的，若以系统自动回复未经所有人确认为由主张合同无效的，不予支持。因为计算机执行的是人编制的程序，反映的是人的意志。由于系统障碍造成错误回应的，在 B2B 方式下可解除合同的效力。如果出故障的是电子商务系统，则合同有效，因为电子商务经营者面对的是不特定多数的消费者，商誉是其必要的保证，所以他必须承担营运中的风险；如果出故障的是消费者一方的计算机，则可解除合同，因为在电子交易中消费者处于弱势地位，应尽力保证消费者做出真实的意思表示。

5.4　电子合同的履行

5.4.1　电子合同履行的原则

我国《合同法》虽然没有明确规定合同履行的原则，但是通常认为合同的履行原则主要有：适当履行原则和协作履行原则。这两个基本原则仍然适用于电子合同的履行。

（1）适当履行原则，又称全面履行原则、正确履行原则，是指当事人按照合同约定或者法律规定的标的及其数量、质量，由适当的主体在适当的履行期限、履行地点，以适当的方式，完成合同的义务。它是对当事人履行合同的最基本的要求。对于电子合同而言，如果是离线交付，债务人必须按照约定发货或者由债权人自提；如果是在线交付，交货一方应给予对方合理检验的机会，应保证交付标的的质量，而付款一方则应依约定按时付款。

（2）协作履行原则，指当事人不仅适当履行自己的合同债务，而且应基于诚实信用原则，要求对方协助其完成履行。协作履行原则是诚实信用原则在合同履行方面的具体体现。我国《合同法》规定的协作履行有通知、协助和保密的义务，具体包括：债务人履行合同债务，债权人应适当受领给付；债务人履行合同债务，债权人应给予适当的便利条件；因故不能履行或不能完全履行时，应积极采取措施避免或减少损失等。电子合同履行过程中，当事人仍应遵循协作履行原则，如为便于债务人发货，债权人应及时告知其地址和身份信息；当事人一方在线收集的另一方当事人的有关资料不得非法利用等。

5.4.2　电子合同履行的基本方式与地点

从我国当前电子商务开展的情况看，基本上有三种履行方式：第一种是在线付款，在线交货。此类合同的标的是信息产品，如音乐、计算机软件、音像产品的下载。第二种是在线付款，离线交货。第三种是离线付款，离线交货。后两种合同的标的可以是信息产品也可以是非信息产品。对于信息产品而言，既可以选择在线下载的方式也可以选择离线交货的方式。不同的履行方式决定其履行地点不同。

1. 合同标的物的交付地点

（1）以有形介质为载体的信息的交付。当交易的信息以有形介质为载体时，它与传统的动产买卖在交付地点与方式方面没有多大区别，应当按照合同的约定履行。当事人就合同内容约定不明确，应首先达成补充协议，不能达成补充协议的，按交易习惯确定，仍然不能确定的，按照《合同法》第六十二条的规定履行：履行地点不明确，给付货币的，在接受货币一方所在地履行；交付不动产的，在不动产所在地履行；其他标的，在履行义务一方所在地履行。

（2）以数字化信息形式的交付。对于通过网络在线传输电子信息，仍然适用上述履行规则就违背了电子信息的规律，同时也会给当事人带来极大的不便。因此，美国《统一计算机信息交易法》第六百零六条规定：以电子方式交付拷贝的地点为许可方指定或使用的信息处理系统，所有权凭证可以通过惯用的银行渠道交付。在这一点上，它是与数据电文的发送、接收时间的确定方式是一致的，即以信息系统作为其参照标准。从交付完成的标准看，则是"提交并保持有效地拷贝给对方支配"，其最终落脚点是让信息使用人能有效地支配合同项下的电子信息。

2. 对合同标的物的接收及价金的支付地点

（1）接收标的物的地点。如果电子合同标的物是有形化的交付，则买方应在合同约定或法律规定的履行交付地点接收该标的物。如果合同标的物是电子化的交付，由于交付地点是买方指定的信息处理系统，因此买方有义务使其信息处理系统处于可接受卖方履行交付义务的状态并给卖方适当的通知。如果由于买方信息系统的原因使卖方无法履行其义务或造成履行迟延，则卖方不承担责任。

（2）价金的支付，可以采用电子支付的形式。目前各大银行都开辟了网上业务，通过电子资金划拨方式可以很便利地完成网上支付。买方根据卖方提供的账号，通过计算机向银行文件转账系统发出指令，银行在核实买方的客户身份后，即可从买方账户上划拨相应资金至卖方账户。当然，当事人也可以采用传统的方式支付价金。

5.4.3　要约的撤回或撤销

我国《合同法》明确认可要约可以撤回或撤销，但须符合一定的条件。规定：要约可以撤回。撤回要约的通知应当在要约到达受要约人之前或者与要约同时到达受要约人。要约可以撤销。撤销要约的通知应当在受要约人发出承诺通知之前到达受要约人。同样，承诺可以撤回。撤回承诺的通知应当在承诺通知到达要约人之前或者与承诺通知同时到达要约人。

同时，《合同法》第十九条规定，有下列情形之一的，要约不得撤销：①要约人确定了承诺期限或者以其他形式明示要约不可撤销；②受要约人有理由认为要约是不可撤销的，并已经为履行合同作了准备工作。

如果要约人以邮寄信件方式发出要约，在要约到达受要约人之前，可以用电话将之撤回。但是，要约人如果采用快速通信方式发送要约，就很难撤回了。用数据电文方式发出要约时，由于信息的传递在瞬间完成，而且计算机可以自动处理并发出接受的回复信息，要约人不易在要约到达受要约人之前撤回其要约。也就是说，要约人在网络交易中因交易的即时达成性几乎没有撤销要约的机会。但电子合同的特征之一便是合同订立过程的自动化，完全可以不要人工介入，即当事人的意思表示通过其主机或预先设置好的计算机程序独立发出或回应，要约、承诺均由计算机按既定程序选择、判断和做出，整个过程完全自动实现。此时，极易产生两个问题：一是某一方的要约与对方的承诺，可能并不能反映双方当事人当时的真实意思；二是这一自动化的订约过程使得合同被执行之前，要约人和承诺人可能都无法察觉合同中所存在的错误，这将导致合同错误往往到合同执行完毕才被发现，从而造成难以弥补的损失。

针对电子合同的要约撤销问题，联合国国际贸易法委员会的《电子商务示范法》也未对此明确规定。各国立法部门与一些国际组织进行了深入研究后认为，从理论上讲，要约人在遵守法律适当限制的条件下行使其要约撤销权是其一项应有的权利，尽管在电子贸易中，这种撤销的可能性极小，由于数据电文形式的要约传输速度实在太快，使得对其撤回或撤销几乎不可能实现。但并不能因为这种极小的可能性而完全否认这种已获得普遍认同的法律权利。只要受要约人未对要约做出承诺，要约人即可撤销其要约。并且，在电子商务的某些环境下，要约撤销是可以实现的。如果要约人以电子邮件方式发出一份可撤销的要约，受约人收到要约后并没有马上做出承诺，那么要约人可以发出要约撤销通知，但前提是要约人的要约撤销通知在受要约人做出承诺之前到达对方。当然，这种撤销权的行使必须借助于发达的技术手段才能成为可能。

5.4.4 电子实物合同的履行

与传统商务合同一样，电子商务实物合同的履行也包括付款和交货等主要环节。但是，根据电子商务的特点，其具体实现过程与传统合同相比有着很大的不同。其中出现的一些新概念和新原则是传统合同履行中所没有的，但却成了电子商务环境下实现电子合同履约快捷和方便特点的基本要求。具体而言，网上支付和物流配送是电子商务合同履约的主要环节。

1. 货款支付与网上银行

在电子商务合同履行中，货款支付是买方履行合同从而获得商品的使用价值，卖方实现自己权利从而获得商品价值的中心环节。在电子商务交易形式下，支付方式有很大改变，出现了诸如智能信用卡、电子资金转移、电子支票、电子现金、电子钱包、网上银行以及在线支付等许多新概念，这些新的支付手段为电子商务合同提供了方便的履约条件。

（1）电子支付方式。在传统商务交易中，支付主要采用两种方式：一是大多数工商企业采用金融票据的非现金结算；另一种是零售业中广泛采用的现金结算方式。在电子商务环境下，由于互联网传输协议和支付程序的不同，在实践中产生了多种电子支付工具，主要包括适用于互联网开放环境下的电子货币和网上银行转账以及非互联网环境下的银行电子系统，如自动柜员机（ATM）、销售终端（POS）、电话银行等。

电子支票与电子转账。电子支票（e-check）是借鉴书面支票转移支付的功能，利用互联网或者封闭式金融电子网络将款项在各账户间进行转移的电子支付方式。目前，电子支票通常是在专用金融网络上以密码的方式采用签字、加密或者个人身份密码（PIN）等进行传递的。用电子支票进行支付，业务处理费用较低，而且银行也能够为参与电子商务的商家提供标准化的资金信息。1998年1月，美国国防部通过财政部的财政管理服务支付了第一张政府电子支票以测试网络系统的安全性，并试图推动电子支票在美国的广泛应用。但是，由于电子支票的网上兑现安全机制尚未完全建立，在实际交易中当事人仍对此持谨慎的态度，尤其是美国《统一电子交易法》中对可流通电子票据适用范围的限制，使得电子支票还一时无法普及。目前，电子支票的主要发展方向是在开放式互联网上的电子资金转账（electronic fund transfer，EFT）。所谓电子转账是指客户在网上交易后，通过其银行内账户将货款直接划拨给商家的银行账户方式。这实际上是将传统转账方式应用到互联网上进行的一种资金转移方式，可直接在网络上运行，并通过电子签字、密钥验证等若干检验机制以及第三方认证机构的配合来保证电子资金数据信息的安全性。在封闭式银行金融网络中进行的这种电子资金转移已经具有成熟的模式，例如，在20世纪七八十年代开始建立的全球银行间通信系统（SWIFT），作为全世界封闭式银行资金转移支付体系至今仍在运行，而在开放式互联网上进行的安全电子转账则是今后电子交易支付的主要方式。

信用卡支付方式。信用卡方式是通过专用网络或者互联网以信用卡号及其使用密码进行传递来完成支付过程的电子支付方式。一般来说，信用卡持卡人须将其交易信息进行电子签字、加密，并经认证机构进行认证后，连同认证证书一起传递给商家，并由其传递到有关银行进行鉴别和付款。根据信用卡的具体使用方式，又可将其分为以下几种情况：①直接支付方式。在直接支付方式这种方式下，用户在网上购物后将信用卡账号加密，并通过互联网直接传递给商家，由商家根据其信用卡号向有关银行请求付款。②专用账号支付。这种支付方式要求商家在银行的协助下核实每位用户是否为银行卡的持有人，并且由商家为每位用户建立一个与银行卡相对应的虚拟账户，每个虚拟账户都有独立的账号和密码。当用户使用虚拟账户在互联网上购物付款时，商家只能知道该虚拟账户的账号和密码，从而避免了银行卡账号和密码的直接传递。③《安全电子交易协议》。它是 Visa 和 Master 两大信用卡集团以及微软、IBM 等公司在 1996 年联合推出，为了在互联网上进行安全的电子商务交易而制定的电子支付协议。其技术标准非常复杂，对信用卡持卡人、商家和银行等各方当事人的要求都很严格，并且还提供商家和收单银行的认证，从而确保交易数据的安全、完整、可靠和交易的不可否认性，特别是其具有用户信用卡号码不会暴露给商家等优点。因此，安全电子交易协议成为目前公认的信用卡网上交易的国际标准。④专用协议方式。这种方式是在用户、商家和电子支付服务商之间建立一种专用加密协议，将信用卡账号转化为专用密码，由电子支付服务商向用户和商家提供客户端软件，该软件能自动地通知商家把电子订单发送给用户，让用户填写相关信息并通过该软件自动译出密码发送给商家。由于采用这种具有加密功能的软件和特殊的服务器，商家无法从用户的支付数据中得到信用卡账号的任何真实信息，从而增强了支付时信息的安全性和用户的信任感。

电子货币。电子货币也称"电子现金"（e-cash），它是一种以电子数据形式流通的货币。它将货币金额转化成一系列加密的数据并存储在用户的电子银行账户上，用户可以像使用实际的现金存款一样使用电子货币进行购物等消费。电子货币具有多用途、高效率、使用灵活、匿名和安全等特点，无须直接与银行连接即可使用，目前在小额电子交易中使用非常广泛。根据支持电子货币的硬件基础方式，可将其分为两大类：①智能卡电子货币。这种电子货币采用集成电路 IC 卡来存储有关货币信息，并且具有安全密码锁保护，可靠性较强。在 1993 年开始的"金卡工程"的推动下，我国智能 IC 卡的发行量已经超过 1 亿张。目前，一种具有电子钱包、借贷功能且防伪性能较好的可充值 IC 支付卡已经在我国推广，这种电子货币的发行将大大促进互联网电子交易的发展。②电子钱包。目前广泛应用的电子钱包就是这样一种典型的支持软件。所谓"电子钱包"（e-wallet）就是一项可以由持有人用来进行安全电子交易并存储交易记录的软件。持有人可以直接使用与自己的银行账号相连接的电子商务系统服务器上的电子钱包软件，按照持有人与商家、银行的交换金融协议，通过一系列数字形式的现金文件，来完成互联网上资金的安全转移。除以上电子支付方式外，为了保证商业机构间大额电子交易的信用安全，我国一些金融机构与电子商务企业也在合作开发网上信用担保业务。例如，首都信息发展股份有限公司（即"首信"公司）与中国经济技术投资担保公司（即"中国投保"公司）就合作开展了电子商务信息担保业务，并为首都电子商城提供履约担保服务；"首信"公司还与"中国投保"公司合作建设了"中国担保网"，并为其提供认证机构安全认证技术体系支持和专业化用户服务。此外，在国际贸易支付领域，我国在 20 世纪 90 年代初就开展了由中国人民保险公司承办的出口信用保险业务。今天，国际贸易已经成为电子商务的主要应用领域，所以，有必要就互联网国际贸易结算开办相应的信用保险业务，以最大限度地减少外贸企业的出口收汇风险。

（2）子流通票据。在传统商务交易活动中，作为交易结算的支付工具一般有货币和可流通票据两种形式。同样，在电子商务交易中，除了电子货币外，也可以采用电子流通票据作为支付工具。所谓电子流通票据（electronic transferable note）是指付款人向受票银行发出的或者通过受票银行向另一家银行发出的支付固定的或者可确定的货币金额给受益人的电子指令，该电子指令应当满足以下条件：①除支付时间外，未规定向受益人支付的任何条件；②受票银行通过借记付款人的账户，或者以其他方式从付款人处接收支付而得到偿付；③该指令由付款人直接传递给受票银行，或者通过代理人、通信系统或者互联网传递给受票银行。

如果一项电子指令因附有条件而不构成电子票据，但受票银行通过签发一项无条件的电子票据来执行该指令，那么，该指令的发送人将享有电子票据发送人的权利，并且承担该电子票据付款人的义务，而该指令中所指定的受益人将被视为电子票据的受益人。

在电子票据的发送过程中，通常会采用一定的安全程序来保证电子票据的可靠性。这种安全程序是指根据客户和受票银行间的有关协议所建立起来的一种程序，其目的是证实该电子票据或者修改和取消电子票据的信息确实是由客户所发出的，并检测电子票据或者其信息在传递过程中及其内容上的错误。这种安全程序可以是某种加密算法或者其他密码、加密程序或者其他安全认证程序。

电子票据与电子货币都是电子商务交易的支付工具，而电子票据主要用于商业机构间的大额交易款项的支付；因此，为保证电子票据的安全使用，尤其需要对其从法律上进行规范。目前，我国的《票据法》没有涉及电子流通票据。《美国统一电子交易法》第十六条"可流通电子票据"（transferable records）对此进行了具体的规定。该条特别强调了可流通电子票据目前主要适用于商业与银行本票以及物权凭证票据，阐释了电子票据应当与书面票据具有同样法律效力的功能等价原则，并且提出了电子票据成立的必要法律条件是票据的签发人应当明示该电子记录为电子票据的行为，同时该条款还就电子票据的出票、提示、持有和背书等一系列票据行为进行了规定。

（3）网上银行服务。交易结算是电子商务合同履行过程中的重要环节，同时，由于互联网的开放性特点，使得许多用户对其安全性的信任度不高，严重阻碍了电子商务的发展。为此，各国金融机构都在不断探索新的电子结算手段。网上银行就是近几年发展迅速、安全度较高的电子结算方式。我国最早开办网上银行业务的是深圳招商银行。该行在全国各地的分支机构广泛地开展网上转账、支付、查询和票据流通等电子结算业务。近年来，中国建设银行和中国银行也开始推出网上银行结算业务，并成为我国网上银行业务的主要承办行。在网上银行产生前，所谓网上购物实际上是网上浏览、网上订货和网下结算。由于结算方式依然是传统的银行转账或者付款，电子商务的优势无法发挥。在银行介入网上交易和结算以后，网上银行可以支持实时的网上结算，支持真正的网上购物、拍卖和订票等电子商务交易，从而为用户提供方便快捷的电子交易结算业务，促进了电子商务的迅速发展。

网上银行系统的主要功能包括对公账务查询、个人账务查询、转账、支付、异地划拨和外汇买卖等与传统银行机构相似的所有业务。

2. 货物配送与物流体系

电子商务实物合同的履行离不开货物的交付，从理论上来说，电子商务合同的实物交付应当与传统商业行为中的货物交付具有相同的功能。但是，由于电子商务时代要求交易的及时和便捷，使得电子商务企业不得不考虑其货物配送与传统交易交货的差异。因此，为了适应电子商务交易的高效率、多样化、个性化和全天候的特点，人们在电子商务实践中创造了多种多样的货物配送形式，构成了电子商务交易供应链的重要环节，形成了具有鲜明电子商务特色的现代物流体系。

（1）电子交易的货物配送。按照电子商务的不同模式，电子交易的货物配送可以采用不同的方式。例如，在商业机构间的大额交易中，电子合同一旦签订，卖方就应当根据合同要求履行按时交货的义务。由于商业机构间交易的货物大多为品种少、数量多的商品，因而对于这些商品的交付一般仍可采用传统交易方式下的货物运输和交付方式，即由专门的仓储、运输企业或者制造商自己的物流运输部门送交买方。然而，对于品种多、数量少的商品，特别是商业机构与消费者之间的交易中，面对大量的、需求情况各不相同的消费者，电子商务企业必须在降低配送成本和满足消费者需求之间寻求一个最佳的解决途径。为此，发达国家的一些电子商务企业主要依靠信息技术对商品的物流数据和信息进行统一管理，应用信息技术对商品物流进行引导、控制和处理。其基本原理是将商品信息流从具体的商品物流中分离出来，根据与商品物流相联系的信息流的转换和依存规律，实现商品信息流处理的自动化，从而达到控制商品物流的目的；其具体方式则是在企业整体管理信息系统的支持下采用了电子自动配货的模式，按照企业的整体经营管理目标选择能够达到成本效益最佳化的统一配送方案。

根据实现统一配送方案的作用机理，电子自动配货系统通常由基础层、实现层和操作层等三个部分组成。基础层是实现自动配货的数学模型和算法。一个完整的配货系统主要包括三个方面的内容：转换模型、目标模型和约束模型。实现层通过信息系统的相互作用有效地实现自动配货作业。操作层的任务是由操作人员配置具体的货物配送参数。

（2）电子商务中物流的特点。相对于传统储运业来说，现代物流服务已经突破了运输工具、路线和行业的界限，产生了许多新的理念和管理方式，与生产、销售和消费连成一片，构成了现代电子商务完整的供应链体系。

现代物流服务是多种运输方式的最优集成。它将传统运输方式下相互独立的各种运输手段按照科学合理的流程组织起来，形成最佳的运输路线、最短的运输时间、最高的运输效率、最可靠的运输保障和最低的运输成本，从而最大限度地利用有限的资源，为交易当事人提供最有效的服务。

现代物流服务是各种生产要素的最佳组合。它打破了运输环节独立于生产和销售等行业的界限，通过供应链的概念建立起对电子商务企业采购、生产和销售等全过程的计划和控制，从整体上完成最优化的生产消费体系的设计和经营；在利用现代信息技术的基础上，实现物质流、信息流和资金流的有机统一，降低了社会生产的总成本，从而实现了供应商、制造商、销售商、物流服务商和消费者互惠互利的最终目标。

现代物流服务是能满足各种需求的最新理念。它突破了以运力为中心的运输服务观念，强调运输服务的宗旨是客户至上，客户的需求就是运输服务的内容和方式。在商品趋向小批量与多品种和消费者需求趋于多元化与个性化的电子商务交易时代，物流服务企业也应当重点发展专业化、个性化和以客户需要为最终目标的服务方式。

现代物流服务是对传统运输业的扬弃。在各种运输因素中，现代物流更注重运输流程的管理和商业科技信息，使传统运输作业变得更为公开、透明，更有利于适应生产流程及产品销售的合理计划。

（3）物流——电子商务的瓶颈。在电子工具和网络通信技术的支持下，信息流、商流和资金流通过点击鼠标的瞬间就可完成，而对于物流，只有少数商品和服务可以直接通过网络传输的方式进行配送，如电子出版物、软件等，大多数商品和服务的物流过程必须通过物理活动才能完成。无论电子商务是多么便捷的贸易方式，只要交易的商品是实物，它的实现就离不开完整的物流过程；离开了物流，任何电子商务也只不过是一种信息交换的过程，是"无米之炊"。可见，物流是电子商务发展成败的关键。

（4）电子商务物流体系的建设。在商业贸易和电子商务十分发达的美国，其物流模式采用了"整体化的中央管理系统"，这是一种注重整体效益，突破部门分管体制，并从整体上统一规划的管理方式。在市场营销方面，物流管理包括分配计划、运输、储存、市场研究和为用户服务等过程；在流通和服务方面，它包括需求预测、订货确认、原材料购买和生产加工等全部物资流通过程；在配送中心的建设方面，从 20 世纪六七十年代开始，美国就采取了各种措施提高物流配送的信息化程度，引进计算机管理网络，对装卸、运输和仓储实行标准化操作，将老式仓库改造成配送中心，促进连锁企业的效益增长，并形成了批发型、零售型和仓储型三种主要的商品配送中心。而在亚洲的日本，物流是非独立领域，它是与企业的销售政策、商业管理和交易条件等密切相关的一个商业环节，因此，流通中的物流就成为供应、生产和销售中的物流方向问题。

目前，我国的商品经济已经发展到了一定程度，而物流配送则明显滞后。长期以来，商流与物流的分离严重地影响了商品经营和规模效益。实践证明，要达到市场经济的组织化、规模化和系统化，迫切需要加强建设高度信息化的物流配送体系，而电子商务交易的高度信息化也迫切要求相应物流配送业的支持；因此，借鉴发达国家的经验和措施，建设具有中国特色的物流配送体系，仍是我国电子商务和传统商业交易的共同利益所在。

5.4.5 电子信息合同的履行

1. 电子信息合同履行的方式和地点

（1）电子信息合同中信息的交付。

以电子传输方式交付信息的方式与地点。以电子传输的方式交付信息时，电子信息的传输和数据电文的传输是一样的。美国《统一计算机信息交易法》第六百零六条第一款规定："副本的电子交付地为许可人指定的或者使用的信息处理系统。"

以有形媒介为载体的电子信息合同的交付方式与地点。电子信息合同的标的是信息的，确定交付时可参照传统民法关于动产的规定，其以有形媒介为载体时更是这样。美国《统一计算机信息交易法》第六百零六条第一款规定："副本必须在协议指定的地点交付；没有指定的，有形媒介副本的交付地为履行方的营业地；履行方没有营业地的，为其住所地。但是，当事人在订立合同时，知道副本在某地的，该地为交付地。"

（2）信息交付的附随义务。电子信息交付的附随义务是指为了使所交付的信息达到"商业适用性"，交付方为了完成合同的主义务而必须履行的但并非合同规定的义务。这是一种法定义务，主要包括如何控制、访问和处理信息的交付等。美国《统一计算机信息交易法》第六百零六条第二款规定："副本的交付，履行方应当提供并保证对方有效地支配副本，并且以合理的方式给予对方必要的通知，使其能够访问、控制或者处理该副本。情况适当的，必须在合理的时间内提交协议规定的访问材料或者其他文件，接收方应当合理地提供适合于接收履行的设施。"另外，该类合同的履行还应当适用以下原则：

合同要求交付第三人所持副本而不须转移的，履行方应当提交规定的访问材料或者其他文件。

合同未要求履行方将副本交付于特定地点，要求或者授权履行方将副本交付于另一方的：交付有形媒介的副本的，履行方应当将副本交传递人占有，并且根据信息的性质与其他环境，与之签订运送合同，接收人负担运送费用；以电子方式交付副本的，履行方应当根据信息的性质与其他环境，合理地启动传输或者致使传输启动，接收人负担传输费用。

要求履行方于特定目的地交付副本的，履行方应当使副本在目的地能够使用，并且承担运输或者传输的费用。在信息附有权利证书的情形下，信息的交付应当依照以有形媒介为载体的情形处理。

（3）电子信息合同信息使用费的交付。依据民法理论，合同当事人享有同时履行抗辩权。一般情形下，合同双方应当同时履行合同义务。由于电子合同在返还上的困难性，因此，只有在电子信息合同的履行中确立同时履行原则，才能有效地保障信息提供方的合法权利，即在电子信息合同履行过程中，当一方应对方的要求交付信息时，交付方有权要求对方同时支付信息使用费。

美国《统一计算机信息交易法》中就贯彻了同时履行原则，该法第六百零七条对副本、与交付有关的履行及付款规定如下：

"需要以副本的交付履行合同的：①应当交付的一方在接收方履行给付前，不必完全履行交付；②履行交付是另一方接收副本义务的条件，并且使接收履行的当事人有权接收副本。

"支付在交付副本时到期的：①履行交付是另一方当事人支付的条件，并且使接收履行方根据合同支付；②合同规定所有副本必须一次性交付，并且支付在该履行时到期。

"任何一方有权行使或者要求分批交付，合同费用可以分割的，可以改为分批请求。支付以交付副本或者权利证书为条件的，与履行方相对应，接收履行方的保留或者处理副本或者文件的权利以其有效支付为条件。"

2. 电子信息的检验与接受

电子信息的验收包括检验和接受两个方面。

（1）电子信息的检验。电子信息在履行中的检验分以下两种情形：第一，大众市场电子信息的检验。一般来说，其检验目的是确定该信息是否为正版，方式通常是从包装和标志等方面进行检验。第二，特定电子信息的检验。特定电子信息一般为根据接收方的要求制作并提供的软件。因此，对于特定电子信息而言，检验尤为重要。

美国《统一计算机信息交易法》第六百零八条规定：

"需要以副本的交付来履行义务的：①除法律另有规定外，副本的接收方有权在支付或者接收前的合理时间与地点，以合理的方式检验副本，以确定其是否与合同相符。②检验方应当负担检验费用。③当事人确定的检验的地点、方法或者接收标准具有排他性。但是，地点、方法或者接收标准的确定并不改变合同的一致性，或者更改交付的地点、权利或者损失风险的转移。地点或者方法的遵守已经成为不可能的，检验必须按照本条进行，除当事人确定的地点或者方法是必不可少的条件外，其不成就将使合同无效。④当事人的检验权应当服从于现存的保密义务。

"享有的检验权与支付前检验机会的协议不相符的，该方当事人在支付前不享有检验的权利。除以下情形外，合同在检验副本前支付的，不相符的履行不是接收方免于支付的理由：①根据该法第七百零四条，未经检验已经显示不相符并且有理由拒绝；②即使履行了要求的文件，根据《统一商法典》第五条有理由禁止信用证的支付。

"根据前款情形的支付并不是对副本的接受，不影响当事人的检验权或者阻止其行使救济的权利。"

（2）电子信息的接受。

1）电子信息接受的一般条件。一般情形下，保留了副本或者实现了信息的利益即为接受。美国《统一计算机信息交易法》第六百零九条规定了接受的一般条件：

"向接收方提交副本时接收副本，发生以下情形的，视为接受：①对履行或者对副本以行为方式表示符合合同的，或者尽管不相符，该当事人愿意保留副本的；②未做出有效拒绝的；③将副本或者信息混合，使拒绝后再遵守义务成为不可能的；④从该副本得到了实质的利益并且无法返回该利益的；⑤以不符合许可人所有权的方式行事，该行为只有在许可人将其选择为接受来对待，并认可该行为在合同使用条款范围内的。"

2）由多个副本构成的电子信息的接受。在一个电子信息是由多个副本构成的情况下，一般原则是整体的接受才构成有效的接受。

美国《统一计算机信息交易法》第六百零八条规定："协议要求分部分交付，各部分结合才构成信息的整体的，每部分的接受都以整体接受为条件。"换言之，只有接受人对整体的接受，才能使各部分的接受有效，而部分的接受并不构成有效的接受。

3. 使用限制

在对电子信息做出品质及使用保证的同时，许可方往往也会采取一定的限制措施，以维护自己的有关权益。这些限制措施主要有对信息合同履行的电子控制和电子自助。

（1）电子控制。所谓"电子控制"（electronic regulation）主要是指电子信息开发商或者供应商对信息利用所进行的限制。由于这种限制直接涉及电子合同当事人的权益，所以，许多国家已开始对其进行立法调整。根据美国《统一计算机信息交易法》第六百零五条，电子控制是指以控制信息使用为目的而采用的程序、代码、装置或者类似的电子或者物理的限制措施。电子控制是电子信息开发或者服务提供方（一般为许可方）为了保证自己的利益，对其提供的信息采取一些技术控制措施，例如，用户认证软件、软件版本使用的次数限制、信息访问范围与时间限制等。尽管采用的具体技术手段可能不同，但其功能与目的都是一致的，即根据合同条款或者法律的规定，保护电子信息或者服务提供方的自身利益。

从性质上看，电子控制权实属一种合同约定权，它来源于信息合同条款的规定，其具体内容就是对电子信息使用范围的一种维护权；因此，它同时又是相对权，只能对合同关系中特定的信息使用人行使，所以，信息使用人要容忍许可方维护其权利的行为。但是，电子控制措施又不得侵害被许可人的权利，这是应当注意的。

（2）电子自助。电子控制是根据合同条款或者有关法律规定所采取的技术控制，而在没有合同约定及其相应法律根据的情况下，许可方为了维护自己的利益也会对电子信息采取一定的自动控制措施，这就是电子信息的自助（electronic self-help）。实际上，电子自助是电子控制的一种延伸，或者说是其不同的表现形式。这也是电子信息合同的一个突出特点，即许可方为了维护自己的信息所有权及其有关利益，总是试图对其使用权的转让或者许可进行一定的限制。这种情况在实物合同交易中是极少出现的。

美国《统一计算机信息交易法》从电子自助的方式和条件等方面做了比较详细的规定。可以看出，它是严格限制电子自助的使用的，这体现了对信息技术熟练方的制约，也是对信息使用人的保护。因为在当今信息时代，信息技术的掌握程度本身已经形成了对社会资源的支配力量，严格限制技术强势方对其支配力的滥用，是平衡交易当事人之间权利义务的一项有效措施。科学技术从来就是一把双刃剑，它既能为人类带来巨大的财富，也能对社会造成严重的破坏。

5.5　电子合同的违约责任

5.5.1　违约的归责原则

违约的归责原则是关于违约方的民事责任的法律原则。合同违约的归责原则有两类：一种是过错责任原则，另一种是严格责任原则。

过错责任原则是指一方违反合同的义务，不履行和不适当履行合同时，应以过错作为确定责任的要件和确定责任范围的依据。过错责任原则包括两层含义：其一，过错是违约责任的构成要件，只有合同当事人基于自己的过错不履行合同时才承担责任。其二，当事人过错程度决定其应承担的责任范围。故意违反合同承担的责任较过失违反为重，当事人在订立合同时不可以预先免除故意违约责任。

严格责任原则是指不论违约方主观上有无过错，只要其不履行合同债务给对方当事人造成了损害，就应当承担合同责任。根据严格责任原则，在违约发生以后，确定违约当事人的责任应主要考虑违约的结果是否因其行为造成，而不是故意和过失。我国《合同法》规定了严格责任原则。《合同法》第一百零七条规定："当事人一方不履行合同义务或者履行合同义务不符合约定的，应当承担继续履行、采取补救措施或者赔偿损失等责任。"这就是严格责任原则。即违约责任不以过错为归责原则或构成要件，除非有法定的或约定的免责事由，只要当事人一方有违约行为，不管是否具有过错，都应当承担责任。之所以采用严格责任为合同责任的原则，主要是因为违约责任源于当事人自愿成立的合同，除了约定或法定的情况，必须受合同的约束；否则，不利于保证对方当事人的合法权益。电子合同作为合同的一种，其违约责任仍应适用严格责任原则。当然，如果电子合同中没有约定违约金，对方也没有实际损失的，违约人也无须承担赔偿责任。

5.5.2　违约责任的特征

（1）违约责任是合同当事人一方不履行合同债务或履行不符合合同约定时所产生的民事责任。

（2）违约责任原则上是不履行合同债务或履行合同债务不符合约定或法律规定的一方当事人向另一方当事人承担的民事责任。

（3）违约责任可以由电子合同当事人在法律规定的范围内约定。

（4）违约责任是财产责任。

（5）违约责任具有补偿性、惩罚性。

5.5.3　违约责任的构成要件

（1）主体要件。违约责任是当事人违反了有效合同后应承担的法律责任，所以凡是违约责任必然是当事人因不履行合同或不完全履行合同导致的法律后果。在电子合同中，违约责任的主体必然是有效合同的当事人，是有权独立主张自己利益和独立参加仲裁或诉讼活动的主体。主体资格是主体进行各种法律行为的前提条件，如果主体资格不合格或有缺陷的，则合同无效，当然也就无所谓违约责任。电子合同的主体可以是自然人，也可以是法人或其他组织。

其中自然人作为电子合同的当事人必须具有相应的民事行为能力，如果不符合《民法通则》关于民事行为能力条件的，应当由其法定代理人或监护人代为行使订立合同的权利，并承担相应的法律责任。法人作为电子合同的当事人必须具备相应的民事权利能力，即该法人章程规定的其可以为某种合同行为的权利，其他组织同样也需要具备相应的订约能力。

（2）违约行为。违约行为是指电子合同当事人没有按照合同约定的条件和时间履行合同，违约包括作为的违约和不作为的违约。作为是指义务人应当以自己的主动行为完成合同规定的义务。不作为是指少数电子合同规定，合同的当事人应当以自己某些不作为的承诺作为合同成立的基础。例如，电子合同中对当事人的个人隐私进行保密的合同条款，其基本内容就是规定根据合同的信息必须保密，如果违反合同规定的条件泄露了需要保密的信息时，就可构成违约责任。

（3）主观条件。合同履行是一种客观事实，电子合同没有履行或者没有完全履行，客观上也使对方的权利不能实现，为了维护对方的合同权利，就要让违约方承担违约责任。我国《合同法》对当事人的违约责任适用严格责任原则，不论当事人主观上有无过错，只要违约行为造成损害即应承担责任。

5.5.4　免责事由

免责事由分约定免责事由和法定免责事由。约定免责事由即免责条款，指当事人双方在合同中约定的，旨在限制或免除其将来可能发生的违约责任的条款。但免责条款的约定不得违反法律的强制性规定和社会公共利益。免除电子合同当事人的基本义务或排除故意或重大过失责任的免责条款为无效条款。法定免责事由主要是不可抗力。根据我国《合同法》第一百一十七条的规定，不可抗力是指当事人在订立合同时不能预见、不能避免并不能克服的事件。一般认为，不可抗力的构成要件包括以下几点：①该事件发生在合同订立之后；②该事件是在订立合同时双方所不能预见的；③该事件的发生是不可避免、不能克服的；④该事件不是由任何一方的过失引起的；⑤不可抗力是一种阻碍合同履行的客观情况。

根据《合同法》第一百一十七条的规定，因不可抗力不能履行合同的，根据不可抗力的影响，部分或者全部免除责任，但法律另有规定的除外。当事人迟延履行后发生不可抗力的，不能免除责任。"根据不可抗力的影响，部分或者全部免除责任"，是指如果不可抗力导致合同部分不能履行，就免除履行义务人的部分责任；如果不可抗力引起合同全部不能履行，就免除义务人的全部责任。当事人可以在合同中约定不可抗力的范围。不可抗力条款是对法定的不可抗力事件的补充，但不能违反法律关于不可抗力的规定。在当事人约定的不可抗力条款与法律对不可抗力的规定不一致时，当事人的约定往往无效。为避免争议，在电子合同签订过程中，应设置免责条款，并对特殊情况下的违约行为提供抗辩理由。根据电子合同的特征，电子合同对下列事件约定可构成免责事由。

（1）文件感染病毒。文件感染病毒的原因可能是遭到恶意攻击所致，也可能是被意外感染。但不论是何种原因，如果许可方采取了合理与必要的措施防止文件遭受攻击，如给自己的网站安装了符合标准或业界认可的保护设备、有专人定期检查防火墙等安全设备，但是仍不能避免被攻击，由此导致该文件不能使用或无法下载，应当属于不可抗力。

（2）非因自己原因的网络中断。网络传输中断，则无法访问或下载许可方的信息。网络传输中断可因传输线路的物理损害引起，也可由病毒或攻击造成，如果该种情况属于不能避免并不能克服的事件，则可认定为不可抗力。

（3）非因自己原因引起的电子错误。例如，消费者购物通过支付网关付款，由于支付网关的错误未能将价款打到商家的账户上，由此导致的违约应认定为不可抗力。

5.5.5 违约责任的主要方式

违约责任是合同当事人因违反合同所应承担的继续履行、赔偿损失等民事责任。违约责任制度是保障债权实现及债务履行的重要措施，它与合同债务有密切关系。合同债务是违约责任的前提，违约责任制度的设立能督促债务人履行债务。我国《合同法》第一百零七条规定，当事人一方不履行合同义务或者履行合同义务不符合约定的，应当承担继续履行、采取补救措施或者赔偿损失等违约责任。电子合同仍然遵循这些基本责任形式，只是在信息产品交易中，在违约导致合同终止时，还应采取停止使用、中止访问等措施。

1. 继续履行

继续履行，又称为实际履行，是违约方承担违约责任的一种主要方式。在民法上称为强制实际履行或特定履行、依约履行。所谓继续履行，是指一方在不履行合同时，另一方有权要求对方履行义务，并可请求法院强制违约方按合同规定的标的履行义务，对方不得以支付违约金和赔偿金的方法代替履行。继续履行包括两层含义：一方面，在一方违约时，非违约方可以借助于国家的强制力使违约方继续履行合同；另一方面，强制履行是指要求违约方按合同标的履行义务。从法律上看，继续履行具有如下特点。

（1）继续履行是一种补救方法。继续履行和违约金、损害赔偿等方法相比较，更强调违约方应按合同规定的标的履行义务，从而实现非违约方订约的目的，而不仅仅强调弥补受害人所遭受的损失。所以这种方法与其他方法相比，更有利于实现当事人订立合同的目的。

（2）是否请求实际履行是债权人享有的一项权利。强制实际履行是有效实现当事人订约目的的补救方式，一般认为它是我国合同法中首要的补救方法。但是，在债务人不履行时，债权人有权解除合同，请求损害赔偿，也可以要求债务人实际履行。只要债权人要求实际履行，又有履行可能，债务人应实际履行。所以，在一方违约的情况下，债权人有权决定是否采取继续履行的补救方式。

（3）继续履行不能与解除合同的方式并用。继续履行可以与违约金、定金责任和损害赔偿并用，但不能与解除合同的方式并用。如果债务人违约，债权人可以依据合同约定要求债务人支付违约金或适用定金罚则，如果给债权人造成损失的，还可以要求对方赔偿损失。在债务人有履约能力的情况下，债权人可以在要求对方支付违约金或赔偿损失的同时，要求对方继续履行合同。但继续履行不能与解除合同并用，因为解除合同旨在使合同关系不复存在，债务人也不再负履行义务，所以它和实际履行是完全对立的补救方法，两者不能并用。

2. 采取补救措施

在货物买卖合同中，采取补救措施是指义务人交付标的物不合格，提供的工作成果不合格，在权利人仍需要的场合，可以要求违反合同义务一方采取修理、重作、更换等补救措施。根据我国《合同法》的规定，卖方交付货物的质量不符合约定的，受损害方根据标的物的性质及损失大小，可以合理选择要求对方承担修理、更换、重作、退货、减少价款或者报酬等违约责任。同样，在信息产品情形下，原则上也存在这样的补救措施，即要求许可方或信息提供方更换信息产品或消除缺陷。

3. 停止使用或中止访问

返还财产是传统的违约救济方式之一，但在信息产品交易情形下，返还几乎丧失意义，因为退还的只是信息产品的载体，其信息内容仍然可能留存在持有人计算机中。这时，停止使用、中止访问就具有特殊意义，只有停止使用才能保护许可方的利益。停止使用是指因被许可方的违约行为，许可方在撤销许可或解除合同时请求对方停止使用并交回有关信息。停止使用的内容包括被许可方所占有和使用的被许可的信息及所有的复制件、相关资料，同时被许可方不得继续使用。许可方也可以采用电子自助措施停止信息的继续被利用。中止访问是对信息许可访问合同的救济，当被许可方有严重违约行为时，许可方可以中止其获取信息。

4. 赔偿损失

损害赔偿是各种违约责任制度中最基本和最重要的违约救济方式，它是对违约行为的一种最主要的补救措施，也是各国法律普遍确定的一种违约责任形式。损害赔偿是指违约一方用金钱补偿因违约而给对方造成的损失，它是以金钱为特征的赔偿，即是以支付损害赔偿金为主的救济方法。

损害赔偿具有以下法律特征：

（1）赔偿是因债务人违反合同所产生的一种责任，合同关系是其存在的前提；

（2）赔偿是对债务的一种金钱补偿，主要弥补债权人因违约行为遭受直接的损害后果，不具有惩罚性；

（3）损害赔偿以赔偿当事人实际遭受的全部损害为原则，全部损失包括直接损失和间接损失。

我国《合同法》第一百一十三条规定："当事人一方不履行合同义务或者履行合同义务不符合约定，给对方造成损失的，损失赔偿额应当相当于因违约所造成的损失，包括合同履行后可以获得的利益，但不得超过违反合同一方订立合同时预见到或者应当预见到的因违反合同可能造成的损失。"这里损失赔偿额"不得超过违反合同一方订立合同时预见到或者应当预见到的因违反合同可能造成的损失"，是指应当赔偿的损失是合理预见到的损失。合理预见要具备的条件如下。

（1）预见的主体是违约方。只有在已发生的损失是违约方能够合理预见时，才表明该损失与违约行为之间存在因果关系。

（2）预见的时间应当在订立合同时。当事人在订立合同时要考虑风险，如果风险过大，当事人可达成有关限制条款来限制责任。如果要由当事人承担在订立合同时不应当预见的损失，则当事人会鉴于风险太大而放弃交易。

（3）预见的内容是有可能发生的损失的种类及各种损失的大小。

如何界定"合理预见"在网络中的程度也是值得考虑的。一般认为在线交易中合理预见的界定应考虑：合同主体，B2B交易主体的预见程度较消费者交易高；合同方式，电子自动交易订立合同比在线洽谈方式订立合同的预见程度要低；合同内容，信息许可使用合同比信息访问合同应有较高的预见要求。

【本章小结】

电子合同是合同的一种特殊形式，合同的载体和合同订立方式发生了巨大改变，但旨在约定双方权利和义务的合同内容并无变化。所以，传统的合同法中规定的合同的订立和履行基本原则对电子合同仍然是适用的。

【复习与思考】

1. 什么是电子合同，电子合同具有什么特征？
2. 一个完善的电子签名，一般应满足什么条件？
3. 应该怎样正确看待电子代理人的法律地位和法律责任？
4. 应该怎样正确看待电子格式合同的法律效力？
5. 请简述电子合同的一般订立程序。
6. 如何来确定电子合同的成立时间和成立地点，有什么重要意义？
7. 在什么情形下，电子合同可以撤销或无须履行？
8. 课外查阅资料，论述电子信息合同的特殊性。

第 **6** 章

电子支付法律制度

电子支付安全成关注焦点　人大代表建议树行业标准

"支付宝趋于完善的信用评价体系将广泛应用于以互联网交易为基础的现代金融体系。"著名国际调研机构 IDC 在考察传统商业与电子商务生态系统后，发布了一份《电子商务服务业及阿里巴巴商业生态的社会经济影响》白皮书，报告称："更多时候，支付宝开始扮演两者融合的'关键点'角色。"由于解决了电子商务支付诚信问题，节省了交易成本，加快了现金流的运转效率，从而有助于提高内需商业活跃程度。IDC 认为支付宝构筑诚信透明的交易环境还成为拉动内需的一个重要推动力量，推动了内需市场扩大与繁荣。

尽管在当前的电子支付行业占据绝对领先地位，支付宝并未停止对保障消费者交易安全的追求，临近"3·15"，支付宝再度携合作伙伴分别推出"安全邮件计划"及"支付盾"产品，引爆了反钓鱼诈骗的安全热潮。支付宝联合国际领先的邮件商——中国雅虎启动了"信任邮件计划"。该计划针对全球范围内的钓鱼邮件，利用雅虎邮箱所拥有的 Domain Key 技术，采取域名密钥绑定官方系统邮件的方式有效解决此类问题。今后，当雅虎邮箱用户收到支付宝系统邮件时，邮件列表上均会显示支付宝的盾牌 Logo，并在邮件内显示数字密钥安全标识，使伪造邮件和钓鱼邮件无机可乘。此"信任邮件计划"还得到全球著名电子商务公司如阿里巴巴、淘宝网等公司的纷纷响应。

电子支付行业蓬勃发展，也引起了两会代表的关注。全国政协委员、招商银行行长马蔚华提案指出，第三方支付企业运作管理水平参差不齐，建立牌照发放制度，有利于产业集中，使不达标的中小支付企业自动退出市场。全国人大代表、浙江纺织服装职业技术学院院长王梅珍则建议，有关部门应通过研究吸收支付宝等行业龙头企业的经验，将领先企业的标准变为行业标准，以期在电子支付行业建立规范的汇报和监管机制。

资料来源：http://china.findlaw.cn/jingjifa/dianzishangwufa/dzzf/aqbz/3022.html.

商务活动包括两个基本环节：交易环节和结算支付环节。电子商务的应用普及必须有金融电子化作保证，即通过良好的网上支付与结算手段提供优质高效的电子化金融服务，提高资金周转速度，节省流动资金占用。信息技术和网络的广泛应用为金融电子化创造了条件。电子支付与传统支付模式，在安全性、风险性和支付效率等方面有着不同的特点。电子商务健康发展，要求电子商务法律对电子资金划拨、电子货币、网上银行、当事各方的义务和权利等制度做出明确的规定。

6.1　电子支付的基础知识

6.1.1　电子支付的概念和特征

电子支付，亦称互联网支付，是指电子交易的当事人，包括消费者、厂商和金融机构，使用安全电子手段通过网络进行的货币支付或资金流转。相对于传统支付方式，电子支付有以下特征：

（1）信息技术要求高。电子支付是依靠信息技术而发展起来的一种先进的支付方式，其数据传递依托的是银行专用网络或互联网。需要有强大的信息保密技术对传输的金融数据进行加密和解密；需要有完善的统一支付平台和支付软件使得客户可以通过多种电子支付工具进行资金划拨。

（2）资金流转快捷。电子支付通过数据电文形式将用户的支付指令传送给支付银行，并由银行的支付网关自动对用户支付指令进行验证并自动划拨资金。全过程都是在网络上完成，从用户发出支付指令到最后资金从账户上转移只是一瞬间的事。

（3）支付手段多样化。电子支付发展到今天，其支付的方式已经多种多样，除了传统的电话资金划拨、信用卡划拨之外，现在还可以通过网上银行进行资金的转移、手机移动付费、电子钱包、电子支票等多种方式进行电子支付。

（4）支付无纸化。整个支付过程均是通过电子数据的传输和计算机系统的自动处理来进行，并由计算机系统自动记录和保留支付信息，实现了支付过程的完全无纸化。

就目前而言，电子支付仍然存在一些缺陷。比如安全问题一直困扰着电子支付的发展，电子支付所要求的保密性、完整性及多方互相认证目前并没有得到根本解决。

新闻摘录

电子签名法已经实施　专家炮轰电子支付软肋

国内首部电子商务成文法——《中华人民共和国电子签名法》已经施行。与此同时，出于规范各类电子商务交易的目的，中国立法机构也开始对电子提单、司法管权、税收政策等法律问题加紧研究，并对原有的合同法、票据法、消费者权益保护法进行相应的修订。

"在信用、认证、标准、第三方支付和现代物流等支撑体系到位之前，电子商务立法不可能一蹴而就。"中国民生医药电子商务网 CEO 叶日者在接受本报采访时表示，为避免互联网支付、结算和税务等方面的问题触发更大的信用风险，在电子商务企业担当第三方支付主体的单一支付形式之外，包括支付结算类中间业务及信用卡和借记卡业务等在内的商业银行中间业务的拓展已刻不容缓。

迄今为止，中国尚无有关电子支付的专门立法，仅有中国人民银行出台的有关信用卡的业务管理办法。由于国内法规尚不允许外资直接进入电子支付领域，而国内非银行金融机构大多没有开展针对电子商务的二级结算业务，涉足电子商务的企业大多自己扮演了第三方支付的角色。

叶日者认为，目前 eBay 易趣等电子商务企业实行的大多是基于 SSL 协议的电子支付方式，但由于 SSL 模式下客户的买卖信息首先发往商家，且商家直接管理来往款项，电子支付所要求的保密性、完整性及多方互相认证并不能得到保证。

资料来源：《国际金融报》，作者：范俊。

6.1.2　主要的电子支付工具

在电子商务环境下，传统支付方式已不能适应商务活动电子化的要求，而必须由全新的电子支付方式来代替。由于使用的传输网络、传输协议和支付程序的不同以及不同的相互组合方式，在实践中衍生出多种电子支付工具。

（1）信用卡（credit card）。信用卡是银行向金融上可信赖的客户提供无抵押的短期周转信贷的一种手段。由银行或其他财务机构签发给那些资信状况良好的人士，用于在指定的商家购物和消费、或在指定银行机构存取现金的特制卡片，是一种特殊的信用凭证，具有转账结算功能、消费借贷功能、储蓄功能和汇兑功能。银行为信用卡用户提供不限地域存取现金、支付、结算的服务。

信用卡支付关系一般涉及持卡人（买方）、商家（卖方）、发卡人（信用卡公司或银行）和银行。互联网信用卡电子支付基本流程：交易完成后，持卡人就其所传送的信息先进行电子签名加密，然后将信息本身和电子签名经认证机构的认证后，连同数字证书一并传送至商家，商家通过银行从持卡人的信用卡账户上划拨走这笔交易的费用。现在更安全更先进的方式是在网络环境下通过 SET 协议进行网络支付，具体支付流程请查看本章第二节。

（2）智能卡（master card）。随着信息技术的进步，信用卡逐渐发展成为能够读写大量数据、更加安全可靠的智能卡。智能卡中一般有硬件的逻辑保护，以密码加密形式来保护其存储内容不被非法更改。智能卡提供了一种简便的方法，可用来存储和解释私人密钥和数字证书，非常好地解决了与电子商务的结合。智能卡上存放的证书使持卡人的身份得到认证，并直接在每一次网上购物时签上客户的电子签名。由于智能卡内安装了嵌入式微型控制器芯片，因而可储存并处理数据。卡上的价值受用户的个人识别码（PIN）保护，因此只有用户能访问它。多功能智能卡内还嵌有高性能的、独立的基本软件，能够像个人计算机那样自由地增加和改变功能。这种智能卡还设有"自暴"装置，如果犯罪分子想打开智能卡非法获取信息，卡内软件上的内容将立即自动消失。智能卡是目前最常用的电子货币，可在商场、饭店、车站、互联网等许多场所使用，可采用刷卡记账、结账、提取现金、网上结算等方式进行支付。

（3）电子支票（electronic check）。电子支票是纸基支票的电子替代品，它借鉴纸基支票转移支付的优点，利用数据电信方式将钱款从一个账户转移到另一个账户。这种电子支付方式是在与商家及银行相连的网络上以密码方式传递的，多数使用公用密匙加密签名或使用个人身份证号码代替手写签名。网络银行和大多数银行金融机构，通过建立电子支票支付系统，在各个银行之间发出和接收电子支票，向用户提供电子支付服务。用电子支票支付，事务处理费用较低，而且银行也能为参与电子商务的商家提供标准化的资金信息，是一种很有效率的电子支付手段。

电子支票支付过程包含三个实体：购买方、销售方以及金融机构。在电子支票支付方式中，购买方通过计算机系统从金融机构那里获得一个电子方式的付款证明，这个以电子流为表现形式的付款证明表明购买方账户中欠金融机构的钱，购买方把这个付款证明交给销售方，销售方再转交给金融机构，整个处理过程如同传统的支票。电子支票今后的发展趋势将逐步过渡到互联网上进行传输，即采用电子资金转账（electronic fund transfer）或网上银行（electronic banking）方式。

（4）电子现金（electronic cash/digital money）。电子现金是一种以数据形式流通的货币。它把现金数值转换成为一系列的加密序列数，通过这些序列数来表示现实中各种金额的市值，用户在开展电子现金业务的银行开设账户并在账户内存钱后，就可以在接受电子现金的商店购物了。电子现金的优势在于完全脱离了实物载体，无须直接与银行信息系统连接便可使用，用户在支付过程中更加方便。一般适用于小额交易。仅从技术层面上讲，各个商家都可以发行电子现金，如果不加以规范控制，由此可能会带来相当严重的经济金融问题。

（5）其他电子支付工具。除了上述的信用卡、智能卡、电子现金和电子支票外，还有电子零钱、安全零钱、互联网货币等。这些支付工具的共同特点都是将现金或货币数字化和电子化，利于在网络中传输、结算和支付，利于网络银行使用，利于实现电子支付或互联网支付。

电子支付是电子商务的核心之一，它将在国际金融活动中逐步发挥重要作用，建立电子支付系统是我国发展电子商务的保证。作为电子商务资金流中的电子支付工具，必须在安全性、及时性、保密性、灵活性和国际化等方面均达到一定的先进水平，才能保证在电子商务中可靠地应用。

6.1.3　电子支付安全标准

电子支付安全标准就是为了满足电子支付的安全性要求而开发出的集加密技术、电子签名和信息摘要技术、安全认证技术于一体的各种安全技术措施或者安全技术协议。目前国际上常用的两种电子支付的安全标准是 SSL 和 SET 协议。

1. 安全套接层协议

安全套接层协议（secure socket layer，SSL）是一种保护 web 通信的工业标准，主要目的是提供互联网上的安全通信服务，能够对信用卡和个人数据、电子商务提供较强的加密保护，是国际上最早应用于电子商务的一种网络安全协议。在网络上普遍使用，能保证双方通信时数据的完整性、保密性和互操作性，在安全要求不太高时可用。

SSL 协议运行的基点是商家对客户信息保密的承诺，客户的信息首先传到商家，商家阅读后再传到银行。这样，客户资料的安全性便受到威胁。另外，整个过程只有商家对客户的认证，缺少了客户对商家的认证。在电子商务的初始阶段，由于参加电子商务的公司大都是信誉较好的公司，这个问题没有引起人们的重视。随着越来越多的公司参与电子商务，对商家认证的问题也就越来越突出，SSL 的缺点完全暴露出来，SSL 协议也逐渐被新的安全电子交易协议所取代。

2. 安全电子交易协议

安全电子交易协议（secure electronic transaction，SET）是由 Visa 和 MasterCard 两大信用卡组织提出的以信用卡为基础的电子付款系统规范，用来确保在开放网络上持卡交易的安全性。SET 规范使用了公开密钥体系对通信双方进行认证，并利用哈希算法鉴别信息的真伪，以维护在任何开放网络上的个人金融资料的安全性。

SET 体系中的核心技术包括电子签名和信息摘要、数字证书的签发、电子信函、公开密钥的加密等。其中还有一个关键的认证机构（CA），负责发布和管理数字证书。SET 协议规定发给每个持卡人一个数字证书。持卡人（客户）选中一个口令，用它对数字证书和私钥、信用卡号以及其他信息加密存储。根据 SET 协议的工作流程图，可将整个工作程序分为 7 个步骤，如图 6-1 所示。

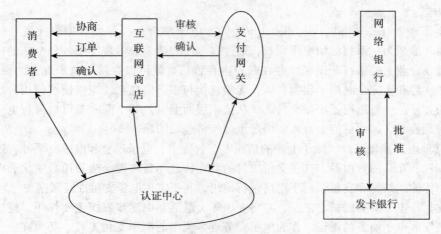

图 6-1　SET 协议电子支付流程

（1）消费者利用自己的计算机通过互联网选定所要购买的物品，并在计算机上输入订单，订单上需包括互联网商店、购买物品名称及数量、交货时间及地点等相关信息。

（2）消费者通过电子商务服务器与有关互联网商店联系，互联网商店做出应答，告诉消费者所填订货单的货物单价、应付款数、交货方式等信息是否准确，是否有变化。

（3）消费者选择付款方式，确认订单，签发付款指令。此时 SET 开始介入。

（4）在 SET 中，消费者必须对订单和付款指令进行电子签名。此处利用双重签名技术保证商家看不到消费者的账号信息。

（5）互联网商店接受订单后，向消费者所在银行请求支付认可。信息通过支付网关到收单银行，再到电子支付工具的发行公司确认。批准交易后，返回确认信息给互联网商店。

（6）互联网商店发送订单确认信息给消费者。消费者端软件可记录交易日志，以备将来查询。

（7）互联网商店发送货物或提供服务，并通知收单银行将钱从消费者的账号转移到商店账号，或通知发卡银行请求支付。在认证操作和支付操作中间一般会有一个时间间隔，例如，在每天的下班前请求银行结一天的账。

在整个电子支付过程中，前两步与 SET 无关，从第（3）步开始 SET 起作用，一直到第（7）步，在处理过程中，通信协议、请求信息的格式、数据类型的定义等，都有明确的规定。在操作的每一步，消费者、互联网商店、支付网关都通过 CA 来验证通信主体的身份，以确保通信的对方不是冒名顶替。所以，也可以简单地认为，SET 协议充分发挥了认证中心的作用，以维护在任何开放网络上的电子商务参与者提供信息的真实性和保密性。

即问即答：请说出两个电子支付工具。

参考资料

如何避免电子支付危险

　　从用户角度，安全意识的增强很重要。当你在网络上进行电子交易时，一定注意以下几点：①确保网站网址正确，网站的知名度较高。中国的电子交易网站一般都是链接到银行进行交易，不要在不明来历的商户网站直接输入账号信息。②查看网站是否有 ICP 号，ICP 号是否正确，国家规定经营性网站必须在当地的通信管理局登记，北京网站的登记信息可在北京市通信管理局网站（http：//www.bca.gov.cn/）上查到。③查看网站是否有工商局的标志，标志是否登记。对于北京的经营性网站，必须到工商局办理网站备案登记，该标志是一个红色的盾牌，点击网站界面上的红盾，会自动链接到北京市工商局的网站登记网站（http：//www.hd315.gov.cn/）上，显示出该网站的登记信息，可以查看该信息与网站实际情况是否一致。④正规电子交易网站在传输用户账号信息时都要加密，此时地址是以"https"而不是通常的"http"开头的。加密传输时，浏览器下面会出现一个小锁，点击小锁会显示证书，只能相信权威机构颁发的证书，不要相信不明来历的证书。目前我国电子交易常用的证书包括由中国CFCA 颁发的证书和各个银行自己颁发的证书。

　　资料来源：赛迪网－中国计算机报，作者：张志斌。

6.1.4　我国电子支付立法的现状

1. 关于银行卡的法律法规

　　1994 年，国内贸易部出台了《关于加强信用卡管理的若干规定》，对企事业单位申领信用卡作了规定。1996 年，中国人民银行制定了《信用卡业务管理办法》，对信用卡业务规则、业务管理以及信用卡的申领与销户等事项作了具体的规定。由于该管理办法与国际惯例存在一些差距，为此，1999 年，中国人民银行出台了《银行卡业务管理办法》（以下简称《管理办法》），该办法对以下几个方面进行了详细规定。

　　（1）《管理办法》对银行卡与信用卡的定义与分类作了科学明确的规定。根据《管理办法》的定义，银行卡是指由商业银行向社会发行的具有消费作用、转账结算、存取现金等全部或部分功能的信用支付工具。同时还规定银行卡包括信用卡和借记卡，信用卡具有透支功能，而借记卡不具备透支功能。信用卡按是否向发卡银行交存备用金分为贷记卡和准贷记卡，前者的持卡人不需要交存备用金，后者的持卡人则要交存一定的备用金。

　　（2）指令人与接收银行的概念是相对的，这两个术语是电子资金划拨若干当事人的总称。消费者、发端人银行、中间银行都可以是指令人；而发端人银行、中间银行、收款人银行都可以是接收银行。如果消费者是发端人银行的指令人，发端人银行则为接收银行；而发端人银行是中间银行的指令人，中间银行则是发端人银行的接收银行，依此类推。

　　（3）《管理办法》对发行银行卡的主体资格和程序进行了规定。发行银行卡的主体必须是商业银行，且《管理办法》第十三条和第十四条分别规定了发行银行卡的商业银行所必须具备的条件及商业银行在申请开办银行卡业务时应提交的材料。

　　（4）对使用贷记卡进行交易提供一定的优惠条件，并规定了银行计息和电子支付所涉及其他机构的收费标准。

　　（5）《管理办法》专门对银行卡当事人的权利和义务作了明确的规定，加强了对持卡人利益的保护。如《管理办法》第五十二条、第五十三条规定了发卡人的初始信息披露和定期信息披露义务。此外，还规定了设立针对银行卡服务的公平、有效的投诉制度和 24 小时挂失服务电话等。

（6）《管理办法》规定了发行人的内部控制和风险管理。《管理办法》依据中国人民银行 1997 年《加强金融机构内部控制的指导原则》建立了较为严格的内部控制机构，在第四十条至第五十条则针对信用卡业务的风险管理作了相关的规定。

（7）银行的保密义务和对客户交易信息的保护。《管理办法》第五十二条规定了发卡银行对持卡人的资信资料负有保密的责任。资信资料不仅包括持卡人在开户时填写的所有资料，还包括持卡人与使用银行卡进行交易的所有交易信息。

2. 关于账户、交易信息记录和查询的法规

中国人民银行于 2002 年 2 月 1 日颁布了《金融机构协助查询、冻结、扣划工作管理规定》（以下简称《管理规定》），对协助查询、冻结、扣划个人储蓄存款的条件和程序作了明确规定。在此之前，有关机构查询条件和程序分散规定在诉讼法和一些条例、决定或司法解释中。在此《管理规定》中，对有关机构进行查询、冻结、扣划做出了以下规定：①金融机构在协助查询、冻结、扣划时应遵循依法合规、不损害客户合法权益的原则。②金融机构工作人员在办理查询、冻结、扣划业务时应当核实相关的证件和法律文书。③金融机构按照内部控制制度建立和完善协助查询、冻结和扣划工作的登记制度。

3. 关于预防利用电子支付犯罪的法律法规

中国人民银行制定了《金融机构反洗钱规定》、《人民币大额和可疑支付交易报告管理办法》、《金融机构大额和可疑外汇资金交易报告管理办法》，这三项法规的主要内容包括如下几点：①确立了金融机构反洗钱工作的三项基本原则：合法审慎原则、保密原则和全面合作原则。②要求金融机构制定反洗钱内控制度、设立组织机构并建立金融机构反洗钱的四项主要制度：了解客户制度、大额交易报告制度、可疑交易报告制度和保存记录制度。③明确中国人民银行和国家外汇管理局的职责。明确中国人民银行是我国银行业反洗钱工作的领导和监督管理机构，国家外汇管理局负责制定大额、可疑外汇资金交易报告标准，并对大额、可疑外汇资金交易报告工作进行监督管理。

4. 关于网上银行的法律法规

中国人民银行在 2001 年 7 月 9 日颁布了《网上银行业务管理办法》。对网上银行业务、网上银行的风险管理作了明确规定。《网上银行业务管理办法》是我国第一个网上银行的相关法律法规。

6.2　电子支付法律问题

6.2.1　电子支付当事各方的法律关系

（1）电子支付中银行与客户的法律关系。在电子支付过程中银行和发出支付指令的客户之间是一种委托合同关系，客户通过互联网将支付指令和个人的身份信息以加密的方式发送至受托银行，受托银行在对委托人的身份核实后，按照委托人的指示将委托人银行账户上指定金额划至另一账户，同时收取一定的委托金。不过这样的委托要经过看似简单其实比较复杂的过程，客户的口头或是书面支付指令不是直接传达给银行，而是要经过网络传输的中间环节方能到达银行，因

此使得原本简单的委托关系产生了一个第三方当事人的问题。虽然在委托支付中客户直接面对的不是银行柜台，而是银行的网上支付网页，但是这并不能改变双方的关系，客户只是知道他是在和银行进行金融服务交易，可以说，银行的支付网页和相应的支付功能构成了银行的一种表现代理，就如同传统柜台业务的营业员一样，应当认为客户是在面对银行进行交易。

在这个以银行和委托支付客户为主体的委托关系里，银行由于在技术和操作环节上都处于优势地位，因此当双方出现纠纷时，银行常常是处于易于逃避责任的强者地位，而相对来说客户则处于弱者地位。根据法律偏向于在纠纷中处于事实弱者的立法原则，在银行和客户产生纠纷时，法律在责任分担上一般来说会对客户实施较多的保护。

（2）银行之间的法律关系。电子支付银行之间的权利义务可以说是受到一系列相互关联的合同约束的，当支付指令发出行通过网络依照客户的要求发出资金划拨信息时，其实质是作为客户的代理人指示指令发出银行按时足量地将资金划拨到接收银行，构成了客户对接收行的一个要约，当接收行收到这个要约并确认后，就视同接收行做出了对该要约的承诺，于是信息发出行与接受行之间就产生了合同关系。

（3）银行与网络服务提供商之间的法律关系。开展电子支付业务的银行与网络服务提供者之间是一个合同关系。网络传输服务提供商的义务主要有：按正确的模式，依照银行之间的协议传递信息；采取各种安全措施防止信息传递的失误以及信息的丢失；确保传递信息的准确性，使得其准确地为接收人接收到；保证信息的机密性和安全性，不使信息外泄。

（4）客户之间的法律关系。资金的转移是由于交易的存在，客户之间显然是一种债权债务关系。一般是合同的买方向银行发出支付指令，银行向卖方划拨资金，但是，如果资金并未到达卖方的账户上，那买方的付款义务并不因为其发出支付指令而完成，而应该以资金到达并为卖方确认方可认定为买方支付义务解除。

6.2.2　电子支付涉及的当事人权利和义务

为了保证电子资金划拨的安全，必须要有认证机构的介入。2000 年 6 月 29 日，由中国人民银行组织工商银行、农业银行、中国银行、建设银行、招商银行、广发银行、深发银行、光大银行、华夏银行、中信银行、民生银行等 12 家商业银行共同组建了金融认证中心（CFAC）。这解决了安全、认证等 4 个方面的问题：交易双方身份的真实性问题；支付信息的安全和保密性问题；网上传输交易数据的完整性问题和交易的抵赖性问题。应该说，认证服务机构在这一过程中所起的作用和一般电子认证行为中的作用并没有太大差别。

1. 付款人

电子支付中的付款人，通常为消费者或买方，与商家、银行间存在两个相互独立的合同关系：一是消费者与商家订立的买卖合同关系；二是消费者与银行间的金融服务合同关系。

付款人的权利。付款人有权要求接收银行按照指定的时间及时地将指定的金额支付给指定的收款人，如果接收银行没有按指令完成义务，指令人有权要求其承担违约责任，赔偿因此造成的损失。

付款人的义务，一般可以归纳为：①一旦向接收银行发出付款指令后，自身也受其指令的约束，承担从其指定账户付款的义务；②在需要的情况下，不仅接受核对签名，而且在符合商业惯例的情况下，接受认证机构的认证；③按照接收银行的程序，检查指令有无错误和歧义，并有义务发出修正指令，修改错误或有歧义的指令。

2. 收款人

收款人，通常为商家或卖方，同样也存在两个相互独立的合同关系：一是与消费者的买卖合同关系；二是与银行的金融服务合同关系。

收款人具有特别的法律地位。在电子支付法律关系中，收款人虽然是一方当事人，但由于他与付款人、接收银行并不存在支付合同上的权利义务关系，因此收款人不能基于电子支付行为向指令人或接收银行主张权利，收款人只是基于和付款人之间基础法律关系与付款人之间存在电子支付权利义务关系。在这一点上，电子支付与票据支付的法律关系类似。

3. 银行

银行是电子支付中的信用中介、支付中介和结算中介，其支付的依据是银行与电子交易客户所订立的金融服务协议。在电子支付系统中，银行同时扮演发送银行和接收银行的角色。

接收银行有如下权利：①要求付款人（指令人）支付交易资金并承担因支付而发生的费用；②拒绝或要求付款人修正其发出的无法执行的、不符合规定程序和要求的指令；③只要能证明由于付款人的过错而致使其他人，包括其他与付款人有关系的当事人，假冒付款人通过了认证程序，就有权要求付款人承担该指令引起的后果。

接收银行的主要义务有：①按照指令人的指令完成资金支付；②就其本身的违约行为，向付款人承担法律责任。

通常资金的支付从付款人开始，经过付款人银行、中介银行、认证机构、收款人银行等一系列当事人，每一当事人只接收其直接指令人的指令，并向其接收人发出指令，并与他们存在合同上的法律关系。因此，当指令是由于接收银行自身或其后手的原因没有履行、迟延履行或不当履行，付款人或指令人是无法依据合同关系直接向责任方主张权利的。为保护付款人或指令人的权益，只要接收银行或其后手存在违约行为，均应向其前手或付款人承担法律责任。在这一点上，与我国《票据法》规定的追索权具有类似的法律性质。

6.2.3 电子支付事故责任

1. 银行的责任

从上述的银行法律地位分析可以知道，银行在电子支付中所处的位置是一个受托人。但是由于电子支付与传统的支付存在着较大的操作差别，电子支付的整个过程可以分为三个阶段：支付指令在客户端尚未传出的阶段；从客户端到银行支付网关之间的中间传输阶段；支付信息进入银行支付系统后的处理阶段。对于这样一种支付方式，我国尚没有专门的法律法规加以规定。但不管整个支付过程中有多少技术环节，对客户而言，他总是认为这个机器就是银行的化身，它在客户眼中代表着银行，它所进行的一切活动都应该由银行来承担责任。

一般来说，只要客户正确的支付指令信息通过网络进入到银行的支付网关，之后所发生的一切支付事故的责任都应该由银行承担。对于支付瑕疵而言，除了支付信息的瑕疵成因来自客户发出端的情况外，当支付指令信息到达银行支付网关后造成的所有支付事故都应由银行来承担责任。银行作为金融服务的受托人，如果未尽到管理人的责任，发生长款或短款，造成存款人的存款损失，应当承担赔偿责任。

2. 客户的责任

对于客户的责任问题，应该从合同责任和不当得利返还责任两个方面考虑。这里所指的客户是接受银行电子支付服务的当事人，包括发出支付指令方和接收支付方。

（1）合同责任。在电子支付双方的合同中，通常来说客户负有发现电子支付发生意外时及时通知以防止损失进一步扩大的义务，这是一项交易双方相互保护、相互注意义务的体现。但总而言之，客户承担责任在大部分的国家和地区都是被严格限定的。只有在客户存在欺诈或严重疏忽时才承担责任。也就是说只有当客户实施了通过网络进行电子支付欺诈的行为，或者是客户没有尽到对自己的私人密钥的合理保管义务而使得密钥为第三人所得而造成盗取客户银行存款的情况，客户才需对由此造成的损失承担责任，这个损失不但包括客户自己遭受的损失，还包括由此造成的银行方面的直接经济损失。

（2）不当得利的返还责任。由于银行电子支付设备或工作失误造成的支付长款，不管是从支付方还是从银行得到的，这笔长款的法定所有权和控制权都没有转移。根据我国《民法通则》第九十二条的规定：没有合法根据，取得不当利益，造成他人损失的，应当将取得的不当利益返还受损失的人。银行电子支付的失误是由于银行的工作失误或机器故障所致，客户获得利益虽然主观上没有故意占有该财产，亦无占有该财产的合法根据。因此，客户取得的超额款项符合民法规定的不当得利条件，应当依法承担返还不当得利的责任。

3. 网络传输服务提供商和电子支付软硬件提供商的责任

网络传输服务提供商和电子支付软硬件提供商与银行之间存在的仅仅是买卖合同、技术开发合同、承揽合同或服务提供合同等之类的关系。他们只提供软硬件的维护和零配件，对于传输服务提供商来说也就是保持正常稳定的网络传输通道。如果在合同中规定或是在法律中规定，由于软件、硬件设备或是网络传输通道的问题而造成的经济损失全部由这些软硬件和服务提供商来承担，显然是不符合法律的公平原则的。首先，造成软硬件故障或是电信数据传输不通的原因有很多，未必都是由于他们的过错造成的。其次，由于金融事故损失的金额往往十分巨大，一项赔偿就足以使中等规模的设备制造商或软件供应商破产，因此若规定这样的事故赔偿由他们承担，则他们所承担的风险和所获得的利润相比悬殊太大，不符合基本的经济规律，也不符合法律的公平原则。再次，如果计算机与通信技术出现问题，就不分青红皂白一味要求制造商承担或是服务提供商承担赔偿责任，恐怕没有哪个高科技公司愿意向银行提供电脑技术、设备和服务了。

从产品质量法的角度来看，各国的产品质量法都规定，因产品质量问题造成他人人身或财产损失的，受害者可以要求赔偿损失。由于产品质量法是强行法，双方当事人的合同不得排除其适用性。但在对这类高科技产品和服务的适用上各国通常都采用非严格责任原则，也就是过错责任原则。过错责任原则是指对责任人的赔偿数额加以最高限制。金融高科技的制造商和服务商代表了社会科技进步的力量，法律对其偏向无疑有利于社会经济利益。同时由于这类金融和网络高科技的发展日新月异，其行业标准也不断地更新和提高，给其确定一个质量的缺陷也不是一件容易的事情。

参考资料

过错责任制度

过错责任制度在海上运输中运用得非常广泛。"海上运输，为冒险性之营业，常易发生海难及海损之事件，故其性质特殊，较其他一般事业之活动尤有危险性。若使船舶所有人负无限责任，将使商人裹足而不敢经营海运，故世界各国立法规定限制责任。"过错责任的理论根据在于对特种经营行业的扶持，是国家政策的一种倾斜。这种责任的承担方式是在过失主义下求得平衡的做法。即从长远看来，要求过失方承担完全责任对一国的经济发展不利，也不利于增进公众福利。因此准予其限制责任，其提供的产品以及服务只有涉及人身损害时才要求实行严格责任，而仅涉及纯经济上的损失时，严格责任不得适用。

4. CA 认证服务机构的责任

认证服务中心的职责是对客户发出的支付信息中的身份信息部分进行辨认，判断其真实性，并将其判断的结果传输给商家和金融支付机构。从我国2005年4月实施的《电子认证服务管理办法》来看，认证服务中心的职责是对身份的鉴定。从认证服务中心和银行以及商家的法律关系上来看是一种委托关系，在商业关系上是一种商业信任关系，银行和商家给予认证服务中心充分的信任。如果认证服务中心对身份证明的数字证书出现错误导致银行发生支付错误或是商家销售损失，其过失责任不可避免。同时对于认证服务中心的责任范围也应该采用过错责任原则，除非其是恶意过错，否则不应将其责任扩大到由此造成的间接损失，这同时也是出于对保护这一新兴高科技产业的需要。

案例 6-2

真假"云网"

云网（www.cncard.com）是一家网上交易公司，顾客可以通过互联网支付的形式购买上网卡、IP卡之类的商品，在业内已有一定的知名度。可是最近经常有供货商向他们质询："我们根本没有那种上网卡，你们怎么打着我们公司的名义卖。"云网公司对此一头雾水，因为他们卖的商品都是由厂家供应的。后来，经过调查，他们发现，原来最近一些论坛上出现了很多推荐另一个"云网"（www.kncard.com.cn）的帖子。这个"云网"的界面与真云网非常相似，而且也从事与真云网类似的网上交易，但实际上，它所出售的商品都是不存在的。

在这个"云网"网站，虽然会出现假的银行支付界面（没有经银行授权），要求用户输入银行卡号和密码，但即使输入正确银行卡号和密码后，系统却总提示交易失败，而用户的银行卡号和密码却可能已被泄露给这个网站，并有可能被这个网站利用来从用户的银行账户上提取现金或消费。对此，云网公司很是气愤，"该网站根本不是为了进行电子交易，它的主要目的是为了骗取用户的卡号和密码，并用用户的卡号和密码进行消费，这种行为属于诈骗，使我们的商誉受到了严重影响。"云网公司的员工说。

当记者试图联系另一个"云网"，却发现，这个网站的很多信息都是假的。虽然假云网页面上有工商局的红盾标志，但记者通过北京市工商管理局的网站查询，发现该网址没有备案。假云网页面上还有ICP登记号，记者又到北京市通信管理局的网站进行查询，发现确实有这个登记号，但那是一家叫"歌曲大本营"的网站，网址和业务都不一样。

是否主机托管机构会对网站的内容负责呢？就此，记者询问了一家做主机托管的公司，他们说：一般只要被托管的公司提供公司法人的身份证复印件，就可以提供主机空间和域名，对客户利用网站从事的何种业务并没有限制，其网站的内容和业务应该由公安机关管理。涉及这个事件的银行已经报案，公安机构也已经受理，并展开调查。

对于"云网事件"，中国人民大学法学院郭禾教授认为：它涉及某些法律规定。首先，模仿注册商标和界面，这种行为侵犯了知识产权；其次，云网是从事电子商务的网站，假云网利用其名称从事相同的业务，属于不正当竞争；最后，利用网站骗取用户的账号信息属于窃取他人隐私。另外，如果那个网站的人员利用骗取的用户卡号和密码进行转账和消费的话，其行为将构成侵犯个人的财产权，应该负刑事责任。

从法律的角度看，完善的法律制度是保证电子支付安全的前提。郭禾教授认为，现在关于电子商务的法律从总的原则上已经足够，但在具体细节和操作上还有待完善，如现在合同法上已承认数字签名的法律效力，但具备什么样技术条件的数字签名才是有效的还需确定，还有网站泄露用户的账号信息应当承担何种程度的责任。同时，郭禾认为，政府职能部门今后应加大对电子商务网站的管理，避免通过电子交易进行诈骗的现象发生。

资料来源：赛迪网－中国计算机报，作者：张志斌。

参考资料

解决安全问题——电子支付发展的重中之重

根据有关调查，有超过 1/3 的人对电子支付手段的安全保证持怀疑态度。据此，中国金融认证中心的一位领导表示，安全问题是制约电子支付的瓶颈。日前，央行发布了《电子支付指引（征求意见稿）》（以下简称《指引》）。《指引》规定电子支付指令与纸质支付凭证可以相互转换，二者具有同等效力。

在《指引》中，安全控制依旧成为重中之重。《指引》要求银行采用规定的信息安全标准、技术标准、业务标准，建立有效的管理制度，同时要求确保业务处理系统安全性、交易数据的不可抵赖性、数据存储的真实性、客户身份的唯一性真正实现，妥善管理安全认证数据。此外，《指引》还对支付过程中的差错与责任作了详细规定。《指引》规定，银行应针对不同客户，在电子支付业务类型、单笔支付金额和每日累计支付金额等方面做出合理限制。银行通过互联网提供网上支付业务，单位客户与个人客户之间的支付，其单笔金额不得超过 5 万元。

此前颁布的电子签名法，已经明确电子支付中数字签名的法律地位，但是对于银行是否必须采用第三方认证还缺乏硬性规定。如果银行不通过第三方认证机构，那么就可能存在既当运动员又当裁判的现象，这将会影响到客户对交易安全的信任。而在《指引》中则规定，银行采用数字证书方式时，应当由合法的第三方认证机构提供认证服务，以保证电子支付交易认证的公正性。

据悉，为保障网上银行用户利益，中国金融认证中心赔偿标准规定，用户在使用中心提供的数字证书后出现安全问题，该中心对企业最高赔偿可达 80 万元，对个人最高赔偿为 2 万元，央行表示，该《指引》旨在规范和引导电子支付业务健康发展，保障电子支付业务中当事人的合法权益，防范电子支付业务风险，确保银行和客户资金安全。

资料来源：《人民邮电报》。

6.3 网络银行的法律问题

6.3.1 网络银行概述

1. 网络银行的概念

网络银行又称网上银行、虚拟银行或在线银行，是指通过互联网并使用电子工具向银行客户提供产品和服务的一种金融机构。这些产品和服务包括存款服务、账户管理、提供财务意见、金融顾问、电子账务支付以及其他一些诸如电子货币等电子支付产品与服务。1995 年 10 月 18 日，全球第一家网络银行——安全第一网络银行（SFNB）在美国诞生。这家银行仅有 19 名员工，一个网址，没有自己的建筑物和许多传统银行拥有的设备。但在短短的两年里，该网络银行就发展了 1 万多个客户，存款余额超过 4 亿美元。

2. 网络银行的特点

网络银行以高新技术作为其服务手段，与传统的银行服务体系相比，其具有以下特点。

（1）虚拟性和开放性。网上银行没有营业大厅、没有营业网点和柜台工作人员，有的只是与国际互联网连接的服务器，配备相关的交易方案，顾客只要通过计算机与国际互联网连接，就可以进入网络银行选择所需的服务。它的出现使金融交易形态发生了根本性的变化，即从"真实型"转变为"虚拟型"。同时，网上银行是借开放式的网络对大众提供金融服务的，与传统的银行相比，网络银行更具有开放性的优势。

（2）提供的服务不受时间和地点的限制。顾客如欲进行交易，只需要登录一台已联网的计算机，输入自己的相关资料与密码，便可以随时、随地进行交易。

（3）服务效率高。与传统银行服务系统相比，第一笔业务的操作是通过客户与银行之间的计算机进行的。客户不需要长时间的等待，操作程序也简易可行。另外，网络银行还可向客户提供 24 小时、大范围、跨地区、跨国界的金融交易服务，大大提高了银行的服务效率。

（4）降低成本，增加盈利。与传统银行相比，网络银行在交易成本上具有无可比拟的优势。首先，网络银行的开办者不需要庞大的资金、人员与场所支持；其次，网络银行的操作程序简易快捷，缩减了交易时间，降低了交易成本；最后，网络银行可通过社会公共网及企业的网络来完成自己的业务。因此，利用因特网来开展金融业务能极大地提高银行的盈利能力。

3. 网络银行的分类

根据网络银行是否独立于传统银行，可将其分为独立型网络银行与依存型网络银行。

（1）独立型网络银行是指银行的设立和各项业务的提供均在网络上进行，没有与之相对应的传统银行存在。

（2）依存型网络银行是把银行传统业务捆绑到国际互联网上进行，它是传统银行提供的一种网上服务项目，实质上是传统银行的一个业务部门。目前，我国的网络银行交易系统都属于此种。

4. 网络银行的发展阶段

网络银行是随着银行电子化的发展及国际互联网的广泛运用而出现的。从技术角度来看，网络银行的发展大体可以分为以下 4 个阶段。

（1）计算机初步运用阶段。这一阶段主要是指 20 世纪 50～60 年代。这时在银行里的计算机只是用来代替手工记账、清算等工作，以提高财务处理能力和减轻人力负担。此外，银行也开始利用计算机分析金融市场。

（2）计算机承联机管理阶段。这一阶段是指 20 世纪 60～80 年代中期。这时的计算机开始在银行业中联机使用，西方发达国家之间的存款、贷款、汇兑等业务实现了电子化连接管理。与此同时，商业银行电子支付法律制度出现了两次连接高潮。一次是在 20 世纪 60 年代，各商业银行的存款可以直接传输到总行；另一次是在 20 世纪 80 年代，实现了水平式的金融信息传输网络，电子资金转账系统成为全球金融信息传输网络的基本平台。

（3）电子银行阶段。这一阶段是指 20 世纪 80 年代中期～90 年代中期。这时期的电子银行仍然依托于传统的银行体系，它提供的服务是以个人计算机为基础，包括以自助方式为主的在线银行服务、自助柜员机系统、销售终端系统、家庭银行系统和企业银行系统等。此时电子货币成为电子银行依赖的货币形式。

（4）网络银行阶段。这一阶段是指 20 世纪 90 年代中期至今。网络银行的运行及操作也是通过计算机来完成，但它与电子银行的区别在于，网络银行的软件系统不是在计算机终端上运行，而是在银行服务器上运行，银行业务主要通过网络来完成，用户与银行之间的媒介是网络银行在国际互联网上的网站。

6.3.2 网络银行的设立问题

中国人民银行于 2001 年 6 月 29 日发布了《网上银行业务管理暂行办法》（以下简称《办法》），随后又发布了《关于落实〈网上银行业务管理暂行办法〉有关规定的通知》（以下简称《通知》），并于 2002 年 4 月 24 日生效。《办法》与《通知》对于哪一些金融机构可以开办网络银行、网络银行可以开办哪些业务、网站的技术支持等作了具体要求。同时，对网络银行的市场准入、业务风险管理以及法律责任也都做出明确规定。

1. 设立网络银行的前提条件

根据《办法》第六条规定，设立网络银行业务的银行，应具备下列条件。

（1）内部控制机制健全，具有有效的识别、监测、衡量和控制传统银行业务风险和网上银行业务风险的管理制度。

（2）银行内部形成了统一标准的计算机系统和运行良好的计算机网络，具有良好的电子化基础设施。

（3）银行现有业务经营活动运行平稳，资产质量、流动性等主要资产负债指标控制在合理的范围内。

（4）具有合格的管理人员和技术人员，银行高级管理人员应具有必要的网上银行业务经营管理知识，能有效地管理和控制网上银行业务风险。

（5）外国银行分行申请开办网上银行业务，其总行所在国（地区）监管当局应具备对网上银行业务进行监管的法律框架和监管能力。

（6）中国人民银行要求的其他条件。

2. 设立网络银行时的审查要点

根据《通知》的相关规定，审查机构在对设立网络银行的申请进行审查时，应注意以下的要点。

（1）风险管理能力。网络银行业务申请机构应配备合格的管理人员和专业人员，应建立识别、监测、控制和管理网络银行业务风险的方法与管理制度。

（2）安全性评估。银行开办网络银行业务，应对其业务运作的安全性进行评估。评估内容包括以下两个方面：①安全性评估应由合格的机构或组织实施；②银行应向银监会提交安全评估报告。

3. 网络银行业务运行应急和业务连续性计划

该计划至少应包括以下几个方面的内容：①系统的备份情况，包括软硬件的备份和数据的备份；②对意外事故的处理；③对非法侵入或攻击的处理；④对业务运行应急计划和连续性计划的科学性和有效性进行定期测试的制度安排。

4. 内部监控能力

对于银行的内部监控能力的审查，《办法》与《通知》都作了具体规定，但根据《商业银行内部控制指引》中的相关规定，实质要求银行能够在全面、审慎、有效、独立的原则上建立起事前防范、事中控制、事后监督和纠正的动态机制。

5. 网络银行业务审计

网络银行业务申请机构应建立网络银行业务审计制度，配备相应的网络银行业务审计人员。

6.3.3 网络银行的法律问题

网络银行是一种新型的服务模式，其法律问题主要体现在如下几点。

1. 网络银行参与者之间的关系问题

网络银行的参与者在进行交易时，并不需要到银行的办事地点进行协商或签署书面文件，只要在网络银行的网页上签署文件即可。交易参与者在此时缔结的合同是否能得到法律的认可仍存在不少争议。但根据我国《中华人民共和国合同法》及《电子签名法》的相关规定，此类数据电文在符合法律规定的情况下，应当可以被视为符合要求的书面形式。但由于这两部法律多体现了对数据电文可采用的原则性规定，如要更好地促进网络银行业务的拓展，应尽快颁布相关的实施细则，对网络银行交易过程中的法律文件形式要件作明文规定。

2. 网络银行计算机系统故障的风险和责任承担问题

如果计算机系统在没有得到客户的同意下将指令发出，或者是由于计算机系统本身的错误和功能失效给用户造成了损失，其风险和责任应由谁承担？《办法》与《通知》都未对此做出具体规定。而中国香港特别行政区金融管理局对网上银行的指引也没作详细的规定，只是要求虚拟银行有提醒客户的义务，或者在双方的协议中对彼此之间的权利和义务做出明确约定。因此，应当按照电子支付的法律责任中的相关原则与内容来对银行与客户之间的风险与责任作一明确规定，以此来明确双方的权利与义务，解决因此而引发的各种争议。

3. 网络银行的营业时间问题

网络银行交易因没有时间限制，客户可以在 24 小时之内的任何时间段进行交易，这就与只认可金融机构 8 小时工作时间的现行法律相冲突。这就产生一个新的法律问题，即在 8 小时营业时间之外所发生的法律事件是否受现行法律的约束，如现行法律对此没有规定，又该寻求何种法律救济途径？有的观点认为，由于网络银行服务开展不久，对其交易时间仍以一般的营业时间为准，对于超过通常营业时间所进行的交易，应视为是在下一个工作日完成的。此种观点应当只针对银行有效，对在 8 小时营业时间之外已与银行完成交易的客户而言，既然已与银行发生了实际的法律关系，其与银行之间的法律关系也可由现行的法律制度进行调整。

4. 网络银行风险的防范与控制

（1）网络银行的风险种类。

国外观点。根据美国货币监理署（OCC）《总监手册——互联网银行业务》对网络银行风险所作的定义，它的风险主要有信用风险、利率风险、流动性风险、价格风险、外汇风险、交易风险、合规性风险、战略风险和声誉风险等 9 类。

国内观点。对于中国目前的状况而言，虽然网络银行开展的不是很多，国家金融监管当局对于网络银行的了解、研究也不够，但是与传统银行及其客户的法律关系相比，网络银行使其和客户之间的法律关系出现了许多未知的新领域，网络银行的发展形势如风生水起，网络银行安全已经引起我国政府与金融界的高度重视，业内对网络银行风险也有了一些认识，总的来说，普遍认为有以下几种风险：安全系统方面的风险、科学技术方面的风险、经营管理方面的风险、投资战略风险和法律风险。

（2）网络银行风险的防范。

建立信用评价与交易准入机制。最主要是对网络银行的客户进行一定的限制。首先，对客户的经济收入、信用程度设定一个最低准入标准；其次，要求客户在网络开立存款账户，并保证其通过指令划拨的资金不多于账户上的存款。

建立客户身份核实制度。为了防范欺诈风险，应当防止非账户真实所有人伪造相关证件，抢先申请网络银行服务，并以账户真实所有人的名义划拨资金。对于个人客户，银行应严格审查申请人的身份证件和开户材料，并保证签约柜台的双人临柜听任；对法人客户应严格审查其营业执照和年审情况，并对其网络银行申请中的法人公章和印鉴，以及在本行预留的公章和印鉴进行核对。

制定较为完备的服务协议。银行应在提供服务前与客户签订《网上银行服务协议》，对彼此之间的权利与义务予以明确约定。该服务协议应当包含如下内容。

①支付指令的接受。客户支付指令必须符合以下条件：金额固定；受益人确定；受益人和账号的一致性；客户在账户上有足够的存款；该支付为无条件付款。

②安全程序的选定。银行与客户应约定一个对支付指令的真实性进行认证的安全程序。

③网上资金划拨的终结点。银行与客户应约定网上资金划拨的终结点，但何时可认为发端人银行已完成了划拨指令？联合国国际贸易法委员会《电子资金划拨法律指南》提出了6种方案，其中比较合理的有：第一，发端人在其代理行的账户被借记时被视为划拨的终结点；第二，受益人银行接受划拨指令的时间；第三，受益人在代理行的账户被贷记的时间；第四，受益人代理行向受益人发出其账户已被贷记的通知时；第五，划拨资金到达受益人账户时。其中，第一种方案对发端人银行有利；第二种和第三种方案对受益人银行有利。银行在与客户签订服务协议时，一般会将第一种方案列入其中。

④银行与客户的责任。银行应正确、按时完成客户的划拨指令，对于银行延迟或不当履行支付指令所造成的损失，应退还客户划拨资金本金及利息。对于客户遭受到的间接损失，如非银行在签订服务协议时预见到或应当预见到的，则不予赔偿。而在客户责任方面，则应保证其支付指令的正确性，若因支付指令有误而造成损失，应由客户自行承担。

⑤证据的存留与效力。银行与客户应以对账单或网上查询的方式定期核对账目。银行保留的电子凭证和交易记录应作为确定客户网上交易内容的有效证据。

⑥银行的免责条款。银行为了保护自身利益，应当在服务协议中与客户明文约定免责条款，如银行不对因不可抗力、电力故障、大规模计算机病毒入侵等事件给客户造成的损害负责赔偿。

建立公平、高效的纠纷解决机制。银行与客户可以通过协议建立一套公平、高效的纠纷解决机制，按该协议的约定，查明事实，分清责任，公平合理地解决纠纷。

网络银行风险的控制。针对网络银行存在的技术风险、操作风险和管理风险，《办法》第三章对此作了明确规定。

对技术风险的控制。银行在开展网上银行业务时，必须遵守国家有关计算机信息系统安全、商用密码管理、消费者权益保护等方面的法律、法规、规章；银行应制定并实施充分的物理安全措施，能有效防范外部或内部非授权人员对关键设备的非法接触；银行应使用合适的加密技术和措施，以确认网上银行业务用户身份和授权，保证网上交易数据传输的保密性、真实性，保证通过网络传输信息的完整性和交易的不可否认性；银行应实施有效的措施，防止网上银行业务交易系统不受计算机病毒的侵袭；银行应制定必要的系统运行考核指标，定期或不定期地测试银行网络系统、业务操作系统的运作情况，及时发现系统的隐患和病毒的入侵；银行应根据银行业发展的需要，及时对从业人员进行培训以及更新系统安全保障技术和设备。

对操作风险的控制。银行应以适当的方式向客户说明和公开各种网上银行业务品种的交易规则，应在客户申请某项网上银行业务品种时，向客户说明该品种的交易风险及其在具体交易中的权利与义务。

对管理风险的控制。要求银行董事会和高级管理层应确立网上银行业务发展战略和运行安全策略，并将网上银行业务操作系统纳入应急计划和业务连续性之中；要求银行配备网上银行业务审计力量，定期对网上银行业务进行审计；加强对银行的网上银行业务的日常监督、现场检查和非现场监管；要求银行建立网上银行业务信息管理系统，定期向监管部门和统计部门进行汇报。

6.3.4 网络银行的安全风险

安全是网络银行系统中的一个重要问题。任何经营网络银行业务的机构都希望他们的账户管理和风险管理系统能受到严格的控制，防止系统受侵犯，避免欺诈业务的发生。但事实上，由于计算机技术的发展，多条信息途径的使用，系统的安全性越来越难以得到保证。有些银行准许通过私人网络直接拨号进入自己的系统，而有些银行则在互联网上提供网络入口，这使入侵者可以在任何地方通过网络进入网络银行系统，获取客户的账号、信用卡号、密码等机密材料，修改或不法复制资料内容，加载不实记录或信息，改变或破坏存储在网络银行系统的信息或档案，侵入银行客户的账户，窃取他人金钱，假冒银行服务器等，使客户利益受损。网络银行既可能遭受外来者入侵，更容易受到内部职员的破坏。某些心术不正的职员可通过在暗中获得的数据进入客户的账户窃取现金，而另一些职员不经意的错误也可能对银行计算机系统的运行产生危害。

6.3.5 责任承担问题

网络银行与电子货币划拨系统相互联系，在其因安全系统受破坏而遭受损失的责任承担问题上与电子货币、电子资金划拨相互重叠。有必要制定一项有关赔偿责任的强制性法规，明确网络银行的赔偿责任，平衡其与用户之间的权利义务，解决网络银行与用户的责任问题。因网络银行系统硬件出现技术故障对客户造成的损害，银行应承担民事责任，如果故障的原因应归咎于网络服务商，网络银行赔偿后可向网络服务商追索；网络银行的安全系统是保障网上支付安全性、可靠性的重要技术系统，如果该系统出现故障或被破译，以致给客户造成损害，该安全系统的提供者及网络银行应承担连带责任；网络银行内部工作人员利用工作便利，有目的地获取客户资料，利用客户账户进行风险投资，向客户转嫁交易风险等，由此给客户造成的损害，应由银行向客户承担民事责任，然后再向其内部工人员追索；因非法入侵或欺诈等给客户造成的损害，由于银行有建立安全体系、防范网上侵袭和消除网上灾难的义务，故银行对其承担责任；如因客户遗失或泄露认证密码而造成的资金损失，应由客户自行承担。在损害赔偿方面，由于网络银行的服务协议内容隐含了对高效率时间利用和使用便捷的承诺，客户通过网络银行进行支付交易时责任一方对损害的赔偿不仅应包括对市场交易直接成本的赔偿，还应包括对市场交易效率成本的合理赔偿。在赔偿责任上应以有限责任为主，兼采完全责任原则。网络银行因疏忽迟送、误发支付命令的，其赔偿责任限于传递费或支付命令金额加利息，除非它预见到发生这种损失。但如果故意或欺诈性地泄露用户商业秘密或更改、毁损用户交易数据的，其赔偿额应为用户的全部损失。

6.3.6 网络银行立法建议

网络银行是不同于传统银行的虚拟银行，其在市场准入及因事故或故障造成损失的责任分担上对现有法律提出了新的要求。

金融行业是风险性极高的行业，我国法律对进入此行业的机构规定了严格的市场准入限制，《中华人民共和国商业银行法》第十二条规定了设立商业银行要具备的 5 个条件。网络银行很难达到该标准，因为网络银行是虚拟化的，不需每天储备大量现金，电子货币取代了现金；它不需要专门的营业机构体系，因为人们不用到银行办理各项业务，在任何时候，任何地方只需通过计算机或通信设备就可以完成支付。因此，立法时可明确规定具备哪些硬件与软件环境的银行方可开办电子支付业务，及可开办哪些业务。立法可规定如下准入规则：

（1）银行的技术设施条件。网络银行业务不仅需要银行有相当数量的计算机、ATM、POS、联成一体的电子营业网点等，而且需要银行有确认合法交易对象、防止篡改交易信息、防止信息泄露等技术，以防范攻击和欺诈。

（2）网络银行业务技术要求。网络银行可根据其不同的目标和策略，开设各自的银行业务，但为了防止网络银行系统之间的不兼容和安全上的问题，应该立法限制网络银行可开办的业务和技术选择。同时，为保证立法的相对稳定性，应为网络银行留下进一步发展空间，对此可仅作原则性规定。

（3）规范银行的操作规程。立法应对客户申请开立账户、客户授权的声明、一般交易程序的要求等拟定细则，进入此行业必须符合细则的规定，这有利于提高银行的服务效率，降低电子支付的风险，更好地保护银行和客户的合法利益。

（4）必要的内控制度。违法交易及侵害网络银行交易系统的违法犯罪活动，往往来自内部管理上的疏忽和内部人员的配合，法律有必要对银行的内控制度做出要求。规定银行和机构内部职员系统操作技能、职业道德要求、交易的实时检测、跟踪、记录和校验，系统备用方案和应急计划和技术升级计划等。

（5）职员要求。要有保障网络银行运行的一定数量和素质的经营管理人员和技术人员。

网络系统的事故和障碍所引发的法律责任的承担是银行和客户均为关注的问题，我国法律对此问题尚未专门规制，立法有必要对此进行完善。其中主要是明确网络银行的赔偿责任平衡其与用户的权利义务。

（1）网络银行原因导致的事故和故障的责任承担。①网络银行提供的服务有缺陷或瑕疵而给客户造成的损失；②网络银行整体技术不匹配或技术能力不足以支持整体系统的运行，导致支付、清算及其他服务品种出现错误而给客户造成损害；③网络银行内部工作人员借职务之便，利用掌握的客户信息或商业秘密，从事损害客户利益的活动。在这三种情况中，网络银行自身存在主观过错，对客户造成的损失应首先承担过错责任，然后再由银行向其他有过错人员或单位追偿责任。

（2）第三方原因导致的事故和故障的责任承担。这有两种情况：①网络银行系统的硬件出现技术故障而对客户造成损害；②由于网络经营商的过失所致的事故或障碍而产生损失。上述情况，网络银行本身并不存在主观过错，但从规范市场支付新模式保护储户利益的角度，应对网络银行实现严格的归责原则，由网络银行对客户赔偿之后再找相应的责任人追索。

　　因此，在①中，如果硬件所引发的事故是由于硬件设备本身的质量不合格所致，则银行在对客户承担法律责任后，可向设备销售者、生产者追究有关责任，从银行与其客户的关系及保护消费者合法利益的角度看，法律不宜要求客户直接向设备销售者、生产者追究责任。在②中，因为银行在利用网络建立银行服务项目时，网络商对其服务的安全性给予了相应的承诺，而银行又与其客户之间存在服务安全的承诺，但银行客户与网络服务商无直接的法律关系。因此应由银行先承担责任，再由银行向网络追究有关法律责任。

　　（3）因客户不慎或故意向他人泄露了密码而导致银行错误划拨或支付，或客户由于操作失误造成损失或者电子支付未完成。这种情况造成的损失是由于客户本身存在过错，应由客户自身承担损失，在客户通知银行前银行不负担任何损失。但是如果客户在操作中由于不慎而携带病毒，造成网络银行的系统失控而导致电子支付不能完成或出现错误，对于此种情况，银行与客户都是有责任的，因为银行的网络系统不能有效地抵御病毒的侵袭，对此应按混合过错原则决定的双方的责任。

　　（4）不可抗力导致的事故或障碍引发的责任。在网络银行服务中，因不可抗力所导致的事故或障碍，有关法律责任应纳入全部或部分免除的范围，但此处不可抗力的范围应有所扩大。例如，网络系统遭受全球性的难题。至于黑客袭击网络系统，通信系统都应设置有防止黑客入侵的合理的安全防范措施，在此情况下仍被非法入侵可归于不可抗力，但如果不存在安全防范措施或设置不合理，则不能归于不可抗力，银行应承担责任；通信系统出现故障如果是由于不可抗力，则由此导致的事故或障碍引发的损失可归入不可抗力，但如果通信系统出现故障是由于银行自身原因或通信服务提供商原因，则此损失不能归入不可抗力，银行应承担责任。至于突发性供电系统停电则不能归为不可抗力，因为网络银行应自己设有备用供电系统。

案例 6-3

网络银行发展的策略及前景

　　随着 Chinanet 的大力建设，网络用户的飞速增长和政府上网的积极推动，电子商务热潮汹涌，我国金融电子化步伐正日益加快，社会大众的知识和观念也日益更新。虽然目前我国网上银行的客户还有局限性，提供的银行在线服务也不是全方位的，但是，可以说我国的网络银行时代已经到来。

　　目前，由中国人民银行支付科技司牵头，联合工行、农行、建行、交行、光大银行等 11 家商业银行共建金融权威认证中心已经进入实施阶段，在线支付的标准性、安全性将更有保障。中国人民银行颁布了《中国金融智能卡规范》，详细规定了国内金融智能卡的基本应用（如电子存折和电子钱包），并保证了对其他应用的开放性和与国际智能卡应用的兼容性。《中国金融智能卡规范》的顺利出台，标志着中国在智能卡金融应用标准化的历程中又迈出了重要的一步，电子货币的发展迎来了新高潮。中国科大研究生院信息安全国家重点实验室也发布了网络银行安全方案，标志着我国也已经具备了自主建设安全网络银行的能力与实力。

　　网络银行是现代银行业的发展方向，是虚拟现实世界中的一颗明珠，指引着银行未来的趋势。目前，我国的银行金融业还比较落后，实现银行业务无纸化和银行机构虚拟化还有很远的距离。但正如英特尔公司总裁格鲁夫指出的那样，"国际互联网的魅力就在于它能拉近不同社会之间的距离。在全球网络中发展中国家同发达国家的差距势将缩小，而绝不会拉大"。我们应该抓住当前的发展契机，积极创造条件，为我国的网络银行建设而努力。

　　资料来源：http://china. findlaw. cn/jingjifa/dianzishangwufa/dzzf/wsyh/613. html.

6.4　电子货币及其法律规范

6.4.1　电子货币的概念、特征、类型与性质

1. 电子货币的概念

对于电子货币的概念，目前存在许多观点，如储值产品说、电子支付产品说、电子记录说、支付工具说以及混合说等。这些观点是从不同的角度来界定电子货币的本质的，反映了一个事物的多个方面。虽然对电子货币下一个精确的定义比较困难，但结合电子货币的发展过程及其技术特征来看，以下定义能够较为精确地把握电子货币的本质特征：电子货币是以金融电子化为基础，以商用电子化工具和各类交易卡为媒介，以电子计算机和通信技术为手段，以电子数据形式储存在银行的计算机系统中，并通过计算机网络以电子信息传递形式实现流通和支付功能的货币。

2. 电子货币的特征

（1）从形态上看，电子货币是虚拟货币。电子货币是实现货币价值尺度和支付手段职能的"观念化"货币，是一种没有货币实体的货币。它采用数字化技术代替金属、纸张等载体进行传输和显示资金，通过电子芯片进行数据处理，不具备传统货币的物理形态。

（2）从形式上看，电子货币是一种在线货币。电子货币不像实体货币，它必须借助一定的附属设备，如通过 ATM、POS 等系统进行处理。电子货币的存储、保管、流通和保障都需要借助一定的电子技术设备。

（3）从技术上看，电子货币是一种信息货币。电子货币实际上是由一组含有客户身份、密码、金额、使用范围等内容的数字构成的特殊信息。人们在使用电子货币进行交易时，实际上就是利用电子技术来交换相关的信息。

（4）从发行主体上看，电子货币具有多样性。传统实体货币通常由中央银行或特定机构垄断发行，而电子货币的发行主体既有中央银行，也有一般的金融机构，甚至非金融机构。

（5）从使用区域上看，电子货币的范围更具广泛性。在欧元未出现之前，传统实体货币有严格的地域限制，而电子货币的出现，打破了货币使用的地域限制，只要商家愿意接受，消费者就可以使用多国货币。

（6）从信誉上看，电子货币的担保风险较大。传统实体货币通常由中央银行来进行信誉担保，而电子货币大部分是不同机构自行开发的带有个性特征的金融产品，其担保主要来源于发行者的信誉和资产，因此，其负载的风险要比传统实体货币大。

3. 电子货币的类型

（1）从电子货币结算的电子化方式来分，电子货币可分为支付手段电子化的电子货币和支付方法电子化的电子货币。前者是指本身即具有价值的电子数据，如荷兰求索现金公司研制的 e-cash；后者是指以电子化方法传递支付指令给结算服务提供者以完成结算，如 ATM 转账结算或通过 POS 机的信用卡结算等。

（2）以支付方式分，电子货币可分为 3 种：①"先存款、后消费"的预付型电子货币，如现阶段在我国广泛使用的借记信用卡和储值卡；②在消费的同时即从银行转账的即付型电子货币，如通过 ATM 和 POS 的现金卡；③"先消费、后付款"的后付型电子货币，如现阶段国际通用的

Visa 卡和 Master 卡等贷记信用卡。

（3）按电子货币的形态分，电子货币可分为 4 种：①储值卡型。功能与普通的 IC 卡基本一致，使用 IC 芯片，但可以通过 ATM 增加卡内的余额，而不必像传统的储值卡在其金额用完后即丢弃，如中国金卡工程中的智能 IC 卡。但这种电子货币不能进行个人之间的支付，因此，其运用价值较小。②信用卡应用型，是在因特网上通过信用卡进行支付功能的电子货币，如计算机现金安全因特网支付服务等。③存款电子化划拨型。通过计算机网络转移、划拨存款以完成结算的电子化支付方法，又可细分为通过金融机构的专用封闭式网络的资金划拨和通过因特网开放网络实现的资金划拨。如美国安全第一网上银行提供的电子支票、环球银行金融电信协会提供的电子结算系统等。④电子现金型。在电子计算机的硬盘或 IC 卡内保存一系列的电子数据，以电子化的数字信息来代表一定金额的货币。如荷兰的 e-cash 和英国的 Mondex。

4. 电子货币的性质

（1）电子货币是二次性货币。作为通货，一般应当满足 3 个条件，即能够成为支付手段、能成为价值或价格的尺度、能成为价值的储存手段。但现在的电子货币只能在特定的客户和商家之间进行支付，并不能执行支付手段的职能。至于价值尺度、价值保存的功能也不可能满足。因此，从其履行职能来看，还与通货存在相当的距离。而电子货币又是以现金、存款等货币的既有价值为前提，通过电子信息化制造出来的。因此，从货币性质方面可以说，电子货币是以既有通货为基础的二次性货币。

（2）电子货币是非法定货币。电子货币并不是国家规定的法定货币，因此不具有强制流通性，它的流通取决于发行人和一定范围内的使用者之间的约定，对于约定范围之外的当事方，电子货币不具有像国家法定货币一样的流通性，其他当事方可以拒收。而且，电子货币的最终取得者，最后仍然要以某一国家的法定货币进行结算，否则，无法向约定范围之外的第三方进行支付。

（3）电子货币是电子支付方法。目前运行的电子货币系统几乎都是各种支付方法与电子技术相结合的应用系统，它是对现有的支付手段用电子化方法进行传递以实现结算。另外，电子货币为完成结算而必备的信用力完全依赖于美元或其他现金通货、存款通货，没有独立的创造能力。因此，从理论上说，电子货币是一种新的电子支付方法。虽然目前电子货币还不能取代法定货币的地位，但其在作为支付工具时所显现出来的便利、经济、快捷等特性已表露无遗。作为金融电子化的产物，其法律地位应当尽早确立。

6.4.2 电子货币的发行主体

世界各国对电子货币的发行主体并没有统一的规定，而是根据具体情况来制定的。例如，欧洲货币基金组织于 1994 年 5 月公开发表的欧共体结算系统业务部提交的《关于预付卡报告书》中指出：原则上只允许金融机构发行电子钱包。德国在《信用制度法》的修正案规定：所有电子货币的发行均只能由银行开办。我国在 1996 年颁布的《信用卡业务管理办法》规定：信用卡的发行者仅限于商业银行，对于信用卡之外的其他电子货币种类，我国尚无具体的发行资格限制。对于是否应当由一个国家的中央银行来专门行使电子货币的发行权，有两种迥异的看法。支持中央银行行使电子货币专属发行权的人认为有以下好处。

（1）有助于政府对电子货币进行监控，并根据电子货币研究和实践的发展及时调整货币政策，同时也可保证支付系统的可靠性。

（2）由于中央银行发行的电子货币在信誉和信用上的可靠性，消费者最容易接受并积极参与，从而推动电子货币的发展与普及。

反对由中央银行行使电子货币专属发行权的人认为有如下不利因素。

（1）由中央银行垄断发行权，不利于广大民间科研机构的积极参与，进而会影响电子支付技术的推进与发展。

（2）部门垄断可能会导致服务和产品质量的下降，最终损害消费者和商家的利益。

（3）电子支付手段本身必须借助庞大的信息量和数据储存系统，这势必导致中央银行设置过于庞大，不仅增加政府开支，更有可能削弱中央银行的其他职能。

但鉴于电子货币作为一种支付工具在电子商务中所起的重要作用，加强对电子货币发行主体的规制就显得极为必要，可试着从以下几个方面入手，对其发行主体进行约束。

（1）必须经有关部门审批、核准后，才可以发行电子货币。

（2）发行主体必须对通过发行电子货币所得款项与其他业务所得款项进行分账管理。

（3）发行主体必须向主管部门缴存一定比例的保证金。

（4）发行主体必须在软件、硬件、人员、资金、场所等方面具备一定的资质。

（5）发行主体必须在具体制度上明确消费者的权益及己方的义务。

6.4.3　电子货币对金融法律体系的影响

（1）电子货币对货币政策的冲击。就理论而言，电子货币的产生对各国的货币政策有重大影响，主要体现在以下几个方面。

由于电子货币可用于金额很小的支付交易，所以有可能发挥纸币、硬币在社会经济中的一部分作用。这样，电子货币的使用将在很大程度上减少法定货币的使用。

在把储备金作为实施货币政策主要手段的国家里，若允许信用机构之外的其他主体发行电子货币，如果不进行立法将由电子货币的发行产生的债务计入储备金的话，则一部分储备金将被吞蚀，这将严重影响国家货币政策的实施。

电子货币对中央银行垄断发行权发起的冲击必将影响该国的货币政策。通常一国的货币需求量是一定的，通货过多或过少都会造成社会经济的不稳定。而商业银行或其他经济组织出于盈利的目的必然大量发行电子货币，这等于盲目增大基础货币量，扰乱货币市场的正常供求关系，最终导致通货膨胀。

（2）电子货币对金融调控的影响。中央银行是通过对与商业银行支付准备金有关的供需关系施加影响而产生金融调控作用的。电子货币的普及将使商业银行的存款准备金大幅收缩，相对支付准备金的需求发生大的变动，增加了中央银行实施金融调控的难度。电子货币的发展与普及使商业银行支付的准备金需要趋于不稳定化。若将电子货币的普及限制在一定的范围内，或电子货币的发行权完全由中央银行等部门垄断，则会抑制人们使用电子货币的热情并带来使用的不便，人为形成实体货币和电子货币的区域使用，不利于中央银行的调控。

（3）电子货币对商业银行的挑战。电子货币对银行业造成了一定的冲击，主要表现在银行执行结算职能的传统垄断地位面临挑战。

随着小额电子支付方式的日趋多样化，结算业务作为商业银行固有业务的地位受到极大的挑战。银行在结算领域有可能被其他行业夺去更多的机会。

金融电子数据交换的应用使资金的往来、债权债务的结算不必经过银行，这使得银行不仅丧失了部分手续费，更无法掌控企业资金的流向。

电子货币加剧了结算的同行国际竞争，电子货币和电子结算发展的结果，将为使用者跨越国境利用国外的结算服务提供更多机会。这种结算服务渐趋无国籍化，这无疑给各国的银行业结算业务带来了新的挑战。

6.4.4 电子货币对货币法律制度的影响

（1）电子货币交易中法律关系的复杂化。在传统交易过程中，一方直接支付实体货币，另一方直接接受实体货币，在这种简单的支付形式下，交易双方可以很快地结清债权债务关系。在电子货币的交易中，电子货币的发行者、消费者、商家、中间银行之间的关系可能会十分复杂，尤其是涉及多家发行机构或多家商家时，他们之间的法律关系如何调整还是个疑难问题。正因为在他们之间缺乏一种明确的法律关系界定，从而导致了对在他们之间产生的各种事故及风险无法进行合理的分配。为此，在发行机构发行电子货币时，应当与电子货币的相关方订立合同，明确各方的权利和义务，以利于交易的顺利进行及争端的解决。

（2）对电子货币发行人财务监管的难度加大。电子货币发行以后，主管部门加强对发行人因发行电子货币所获资金的监管便显得十分必要。在现行监管制度不甚完善的状况下，发行人通常会将因发行所获资金与经营其他业务所获资金混同，造成监管难度的加大。为此，要加强对发行人财务活动的监管，须注意以下几点：①要求发行人对通过发行电子货币所获现金与该主体其他项业务的资产和负债分开账目进行管理。②强化发行人履行初始信息披露义务。信息披露义务的主要目的在于识别电子货币的发行人，确认电子货币发行人与使用人之间的权利和义务。③加强对发行人资产运用的限制。如要求发行人为发行对等资金办理综合险；由第三方为发行对等资金提供连带责任保证；强制发行人向主管部门缴存部分保证金。

【本章小结】

电子支付是电子商务行为的一个重要环节。通过电子签名技术、安全电子交易协议和电子认证服务等技术和法律手段的多重安全保证，电子支付方式可以安全快捷地完成资金划拨。约定当事各方的权利和义务，明确当事各方的事故责任，可以合理地解决电子支付中可能出现的纠纷。

电子支付是指电子交易的当事人，包括消费者、厂商和金融机构，使用安全电子手段通过网络进行的货币支付或资金流转。具有信息技术要求高、资金流转快、支付手段多样化和无纸化等特点。依照 SET 协议，电子支付的流程一般按七个步骤顺序进行。电子支付过程中银行与客户之间，银行之间，银行与网络服务提供商之间，客户之间存在着不同的法律关系。付款人、银行、收款人、认证服务机构等主体分别具有不同的权利和义务。支付过程发生问题后，各方应承担不同的责任。

【复习与思考】

1. 什么是电子支付，它具有什么特征？
2. 请简要说明各种电子支付工具的特点和用途。
3. 请简要说明按照 SET 协议支付的一般步骤。
4. 在电子支付过程中，银行和客户、银行和网络服务机构之间存在着什么法律关系？
5. 在电子支付活动中，各法律主体享有哪些权利？又应担负哪些责任？
6. 在我国逐步规范电子支付法律环境过程中，你有什么意见和建议？

第三篇

电子商务相关法律

第 7 章

电子商务知识产权法律制度

上海宣判三起网络知识产权案件　百度被判侵权

上海市第二中级人民法院对三起涉及网络的知识产权案件做出一审宣判，并通过中国法院网进行网上直播。著名中文搜索引擎百度因对"竞价排名"栏目中的链接网站冒用"大众搬场"名义进行业务推广的行为未尽合理注意义务，被判在相关网页刊登 48 小时申明并向大众交通公司、大众搬场公司赔偿 5 万元；蛙扑公司经营的"天下网"通过有线和无线网络传播了北京中文在线公司（简称中文在线）享有信息网络传播权的近 40 部作品，被判向中文在线赔偿 20 万元；在另一起计算机软件著作纠纷案中，卖家通过易趣拍卖盗版《四库全书》电子版的行为被认定为卖家个人行为，易趣网为此免责。

链接网站现"李鬼"　百度被判侵权

2007 年，上海大众搬场物流有限公司发现在百度上键入"大众搬场物流有限公司"、"大众搬场"等关键字后，"竞价排名"栏目网页中出现大量假借"大众搬场"公司名义招揽生意的同行企业网站链接，于是"大众"文字注册商标的专用权人大众交通（集团）股份有限公司和该商标的被授权使用人上海大众搬场物流有限公司以商标侵权和不正当竞争为案由将北京百度网讯科技有限公司及两家相关在线技术公司告上法庭。

涉案"竞价排名"栏目是百度的一种按点击量支付广告费的服务项目，用户购买服务后可自行选定搜索关键词，百度根据付费高低将购买同一关键词的用户网站按顺序在搜索页面中进行排名。根据原告向法院提供的证据显示，百度搜索结果网页第 1 页左侧标有"推广"字样的 2 个网站链接以及右侧所列的 8 个网站链接均接受百度网站"竞价排名"服务。

三被告对此辩称，"竞价排名"服务是基于搜索引擎技术开发出来的一种新的技术应用，具有实质性的正当用途，不是一种专门的侵权工具。作为搜索引擎，百度网站无法对被链接第三方网站的内容进行审核与控制，也无法控制关键词的输入以及限制关键词所对应的网站，而且三被告不是广告发布者，无法也不应对第三方网站上的内容负责。

市二中院认为，由于接受百度网站"竞价排名"服务的第三方网站未经许可擅自在其网站上使用"上海大众搬场物流有限公司"、"大众搬场"等字样，使相关公众对服务来源产生误认，侵犯了原告大众交通公司享有的"大众"注册商标专用权，构成了对原告大众搬场公司的不正当竞争行为。三被告作为百度网站的经营者以及"竞价排名"业务的负责主体虽然不构成直接侵权，但对于明显存在侵犯他人权益可能的注册用户未尽合理的注意义务，三被告主观上存在共同过错，客观上共同给两原告造成了损失，构成帮助侵权行为，应当就该侵权行为共同承担消除影响、赔偿损失的民事责任。

电子书被"免费"使用　中文在线获赔 20 万

2004～2006 年，北京中文在线文化发展有限公司陆续与王小平、余秋雨、海岩、叶永烈、池莉等作家签订《个人作品数字图书授权合作协议》，获得《红色童话》、《借我一生》、《永不瞑目》等近 40 部畅销作品的数字版权。蛙扑网络技术有限公司未经原告许可，在所经营的"天下网"通过有线和无线网络传播这些作品，被中文在线告上法庭。

蛙扑公司辩称，公司仅仅是提供信息存储空间的网络服务提供者，涉案作品由书友上传，因此公司并未侵权，不应承担赔偿责任。

市二中院认为，涉案作品未经原告许可在"天下网"上传播，侵犯了原告享有的对涉案作品信息网络传播权的独占许可使用权。被告蛙扑公司作为向涉案作品提供信息存储空间的网络服务提供者，未尽法定义务，教唆、帮助他人实施侵权，侵犯了原告依法享有的权利，应当就此承担赔偿损失的民事责任。

卖家售盗版《四库全书》　易趣免责

原本售价 85 000 港元的《文渊阁四库全书电子版》，被易趣网卖家李某以人民币 60 元价格公开拍卖，该电子版软件的开发人香港迪志文化出版公司和软件内地地区出版商上海世纪出版集团在得知这一情况后，以侵犯计算机软件著作权为由将上海易趣贸易有限公司、亿贝易趣网络信息服务（上海）有限公司推上被告席。

市二中院审理后认为，两被告作为提供交易平台的网络服务提供者，既未通过网络参与他人侵权行为，也没有通过网络帮助他人实施侵权行为。两被告对于卖家李某的侵权行为主观上不存在过错。为制止侵权行为，易趣网站制定有《知识产权权利人认证方案》，提醒卖家对网上拍卖的物品的合法性负责，知识产权权利人在发现权利受到侵犯后也可通过认证方案的规则向易趣网举报，因此两被告已尽到了合理的注意义务，不构成对两原告的侵权。

文章来源：中国法院网。http：//www.zfwlxt.com/html/2008-7/20087301330281.htm 2008 年 7 月 30 日。

7.1　知识产权

7.1.1　知识产权的概念与特征

1. 知识产权的概念

通常认为，"知识产权"一词源自英文 intellectual property。德国于 20 世纪初开始称"无形产权"（德文为 geistiges eigentum），苏联一直使用"智力成果权"这一名称，我国台湾地区则称之为"智慧财产权"。然而，"知识产权"一词真正在世界范围内普遍使用并得到各国的广泛接受则始于 1967 年《建立世界知识产权组织公约》的签订。我国 1986 年颁布的《民法通则》正式采用这一概念，并为法学界所认同。

关于"知识产权"这一概念的含义，国内外法学界可谓见仁见智。比利时法学家皮卡第认为，知识产权是一种具有时间限制性的特殊权利，"一定对象的所有权在每一瞬息时间内只能属于一个人（或一定范围的人——共有财产），使用知识产权的权利则不限人数，因为它可以无限再生。"美国学者阿瑟 R. 米勒认为，知识产权是包括专利、商标和版权三个法律领域的民事权利范畴。世界知识产权组织（WIPO）对知识产权概念的界定是，"知识产权是指人的智力的创造物，是与知识财产紧密相关的各种各样的信息。"十一届三中全会以后，随着知识产权研究在深度与广度上的拓展，我国学者对知识产权这一概念亦众说纷纭。概括而言主要有以下几种观点：

（1）智力成果专有权说。即认为知识产权是人们可以就其创造性智力成果依法享有的专有权利，主要包括专利权、商标权和版权。

（2）智力成果和商业标记专有权说。即将知识产权定义为人们对其创造性的智力成果和商业标记依法享有的专有权利的总称，包括著作权和工业产权。

（3）智力成果、商业标记和信誉权利说。即知识产权是人们对于自己的智力活动创造的成果和经营管理活动中的标记、信誉依法享有的权利。

（4）智力信息支配权说。即认为知识产权是民事主体依据法律的规定，支配其与智力活动有关的信息，享受其利益并排斥他人干涉的权利。这一定义昭示知识产权的私权性质，纠正了权利人必须是智力成果创造人的理论错误；同时，以与智力活动有关的信息作为知识产权的保护对象，不仅为知识产权保护范围的扩大预留了空间，而且可在明确知识产权的支配权属性的基础上揭示知识产权与债权的区别。目前，对于知识产权概念的表述主要有三种方式：一种是列举知识产权的主要内容，另一种是下定义，第三种是按类型列举知识产权保护对象。但从目前对知识产权问题的研究水平看，这三种表述方式都有局限性：第一种不能揭示属概念的全部外延；第二种不能概括知识产权保护对象的全部内容；第三种虽然表述清楚、全面、明确，但失之于烦琐，且知识产权保护对象的范围是不断变化发展的，因此难免挂一漏万。因此较为可取的方法应该是，既为知识产权做出一个相对概括而全面的表述，也列举迄今为止知识产权的主要保护对象的范围。据此，知识产权的概念可表述为：知识产权是基于创造性智力成果和工商业标记依法产生的权利人享受其权利并排斥他人干涉的权利。

2. 知识产权的特征

知识产权是以知识产品为权利对象的，它与以有体财产为对象的其他民事权利之间在法律特征上存在着一定的差异性。知识产权的法律特征概括起来主要有：无形性、专有性、时间性和地域性。

（1）权利对象的无形性（无体性）。有些大陆法系国家把知识产权称为"以权利为标的"的"物权"，而有些英美法系国家则把它称为"诉讼中的准物权"。这些表述均反映出知识产权具有不同于其他财产权，尤其不同于有体财产权的特点。

知识产权的第一个，也是最重要的特点就是权利对象的无形性。在一般情况下，有体财产权往往直接体现为对该物的占有、使用、收益和处分，而知识产权的对象是没有具体形体、不占任何空间但能以一定形式为人们感知的智力创造成果，是一种抽象的财富，难以采用与有形物一样的方式进行实际控制，其权利是凝聚于专利实施、商标使用、作品使用或传播等过程的"控制权"和"许可权"。知识产品的使用也不发生消灭知识产品的事实处分和以有形交付为产权转移的法律处分。

知识产权的对象是无形的，这并不意味着知识产品是看不见、摸不着的。相反，知识产权的对象应载于能够为人们所感知的客观表现形式上，且这些客观表现形式应该是可以复制或重复使用的。任何知识产权法都强调不保护纯意志或纯精神思维的、没有任何表现形式的东西，智力创造活动应产生具有一定表现形式的成果方能取得受法律保护的知识产权。

知识产权的取得是以公开为代价的，但知识产权人却无法像管领有体财产那样去有效地控制自己的知识产品，而只能借助于法律的保护去享有和行使自己的权利。因此，对知识产权的侵犯并不表现为对财产的直接侵占，而大多数表现为剽窃、仿制、假冒以及未经许可的实施或者使用等行为。权利人必须借助于司法诉讼或者行政处理来主张自己的这种独占权，以对抗他人未经其许可擅自实施或者使用的侵权行为。

权利对象的无形性特点，给知识产权保护、知识产权侵权认定及知识产权贸易，带来了比有形财产在相同情况下复杂得多的问题。例如，当画家出售他的一幅绘画作品时，有形物即那幅画的所有权属于买家，但除"展览权"之外的无形的版权仍然在画家手中。当一家杂志社要复制、发行这幅画时，他只能也应当取得画家的许可并支付相应报酬，而与买家无关。

（2）权利的专有性。专有性又称为独占性、排他性，是指知识产权人对其知识产品的使用、复制、传播、实施等享有独占的权利，除法律规定的"强制许可"、"法定许可"、"合理使用"等情形外，未经权利人的同意或者许可，任何人都不得享有、实施或者使用。

知识产权的专有性与有体财产权的专有性不同，主要体现在以下几个方面。

知识产权的专有权的取得主要依据法律的规定和有关主管机关的审批或者核准。其中，专利权和商标专用权的取得应根据法律的规定提出申请，经专利申请受理和审察机构或者商标局等行政主管机关审批，发给相应的权利证书而获得；著作权的取得除法律另有规定外，依作品创作完成而取得，直接受法律保护。值得注意的是，行政机关的审批或者核准并不改变知识产权是一种民事权利的根本属性，相应法律对知识产权获得所附加的行政授予或者核准程序仅是一种行政确认和公示行为的体现。相关的法律规定了作为民事权利的知识产权的获得是否符合法律规定的条件，并据此做出行政公告，从而明确权利的状态和归属，公示权利的具体内容，并以此规制不确定的义务人的行为。

知识产权作为一种专有权，其权利内容与有体财产所有权不同，各类知识产权的专有权的内容及其排他性也存在差异。由于知识产权对象所具有的无体性，知识产权人对其权利对象所享有的权利并不体现为直接地占有或管领，而是体现为对知识产品实施、利用、传播等行为的排他性的独占权利。在专利权领域中，两个以上的发明人或者设计人就同一主题研究或者设计出相同的发明创造，根据"一发明一专利原则"，专利权只能授予其中的一人。专利权授予后其他任何单位或者个人，未经专利权人的许可，不得擅自实施。在商标专用权领域，就同一商品或类似商品上的某一商标也只能注册产生一个商标专用权，商标专用权的范围以核准注册的商标和核定使用的商品或者服务为限，在此范围内，商标注册人对其注册商标享有专用权。在著作权领域，作者对其创作的作品享有著作权，对于该作品的复制并不产生另一新的著作权，但非主观支配下的"偶同"或者"雷同"并不必然排除另一作品的可版权性。

知识产权人享有的专有权是法律赋予的，但也并非永久受法律保护（著作权人依法享有的署名权、修改权、保护作品完整权除外）。各国知识产权法在确认和保护智力创造者对其智力成果享有专有权时，往往还以"促进科技进步发展"、"有利于发明创造的推广运用"、"促进健康、有益作品的创作和传播"、"促进市场经济的发展"等为立法目的，尤其是在发展中国家更是重视这类的规定。知识产权并不像有体财产那样以物的客观存在和价值的存在来决定其物权的存在，也不因时间的经过而产生财产的有形损耗。这种专有权在法律保护期限内属于专有领域，而一旦保护期限届满，该知识产品就从专有领域进入公有领域，为全人类所共享，原知识产权人的专有权也告消灭。

知识产权法的核心就是保护权利人的利益，如图 7-1 所示。

图 7-1　知识产权法核心问题

（3）权利保护的时间性（法定期限性）。知识产权的法定期限性是法律对社会发展的必然要求的反映，也是满足社会需要和维护公众利益的体现。知识产权作为一种财产利益，在权利取得以后并不是无条件、无限制地永远有效的。各国法律对知识产权的保护都规定有一定的"有效期限"或者"保护期限"。这就是它的时间性或者说是法定期限性。在这一点上，它与有体财产权不同。有体财产的所有权具有"永续性"特征，即所有权与其标的相终始；不因所有人是否行使其权利或权利主体的变更而永续存在，直至标的物的消灭。知识产权的期限性特征，即法律规定了权利人只能在法定期限内享有权利，有效期限或者保护期限届满，除依法办理续展外，该知识产权即自行消灭。

知识产权的期限可以分为绝对期限和相对期限。专利权的有效期限为绝对的，一般为申请日起至一定期限届满，专利权即告终止；注册商标的有效期限则为相对的，期满后可以依法办理续展而继续享有商标专用权；公民作品的著作权保护一般为作品创作完成后的作者有生之年加死亡后若干年。

法律规定知识产权的法定期限的意义在于规定知识产权权利存在的最长有效期限，但并不直接决定该知识产权价值存在的准确时间。对于刚刚取得专利权即被另一更新产品所取代的专利产品，或对于注册后使用不久即停止使用甚至从未使用的商标而言，法律规定的有效期限或保护期限并不说明其权利价值的存在时间。正因为如此，我国专利法规定，专利权人没有按照规定缴纳专利年费，专利权提前终止；商标法规定，注册商标连续三年停止使用的，依法撤销该注册商标。

（4）权利保护的地域性。知识产权是依各国国内法而获得的民事权利，因此，依一国法律而取得的知识产权一般只在该国领域内得到认可和保护。超过该国领域，则只有根据其所属国参加的或签订的国际公约或双边条约的规定才能获得保护。且对于权利并非自动产生，而是经某一国的有关主管机关以核发证书的形式授予的专利权和商标权而言，该知识产权也并非直接在其他公约国当然有效或受保护，它也应依照有关国际公约的规定向其希望获得保护的国家提出申请或办理注册。而对于所有权的保护，一般原则上没有地域性的限制，无论是公民从一国移居另一国的财产，还是法人因投资、贸易从一国转入另一国的财产，都照样归权利人所有，不会发生财产所有权失去法律效力的问题。正由于知识权所具有的地域性，才使跨国界的知识产权国际保护或区域性保护成为必要，并影响了知识产权国际公约中的国民待遇原则、独立保护原则、最低限度保护原则等原则的确立。

随着经济全球化发展以及区域性和全球性的知识产权保护协议的签订和实施，知识产权保护不再仅限于国内保护。一百多年来缔结的众多知识产权国际公约和成立的相关知识产权国际组织，关贸总协定乌拉圭回合知识产权谈判及《与贸易有关的知识产权协议》的达成和实施，均已说明这种国际保护体制正在不断地、迅速地加强。随着知识产权保护国际化、统一化趋势的发展，各国在制定和修改本国的知识产权法时，更多地考虑了知识产权国标条约规定的保护范围、保护标准和保护措施，努力使本国的知识产权立法与国际惯例或国际标准接轨，从而在一定程度上有助于消除因知识产权所具有的地域性特点而产生的法律冲突以及给国际间知识产权保护所带来的困难，使知识产权的地域性得以淡化。

7.1.2　知识产权的分类

知识产权的分类主要有两种：一种是把知识产权分为著作权和工业产权；另一种是把知识产权分为创造性智力成果权和工商业标记权。

1. 著作权与工业产权

这种分类方法是以知识的功能为标准划分的。著作权是广义的，包括著作权和邻接权，其保护对象的功能是精神上的，也称非实用功能。其保护对象是可以赏心悦目、愉悦精神，以满足人类的审美需求为目的的知识类型，包括文学、艺术和科学作品，表演艺术家的演出，录音制品和广播电视节目。为了立法和司法上的方便，多数国家把邻接权也置于著作权法中，例如德国和中国。

工业产权是指著作权以外的知识产权，主要是专利权和商标权。其保护对象的功能是物质上的，也称实用功能。虽然被称为工业产权，但其保护对象的范围已超出"工业"的范围，主要指以实现人类的衣、食、住、行、作等生活、生产的功能，满足物质消费为目的的知识类型，另外，还有以实现规范市场经济秩序功能为目的的符号、标记类型的知识，比如商业、农业、服务业以及其他工业或产业的工商业标记，包括科学技术发明、工业品外观设计、商标、服务标记、地理标记、商号及标记、禁止与知识产权有关的不正当竞争，还有 TRIPS 协定中新列入的集成电路布图设计、未公开的信息等。这里有一点需要说明，《成立世界知识产权组织公约》列举的知识产权第四项所说的"科学发现"，实际上既不能列为著作权的对象，也不是工业产权的对象。传统知识产权理论认为，科学发现不同于发明创造，不宜作为知识产权的保护对象。按照《科学发现国际登记日内瓦公约》（1978）所下的定义，科学发现是"对物质宇宙中迄今尚未认识的现象、性质或规律的能够证明的认识"。其认识对象是客观世界固有的本质及规律，而不是人类行为作用的结果。发明则通常是在认识事物的本质和规律的基础上，对改造世界、解决特定问题而提出的技术方案。按照《中华人民共和国专利法实施细则》（以下简称《专利法实施细则》）第二条的解释，发明是指对产品、方法或者其改进所提出的新的技术方案。

简单地说，科学发现是人类对客观世界的认识。作为认识对象的现象、本质和规律，是固有的，不以人的主观意志为转移，不是人造的结果，故该认识不应当为私权专有的对象。发明则是对客观世界改造的成果，它不是客观物质世界固有的，是人类利用客观世界的物质、能量、信息及运动规律所创造的对象，是智力活动的成果。人类对自己的创造成果享有一定权利，天经地义。世界各国的知识产权立法也反映了上述认识。除了我国在 1986 年的《民法通则》中因当时认识上的局限，把科学发现规定为知识产权的保护对象之外，鲜见哪个国家的法律或者国际条约把科学发现作为知识产权加以保护。我国在《民法通则》前后，也颁布了一系列知识产权的相关法律、法规，迄今没有保护有关科学发现的规定。在知识产权立法规划中，也无此内容，盖因科学发现并非知识产权保护的对象。

2. 创造性智力成果权与工商业标记权

有观点认为，关于将知识产权划分为创造性智力成果权和工商业标记权的方法，最早出现在国际保护工业产权协会（AIPPI）1992 年东京大会的文件中，1993 年以后才被介绍到中国。实际上，我国在 20 世纪 80 年代末的出版物当中就有这种提法。嗣后，我们又发现国外很早就流行这种划分方法。比如在日本学术界，罔野诚、纹谷畅男和小野昌延等知识产权法学者先后在他们 20 世纪六七十年代和 80 年代完成和出版的著作中，都明确地介绍了这种划分方法。尽管划分的依据和所持观点可能各有不同，但仅就其形式上的划分方法而言，这种划分方法至少已经存在了四五十年。

知识产权是财产法，故本书的划分方法是以知识产权价值的来源作为标准。创造成果权的价值，来源于对该成果直接的商业性利用。譬如，获得专利权保护的技术方案的实施或新产品的制造，会直接带来经济收益；对文学艺术作品的复制发行或其他方式的传播，也会给权利人带来收益，总之，无论是科学技术还是文学艺术等创造性的智力成果，本质上都是人们设计出来的"结构、形式和符号系统"。对这些"结构、形式和符号系统"的直接利用所获得的收益，就是对创造成果直接利用的价值，对该成果利用的多寡，决定了它的价值量的大小。所以，创造成果本身是获取财产价值的源泉。相反，工商业标记本身不是其财产价值的源泉，它的价值来源于它的区别功能，来源于它所标记的工商业主体的商业信誉。所谓标记功能是指工商业标记在市场活动中，因其区别功能为供需双方所节约的交易成本。此外，它还指代商品或服务以及工商业主体的商业信誉，是市场评价的反映，二者之间是"标"与"本"或"流"与"源"的关系。

工商业标记本身不产生商业信誉，它的功能只是凝结、储存和转移商品或服务或工商业主体的商业信誉，它依附于商品、服务或工商业主体之上，随着市场对商品、服务或工商业主体的评价而涨落，相当于商品或服务质量的市场评价以及企业商业信誉的"蓄电池"、"晴雨表"。它只蓄电、放电，而不发电。所以，工商业标记的价值，既有因承担区别功能所带来的经济效益，也包括作为商品和服务市场信誉的价值符号。需要指出的是，工商业标记的价值与该标记的创造性无关。很多工商业标记也是颇费心机设计而成、令人赏心悦目的美术作品，属于创造成果。但其价值显非源于设计自身的创造性或艺术性，其价值与该标记所显示的创造性没有关系。此外，把企业花费财力围绕工商业标记做广告宣传而转化的信誉，以及通过技术改造、产品质量保证等获得的信誉，进而转化为财产"注入"工商业标记的价值，归为标记创造的价值，则是"源"与"流"、"本"与"标"的颠倒。此外，有些商业标记并非创造性的智力成果。比如，某些商品所标示的地理标记，像"香槟酒"、"龙井茶"、"烟台梨"、"乐陵小枣"等，其价值构成主要来源于当地的自然环境和地理优势，人文因素次之。把这些归为创造性智力成果同样是不恰当的。

3. 知识产权的保护对象

知识产权的对象就是"知识"本身。知识是一个外延广泛的概念。如同"物"是一个包罗万象的概念，物权中的"物"则是一个内涵确定、外延清晰的法律概念一样，知识产权中的"知识"也是一个内涵、外延特定的法律概念。可见，知识产权领域所涉及的知识，只是包罗万象知识中的一部分，它专指那部分合于法律规制的创造性智力成果和工商业标记，它们是知识产权法律关系发生的前提和基础。

知识产权的保护对象实质上指的就是知识产权的保护内容、范围。无论是世界知识产权组织，还是世界贸易组织，都在有关国际公约中对知识产权的范围做出了具体规定。《成立世界知识产权组织公约》和《与贸易有关的知识产权协定》这两个重要的国际公约完全列举了知识产权的保护对象。

1967年7月14日在斯德哥尔摩签订的《成立世界知识产权组织公约》第二条第八款规定，"知识产权"包括以下有关项目的权利：①文学艺术和科学作品；②表演艺术家的演出、录音制品和广播节目；③在人类一切活动领域内的发明；④科学发现；⑤工业品外观设计；⑥商标、服务标记、商号名称和标记；⑦制止不正当竞争；⑧在工业、科学、文学或艺术领域内其他一切来自知识活动的权利。这里罗列了各种知识产权的保护对象，其中第一项、第二项属著作权保护的对象；第三项属专利权范围；第五项在我国仍属于专利法的调整范围，而在德国、日本等一些国家则在专利法之外专门立法保护；第六项属于商业标记，其中包括专门由商标法保护的商标以及其他相关商业标记；第七项则属于反不正当竞争法领域。学术界和各国立法对于该条约所规定的知识产权范围存在各种不同理解或解释，但对于其中第四项科学发现的看法却是一致的，即科学发现不能以垄断权的方式加以保护。

1993年12月15日关贸总协定通过的《与贸易有关的知识产权协定》中所称的知识产权保护范围：①著作权及其相关权利（邻接权）；②商标权；③地理标记权；④工业品外观设计权；⑤专利权；⑥集成电路布图设计权；⑦对未公开信息的保护权；⑧对许可合同中限制竞争行为的控制。很显然，这一条约与《成立世界知识产权组织公约》所规定的内容有所不同。集成电路布图设计和未公开信息的保护都是《成立世界知识产权组织公约》中所没有的内容。《成立世界知识产权组织公约》订立于1967年，在当时，集成电路知识产权保护问题尚未被提出，故而公约中不可能反映这种与新兴技术的进步直接相关的内容。至于未公开信息的保护问题很早就有人提出，比如商业秘密的保护曾在国际社会中引起广泛的关注，但国际上长期以来一直将其摒于知识产权范围之外。任何国家的法律对于商业秘密的保护都没有赋予类似于专利权的排他性权利，即商业秘密的占有人不能对抗通过合法渠道获得或使用商业秘密的第三人。而世界贸易组织的《与贸易有关的知识产权协定》似乎使商业秘密名义上被列入了知识产权保护对象的行列，但在实质意义上，商业秘密在各国法律上还是不具有对抗第三人的效力。

7.2 电子商务环境下的著作权保护

7.2.1 著作权的概念

著作权，是指自然人、法人或者其他组织对文学、艺术和科学作品依法享有的财产权利和精神权利的总称。文学艺术和科学作品是著作权产生的前提和基础，是著作权法律关系得以发生的法律事实构成。作为一种民事法律关系，著作权不是抽象的，而是具体的，是就特定作品而产生的权利。没有作品，就没有著作权，脱离具体作品的著作权是不存在的。

在我国，著作权即版权。在国际上，与著作权概念相近的还有法国法所用的"作者权"（droit de auteur）。从逻辑学的角度看，著作权、版权与作者权之内涵是基本相同的。

我国使用的"著作权"一词，是清朝立法者从日本引入的，《大清著作权律》中使用的就是"著作权"。从本源角度看，著作权体系更接近于作者权体系，而与版权体系有一定的距离。当我国在20世纪80年代起草《著作权法》时，虽然有两种完全不同的意见，但立法者最后以折中方式协调了两者的分歧，即将法律名称定为"著作权法"，并在第五十六条规定"版权与著作权系同义语"。

从历史上看，各国立法在规定取得著作权所需的条件上并不统一，有些规定甚至迥然不同。就著作权取得条件的性质而言，可分为实质性条件和形式性条件两种。

（1）取得著作权的实质性条件。所谓实质性条件，是指以文学艺术作品的产生作为取得著作权的唯一的法律事实。文学艺术作品的产生，就是取得著作权的实质性条件。

（2）取得著作权的程序性条件。取得著作权的程序性条件即取得著作权的形式性条件，所谓形式性条件，是指作品完成之后是否附加一定条件或履行一定的法律手续等形式为取得著作权的条件。目前主要有三种形式：①以作品的产生为条件自动取得著作权，不必履行其他手续。这种形式一般被称为"自动取得"，或"无手续主义"，目前，多数国家的著作权取得采取这一形式。②作品创作后还需履行登记手续才能取得著作权，故被称为"登记取得"，或"有手续主义"。由于《伯尔尼公约》和《世界版权公约》都没有关于登记取得著作权的规定，因此，实行著作权登记制度的两公约的成员国，有关取得著作权登记的法律效率只涉及本国的作者，对公约其他成员国的作者没有溯及力，即不能要求其他成员国的作者的著作权的取得以登记为前提。③以加注著作权标记为取得著作权的唯一条件。除此之外，无须再履行其他手续。这种形式被称为"有条件的自动保护"。例如，美国法律要求其本国作者在作品的复制件上加注著作权标记。加注标记的方式简便易行，被广泛使用，《世界版权公约》也采纳了这种形式。

（3）著作权取得的有关制度——"注册取得"和"自动取得"。

注册取得制度。所谓著作权自动取得制度，是指当作品创作完成时，因作者进行了创作而自动取得作品的著作权，不需要履行其他任何手续的著作权保护制度。

自动取得制度。所谓著作权注册取得制度，是指以登记注册作为取得著作权条件的著作权保护制度。即作品只有登记注册后才能取得著作权。

我国著作权的取得制度。我国的著作权取得采用著作权自动取得制度。我国《著作权法》第二条规定：中国公民、法人或者其他组织的作品，不论是否发表，享有著作权，无须登记。外国人、无国籍人依照有关国民待遇的规定，在我国享有著作权，也无须登记。我国实行自愿登记制度。该登记制度不是著作权取得的条件，而是在发生著作权争议时，作为著作权归属的依据。

7.2.2 著作权的主体

著作权主体，也称著作权人，是对文学、艺术或者科学作品依法享有著作权的自然人、法人或者其他组织。

著作权主体的产生：自然人、法人或者其他组织，可以通过创作作品或者组织自然人创作作品，依法获得原始著作权，成为原始著作权人；也可以通过受让、继承、受赠与或者受遗赠而成为著作权人。

按自然人、法人或者其他组织成为著作权主体的权利基础分，可以将著作权主体分为原始主体和继受主体。

1. 作者

作者是著作权的原始主体。关于如何认定作者，法律通常以署名为准。根据我国《著作权法》第十一条规定，如无相反证明，在作品上署名的公民、法人或者其他社会组织为作者。在正常情况下，署名可以反映出作品的作者。但是，在个别情况下也会出现如"满身罗绮者，不是养蚕人"这种真正作者并未署名，署名者却不是作者的现象。为了确认真实作者，如果提出与署名状况不同主张的，法律要求主张人提供相关的证据材料。因署名问题发生争议的，可以向人民法院提起侵权行为之诉或确认之诉来解决。

顺便指出，著作权法将原本是"自然人"的这一用语，用"公民"这一词汇来表述，有欠准确，在实践中也会遇到问题。建议还是改"公民"为"自然人"为宜。

创作，是为思想和情感寻求形式的过程，是设计并完成文学艺术形式的行为，是从构思到表达完成的过程。构思主要是一种内心活动。通常是作者从感受到思索，直至完成关于未来作品的全面设计过程。作者在构思成熟的基础上，再运用文学艺术语言，将头脑中的构思对象形式化的传达出来，形成作品。这是一个创造性的实践过程，作者必须借助于客观物质材料作为媒介，如语言、文字、色彩、线条、声音等，以便把头脑中的主观的东西客观化、形式化、构成作品。历史表明，迄今为止，只有人类是可以从事智力创作活动的主体。其他任何生命体、无生命体和社会组织，都不能从事创作活动。所以客观上，只有自然人是唯一的文学艺术和科学作品的事实作者。这一客观事实，不以人们的主观认识或利益需求而改变。

法律规定自然人为作者，是对客观事实的尊重与肯定。但是，在特定情况下，为了满足某种利益需求，在法律上也可以把自然人以外的其他民事主体视为作者，给他们以作者的法律资格。这也就是说，本来是自然人创作的作品，通过法律规定，把作者的身份赋予自然人以外的其他主体。我们可以把这种作者称做"法定作者"。至于是否规定法人作者，还是通过其他方式解决特定的利益需求，则属于各国的立法技术选择问题了。

2. 著作权人

著作权人本是一个包含作者的一个概念，但大纲在这里将其与作者作为一个相对的概念提出来，那我们只能将这里提及的著作权人的概念归于为除作者之外的著作权人。按现在的法学教材通论而言，这种除作者之外的著作权人，我们通常将其定义为其他著作权人。其他著作权人，是指除作者之外，其他依法享有著作权的公民、法人、其他组织或国家。其他著作权人主要为继受著作权人，是著作权的继受主体。依据著作权法的有关规定，继受主体著作权的取得主要有以下几种情况：

（1）因继承、遗赠、遗赠扶养协议取得著作权。依我国《继承法》第三条第六款规定："公民所享有的著作权中的财产权利可作为遗产，在公民死亡后可由其继承人继承。"据此，因继承而取得著作财产权的人，能成为著作权的主体，即著作权的继受主体。

当国家、集体或法定继承人以外的其他公民接受作者遗赠而取得著作权中的财产权时，即成为著作权的主体——继受主体。

公民或集体所有制组织根据遗赠扶养协议而成为死者著作权中的财产权利的受遗赠人时，也取得著作权人资格成为著作权的主体——继受主体。

（2）因合同而取得著作权。我国《著作权法》第十条第三款规定："著作权人可以全部或者部分转让本条第一款第（五）至第（十七）项规定的权利。"因此，因合同而取得著作权成为著作权人，即成为著作权继受主体。

（3）著作权的特殊主体——国家。国家可以成为法律关系的特殊权利主体。国家作为著作权法律关系主体，一般有下列情况：购买著作权，即国家出于某种特殊的需要，从著作权人那里购买著作权，从而成为著作权法律关系的主体；接受赠送，即作者将其受保护的作品赠送给国家，国家接受其赠送而成为著作权主体；依法律规定，即法律规定某一作品在受保护的有效期内，著作权由国家行使，国家便成为该著作权法律关系的主体。

7.2.3 著作权的内容

1. 著作人身权

我国《著作权法》第十条第一至四款对著作人身权的内容做出了明确规定，具体包括发表权、署名权、修改权和保护作品完整权四项。

（1）发表权，是决定作品是否公之于众的权利。一般情况下，只有作者有权决定其作品是否公之于众，以及于何时、何地、以何种方式、通过哪些表现形式公之于众。发表权是著作权中的首要权利，因为作者将作品创作完成后，如果不行使其发表权，其他任何人身权与财产权均无从实现。

（2）署名权，是作者为表明其作者身份，在作品上注明其姓名或名称的权利。署名权是确认创作人具体身份的重要法律依据。我国《著作权法》第十一条第四款规定："如无相反证明，在作品上署名的公民、法人或者其他组织为作者。"

署名权包括作者在自己的作品上署名和不署名两个方面的权利。作品完成后，作者有权主张自己为作品的作者，有权拒绝其他任何未直接参加作品创作的人所提出的确认其为作品作者的请求；同时，有权决定在自己的作品上署真名、笔名、艺名、别名、化名或不署名，并有权禁止其他任何未直接参加创作的人在作品上署名。作者的署名表明该作品是谁创作的，著作权归谁所有，谁享有该作品产生的荣誉权，谁向读者、观众及全社会负责。

（3）修改权，即作者修改或者授权他人修改其作品的权利。作品是作者思想的集中体现，作者对作品发表后的社会效果要承担责任。因此，在作品发表后，如果作者认为该作品已不能反映其有了变化的学术观点或文艺思想，他们有权根据自己的意志对作品进行修改，如删节、充实、改写等。修改权包括作者有权自己修改作品和授权他人修改作品。

（4）保护作品完整权，是保护作品不被歪曲、篡改的权利。作者有权保护其作品的完整性，有权保护其作品不被他人丑化；未经作者许可，他人不得擅自删除、变更作品的内容，或者对作品进行破坏其内容、表现形式和艺术效果的变动，以保护作者的名誉声望，维护作品的纯洁性。

保护作品完整权的保护期不受限制。作者死后，保护作品完整权由作者的继承人或者受遗赠人行使；无人继承有无人受遗赠的，则由著作权行政管理部门保护。

2. 著作财产权

依我国《著作权法》第十条规定，著作财产权的内容具体包括复制权、发行权、出租权、展览权、表演权、放映权、广播权、信息网络传播权、摄制权、改编权、翻译权、汇编权，以及应当由著作权人享有的其他权利。

7.2.4 著作权的保护

1. 侵犯著作权的行为

所谓侵犯著作权（包括邻接权）的行为，是指未经著作权人许可，又无法律上的根据，擅自对著作权作品进行利用或以其他非法手段行使著作权人专有权利的行为。侵犯著作权的行为，须具备以下三个要件：①要有侵权的事实，即行为人未经著作权人（或邻接权人）许可，不按著作权法规定的使用条件，擅自使用受著作权法保护的作品、表演、音像制品和广播电视节目的事实。②行为具有违法性。著作权是一种绝对权，任何人都负有不得侵犯该项权利的不作为义务。

他人在使用著作权作品时必须遵守著作权法及其他法律的有关规定，如果行为人违反了法律的规定，其行为即具有违法性。③行为人主观有过错。所谓过错，是指侵权人对其侵权行为及其后果所抱的心理状态，包括故意和过失两种形式。

2. 侵犯著作权应当承担的法律责任

侵犯著作权的法律责任，是指侵权行为人违反著作权法的规定，对著作权人享有的人身权和财产权或者对作品传播者享有的邻接权造成侵害时，依法所应承担的法律后果。我国《著作权法》对侵权法律责任的规定，有利于维护著作权人以及与著作权有关的权利人的合法权益，更好地调动作者的创作积极性。

大多数国家规定，侵犯著作权行为应承担民事责任、行政责任或刑事责任。

电子商务对传统著作权的影响是全方位的，并主要体现在对著作权的形式和内容两方面的影响。这主要是由于电子商务建立在互联网这一虚拟空间上而知识产权恰恰调整人类的无形产权，除了物流配送系统，电子商务更多的表现为数字化信息在网间的传送。信息的数字化给著作权保护提出了诸多问题和挑战。

3. 数字化作品著作权保护

著作权的保护对象是作品。根据著作权法的规定，受其保护的作品应具备四个条件：第一，必须是作者自己创作，即具有独创性的作品；第二，必须是属于文学、艺术或科学领域的作品；第三，必须是以一定的形式或载体表现出来或固定下来的作品；第四，作品的内容不得违反宪法和法律，不得损害社会公共利益。可以看出，只要是在计算机网络上出现或传播的作品符合上述四项条件，就可以称之为数字化作品。

我国《著作权法》及其实施条例对于作品的存在形式及载体并无任何具体要求。事实上，数字化作品与传统作品的区别仅在于作品存在形式和载体不同，作品的表现形式不会因数字化而有丝毫改变，因此，以数字化形式存在于磁盘等介质上的网络信息，如具备作品实质要件的，应当构成作品，受著作权法保护；对于著作权法所列举的具体形式的作品，应当理解为已经涵盖了其数字化形式，既包括已有的之后被数字化的作品，也包括直接以数字化形式创作的作品。

当前在网络上传输的主要为文字表现形式的作品，也有计算机程序，以及较为特殊的声、图、文等并茂的多媒体作品。根据《著作权法》第三条规定，文字作品、计算机软件本身就属于法律保护的作品范围；多媒体作品涉及文字、美术、摄影、音乐等表现形式，故多媒体作品也应当在受保护范围之内。数字化作品及其著作权的保护并不神秘，不能因其出现在计算机网络上，又具有高科技的一些特性，其著作权法律问题就找不到渊源和归宿；不能因为这些作品传输在网络中、呈现在计算机屏幕上就否定了这些作品的著作权保护性质。

案例 7-2

网络知识产权 VS 视频网站的尴尬

今天对于正从"中国制造"走向"中国创造"的中国来说，知识产权保护已超越行业、地区、国界，渗透到了中国社会经济的各个领域，尤其是在互联网领域，知识产权保护更是提到了空前的高度。诞生于 Web 2.0 时代的网络视频业，最初发端于支持网友上传的视频分享类网站，因为内容来源于网友，故从源头上就很难控制和界定内容的版权归属。在当时，视频类网站属于新生事物，政府各级相关的监管部门对其内容的版权暂无明确的法律界定和管理规定。一时间整个网络视频业成为了盗版的最佳温床。

网络视频业的普及使其内容盗版的问题日益凸显。2006 年《信息网络传播权保护条例》诞生；2007 年广电总局和原信息产业部联合出台《互联网视听节目服务管理规定》；2008 年广电总局建立《信息网络传播视听节目许可证》制度；2009 年，广电总局下发《关于加强互联网视听节目内容管理的通知》。主管机构不断在深化和完善对网络视频业版权问题的监管和规范。

"想说爱你不容易"，一句歌词道出的网络视频与正版内容的尴尬境地，视频网站受制于版权成本，无法将播放的电视剧全部以正版形式呈现。2009 年，突飞猛进下的网络视频业版权纷争不断。4 月初，PPLive 因涉嫌盗播《夜上海》、《精舞门》、《明天我不是羔羊》、《浪击天涯》、《代号利剑》等 5 部影视作品，而被判侵权。无独有偶，同月，安徽卫视公开要求优酷、土豆等网络视频网站停止盗播其首推的综艺节目《星光魔范生》……

网络视频业日趋主流和主管机构不断加强监管力度，整个网络视频业深刻意识到版权问题已使其成为发展的重大瓶颈。2008 年 PPS 率先与央视网签约网络直播奥运会，随后搜狐、腾讯、新浪、网易、酷 6 等网站陆续跟进。但对于盈利模式还不清晰的高成本运行视频网站来讲，如果单靠花巨资购买版权显然不够现实。如何保证内容正版化，这方面，PPS 网络电视成绩斐然，在版权方面 PPS 提倡产业链上下游间各方的共赢甚至多赢，通过与版权方节目合作、直接购买、广告分成、技术平台支撑等多种方式来分担版权成本，并在尊重版权、保证内容质量和满足用户等多元化需求间实现最终的平衡。

版权多元化是否可以真正解决视频网站的版权出路还有待探讨，但靠广告来实现收入的视频网站，其内容的正版化量将决定其用户数、流量及广告主的投放愿望。近期频频见诸报端的网络视频业的版权纠纷，充分说明了相关各方对版权问题的高度关注，而这些纠纷在网络视频正版化的路途中也只是些许的不和谐音，它将成为网络视频业正版化、健康化发展的推进器。就个别不断深陷"版权门"的网站来说，恐怕未来面临的将会是"生死门"，但整个行业会在这种调整和淘汰中，变得更健康、更有活力。比尔·盖茨曾预言："未来五年之内，没有人会在电视机前看电视。从整个产业发展趋势来看，网络视频是必然。"相信随着网络视频业的正版化，在全球互联网行业已占有一定先机的中国视频网站将成为我们的下一个"中国创造"。

资料来源：http://www.enet.com.cn/article/2009/0427/A20090427465577.shtml.

4. 网络服务提供商的著作权侵权责任

根据我国《著作权法》，除非法律另有规定，未取得著作权人许可及支付报酬的情况下，使用著作权人的作品，均构成侵权。而对于网络服务提供商的侵权责任问题，最高人民法院的《关于审理涉及计算机网络著作权纠纷案件适用法律的若干问题的解释》，国家版权局和信息产业部联合制定的《互联网著作权行政保护办法》等法律法规中都给予了明确说明。主要规定了网络信息服务提供者的行政法律责任承担，著作权、互联网信息服务提供者、互联网内容提供者在保护网络著作权中的具体做法，对严重违法侵权行为的处理等内容。

对于网络服务提供商间接侵犯著作权所应当承担的责任，可以援引我国《民法通则》中有关条文。网络服务提供商有通过网络参与他人侵犯著作权行为，或者通过网络教唆、帮助他人实施侵犯著作权行为的，人民法院应当根据《民法通则》第一百三十条的规定，追究其与其他行为人或者直接实施侵权行为人的共同侵权责任。提供内容服务的网络服务提供者，明知网络用户通过网络实施侵犯他人著作权的行为，或者经著作权人提出确有证据的警告，但仍不采取移除侵权内容等措施以消除侵权后果的，人民法院应当根据《民法通则》第一百三十条的规定，追究其与该网络用户的共同侵权责任。提供内容服务的网络服务提供者，对著作权人要求其提供侵权行为人在其网络的注册资料以追究行为人的侵权责任，无正当理由拒绝提供的，人民法院应当根据《民法通则》第一百零六条规定，追究其相应的侵权责任。

5. 计算机软件的法律保护

计算机软件是指计算机程序及其有关文档。计算机程序，是指为了得到某种结果而可以由计算机等具有信息处理能力的装置执行的代码化指令序列，与可被自动转换成代码化指令序列的符号化指令序列与符号化语句序列；文档则是指用自然语言或者形式化语言所编写的文字资料和图表，用来表述程序的内容，组成，设计，功能规格，开发情况，测试结果及使用方法，如程序设计说明书、流程图、用户手册等。

对计算机软件这样的智力成果，在知识产权理论界通常认为应当以著作权法保护为主，结合专利法、商标法、反不正当竞争法等相关法律，真正和充分保护计算机软件。我国著作权法规定计算机软件是其保护对象之一，对计算机软件使用著作权法保护，它的优点有如下几个方面：

（1）著作权的保护期限比较长（与专利权相比而言）。专利权的保护期限一般为20年，而绝大多数的国家规定著作权保护期限为作者的有生之年加上死亡后50年。

（2）著作权可以自动取得。即创作者或者开发者要取得著作权并不需要办理法定的手续，当作品创作完成时，其著作权就自动产生了，这对计算机软件开发者来说，极其方便。而专利权的取得需要办理申请手续，还得等到专利局批准后才能取得。

（3）著作权人不必交纳著作权维持费。而专利权人必须按时按规定交纳专利权维持费，才能保持其专利权的有效性，否则，其专利权便会自动终止。

（4）取得著作权并不需要将其软件的内容公开（请注意：公开使用软件与将软件的内容公开不是一回事）。而取得专利权，就必须公开其发明创造的内容。

但利用著作权保护计算机软件也有一些缺点：它不能禁止他人独立地开发出相同的软件，当他人独立地开发出一件与其软件相同的软件时，不仅不构成侵权，而且对自己开发出来的软件也享有著作权。特别是当其软件具有创造性的方法时，由于著作权法只保护方法的表现形式，不保护方法本身，故著作权人无权禁止他人使用其方法，而这种具有创造性的方法却是可以获得专利权的。因此，计算机软件开发者在用著作权法保护其方法的表现形式的同时，也可以就其具有的创造性方法申请专利保护，这样，对开发者权利的保护就比较充分了。

此外，计算机软件开发者还可以将其软件的名称通过申请商标注册，获得商标专用权来保护自己的软件。这样，一个开发出的软件，从其表现形式看，从开发完成之日起就能获得著作权，通过著作权法来禁止他人未经许可而擅自复制，销售其软件；从其软件所表现出来的具有创造性的方法来看，如果符合专利法有关规定也可以通过向专利局申请专利来获得专利权，禁止他人使用其方法；从其具有独创性的软件名称来看，可以通过向商标局提出商标注册申请来获得商标专用权，禁止他人冒用其软件名称，防止不正当竞争。对于不能获得专利权保护的计算机软件，也可以通过技术秘密法或经济合同法的有关规定对其创造发明予以垄断或保护其商业秘密，以防止被他人擅自复制或改编。总而言之，计算机软件可以通过多种方式获得保护。目前所能采取的主要法律保护方式仍然是著作权法给予的保护。

6. 数据库的法律保护

数据库是指围绕着一个既定目的收集起来的供一个或几个数据处理系统使用的，按照一定规则组织存放在计算机存储设备中的一大批信息的集合。从著作权角度看，可以将数据库分成两种类型：一类是由各个本身具有独立著作权的作品（如学术论文，文学作品等）集合而成的数据库；另一类则是由一些事实或本身无著作权的信息资料（如法律、法规、时事新闻报道等）集合而成的数据库。显然，前一类数据库是著作权法的保护对象。至于后一类数据库本身是否能够享有著作权，关键问题是这种数据库在整体上是否具有原创性或者独创性；否则，就不能享有著作权。但可以通过《反不正当竞争法》等法律来对数据库仅能给予一定程度的保护。

在运用著作权法保护数据库的问题上，关键点是如何确定数据库独创性的认定标准及方法，法学界对此一直存有争议。通常认为只有在信息的选择和组织安排方面体现了一定的创造性的数据库才具有独创性，只有这样的数据库才能受到法律的保护。真正体现数据库独创性的是制作者对数据库的内容的选择和编排，这些选择的标准和方法、编排的顺序和结构才真正体现制作者是否有自己的独立判断和一定的创新，从而体现出数据库是否具有独创性。数据库对信息经济推动作用毋庸多言，因此在司法实践当中一般对数据库独创性的判断标准持较宽松的解释。

其实，著作权对数据库保护是弱保护问题。因为无论是国际公约、欧盟《数据库保护指令》还是我国的《著作权法》，都无一例外地表明：对数据库的保护仅限于其体系和结构，并不延伸至其中使用的材料。显然，如果数据库当中的内容可以任由他人复制，稍加改动就变成他人的劳动成果的话，会直接损害数据库原创者的经济利益，严重打击数据库产业不断创造发展的积极性。数据库的核心价值在于所采集的信息内容。采集的内容越全面价值就越高，但内容越全面就必然使编辑者对信息的选择余地越少，最终导致独创性越低，这种有别于普通作品的特点造成了现实需要与法律规定的直接冲突，就是信息量越大、越全面的数据库就越可能得不到著作权保护。

针对上述问题，可以采用反不正当竞争法来对数据库进行保护。反不正当竞争法是知识产权法律保护体系的组成部分。著作权、专利、商标等专门法律制度着眼于保护权利人自身的权利，但为了在保护个人利益的同时兼顾社会利益——保证市场经济的自由竞争度，这些权利都受到了严格的法律限制。而反不正当竞争法着眼于制止不同市场竞争主体之间的恶性竞争，保证各主体都以平等的法律条件参与市场竞争。由于各知识产权主体的法律权利最终往往以经济利益体现，反不正当竞争法可以弥补著作权法的不足，保护数据库作者在对材料的收集、整理、编排等方面所做出的劳动和投资，所以反不正当竞争法往往成为知识产权主体的最现实选择，成为数据库法律保护的"终极武器"。

相对于国外发达的数据库产业，我国的数据库产业相对幼稚，积极运用反不正当竞争法保护知识产权，用意在于保护竞争而不是限制竞争，目的是鼓励数据库产业的创新和进步。数据库作者通过自己的努力，为社会提供更好、更全面的信息，在使社会受益的同时为自己带来经济效益，这种促进社会进步的行为应当受到法律的肯定和保护。

参考资料

数据库特殊保护

在知识产权法领域，为了适应数据库信息产业的发展而产生的数据库特殊保护，指既类似于又独立于版权、专利、商标等专门法律制度的知识产权保护制度，它的根本目的就是保护数据库制作者在数据库上的投资。

数据库的一般版权保护不涉及数据库的内容，因此，会导致两种相反结果的出现：如果数据库的内容是已经存在的版权作品，则该内容受到已存在的版权保护；但如果数据库的内容是非版权作品的材料（如事实信息），则无法受到版权保护。后一种情况的出现对数据库的投资人、开发人十分不利，为此，数据库的制作者要求特别权利保护。数据库的特殊权利保护目前正在三个层次上推进，即美国试图建立的国内保护、欧盟已建立的联盟内区域保护以及世界知识产权组织拟议的国际保护。这三个层次相互影响，相互促进，并推动更多的国家和地区研究和考察这种新的知识产权保护制度的合理性与可行性。

在数据库特殊权利保护方面发展最快的是欧盟国家。欧盟在 1988 年《关于版权和技术挑战的绿皮书》中就首次提到了协调成员国数据库法律保护的问题，随后 1992 年公布了《数据库法律保护指令的建议》。1995 年 7 月欧盟部长理事会正式通过了《关于数据库的法律保护的指令》（即《数据库指令》）。在欧盟成员国内建立数据库特殊权利保护是《数据库指令》的主要内容之一。《数据库指令》于 1996 年 3 月颁布，要求成员国在 1998 年 1 月 1 日以前以法律、法规、行政条款的方式将指令的内容贯彻到国内。欧盟成员国现已经根据《数据库指令》对本国法律作了修改和调整，欧盟《数据库指令》不仅统一了成员国数据库版权保护的标准，而且确立了一种新的独立于版权保护的数据库特殊权利保护。

资料来源：http：//www.chinaiprlaw.com.

7.3　电子商务环境下的工业产权法律保护

通过前面的学习，我们可以知道工业产权主要指著作权以外的知识产权，主要是专利权和商标权，此外还包括商业活动过程中的商业秘密等。

7.3.1　专利权概述

1. 专利权的定义

专利权，是指国家专利行政机关依照专利法的规定授予发明人、设计人或其所在单位对某项发明创造享有的在法定期限内的专有权。

专利权属于知识产权的一个重要组成部分，具有知识产权的一般特征，如地域性、时间性、独占性等。除此之外，专利权还具有以下的特征：

（1）专利权客体的公开性。专利申请人要取得专利，必须运用专利申请文件申请专利，公开其发明创造，其范围和程度必须达到《专利法》规定的要求。可见，向社会公开发明创造是取得专利权的前提。这样做的目的有二：其一是可以此达到对新技术的传播与利用的目的；其二是可将发明创造公之于众，使社会公众有提出异议的可能性，从而确保专利权的获得符合法定条件。

（2）专利权必须由国家专利主管机关授予。一项发明创造在完成之后，虽然确实具备新颖性、创造性、实用性等条件，但这并不说明发明人或设计人对它已具备了专利权，只有经由申请人向专利局提出申请，被批准授予专利权，才能使该发明创造受到法律的保护，上升为法定权利。

（3）专利权具有较强的排他性。专利权的排他性有两个方面表现：一方面表现为专利权人对其发明、设计依法享有制造、使用、销售和进口其专利产品等的专有权，排斥他人非法使用该项专利；另一方面表现为这种排他性是一种独占性的权利，即对同一项发明、设计，如果有两个以上的申请人分别申请专利，在"先申请原则"下则专利权授予最先申请人，且在保护期内，其他申请人不可能因申请而获得该项发明、设计的专利权。

2. 专利权的对象

（1）发明是专利权的主要客体，也是各国专利法都给予保护的对象。从词义上看，发明是指科技开发者依据自然规律或规则，运用自己的资金和智力创造出来的新技术方案。

我国专利法意义上的发明有两种，即产品发明和方法发明。"改进发明"本身并不是一种独立种类的发明，它要么是产品发明，要么是方法发明。

产品发明（包括物质发明）是人们通过研究开发出来的关于各种新产品、新材料、新物质等的技术方案，如电子计算机、超导材料和人造卫星的发明等。

方法发明是人们为制造产品或者解决某个技术课题而研究开发出来的操作方法、制造方法以及工艺流程等技术方案，如汉字输入方法、无铅汽油的提炼方法等。

（2）实用新型具有以下几个特点：①实用新型是针对产品而言的，任何方法（不论是否新颖实用）都不属于实用新型的范围；②作为实用新型对象的产品只能是具有立体形状、构造的产品，不能是气态产品、液态产品，也不能是粉末状、糊状、颗粒状的固态产品；③作为实用新型对象的产品必须具有实用性，能够在工业上应用；④作为实用新型对象的产品必须是可自由移动的物品，而不能是不可移动的物品。当然，一件物品本来是可自由移动的，后来被人们固定在不能自由移动的物品上，这样的物品仍然可以作为实用新型专利的对象。

（3）外观设计是我国《专利法》规定的第三种可获专利的主题，也是《保护工业产权巴黎公约》和《知识产权协定》规定的保护对象之一。《专利法》所称的外观设计，是指对产品的形状、图案或者其结合以及色彩与形状、图案的结合所做出的富有美感的并适于工业应用的新设计。我国台湾地区的专利法规将它称为"新式样"。

外观设计与发明和实用新型一样，是人类智力劳动的创造性成果，所不同的是，外观设计是一种新设计。法律所保护的对象是该设计本身，而不是负载该设计的物品。

3. 授予专利权的条件

新颖性是指该发明或者实用新型不属于现有技术，也没有同样的发明或者实用新型由他人在申请日以前向专利行政部门提出过申请并记载在申请日以后公布的专利申请文件或者公告的专利文件中。新颖性的判断是以已经公开的现有技术为标准。现有技术，也称已有技术，是指申请日以前在国内外通过在出版物上公开发表、公开使用或者其他方式为公众所知的技术。

创造性是一个相对的概念，是用来说明申请专利的技术同现有技术相比所具有的先进程度。其参照的标准是现有技术，要求与现有技术不仅不相同，且不是仅通过逻辑推理、分析、判断就能必然获得的技术方案，而是通过创造性活动，使技术有质的飞跃和不同程度的进步。同时，衡量创造性，以同领域内具有中等水平的人员作为判断技术水平的人员标准。

实用性，又称工业实用性或产业实用性，是指该发明或者实用新型能够制造或者使用，并且能够产生积极效果。我国一般认为实用性有两层含义：其一，必须能够在产业中制造或使用。其二，必须能够产生积极效果。判断发明或实用新型是否具有实用性的直接依据是申请文件中所记载的整体技术内容，不仅包括权利要求书所记载的内容，也包括说明书、附图中的内容。

授予专利权的外观设计除具备上述条件外，还不得与他人在先取得的权利相冲突。他人"在先取得的权利"通常包括商标权、著作权、企业名称权、肖像权、知名商品特有包装或者装潢使用权等。"在先取得"是指在先权利人的权利产生之日在外观设计专利的申请日或者优先权日之前。其中需要注册和登记而产生的权利，注册登记之日为权利取得之日。"相冲突"的表现形式根据在先权利的种类不同而有所区别，但总的可以概括为不同权利彼此重叠、交叉，多个权利人能够对包含相同内容的权利客体主张其权利，在行使权利时涉及谁优先的问题。

专利权不是一种自然权利，其产生途径也就不是自然而然的。对于专利权的产生，各国法律都提出了严格的要求。这些要求不仅表现在授予专利权的一些实质性条件上，同时还表现在需要履行一定的申请程序上。专利申请还有一些具体的原则，包括书面原则、先申请（先发明）原则、单一性原则。

专利权的取得程序，即申请授予专利的程序一般为：申请——审查——授权登记。

4. 专利权的内容

专利权只是一种具有财产权属性的独占权以及由其衍生出来的相应处分权，不包含具有人身权属性的权利内容。通常讲述专利权的内容，包括专利权人的权利和专利权人的义务。

（1）专利权人的权利。根据我国《专利法》的有关规定，专利权人在专利有效期内享有下列权利。

制造权是指专利权人享有独占地制造专利产品，禁止他人未经其许可制造与专利产品相同或相似的产品垄断权。制造专利产品是专利权人拥有的一种排他性的权利，除法律另有规定外，任何单位和个人非经专利权人许可不得擅自制造专利产品，否则即构成专利侵权。专利权人可以依法自己行使制造权，也可将其在一定范围内许可他人行使，并收取一定使用费。

使用权是指专利权人享有的使用专利产品或专利方法及依照专利方法直接获得的产品的专有权。使用权包括对专利产品的使用和对专利方法的使用。使用专利产品是指根据专利产品的技术性能使该产品得到应用；使用专利方法是指权利要求书中记载的专利方法技术方案的每一个过程被实现的行为；使用专利方法所获得的产品是指一项产品制造方法的发明专利权被授予后，使用该方法所直接获得的产品。

许诺销售权是指专利权人有明确表示愿意出售具有权利要求所述技术特征的专利产品以及禁止他人未经专利权人许可许诺销售专利产品的权利。我国《专利法》第二次修改时，为了实现我国专利保护与 TRIPS 协议相协调，强化对专利权人权利的全面保护，新增加了关于许诺销售的规定。实践中许诺销售行为可以表现为面向特定和不特定的对象，以口头或书面等形式，产品展示、展览、陈列及各种广告明确表示愿意销售专利产品的愿望的行为。

销售权是指专利权人享有的独自销售专利产品或依照专利方法直接获得的产品的权利。这种独占销售通常仅指专利产品所有权第一次转移。其中专利产品既可以是由专利权人制造的，或经专利权人许可制造的，也可是他人经许可制造的；既可是一般的专利产品，也可是依照专利方法直接获得的产品。

进口权是指除法律另有规定外，专利权人享有自己进口或禁止他人未经许可为制造、许诺销售、销售、使用等生产经营目的进口其专利产品或进口依照其专利方法直接获得的产品的权利。进口权包含两方面的内容：①专利权人可以自己进口专利产品，特别是在法律规定专利权人必须实施专利的情况下，专利权人可以通过进口专利产品履行在本国实施专利的义务。我国《专利法》虽然没有规定专利权人必须实施专利，但专利权人保留自己的进口权依然具有重要意义。②专利权人有权禁止他人进口专利产品。我国《专利法》第十一条规定，任何单位或者个人未经专利权人许可，都不得实施其专利，即不得为生产经营目的制造、使用、许诺销售、销售、进口其专利产品或者使用其专利方法以及使用、许诺销售、销售进口依照该专利方法直接获得的产品。外观设计专利权被授予后，任何单位或者个人未经专利权人许可都不得实施其专利，即不得为生产经营目的制造、销售进口其外观设计专利产品。

转让权是指专利申请权人和专利权人享有将其权利依法转让给他人的权利。我国《合同法》规定，技术转让合同是指当事人就专利权转让、专利申请权转让、专利实施许可、非专利技术的转让所订立的合同。由此可见，专利权转让合同属于技术转让合同的一种。专利权转让需要注意以下几点：①专利权转让合同的标的是专利权；②专利权转让是专利权的所有权转让；③专利权转让必须以书面合同方式进行；④专利权转让必须履行法定手续。专利权转让必须经国家专利主管机关登记和公告后方能生效；⑤未经国家专利主管机关和公告的专利权转让合同是无效合同，不具有法律约束力。此外，《专利法》还规定，中国的单位或者个人向外国人转让其专利申请权或专利权的必须经国务院主管部门批准。

许可权是指专利权人享有的许可他人实施其专利的权利。与转让权不同，许可权行使导致专利使用权部分或全部在合同约定时间内由他人使用，而专利所有权仍归专利权人。专利权人行使许可权的方式是签订专利实施许可合同。根据专利实施许可内容的不同，专利实施许可分为普通实施许可、独家实施许可、独占实施许可、交叉实施许可和分售实施许可。对此，我国《专利法》第十二条规定："任何单位或者个人实施他人专利的，应当与专利权人订立书面实施许可合同，向专利权人支付专利使用费。被许可人无权允许合同规定以外的任何单位或者个人实施该专利。"

标记权是指专利权人享有的在其专利产品或该产品包装上标明专利标记和专利号的权利。我国《专利法》第十五条规定："专利权人有权在其专利产品或者该产品的包装上标明专利标记和专利号。"关于专利标记的具体内容和要求，我国没有统一的规定，专利权人可以根据自己的专利产品自行设计。实践中经常使用"中国专利"、"专利"或"专利产品"等作为专利产品的专利标记。

署名权是指发明人或设计人享有在专利申请文件和专利文件中写明自己是发明人或设计人的权利。《巴黎公约》第四条第三款规定："发明人有权要求在专利证书上记载自己是发明人。"我国《专利法》第十七条规定："发明人或者设计人有在专利文件中写明自己是发明人或设计人的权利。"署名权是与发明人的人身不可分离的人格权，只能由发明人或设计人享有，不可转让和继承。

（2）专利权人的义务。专利权人不仅享有上述各项权利，而且还必须承担相应的义务。如果专利权人不依法履行其义务，就要承担相应的法律后果。

许多国家的专利法规定，专利权人有两项基本义务：一是缴纳专利年费（也称专利维持费）的义务，二是实际实施已获专利的发明创造的义务。原《专利法》就规定了这两项义务。该法第四十七条第一款第一项规定，专利权人"没有按照规定缴纳年费的"，专利权在期限届满前终止；第五十一条又规定："专利权人负有在中国制造其专利产品，使用其专利方法的义务"，否则将被实施强制许可。现行《专利法》取消了专利权人的实施义务。

5. 网络对传统专利权法的影响

由于网络的全球性和专利权的地域性，一项技术创新成果在网络这一端受到专利权保护，而在另一端则可能属于公有领域。即使是网络两端所在的国家属于双边、多边缔约国或在同一国际知识产权条约覆盖范围之内，根据《巴黎公约》的国内法独立原则和国民待遇原则，该项技术成果的专利权是否成立以及受保护的程度还要视各自国内专利立法的具体情况而定。各国家、地域的专利立法千差万别；而网络信息则瞬息万里，覆盖全球。对于权利人来说，在世界范围监测专利侵权状况、认定侵权并掌握用以证明侵权人实施的侵权行为证据，实际上很难实现，甚至不太可能。这些情况都要求各国尽量缩小专利立法差距，并同时加大执法力度。

网络环境改变了传统的信息传播和检索方式，增加了判断专利申请新颖性和创造性的公开信息源，以我国《专利法》而言，对新颖性的定义是："新颖性，是指在申请日以前没有同样的发明或实用新型在国内外出版物上公开发表过、在国内公开使用过或者以其他方式为公众所知……"。但由于电子传输文献中的信息经过传输发生信息丢失，或者因为数据压缩与解压，以至不能按原样打印在纸上；或者网上用户擅自对网上传输的电子出版物信息予以篡改，破坏信息的完整性，因此无法取得有关信息首次公开日的实物证据，或者无法把电子文献内容视为该日公开的实物证据。电子文献的内容和准确性变化莫测，文献的准确公开日期亦难确定，很难经受任何形式的同行评议或内容审查，这样会导致对电子出版物中所含信息的评价复杂化，反过来又影响到新颖性和创造性的判断。

然而，从长远的观点看，电子出版物必定在不远的将来成为判断现有技术的一部分文献源，专利信息上网，尤其是像专利说明书一类高密度蕴涵创新技术内容的文献上网，可以为极大地促进世界范围的科学技术的发展进步起到良好的作用，但网络环境同时也为非授权利用专利技术的侵权行为提供了更便利的条件，网络环境的公开，是比传统意义上的书面公开、口头公开和使用公开更具广泛意义的公开形式。技术成果的实质性内容一旦上网，该技术成果的新颖性将丧失殆尽，失去获取专利的可能，使专利侵权变得更为复杂和难以控制。鉴于网络这一新的信息源自身的特点和传统专利制度面临的问题，在专利法修订时应考虑对新颖性的重新定义，专利审查基准亦应做出相应的修改。

7.3.2　商标权概述

1. 商标的概念和种类

（1）商标的概念。"商标"一词是外来语，英文称为"brandmark"，我国称为"牌子"，是指商品的生产者或经营者为了将其商品与他人生产或经营的同一或类似商品相区别而使用的一种专用标记。从广义上讲，商标既指商品商标，又指服务商标。服务商标是指服务行业的经营者为了将自己的服务与其他经营者的服务区别开的一种标记。我国在 2001 年新修订的《商标法》中就已将服务商标列入其中。

（2）商标的种类。从不同的角度或按不同标准，划分的商标种类也各不相同。目前的实际商标种类情况如下。

注册商标和未注册商标。根据商标是否登记注册，可将商标划分为注册商标和未注册商标。注册商标是经商标行政机关核准注册的商标。注册商标和未注册商标二者都可以使用，但一般而言，未注册商标的使用不得对抗注册商标，未注册商标一旦被他人注册便会被禁止使用。注册商标都受法律保护，未注册商标一般不受商标法保护，但是也有例外，当一个长期使用的标识，具有识别作用，取得消费者的认可，享有一定声誉的时候，该未注册商标也可获得商标法一定程度的保护。

商品商标和服务商标。根据商标标示对象的不同，可以将商标划分为商品商标和服务商标。商品商标是使用于生产、制造、加工、拣选或者经销的商品上的商标。服务商标是提供服务的经营者在其向社会提供的服务项目上使用的标记，也称为服务标记。

平面商标和立体商标。根据形态的不同，商标可划分为平面商标和立体商标。平面商标是一种最为主要的商标形态，又可细分为文字商标、图形商标及文字图形的组合商标。立体商标是指以商品形状或者其容器、包装的形状构成的三维标志。

集体商标和证明商标。根据商标具有的特殊作用，可以将其分为集体商标和证明商标。集体商标是指以工商业团体、协会或者其他组织名义注册、供该组织成员在工商业活动中使用，以表明使用者在该组织中的成员资格的标志。

证明商标是指由对某个具体商品或者服务有检测和监督能力的组织注册，而由注册人以外的人使用其商品或者服务，用以证明该商品或者服务的原产地、原料、制造方法、质量或者其他特定品质的标志。

制造商标与销售商标。根据商标使用者在商品的生产、流通过程中所处的不同环节来划分，可以将商标划分为制造商标和销售商标。制造商标又称生产商标，是商品生产者在其制造的商品上使用的商标。销售商标又叫商业商标，是商品经营者使用的商标。

等级商标和防卫商标。等级商标是指同一个企业对同类商品因规格、质量不同而使用的系列商标。等级商标的作用在于区别同一企业生产的不同规格、不同质量的同类商品，以便消费者鉴别选购。

防卫商标是指为了防止他人的使用或注册而对自己的核心商标所进行的注册，包括联合商标和防御商标两种形式。联合商标是指同一企业在同一或类似商品上申请注册两个或者两个以上的近似商标。其中一个指定为正商标，与其他近似的商标一起构成具有防卫性质的联合商标。防御商标是指同一商标所有人把自己的商标同时注册在其他非同种或非类似的商品上的商标。

2. 商标权的取得

根据我国《商标法》的规定，申请注册的商标必须具备下列条件，才能获准注册。

（1）商标的构成要素必须具有显著特征，便于识别。我国《商标法》第九条规定："申请注册的商标，应当有显著特征，便于识别，并不得与他人在先取得的合法权利相冲突。"商标的构成要素，是指商标的组成部分。商标的构成要素必须符合法律规定，商标才能获准注册。根据《商标法》第八条的规定，任何能够将自然人、法人或者其他组织的商品与他人的商品区别开的可视性标志，包括文字、图形、字母、数字、三维标志和颜色组合，以及上述要素的组合，均可以作为商标申请注册。我国《商标法》尚未承认诸如气味、声响或电子传递信息等可以注册。

（2）申请注册的商标不得使用法律所禁止使用的文字、图形。各国商标法都有禁用条款的规定。所谓商标禁用条款即是商标法关于某类文字、图形不得作为商标使用或注册的禁止性规范。该规范适用于注册商标与未注册商标，包括禁止使用和禁止注册两种不同情况。

我国《商标法》第十条规定，下列标志不得作为商标使用：

①同中华人民共和国的国家名称、国旗、国徽、军旗、勋章相同或者近似的，以及同中央国家机关所在地特定地点的名称或者标志性建筑物的名称、图形相同的；

②同外国的国家名称、国旗、国徽、军旗相同或者近似的，但该国政府同意的除外；

③同政府间国际组织的名称、旗帜、徽记相同或者近似的，但经该组织同意或者不易误导公众的除外；

④与表明实施控制、予以保证的官方标志、检验印记相同或者近似的，但经授权的除外；

⑤同"红十字"、"红新月"的名称、标志相同或者近似的；

⑥带有民族歧视性的；

⑦夸大宣传并带有欺骗性的；

⑧有害于社会主义道德风尚或者有其他不良影响的。

"县级以上行政区划的地名或者公众知晓的外国地名，不得作为商标。但是，地名具有其他含义或者作为集体商标、证明商标组成部分的除外；已经注册的使用地名的商标继续有效。"

《商标法》第十一条规定了三种不能作为商标注册的标志：一是仅有本商品的通用名称、图形、型号的；二是仅直接表示商品的质量、主要原料、功能、用途、重量、数量及其他特点的；三是缺乏显著特征的。

此外，三维标志，根据《商标法》第十二条的规定，仅由商品自身的性质产生的形状、为获得技术效果而需有的商品形状或者使商品具有实质性价值的形状，不得注册。

（3）不能超范围含有地理标志。所谓地理标志，是指标示某商品来源于某地区，该商品的特定质量、信誉或者其他特征主要由该地区的自然因素或者人文因素所决定的标志。《商标法》第十六条第一款明确规定，商标中有商品的地理标志，而该商品并非来源于该标志所标示的地区，误导公众的，不予注册并禁止使用；但是，已经善意取得注册的继续有效。

从这一规定可以看出，我国《商标法》并不绝对禁止将地理标志作为商标注册。因此，一个地理标志，如果不与商标法第十条第二款关于县级以上行政区划的地名或者公众知晓的外国地名不得作为商标的规定相冲突，是可以作为商标进行注册的。

（4）不得复制、摹仿或者翻译他人的驰名商标。《商标法》第十三条规定，就相同或者类似商品注册的商标是复制、模仿或者翻译他人未在中国注册的驰名商标，容易导致混淆的，不予注册并禁止使用。就不相同或者不相类似商品申请注册的商标是复制、模仿或者翻译他人已经在中国注册的驰名商标，误导公众，致使该驰名商标注册人的利益可能受到损害的，不予注册并禁止使用。

（5）申请注册的商标不得与他人的注册商标相同或者近似。申请注册的商标与他人的注册商标或者初步审定的商标构成混同的，不能获准注册。

我国《商标法》第二十八条、第三十条规定，对将与他人在同一种商品或者类似商品上已经注册或者初步审定的商标相同或者近似的商标申请注册的，由商标局驳回申请，不予公告；已经公告后，经商标局裁定异议成立的，不予核准注册。此外，根据《商标法》第四十六条规定，注册商标被撤销或者期满不再续展的，自撤销或注销之日起1年内，与该商标相同或者近似的商标注册申请不能被核准。

3. 商标权的基本内容

（1）商标权人的主要权利。商标权是指商标所有人在法律规定的有效期限内，对其经商标主管机关核准注册的商标所享有的独占地、排他地使用和处分的权利，通常称之为"商标专用权"。我国商标权的取得除法律另有规定外，采取注册原则，只有注册才是确定商标权的法律依据，只有经商标局核准注册的商标，才享有商标权并依法得以保护。商标权人依法享有的主要权利包括专有使用权、禁用权、许可权使用、转让权。

（2）商标权人的主要义务。《商标法》第三条、第四十五条明确规定了商标注册人在使用商标时应承担的义务。

不得擅自改变注册商标。商标一经核准注册，商标注册人在使用商标时就必须严格按照商标局核准的商标使用，不得擅自改变核准的商标。因为改变的商标已超出了商标局授予商标注册人专有使用注册商标的权利范围。

不得自行改变注册商标的注册人名义、地址或者其他注册事项。商标注册人的名义、地址是商标注册的重要事项。如果商标注册人的名义、地址发生变更而不及时到商标主管机关办理变更手续，就可能造成商标局与商标注册人的联系中断，有关书件无法及时送达。而更为严重的是关系着商标权的有效性及商标注册人的实际利益。因此，商标注册人的名义，地址发生变更的，必须及时到商标局办理变更手续。

不得自行转让注册商标。转让注册商标是商标权主体的改变。商标权是一项民事权利，权利人有权处分自己的权利，即可以将注册商标转让给他人，但是商标权又有不同于一般民事权利的特性。它是由国家主管机关依法定程序核准授予的，而非一项自然产生的权利。因此，转让注册商标，受让人必须符合商标权主体的资格。此外转让的内容也必须符合法律的规定。

注册商标必须使用的义务。商标的使用，包括将商标用于商品、商品包装或者容器以及商品交易文书上，或者将商标用于广告宣传、展览以及其他商业活动中。

《商标法》第四十四条规定"连续三年停止使用的"注册商标由商标局撤销其商标注册，这是商标法对商标注册人应当承担注册商标必须使用义务的规定。

使用商标注册标记——从商标注册人的义务到权利的回归。在 2001 年修订《商标法》之前，《商标法》第七条规定："使用注册商标的，应当标明'注册商标'或者注册标记。"

2001 年修改后的《商标法》第九条规定："商标注册人有权标明'注册商标'或者注册标记。"可见，《商标法》的修改将原来商标注册人在使用注册商标时标明"注册商标"注册标记由商标注册人的义务回归为商标注册人的权利。

商标注册标记是用以表明被标记的商标已经注册。

《商标法实施条例》第三十七条规定："注册标记包括（注）和（R）。使用注册标记，应当标注在商标的右上角或者右下角。"

（R）是在世界范围内通用的注册标记。标明"注册商标"或者注册标记，其目的在于告知社会公众该商标已经注册，享有商标专用权，受国家法律保护。当然是否标明"注册商标"或者注册标记是商标注册人的权利，商标注册人使用注册商标即使未标明"注册商标"或者注册标记的，也不能成为侵权者免除侵权责任的理由。但在行政执法查处商标侵权案件时，对于商标注册人未标明注册标记的，可能会成为执法机关从轻或减轻侵权人责任的依据，因为侵权人会以不知该商标是注册商标抗辩。

4. 商标权的期限与注册商标的续展

（1）商标权的期限，即商标权的保护期限，是指注册商标所有人享有的商标专用权的有效期限。规定注册商标的保护期限的原因在于，商标的功能是使人识别出商品或服务的来源，当注册商标具有此功能时应让其继续存在下去，当注册商标失去此功能时不应让其继续存在。此外，规定注册商标的保护期限，便于商标的所有人根据实际情况决定保护期满后是否继续使用该商标。

各国商标法对注册商标的有效期都有规定，但时间的长短不一，如欧洲大陆的一些国家规定商标权的保护期为 10 年，从申请日起计算；在英国及沿袭英国制度的一些国家，商标权的保护期为 7 年，从注册之日起计算；美国则为 20 年。

我国《商标法》第三十七条规定：注册商标的有效期为 10 年，自核准注册之日起计算。在规定商标权保护期限的同时，我国《商标法》又对注册商标的续展作了规定。

（2）注册商标的续展，是指注册商标所有人在商标注册有效期届满前后的一定时间内，依法办理一定的手续，延长其注册商标有效期的制度。该制度是逐步形成和完善的。由于商标是区别商品和服务来源的重要标志，所以保持商标专用权长期有效，是生产者、服务者及消费者利益所在，也有利于进行商标管理、维护社会主义竞争秩序。商标所有人可以通过商标的续展延长注册商标专用权的保护期限，也可以通过不续展的方式自动放弃某些价值不大的商标专用权。对商标管理机关而言，也可借此加强对注册商标的管理。

我国《商标法》第三十八条规定："注册商标有效期满，需要继续使用的，应当在期满前 6 个月内申请续展注册；在此期间未能提出申请的，可以给予 6 个月的宽展期。宽展期满仍未提出申请的，注销其注册商标。"该规定表明，在我国注册商标保护期届满前后，注册商标所有人均可申请续展注册，而且不受次数限制。

关于续展申请的条件，我国《商标法》第三十八条及《商标法实施条例》（2002）第二十七条作了如下的规定：①续展注册申请人必须是注册商标专用权的所有人，既可以为原注册商标所有人，也可以是继承人或受让人。②提出续展申请的时间必须是在其注册商标有效期届满前后 6 个月内。③续展注册申请应向商标局提出，并交送《商标续展注册申请书》。

此外，续展注册商标不得对原注册商标作任何改变。但是，申请续展时，可以放弃原核定使用的商品类别。

商标局接到续展申请后，经过审查，如认为符合商标法规定，即可予以核准，将原《商标注册证》加注发还，并予以公告。但是，如发现续展注册的商标不符合法律规定，则商标局应以《驳回通知书》的形式通知申请人，并退还续展注册费。申请人对驳回续展注册申请的决定不服的，可以在收到驳回通知书之日起 15 天内，向商标评审委员会申请复审。

（3）商标权的法律保护。在电子商务环境下，传统的商标保护制度遇到了多重挑战，突出表现在域名和商标的冲突上。商标和域名都具有很强的识别功能，从经济角度看待，域名和商标都具有标识企业和厂家的作用。域名和商标的标识功能使它们在长期广泛的使用过程中逐渐演化为企业的无形资产，具有了价值属性。一方面，在电子商务的网络虚拟社会中，要发挥商标的价值作用，就必须使用域名，只有通过域名进入互联网，才能发挥商标的价值作用。另一方面，在电子商务中，域名的使用也要与商标相配合，以便最大限度地发挥其价值所在。因此，域名和商标在电子商务中通过互相促进而提升彼此的无形价值，其必然趋势为商标和域名在其价值功能的驱动下逐渐走向一体化。

在电子商务环境下，域名与商标十分相似，用户通过域名来认识网上的企业和企业产品，根据域名访问企业主页，获取产品信息，开展商务活动。大多数公司的域名与其注册商标或企业名称保持一致。从某种意义上讲，域名是企业商标在网络空间的合理延伸。因此人们形象地将域名称为"电子商标"。但域名的排他性要比商标和企业名称强烈得多。同一商标在不同国家或地区以及在不同类别可以由不同的人同时使用，域名则绝对排他，因为网络的活动空间是全球性的，网上用户的域名只能代表一个用户，一名不能二主。

正是由于域名的无形财产性质，有些企业或个人盗用知名公司或竞争对手的企业名称、商标名称注册为自己的域名，有些人则大量注册域名然后出售从中牟利。几乎每个国家都发生过这样的案例，我国如"长虹"、"全聚德"、"荣宝斋"、"同仁堂"等知名商标都曾被他人抢注为域名，由此产生的"电子商标"侵权和不正当竞争问题日益增多。这与传统商贸环境下的商标抢注行为一样，同属严重的侵权行为。一般认为恶意性地抢先将知名商标名称登记为域名后再转售或授权商标权人使用的行为构成商标淡化，是不公平竞争行为。我国有关部门已经颁布了《中国互联网络域名注册暂行管理办法》，被侵权企业可以结合《反不正当竞争法》有关条文，积极采取措施以保护本企业的合法权益，进行反抢注申诉。

参考资料

网络商业秘密的保护

网上商标侵权和域名抢注，各国有关判例大都认定为不正当竞争行为，除此以外，网络上的不正当竞争行为还有对他人商业秘密的侵犯。商业秘密是指那些不为公众所知悉，能为权利人带来经济利益，具有实用性并经权利人采取了保密措施的信息，包括技术秘密和经营秘密。目前各国主要用反不正当竞争法和专门的商业秘密法对商业秘密实施法律保护。

与前述专利权和商标权相比，商业秘密的所有人不享有绝对的专有权，他只能制止他人擅自披露或使用其商业秘密，或者制止他人用不正当手段获得商业秘密，因此对商业秘密的法律保护是极其有限的。某种信息欲构成受法律保护的商业秘密，通常须满足新颖性、实用性、保密性和秘密性的要求，其中保密性和秘密性是最重要的判断标准。与之相矛盾的是，某种信息一旦广泛传播，就很难作为商业秘密受到有效保护。因此，怎样从技术上使网络上传输的信息达到法定的秘密性要求，从而作为商业秘密依法保护，对维护商业秘密所有人的合法权益是颇有帮助的。但是，不宜将网上任何信息都作为商业秘密保护，那样做既不符合广大公众的利益，也有违网络的初衷。

另一方面，大的公司几乎都是跨区域运作，许多商业秘密或专利技术需要通过公用网络传输，因为公司不可能建立自己的跨地区专用通信网络。无论是一个企业还是一个国家，在现代高度发达的电子信息环境下，其商业秘密都有被窃之虞。互联网络开放的信息环境给商业间谍提供了更为直接地窃取商业秘密信息的机会和可能。因此，采取适当的措施做好网上信息的保密工作，是吸引更多的商业秘密所有人将其商业秘密通过网络传输的重要前提。商业秘密所有人是否愿意通过网络传输其商业秘密，很大程度上取决于该所有人是否相信其商业秘密中的秘密信息经网络传输不会受到侵害。所以，网络要成为一种传送商业秘密的工具就必须配备相当严格的保密措施，确保传送过程不被泄密，但到目前为止，尚没有不能被反向工程或其他方法所解密的信息。所以，除了采取技术加密措施外，还应制定相关法律来惩戒网上侵犯他人商业秘密的行为。

网络商业秘密信息保护主要有两个方面：一是运用网络安全技术和密码技术、密钥管理、电子签名、认证技术、智能卡技术、访问控制、防火墙技术等，使"黑客"和"商业间谍"的网络信息窃取不能在技术上实现。二是通过网络信息立法保护。我国在《反不正当竞争法》和《关于禁止侵犯商业秘密行为的若干规定》中都明确规定任何人不得"以盗窃、迫胁或者其他不正当手段获取权利人的商业秘密"。在网上突破企业防火墙，非法打入企业计算机信息系统窃取企业商业秘密，是在新技术环境下的不正当竞争行为乃至犯罪。我国 1994 年发布了《计算机信息系统安全保护条例》，1997 年发布了《计算机信息网络国际联网安全保护管理办法》，十分重视网络信息安全保护问题。1997 年 10 月开始实施的我国新《刑法》增加了惩治计算机犯罪和侵犯商业秘密行为的内容。"给商业秘密的权利人造成重大损失的，处三年以下有期徒刑或者拘役，并处或者单处罚金，造成特别严重后果的，处三年以上七年以下有期徒刑，并处罚金"体现了我国对商业秘密信息保护力度的加强。

资料来源：http：//www.chinalawedu.com/news/16900/175/2004/7/ma7770334834131274002411008＿126336.htm
2004 年 7 月 23 日。

【本章小结】

知识产权是国家通过法的形式所确认和保护的智力成果创造人所享有的权利以及商誉性标记的所有人所享有的权利的总称。一般包括著作权、专利权和商标权。知识产权法律制度的核心问题是协调知识产权权利个体与社会公众之间的利益矛盾。电子商务对传统著作权的影响是全方位的，并主要体现在对著作权的形式和内容两方面的影响。未取得著作权人许可及支付报酬的情况下，使用著作权人的作品，均构成侵权。反不正当竞争法是数据库法律保护的"终极武器"。协调知识产权权利人与社会公众之间的利益矛盾是知识产权法的核心问题。在电子商务环境下，侵权变得更为简单和猖獗；为了保证权利人的创作积极性，尤其要加强对其知识产权的保护力度。对作品比较适用著作权法保护。对数据库和其他工业产权则多采用反不正当竞争法来保护。

【复习与思考】

1. 试述知识产权的特征及分类。
2. 简述著作权取得的条件。
3. 了解电子商务知识产权法的特殊性。
4. 查阅相关资料，了解我国近年电子商务知识产权法律规定。

第8章

消费者权益保护与隐私权保护法律制度

欧盟与美国达成保护网上交易隐私协议

在经过两年半框架谈判和最近两天的具体协商之后，欧盟与美国谈判代表今天（2000年2月24日）在布鲁塞尔宣称，双方已就如何保护电子商务交易中的隐私在原则上达成一致意见。欧盟官员还宣称他们在如何将新的隐私法应用于银行系统方面占据了主动。

上述协议的达成意味着，欧盟与美国双方可以在不考虑欧盟隐私条令的情况下从事电子商务活动。该条令使得欧盟当局有权终止那些没有向相关部门提出申请的企业的网上数据传输。

美国公司很快将可以通过向包含一系列网络协议的"安全港"提出申请的方式与欧盟成员国的公民和公司进行网上交易，但同时须按照美国相关政策承诺遵从自我约束的隐私原则。

在上述协议最终获得通过之前，美国还需获得国内私营企业的认可，而欧盟则需获得欧盟委员会、欧洲议会以及由成员国代表组成的特殊小组的审评通过。

根据目前已达成的总体协议，网上交易公司在收集个人信息时必须就相关信息的用途向用户发出通知，在该信息被用于除最初收集目的以外的其他目的时也须通知用户。此外用户还有权获得了解上述信息的网上途径。自我约束的网上交易公司如未经"安全港"监视机构批准擅自开展业务，则该公司将会受到联邦贸易委员会、司法部以及州总检察官从事欺骗性经营活动的指控。

资料来源：新浪科技。

在传统的消费市场中，隐私保护一般不属于消费者保护的突出问题，现行消费者权益保护法也未作特别的规定。但在网上交易中，广泛使用的互联网技术已经引起了许多个人隐私方面的问题，消费者隐私保护变得非常突出，需要有针对性地制定特别的规则，加强对消费者隐私权的保护。

这一章主要学习隐私权的基本内容、电子商务中隐私权的保护问题及如何规范商家收集、利用和转让个人数据的行为等法律规制问题。

8.1　消费者权益概述

《中华人民共和国消费者权益保护法》（以下简称为《消费者权益保护法》），明确了消费者的权利，确立和加强了保护消费者权益的法律基础，特别是对于因提供和接受服务而发生损害消费者权益的问题，做出全面、明确的规定。该法第二章规定了消费者的 9 项权利：安全权、知情权、自主选择权、公平交易权、求偿权、结社权、获得有关知识权、人格尊严和民族风俗习惯受尊重权、监督权。

8.1.1　消费者的知情权

消费者的知情权，指消费者享有的知悉其购买、使用的商品或者接受的服务的真实情况的权利。我国 1994 年颁布的《消费者权益保护法》第八条即做了如上规定，该法律赋予消费者知情权，就是要让其明明白白地掏钱买东西。消费者以满足生活需要而购买商品或接受服务，因而，商品或服务只有在能满足消费者某种需求的情况下，才会被购买，否则，消费者的需求就不能得到满足。而一种商品或服务是否能够满足消费者的需求，只有在对该商品进行适当了解的基础上才能得知，所以，满足消费者的知情权是非常必要的。

同样，消费者实施正确的消费行为也是依赖于他对商品相关信息的了解，了解商品的真实情况是消费者正确判断选择的前提，只有在充分了解商品的功能、效用、外观设计、等级、规格、主要成分、产品日期等有关情况的基础上，消费者才能对自己花费一定数目的金钱购买该商品或者服务是否划得来，做出正确的判断，引导消费者做出让自己满意的选择。

在决定购物之前，消费者有权利了解一切与商品或服务有关的真实信息。具体包括三方面内容：

（1）消费者要了解商品或者服务的基本情况，主要包括商品的名称、注册、商标、产地、生产者名称、服务的内容、规格、费用等。

（2）消费者要了解商品的技术指标情况，主要包括用途、性能、规格、等级、所含成分、使用方法、使用说明书、检验合格证明等。例如消费者在网上买手提电脑，或家用电器，或酒类等食品，都须了解商品的技术指标情况。

（3）消费者要了解商品或者服务的价格及商品的售后服务情况，价格和售后服务情况是交易的关键性内容，直接关系到消费者的切身利益。只有在了解到商品的相关信息后，消费者才能做出是否购买的决定。

在传统消费情况下，消费者的知情权可以主动行使，但是在网上，知情权的实现就完全依靠网络服务经营者所提供的商品的相关信息。

当我们进行网上购物，一切都是虚拟的，消费者在交易的过程中根本接触不到商家，更不能亲身感受到商品的相关信息，能了解商品最根本的途径就是广告，通过网上广告宣传来了解商品信息，所以广告对于消费者知情权的行使起很大的作用。因此对网络宣传性广告的要求就更加严格，其必须客观真实，从而引导消费者在整个消费过程中做出正确的判断。

我国《反不正当竞争法》第九条规定：经营者不得利用广告或者其他方法，对商品的质量、制作成分、性能、用途、生产者、有效期限、产地等作引人误解的虚假宣传。网络广告纷繁多样，消费者很难就某种商品或服务及其真实的使用价值和价值做出较为准确的判断，处于非常不利的被动地位，他们往往会因各式各样的极具诱惑的广告而被掩住耳目，失去判断力。

加之在虚拟空间里，消费者不能直接接触到商品，也就更加依靠广告的提示来判断此类商品是否就是自己所需。同时，消费者购买决策的做出，也都是基于对商品真实情况的了解，若对商品做出引人误解的宣传，就会对消费者产生误导，这种情况下不但欺骗了消费者，更侵犯了其合法权益。在网上发布虚假的、不真实的广告，不仅违反了商业道德和诚实信用原则，更重要的是侵犯了消费者的知情权。

可见，网上做出的宣传性广告牵引着消费者的消费倾向、消费欲望。所以，不真实的广告信息，会影响消费者做出错误的判断，买到不称心的商品；会让消费者感到自己在网上购物容易上当受骗，从而对网上购物丧失信心，给电子商务这一新兴产业在发展道路上造成障碍。因而，保证消费者在网上获得真实的商品或服务的信息，是电子商务法严格遵从的原则，也是电子商务得以健康发展的基础。

1997 年 5 月 20 日，欧盟通过了《关于远距离合同订立过程中对消费者保护的指令》。该指令的立法目的是在欧盟范围内协调一致各成员国有关在远距离缔结合同过程中旨在保护消费者权益的法律措施，"远距离合同"就涵盖了企业和消费者之间通过销售方的远程销售网络。其对消费者的首项保护措施就是规定了"预先告知条款"，该条款规定，在远程合同订立前，货物或服务供应商有义务向消费者提供有关供应商身份、货物或服务性能特点、价格、送货费用、付款及送货方式、消费者撤销订购的权利、可能计入远程通信费用、报价的有效性等信息。

依目前我国网络商城状况看，一些商品能满足消费者的知情权，可是在网上购买信息化商品和服务时消费者的知情权就得不到满足，原因在于网络服务经营者在软件销售界面上仅仅提供了价格及很小的一张图片，并没有对软件内容进行具体介绍，以至消费者在不知晓此类商品具体信息的情况下就要接受格式合同、付款，这显然没有满足消费者的知情权。

这类商品，如消费者决定购买，并且通过网上银行支付了现金，当网络服务经营者将商品从网上直接传递给消费者之后，消费者却发现此软件并非自己所需，便要求退货。而网络服务经营者则又怀疑消费者在退货前已经将软件复制，因而拒绝退货。导致这种双方僵局的直接原因，就是在消费者购物以前，网络服务经营者没有充分满足其知情权。所以，消费者要求退货是其正当的权利，应该支持。反之，如网络服务经营者提供了商品的充分信息，消费者又无正当原因要求退货的话，根据软件产品可随意复制这一特殊情况，网络服务经营者有理由怀疑产品已被复制而拒绝退货。

8.1.2　消费者的公平交易权

公平交易权，就一般意义而言，是指交易双方在交易过程中获得的利益相当。而在消费性的交易中，消费者的公平交易权就是指消费者获得的商品和服务与其交付的货币价值相当。

我国 1994 年颁布的《消费者权益保护法》第十条规定：消费者享有公平交易的权利。这为消费者切实享有公平交易权给予了法律上的保证。消费者所享有的公平交易权主要体现在两方面：

（1）有权获得质量保障、价格合理、计量正确等公平交易条件。质量保障是消费者在购买商品或接受服务时对经营者的基本要求，这是关系到人体健康和人身安全的重大问题。价格合理充分地体现了等价交换的原则。所谓合理的价格，即商品或服务的价格应该符合国家物价规定，与价值相符。价格是否合理，直接关系到消费者的财产利益是否得到实现。计量的准确则直接涉及消费者的经济利益。因此，经营者在提供商品或服务时，必须保证质量、价格合理、计量正确。

（2）消费者有权拒绝经营者的强制交易行为。有的经营者在掌握了人们非常需要而又十分紧俏的商品或服务时，往往违反平等自愿、公平交易的市场准则，违背消费者的意愿强制交易，从而损害了消费者自主选择商品或者服务的权利，侵害了消费者的合法权益。因此，消费者在自己的公平交易权受到侵害时，有权依法要求经营者改正错误，提供质量好、价格合理、计量正确的服务，有权拒绝强制交易，并获得合理的赔偿。消费者享有公平交易的权利。消费者在购买商品或者接受服务时，有权获得质量保障、价格合理、计量正确等公平交易条件，有权拒绝经营者的强制交易行为。

8.1.3　消费者的自由选择权

所谓消费者的自由选择权，是指消费者有权自主选择提供商品或者服务的经营者，自主选择商品品种或者服务方式，自主决定购买或者不购买任何一种商品、接受或不接受任何一项服务。

我国《消费者权益保护法》第九条规定，消费者有自主选择商品或者服务的权利。就是说，消费者选购商品或接受服务的行为必须是自愿的，不必以经营者的意愿为自己的意志，主动权在自己手中。同时消费者自主选择商品和服务的行为必须合法，不能把自主选择权建立在侵害国家、集体和他人合法权益之上。此外自主选择权通常只能限定在购买商品或接受服务的范围内，不能扩大到使用商品上。

消费者的自由选择权在网上购物活动中能够充分体现，网上购物最大的特征是消费者主导性，购物意愿掌握在消费者手中，其可以根据自己不同的意志加以选择，择优选取。每个消费者都有不同的品味、爱好和特殊的要求，其购物选择也许是为了满足自己的生活需要，也许是心情的需要，或者是满足他人的需要等。消费者在网上购物，一般是依据广告的内容来选择消费对象，但是对于一些商家通过电子邮件擅自发送商业性广告这一现象，消费者有话要说。

调查中小部分的消费者表示，邮件广告虽然广泛，但却很少能带来真正利益，而大部分消费者则认为邮件广告不但不能给带来利益，还非常占用信箱空间，更糟糕的是经常会将重要的信件"挤"走！以至于消费者一见到信箱里有广告邮件就马上删掉，可见广告邮件既不能带来方便又在无形中增加了上网费用，使消费者的财产受到一定的损失。对于广告邮件，消费者将它称为垃圾邮件，并表示对于这些垃圾邮件，自己无法选择。

目前政府部门已经着手制定有关法律规定，制止垃圾邮件的蔓延。2000 年 5 月 15 日，北京市工商行政管理局已经出台了《关于对利用电子邮件发送商业信息的行为进行规范的通告》，该通告明确规定：

（1）互联网使用者利用电子邮件发送商业信息应本着诚实、信用的原则，不得违反有关法律法规，不得侵害消费者和其他经营者的合法权益。

（2）互联网使用者利用电子邮件发送商业信息，应遵守以下规范：未经收件人同意不得擅自发送；不得利用电子邮件进行虚假宣传；不得利用电子邮件诋毁他人商业信誉；利用电子邮件发送商业广告的，广告内容不得违反《广告法》的有关规定。

这个通告是我国第一部关于邮件广告的法律法规，对其他省市做出同类规定无疑有重要的指导作用。其实网络广告，对于信息社会服务获得融资支持有帮助，以及对发展广泛的新型免费服务意义重大。为了保护消费者利益，保障公平竞争，商业性宣传（包括价格打折、促销优惠、促销竞争或游戏）必须符合多个透明度要求，让消费者有充分的选择自由。欧盟在其

"电子商务指令"中表示：通过电子邮件擅自发送商业性宣传——类似于擅自向别人的邮箱里塞广告宣传品，此类邮件危害很大，因为信息接受者在下载这些无用信息时还要支付网络费和通信费，而且还可能干扰交互性网络的正常运行，造成网络阻塞或者通信速度缓慢。因此，在任何情况下，擅自发送的商业性宣传材料都必须被明确标明，并且不应该导致消费者（接受者）通信费用的增加。

8.1.4 消费者的安全权

安全，指没有危险、不受威胁、不出事故的状态，是消费者在整个购物过程中的一种最基本的心理需求。我国1994年颁布的《消费者权益保护法》第九条规定，消费者具有安全权。所谓消费者的安全权，分为消费者的人身安全权和财产安全权。只要是在购买、使用商品或接受服务过程中，消费者的人身、财产安全受到损害，消费者就有权要求赔偿。

对于网上购物的消费者来说，消费者的安全权，具体指人身安全权和财产安全权。

（1）人身安全权。消费者在购买、使用商品和接受服务时，首先考虑的便是商品和服务的卫生、安全因素，不希望因卫生安全方面存在问题，导致生病、身体受到伤害，甚至产生生命危险。所谓消费者的人身安全权，就是指明消费者在网上所购买的物品不会对自己的生命和健康受到威胁。现在网络商店所提供的商品种类愈来愈多样化，消费者所选购的范围也愈来愈广，这就要求网络商品的提供者对商品的安全性有足够的质量及安全性保障。与传统的消费者一样，从网上购买商品的消费者也有获得质量合格的商品的权利，质量不合格的商品也许就会给消费者的人身带来损伤，如从网上购来的食品过期或变质，就很可能伤害消费者的身体健康；网上买来的家用电器缺乏安全保障，一旦出事，也会给消费者带来人身伤害。给消费者的生命和健康带来损害，就是侵犯了消费者的安全权，违反了我国《消费者权利保护法》和《民法通则》的相关规定，会令消费者丧失对网上购物的信心。

（2）财产安全权。消费者的财产安全权，指消费者的财产不受侵害的权利。通过网络银行支付货款对消费者的财产安全权有一定的威胁。由于国际互联网本身是个开放系统，而网络银行的经营实际上是变资金流动为网上信息的传递，这些在开放系统上传递的信息很容易成为众多网络"黑客"的攻击目标。目前多数的消费者不敢在网上上传自己的信用卡账号等关键信息也是基于这个原因，就是担心自己的财产权受到侵害，这同时也严重制约了网络银行的业务发展。我国网络商场采取的支付手段还是邮寄或当面交易，所以，在传统支付法律体系下，电子支付的交易安全就无法保障。以法律来保障消费者进行电子支付过程中的财产权，我国目前困难重重，只有从技术上来保证消费者信用卡的密码不会被泄露，如果网络银行达不到规定的要求，就要承担赔偿责任。

8.1.5 消费者的损害赔偿权

消费者的损害赔偿权，又称求偿权或索赔权。实施这种权利的前提就是消费者在购买、使用商品或接受服务时，人身权和财产权受到侵害。这里的人身侵害包括消费者的生命健康权、姓名权、名誉权、荣誉权可能受到的侵害等；财产侵害包括直接的财产损失和间接的财产损失。对于商品的购买者、商品的使用者、接受服务者以及在别人购买、使用商品或接受服务的过程中受到人身或财产损害的其他人而言，只要其人身、财产损害是因购买、使用商品或接受服务而引起的，都享有求偿权；商品的生产者、销售者或服务者均要承担赔偿责任，而不论其是否有过错；除非是出于受害者自己的过错，如违反使用说明造成的损害，则商品的制造者、经销者不承担责任。

损害赔偿权是利益受损时所享有的一种救济权，可以通过这种权利的行使，给消费者的损害带来适当的补偿。在传统的消费模式中，如果消费者的人身或财产权受到损害，消费者可以直接找到提供商品和服务的一方，请求赔偿。

按照法律规定，消费者除因人身、财产的损害而要求获得赔偿损失这一最基本、最常见的方式之外，还可以要求其他多种民事责任承担方式，如修理、重作、更换、恢复原状、消除影响、恢复名誉、赔礼道歉等。

在网络交易中，由于消费者和商家互不见面，我们首先要考虑到，当消费者利益受损时，应该找谁请求赔偿？

目前，国外的电子支付比较普及，在这种情形下，消费者对商家信誉的信心都寄托于为交易提供服务的第三方，如 CA 中心和收款银行。其中 CA 中心能够核实商家的合法身份，收款银行则能掌握商家的信誉情况。一旦因商家不付货、不按时付货或者货不符实，或因货物的质量问题而给消费者带来人身伤害时，可以由银行先行赔偿消费者，再由银行向商家追索损失，并降低商家在银行的信誉。如果商家屡次违规，给消费者造成损害，银行可以取消商家电子支付的账号，并可以将商家的违规情况通报给 CA 中心，由 CA 中心将其记入黑名单，情况严重时，可以取消商家的数字证书，由此商家将失去开展电子商务的权利。

国内，依我国电子商务的发展近况而言，信用卡制度还不完善，所以一般都采取邮购方式，北京等一些大城市会有货到付款的方式。电子商务远程销售为消费者修理、更换、退货带来不便和费用的增加，除非经营者在消费者所在地设置配送中心。在传统购物环境下，对消费者在一定的冷静期内退换货的权益，《消费者权益保护法》第四十六条做了如下规定："经营者以邮购方式提供商品的，应当按照约定提供。未按约定提供的，应当按照消费者的要求履行约定或者退回货款；并应当承担消费者必须支付的合理费用。"

在电子商务中，网上购物程序颇有些类似"隔箱断货"，在消费者检验商品质量之前就已完成付款，在收到商品后的合理期限内能否无理由退货并免于承担退货费用？

这个问题德国通过的保护通过互联网购买物品和接受服务的消费者权利的新法律均给予肯定规定，值得我国立法借鉴。这个新法律规定，从顾客收到所订购的商品的日期算起，顾客可在 14 天内将不满意的商品退还，所需费用由供应商负担。如果供应商将顾客根本没有订购的商品寄给顾客，顾客没有义务退还或保存该商品。如果在网上交易中，顾客的信用卡被第三者盗用，发卡银行必须赔偿损失。这个新法律也适用于信件和电话购物。

8.2　消费者权益保护问题

消费者权益保护问题是随着法律对社会经济生活的规范调整而逐步产生的。它是西方社会从自由竞争资本主义向垄断资本主义过渡中产生的，也是民法学从近代民法向现代民法过渡中逐步形成的一个法律问题。

由于科学技术的发展，使生产过程和生产技术高度复杂化，消费者根本无法判断商品的品质，不得不完全依赖生产者；由于各种推销、宣传、广告手段的采用，使消费者实际上处于完全盲目的状态，听任其摆布。

因此，现代民法在维持民法典关于抽象人格的规定的同时，又从抽象的法律人格中，分化出若干具体的法律人格。消费者也在这一变化的过程中成为一定的法律人格类型，出现在特别法上，并加以特别保护。所谓消费者，是指为了满足个人生活消费的需要而购买、使用商品或接受服务的居民。

8.2.1　电子商务与消费者权益保护

所谓消费者权益，是指消费者依法享有的权利及该权利受到保护时而给消费者带来的应得利益。计算机和通信技术的飞速发展，使得全球经济环境在一夜之间就发生了翻天覆地的变化。电子市场的持续高速增长，消费者可以在世界任何地方，在每天的任何时间里进行购物。同样，商家也可以以迅捷的方式、低廉的成本接触到世界各地的消费者。

电子商务交易有两个特点明显区别于传统的商品交易：一是消费者只能通过广告获取有关商品的信息，而不能实际地观察、挑选和检验商品，在经营者没有进行充分公开或公开虚假信息时往往使消费者的利益受到损失；二是货款不能即时当面清结，在电子商务交易中，一般由消费者先向经营者汇款，并说明欲购的商品，后者收到汇款才发货。在实践中，有的经营者利用通信交易的这一特点，以虚假不实的广告，诱使消费者购买质次价高商品，或是收到货款后拖延邮货，或是以邮售为名，行诈骗之实。在这种情况下，消费者如何保护自己的权益？在传统的交易中，即使消费者和商家面对面地进行交易，消费者的权益也常常受到侵害，那么在电子商务时代，是什么能让消费者放心呢？或许只有法律能做到这一点。

因此，电子商务对消费者权益保护工作提出了新的挑战：消费者面临着可获得法律保护和损害赔偿的考虑，商家也面临着管理环境的成本和可预见性的考虑。

8.2.2　电子商务环境中的消费者权益保护立法

1. 电子商务消费者权益保护的国际主要立法对策

（1）经济合作与发展组织（OECD，简称经合组织）。1999年12月8日，经合组织在巴黎通过了一系列关于保护消费者和鼓励全球电子商务的持续发展的指导原则。经合组织秘书长Donald Johnston指出，这标志着该组织在鼓励企业和消费者进行跨国电子贸易方面所取得的重大进展。他指出，如果消费者对电子商务没有信心，则无论技术上取得怎样的进步和突破，电子商务绝对不可能实现巨大发展。经合组织制定的《电子商务环境下的消费者保护准则》对从事电子商务的企业发出呼吁：公平地进行贸易、广告和市场营销等商业活动；向消费者提供关于企业、产品或服务，交易条款和条件准确无误的信息；交易的确认过程应做到透明化；要建立安全的支付机制；及时、公正、力所能及地解决纠纷和给予赔偿；保护消费者的个人隐私。在总原则上，准则强调的是如何对消费者进行保护。

《经合组织关于电子商务中消费者保护指南》由经合组织会议于1999年9月通过，该指南的制定是为了确保在线消费者所获得的保护程度不低于通常购物等其他商业形式中所受的保护，通过对B2C这种电子商务形式中有效保护消费者权益的解释，这部指南希望能够有助于减少电子商务中消费者与经营者双方之间在进行在线买卖时的不确定性。这部指南将会有助于政府、企业和消费者组织建立与实行消费者保护机制，并且不会造成贸易壁垒。这部指南反映出在更为传统的商业模式中现有法律对消费者的保护、鼓励包括消费者代表参与的组织的自我保护行为，并且强调了政府、企业与消费者之间共同合作的必要性。其目的在于鼓励公平地进行交易、广告宣传和市场行为，鼓励电子商务企业对其身份及其所提供的商品或服务和交易条件提供真实的信息，鼓励事务确认过程的透明性、支付机制的安全性，鼓励建立公平、及时有效的争端解决和救济机制，鼓励对个人隐私的保护，以及对消费者、经营者的教育。

（2）欧盟。欧盟于 1997 年颁布了《欧盟关于远距离合同中消费者权益保护指令》。该指令的宗旨是为了在欧盟范围内协调有关在利用远距离通信技术订立合同的过程中涉及的消费者权益保护的法律问题。该指令第四条第一款，规定了商品或服务的提供者在通过网络与消费者签订合同时，必须预先告知消费者一切与合同有关的信息（包括商家的名称、地址、买卖条件、付款方式、运送方式、要约的有效期限以及相关费用情况等），以充分保证消费者的知情权，并规定消费者在收到商品之日起的 7 天内拥有绝对的合同解除权（即退换货权）。但是，该指令同时在第六条第三款也规定了消费者不能行使绝对解除权的例外情形。

1999 年 2 月欧盟部长会议提出的《信息高速公路上个人数据收集、处理过程中个人权利保护指南》更强调作为网络服务提供者对消费者在参与电子商务活动时个人隐私权与相关数据信息的秘密性必须严格保护的责任，如明确告知义务、不得滥用消费者的个人信息等。

（3）美国。美国涉及对消费者权益保护的法律主要有《统一消费信用法典》、《公平信用报告法》、《消费信用保护法》、《隐私权法》和《信用机会平等法》等。这些法律对消费者的保护体现在：保护消费者的隐私权；保护消费者不受到骚扰的权利；消费者有权选择不让信用局公布自己信息的权利；消费者有拒绝提供和自己贷款、办理保险等无关的个人信用信息的权利。

美国国会制定的《儿童在线隐私保护法》（2000 年 4 月生效），责成联邦贸易委员会制定规则，规范对 13 岁以下儿童在线收集和使用个人信息的行为。由于儿童是未成年人，该法要求网站经营者在儿童处收集和披露信息时，必须予以告知并经家长同意。美国一些州也对消费者隐私保护问题进行了专门立法，如纽约州正在寻求限制网上服务的提供者和金融机构在网上收集和披露个人信息的范围。

总的来说，美国政府一向主张采取行业自律的方式来实现对电子商务环境的规范，以避免对电子商务的发展造成人为妨碍。美国网上计算机信息交易的基本规范——《统一计算机信息交易法》体现的这一立法主张，被很多学术界和实务界人士指责为对消费者权益保护不利，过于偏袒商业组织的权益。

（4）其他国家与地区。许多成熟市场经济国家或地区亦采取以专门立法的方式来保护电子商务中消费者权益的立场。如德国 1997 年通过的《信息与通信服务法案》、1976 年制定的《通信教育受讲者保护法》及 1985 年制定的关于消费者在访问销售及类似交易中解除合同的法律，英国 1974 年制定的《消费信用法》，日本 1988 年修订的《访问交易法》和我国台湾地区的《消费者保护法》等，均体现出有关国家和地区对电子商务发展的重视及对其中消费者权益保护等一系列法律问题的密切关注。

2. 完善我国电子商务消费者权益保护问题的相关建议

综观我国立法现状，对电子商务中消费者权益的法律保护，可参照的现有法律法规有《民法通则》、《合同法》、《消费者权益保护法》、《产品质量法》、《反不正当竞争法》、《广告法》、《电信条例》、《计算机信息网络国际联网管理暂行规定》、《计算机信息网络国际联网安全保护管理办法》等。这些法规内容简单、散乱，缺乏可操作性，远远不能适应电子商务的迅速发展和对消费者权益保护的迫切需要。《电子签名法》也并未涉及对消费者权益的保护问题。北京市工商行政管理局 2000 年发布的《北京市关于在网络经济活动中保护消费者合法权益的通告》，成为我国在这方面的立法先驱。在我国，加强对电子商务消费者权益保护的法律研究和立法，已是迫在眉睫。在这里，通过借鉴国外在电子商务立法，特别是网上消费者权益保护方面的立法经验，并结合我国的实际情况，我们应从以下多个方面着手。

（1）统一进行立法规范。为适应电子商务迅速发展的迫切需要，可先对现行《消费者权益保护法》与《广告法》进行完善和修改，制定具体的、有操作性的法律条文，甚至可以采用在《消费者权益保护法》中增补有关电子商务消费者权益保护专章的方式。待时机成熟时，再考虑制定专门的"网络消费者权益保护法"。

比如，网络广告具有流动性、形式多样性以及影响范围的广泛性等特征，而我国现行《广告法》对于网络广告又并未进行特别的规制，这就使得网络广告的法律规范处于真空地带。因此，针对网上的虚假广告、不正当引诱和非法传销等行为，应制定明确的规则，对现行《广告法》进行修改和完善。在传统商业交易中，隐私权的保护一般不属于消费者保护的重点问题。在网上交易中，消费者隐私的保护却变得非常突出，而现行《消费者权益保护法》也未做出特别规定。因此，我国应在借鉴国外先进立法经验的基础上加快有关网络隐私权保护的立法。

（2）综合运用行业自律、民事、行政和刑事多种保护方式。设置相应的行政监测体系，如网上投诉网站，辅之以强硬的措施与手段，严厉打击各种扰乱市场经济秩序的违法行为，为企业和消费者创造出一个公开、公平、公正且相互信任的市场环境。在行政监管方面，政府相关职能部门应给予正确的引导、扶持，并加强监督管理。当然，鉴于网上侵权行为的复杂性、隐蔽性以及技术的先进性，就必然要求具备识别违法行为的高科技手段和高素质人才。

（3）技术与法律两方面提高电子商务安全性。网上交易安全问题一方面源自技术层面，另一方面源自商务层面。对于前者可以通过加密、认证等技术措施的开发应用，并辅以立法保障加以解决。例如：建立安全认证体系（CA）；选择安全标准（如 SET、SSL、PKI 等）；采用加、解密方法和增加加密强度。其中，建立安全认证体系是关键。网上交易与传统的面对面或书面的交易方式不同，它是通过网络传输商务信息和进行贸易活动的。网上交易的安全问题意味着：①有效性。保证网上交易合同的有效性，防止系统故障、计算机病毒、黑客攻击。②保密性。交易的内容、交易双方账号与密码不被他人识别和盗取。③完整性。防止单方面对交易信息的生成和修改。所以，电子商务的安全体系应包括：安全可靠的通信网络，保证数据传输的可靠完整，防止病毒、黑客入侵；电子签名和其他身份认证系统；完备的数据加密系统等。对于商务层面的安全问题需要强化商业信用，促进商家服务意识与服务质量的提高。

（4）积极参与国际合作。"网络无国界"，跨国消费、跨国欺诈日益增多，由此而涉及的司法管辖权问题等法律冲突也将日益突出，这就要求我们加强与世界各国的通力合作，通过签订双边或多边条约、国际公约等协调解决，以更好地保护国内消费者的合法权益。目前电子商务国际谈判主要集中在少数国家之间，这样的国际磋商机制与网络的基本原则与规律是不相符的，不利于国际框架的形成。因此，我们要积极参与到各国政府、国际组织举行的双边、多边谈判和有关法规、标准的制定工作中去，努力建立一个国际社会普遍接受的电子商务国际框架，给电子商务消费者营造一个平等、合理、安全、有序的参与环境。

8.2.3　经营者的信息披露义务

在电子商务中，消费者只能通过广告获取有关商品的信息，而不能实际地观察、挑选和检验商品，在经营者没有进行充分公开或公开虚假信息时往往使消费者的利益受到损害。因此，经营者的信息披露义务对消费者而言具有十分重要的意义。

欧盟《关于内部市场中与电子商务有关的若干法律问题的指令（草案）》（《电子商务指令》）对经营者的信息披露义务做出了规定。

（1）经营者应当提供的基本情况。信息服务的提供者应当提供的基本情况包括服务供应商的名称；地址；联络方式，注册号码；有关当局的联络方式；在税务当局注册的增值税号。

（2）经营者应当提供的商业信息。经营者提供的商业信息，应当符合以下条件：①商业信息传播应易于识别；②从事商业信息传播的自然人或法人应易于识别；③各种促销优惠措施，须详细无误地予以说明；④各种促销游戏和竞赛活动应易于识别。

（3）订立合同时的披露义务。在订立电子合同的情况下，经营者应当向消费者告知以下情况：①订立合同的各项步骤；②合同订立后是否存档备案以及是否可以查阅；③修正人为错误的方法。

8.2.4 消费者的"冷却期"权利

在电子交易中，因消费者没有机会检验商品，加之交易的内容没有充分公开，这可能会造成消费者意思表示不完全。为保护消费者的权益，许多国家的法律赋予消费者在一定期间内试用商品，并无条件解除合同的权利。这无条件退货或解除合同的期间，被称为"冷却期"或"犹豫期"。以下以欧盟《远距离规则》为例加以说明。

根据欧盟《远距离规则》的规定：除非有例外情形，在货物交付或涉及服务条款的合同缔结日起 7 日以内（冷却期），消费者享有无条件解除合同的权利。

在供应商没有以适当方式提供必要信息的情况下，冷却期将延长 3 个月。如果信息是在 7 天之后提供的，那么，从信息提供之日起算。一旦合同被解除，供应者必须在收到通知 30 天内退还消费者支付的任何款项，任何相关的信贷协议也自动解除。但是，在归于消费者自身的原因或商品本身的特性不能解除合同的情况，消费者一般不能主张退货或解除合同。这即是犹豫期的除外情形。欧盟《远距离规则》规定的例外情形有：

（1）服务的契约本于消费者同意，服务已经开始，而在 7 天期间届满者；

（2）货物或服务的价格随金融市场波动而变化非供应者所能控制者；

（3）所销售的商品系应消费者所定的规格或个人化需求或商品依其本质无法退货或易于恶化或过期；

（4）视听记录或电脑软件一旦被消费者启封；

（5）报纸、期刊与杂志订阅合同；

（6）游戏或射幸合同。

日本《访问交易法》规定的"冷却期"或者"犹豫期"是 8 天。在消费者解除合同的情况下，供应商必须返还消费者支付的款项，但供应商有权扣除因返还原物的直接费用。也就是说，消费者只承担因返还该商品而产生的直接费用，其他一切费用由经营者承担。

8.3 电子商务中消费者隐私权概述

8.3.1 隐私权

隐私是一种与公共利益、群体利益无关，当事人不愿他人知道或他人不便知道的信息，当事人不愿意他人干涉或他人不便干涉的个人私事，以及当事人不愿他人侵入或者他人不便侵入的个人领域。隐私权是自然人享有的对其个人的、与公共利益无关的个人信息、私人活动和私有领域进行支配的具体人格权。

通常认为,其基本内容包括以下四项权利:①隐私隐瞒权。权利主体有权对于自己的隐私进行隐瞒,不为人所知。这种隐瞒,不是不诚实的表现,而是维护自己的人格利益的需要。②隐私利用权。公民对于自己的个人资讯进行积极利用,以满足自己精神、物质等方面的需要。这种利用是自我利用,而不是转让他人利用。③隐私维护权。公民对于自己的隐私享有维护其不可侵犯的权利,在受到非法侵害时可以依法寻求司法保护。④隐私支配权。公民对于自己的隐私有权按照自己的意愿进行支配,可以公开部分隐私,准许对个人活动和个人领域进行查知,准许他人利用自己的隐私。

对于隐私权的法律保护,历来有两种方式:一种是直接保护方式,对侵害隐私权的行为直接确认为侵害隐私权。另一种是间接保护方式,即不认为侵害隐私权是一种独立的侵权行为,而是依侵害名誉权或者侵害自由权,而追究加害人的民事责任。

我国《民法通则》对隐私权没有明文规定。依据最高法院的司法解释,对隐私权造成名誉损害的,依侵害名誉权处理。在实务中也是采用的间接保护的方式。但这种间接保护方式是不完备的,许多侵害隐私权并不造成名誉损害的行为,无法用这种间接保护方式予以救济。较好的方法,还是使用直接保护。

我国司法实务对隐私权的保护应当逐步从间接保护方式向直接保护方式转变,以便更好地保护公民的隐私权。侵害隐私权的行为主要有以下几种:

(1)打探、调查个人情报、资讯,包括一切与公共利益无关的个人情报和资讯。

(2)干涉、监视私人活动。如监视私人活动,准许或不准他人从事某种私人活动等。

(3)侵入、窥视私人领域等。

(4)擅自公布、非法利用他人隐私。

8.3.2 电子商务中的隐私权问题

在资讯通过网络由世界各地传输到个人的计算机内供我们使用时,我们的个人数据也可能同时散布到世界各地,暴露于公众之中,并且极有可能被陌生人士阅读甚至利用,隐私被窥探可能性随之大增。

许多电子商店在消费者进入购物时,往往要求消费者输入许多个人数据,例如姓名、地址、职业、电话、电子邮件地址、薪资等;有些业者更采取会员制;要求须提供上述各项个人资讯登录加入为会员,方可进行购物。诸如此类收集个人资讯行为,无疑涉及了隐私保护之法律问题。然而,若承认为了要享受科技对人类生活所带来的进步便利,便必须牺牲个人隐私权以作为交换代价,无疑是难以让人接受的。

在电子商务环境中,隐私权主要涉及的是个人数据的利用和保护问题,下面我们专门介绍个人数据问题。

8.3.3 电子商务中侵犯隐私权的主要形式

网上侵害他人隐私权是指未经许可,擅自通过互联网站上自己或他人的主页,将特定的他人隐私公之于众,或擅自通过向第三人、第四人、众多其他人发送电子邮件的方式张扬特定的他人的隐私,情节恶劣、后果严重的行为。而在网络与电子商务环境下,个人信息,包括个人资料、消费习惯、阅读习惯、交往习惯、通信信息等,又都更容易被商家和网络经营者收集和利用;侵犯用户隐私权的形式、手段也更加多样化。

(1)非法进入个人计算机系统。随着计算机和因特网的实际使用,发送电子邮件、网上购物、在家办公、远距离诊断等日益成为人们日常生活中的重要部分。这样很多个人信息，如个人收发的邮件、收入支出、教育情况、健康与医疗情况、婚姻和家庭情况、地址、出生日期、身份证号码、信用卡账号等通常被储存在个人的计算机系统内，而利用高超技术非法进入个人计算机系统已不是一件困难的事，近年频频曝光的黑客入侵信息网络、破坏系统的事件足以说明。而非法破坏系统就如同非法侵入住宅进行偷窥、盗窃或搞破坏一样，是对个人隐私权的粗暴干涉和严重侵害。

有些网站只顾访问量，放松网络安全，置广大用户的信息安全于不顾，也给这些非法入侵者可乘之机，下面这个例子就是一个代表。一位计算机黑客攻破了互联网服务提供商 Resonant 公司的安全系统。他采用代理服务器，轻而易举地进入了 Resonant 公司的用户数据库（原来只有本公司的内部网用户才有可能进入的），并获得了超过 2.4 万名用户的名字、地址、密码和信用卡的详细信息。这位黑客说整个过程如同儿戏，该公司几乎没有安全保护，他攻击 Resonant 主要是为了强调该公司的网络安全有漏洞，给他们一个小教训。

（2）未经许可截取、浏览、持有、篡改他人的电子邮件。如黑客侵入篡改邮件内容，再发给收信人；利用技术监看他人电子邮件（如同私拆他人信件）；公司监看员工信件等，都严重侵害了公民的通信秘密与通信自由的权利。

（3）擅自在网上宣传、公布他人隐私。利用发送电子邮件、聊天室、新闻组等方式，非法将他人隐私暴露等。例如，1996 年法国总统密特朗的私人医生写了《大秘密》一书，司法机关裁定不准出版，但被人全文输入互联网，立刻流传到全世界。

（4）未经许可披露个人数据或将数据挪作他用。个人数据隐私权主要涉及 3 个方面的侵权问题：①不当收集和利用了个人资料，侵害了个人的隐私权、个人资料的享用权；②利用现代化信息技术不当地搜集、窥视、公开他人私事（私生活）即构成对他人隐私的侵犯；③个人自主、独立生活的权利或独处的权利，主要保护个人可以独立自主地、不受干扰地生活的权利。在网络环境下我们主要研究第一类隐私和侵权行为，即通过不当收集、擅自开发利用或转让个人数据，侵犯隐私权。这是因为它是在网络技术环境下发生的特殊问题，同时它与消费者的保护息息相关。当个人在网上浏览、咨询或购物时，总被要求填写一系列表格以确定浏览者的身份，这些表格中往往包含太多的个人信息，如姓名、性别、生日、家庭地址、电话号码、信用卡账号、E-mail 地址、个人爱好、职称等。出于网络交易和接受服务的需要，用户不得不在网络上向各类经营者提供包含许多涉及个人隐私的数据资料。商家为了业务需要进行必要的数据收集有一定的合理性，但它应对个人信息安全负责。而一些网络经营者却往往不经资料主体的同意，擅自泄露、披露个人数据或将数据挪作收集目的说明以外的用途，包括未经所涉个人的同意，不同公司将各自收集的个人信息相互交换或直接买卖，其行为构成对个人隐私权的侵犯。

（5）非法搜集、获取、利用个人数据。当人们在网上漫游、自由冲浪时，可能没有意识到他们的个人身份信息正一点一点地泄露在网上，人们在网络上的"行踪"（个人所到访的网站、消费习惯、阅读习惯甚至信用记录等）常常在毫无知觉的情况下被记录下来。有人就会搜集这些支离破碎、看似无用的信息，并把它们组合或集中起来，在所涉个人完全不知情的情况下，非法持有、获取个人隐私，或转售给其他商业组织。网络上已出现了专门出售个人资料的公司，它们通过各种渠道搜集了很多人的个人资料，而后明码标价公开出售，这种公司还颇有市场，对个人隐私权的保护构成了极大的威胁。

8.3.4 个人数据的保护

（1）个人数据的概念。各国关于个人数据的范围是十分广泛的，个人数据包括一切有关个人的信息，从生理的到思想的，从个人本身的到社会关系的，从有生之年到死后，还包括了人们对他的评价。

（2）个人数据的利用与控制。电子商务时代的来临，使人们的生活方式受到日益明显的改观。但是，网络的开放性同时也给个人隐私权的保护，造成了极大的困难。因为很多在线服务提供者能够收集到有关用户的各种信息，包括姓名、地址、信用状况、统计数据，以及线上交易的各种细节，如交货日期、数量等。服务提供商能够将这些信息存储在网络上的任何地方，随时调取使用，为顾客提供新的服务。收集过程有时是公开的，有时却在用户不知晓的情况下进行，由此而产生了隐私权的保护问题。而且，还有许多网上的电子产品，甚至可以通过客户购买该产品的时机进入客户的计算机系统，任意妄为，收集用户的系统信息。电子商务中所涉及的隐私权保护问题主要有三类：个人数据的收集，个人数据的不合理开发利用，个人数据的侵害。

个人数据的收集。目前，大多数网上经营者都要求消费者在交易前登记自己的个人数据，同时又很少说明收集这些资料的理由、使用目的以及处置方式，也不对消费者提供信息之后的权利给予说明。也就是说，当经营者要求消费者提供信息时，双方处于信息不对等的状况，经营者完全有可能利用这种不公平的地位，收集到多于实际所需的资料，或者将收集到的资料用于消费者未曾预料的用途。现代科技的发展，使消费者受到的侵害不仅仅限于其在网站上登记的个人数据。在未要求消费者提供个人数据的场合，经营者也可能通过一些技术手段来获得消费者的个人信息。而且这些资料的收集，往往是在消费者一无所知的情况下进行的，这就构成了对消费者的侵害。网上信息收集问题致使许多消费者感到不安，他们日益担心本人的隐私被泄露，因而产生了对网上消费的抵触情绪，这正是当前电子商务应用中急需解决的一个重要问题。

个人数据的不合理利用。在电子商务中，对个人数据的不合理开发利用，是指商家把网上收集到的个人数据，存放在专门的数据库中，然后通过数据加工、数据挖掘等方法，得到有商业价值的信息，用于生产经营之中的过程。当然，经营者有可能将其所收集到的资料用于合理的用途，但也有可能用于合理的用途之外的目的，其中包括将资料用于所声明目的之外的用途、不当泄露资料，甚至出售资料给第三方，从而侵犯消费者隐私。电子商务中个人数据的开发利用，是一个相当复杂的工作。从商家的角度来看，一般是通过自己的分析得知用户的情况的，目的是为了向顾客提供更多的、持续的服务，其出发点是好的，所用的方法也是科学的。从消费者的角度看来，有的人欢迎商家的这种举措，认为它能给自己带来方便，有的人则感到自己的隐私权无保障，感到这是对自己正常生活的一种干涉。而且，当经营者将客户的资料不当地泄露出去后，就有可能造成对个人权利的侵害。在网络环境下，经营者发送广告的方式发生了很大的变化，由传统的推广方式向推、拉结合方式转变。目标化的广告，通常是以获得消费者的档案为基础而发送的，这就推动对消费者个人数据的大量使用，以至于有关消费者的个人信息已经成为网络所产生的最有价值的资料，个人数据也日益成为商品。在此种情况下，有的经营者甚至将消费者的资料出售给第三方。这些行为都极大地侵害了消费者对自身个人数据的控制权。

个人数据的侵害。由于消费者的个人数据是变化的，许多信息会随着时间的推移而改变的。但消费者在提供了自己的个人数据后，某些经营者的政策使得消费者无法再接触到自己的资料，也就没有机会对已有的资料进行更改。这样，经营者所掌握的个人数据中，有一部分可能是不符合实际的。在此状态下，资料的使用、传输等都可能对资料提供者带来伤害。个人数据品质不能更正，可能带来一些消费者所不愿见到的后果。网络中个人数据信息有可能受到多方面的攻击。网络给各种资料的使用带来了方便，也对资料的安全带来了破坏，或被非法浏览。在科技高度发展的今天，经营者应当尽到谨慎从事义务，以保证个人数据的安全。否则，就应当对因所接受的资料的侵害负一定的责任。此外，在经营者将消费者的资料传输给第三方的情况下，经营者应当保证接受资料的第三方不会盗用、另行出售个人的数据资料，并保证个人数据的及时更新与安全。

如果各国关于因特网上信息流动的法律互相不能协调，将会产生对信息流动的不合理限制。一国可以以保护本国公司隐私权的名义，限制信息的跨国界流动，这种限制又会异化为一种新的非关税壁垒。很多国家已注意到这种危险，目前所采取的措施，旨在建立一种以市场导向为基础的新的隐私权方案。

我国在公民隐私权的保护方面尚无明确法律规定，也无专门法律来保护网络中的个人数据的安全。只有一些相关的规定。我国对隐私权问题尚未予以应有的重视，在传统环境下，现行法律已经不能满足人们隐私权保护的需要。随着网络的发展，个人数据面临着更为巨大的威胁。如何有效地保护个人数据，是政府在决定大力发展电子商务时所必须面对的问题。

在实践中，对隐私权的诉讼经常适用其他诉因，这对保护隐私权不利。

（3）个人数据保护的立法原则。信息时代保护个人信息，尤其是保护公民在互联网上的个人信息的原则是要力求平衡——既要保证用户的基本权利不受侵犯，又不能使保护个人信息成为信息自由流通，阻碍社会经济、技术发展，从而发挥其经济价值的障碍。所以，就此问题立法，既要考虑权利人的利益，又要考虑技术发展、产业发展、社会发展的需要。

出发点不同，对个人数据的保护方式也不同。出于对个人隐私权的保护，欧盟倾向于立法方式来保护个人数据。而出于保护互联网上信息的自由流通，美国则倾向于业界自律得分方式来保护个人数据。这两种方式值得我们思考。我国在立法时，要在个人隐私权和信息自由之间形成平衡，以免过于倾向保护其中一个方面。

8.3.5　电子商务中个人数据所有者的权利

个人数据属于个人所有，这是个人隐私权自然推导出来的一个结论。这也就意味着个人对于个人数据拥有民法上的权利。这些权利大致包括以下 5 种。

（1）知情权。网络经营者在收集和利用消费者的个人数据时，必须明确地告知消费者他的身份、地址、联系方式等，并告知他将收集哪些信息，这些信息的内容是什么，以及收集的目的是什么，这些信息会不会与他人共享，资料的保管情况等。如果消费者无法得知上述信息，知情权就是不完整的，也无法行使消费者的其他权利。因此，知情权在消费者隐私权中居于首位并且是其他权利的基础。

（2）选择权。经营者在收集个人数据前必须征得消费者的同意，否则不得收集资料。消费者有权选择是否提供个人数据以及提供哪些个人数据。网络空间现在已经有了"隐私倾向选择平台"，供用户规定和控制有关自己的信息并决定向哪个网站提供哪些信息。主要有三种选择方式："无交换"、"一对一交换"和"第三方交换"。所谓"无交换"（不获取任何其他个人身份信息的网站），"一对一交换"（不向第三方泄露有关个人或交易数据的服务），"第三方交换"（可以向第三方泄露有关个人或交易数据的服务），都是支持主体自行处置隐私权的表示，经营者有义务确保消费者选择权的实现。

（3）控制权。客户有权控制个人数据的使用，包括决定是否公开信息、是否与第三人共享、是否可以转让给第三人；有权通过合理的途径访问个人数据，有权对错误的个人数据进行修改和补充；在利用个人数据的特定目的消失后或利用期限届满时，客户有权要求永久删除。

（4）安全请求权。客户有权要求网络经营者采取必要的合理的措施保护客户个人数据信息的安全，当网络经营者拒绝采取必要措施和技术手段以保护客户网络个人数据的安全时，客户有权要求经营者停止利用。

（5）赔偿请求权。当网络客户的隐私权利受到侵害时，客户有权要求经营者承担相应责任，造成损失时应依法赔偿。

上述 5 种权利既是法律对个人数据保护而赋予个人的权利，也是电子商务中消费者隐私权的主要内容。

案例 8-2

泄露患者医疗记录　医疗网站侵权

在美国南加利福尼亚州一家汽车厂做装配工的杰克，有一次，悬挂机件的缆绳断裂，机件落下撞到他的头部，但并未造成明显的外部伤痕。杰克歇息一周后，又开始上班工作，可是他总是感觉身体不太舒服。一天晚上，他上网参与了网上医疗咨询，经网络医生诊断，他的脑部有小块淤血，压迫脑神经，如果时间长了就会造成语言、行动障碍。杰克只好向厂方提出辞职，但并未说明辞职的真正原因，因为他希望治愈后还能应聘做相同的工作。3 个月后虽然他完全康复了，但原来的厂家却不再接受他。到其他的厂家应聘，情况也一样。原来这些厂家都知道他脑部受过伤害，全然不知其已经康复的事实。杰克百思不得其解：我的治疗医生已经许诺不会透露医疗记录，他们是从什么地方得到这些信息的呢？后经调查得知，这些厂家是从他访问的医疗网站数据库中找到了他的医疗记录，并且他们得到这些医疗记录是付出了一定费用的。

该案应如何认定？首先，杰克的病史应当属于隐私。他"脑部有小块淤血，压迫脑神经，如果时间长了就会造成语言、行为的障碍"这样的病并非一般的伤风感冒，这样的病历可能对杰克的工作、生活都会产生较大影响，因此应当属于隐私的范畴而加以保护。其次，杰克确实因为该隐私被泄露而遭受损失。由于病历被泄露，原来的厂家不再聘请他，连其他厂家也拒绝聘请他，因此经济损失是显而易见的。由于找不到工作，肯定会给他的精神造成痛苦，因而精神损害也是成立的。显然，隐私的泄露和杰克的损害有因果关系。那么医疗网站是否存在过错？从案例中得知，这些厂家获得这些信息是从杰克访问过的医疗网站数据库中找到了杰克的医疗记录，并且这些厂家得到这些医疗记录是付出了一定费用的。可以看出，医疗网站以赢利为目的，买卖自己治疗过的病人的病历，侵犯别人隐私权的过错非常明显，因此医疗网站的侵权责任是成立的。

资料来源：《电子商务法规》，作者：尹衍波。

8.4　网络服务经营者保护消费者隐私的责任和义务

全世界都在呼吁对消费者在互联网上个人数据及隐私权的保护，网络服务经营者的责任同时也相对加重，其具体的责任集中表现于保证消费者的个人数据不滥用、不泛用、不被第三者非法利用。

与个人数据所有者的权利相对应的就是网络服务经营者的责任和义务，具体说来，它包括以下内容。

8.4.1　隐私权政策必须在主页明示

网络服务经营者需要告知客户其所执行的隐私权政策，以便客户了解经营者的隐私权政策，更好地保护自己的隐私权。在主页上的醒目位置设置隐私政策声明栏目，以表明对用户隐私权的充分重视，并且在声明中包含有下列内容：绝不非法收集、披露、使用、传播个人数据的承诺；特定情况下收集、转移资料的可能性；网络运营商取得个人数据前的通知义务；用户查阅及改正错误资料的权利和程序；用户权利受侵害时的救济途径；个人数据的安全保护措施；网络运营商最方便的联系方式以及与隐私政策声明的链接。

这一要求不仅网站经营者要遵守，而且在该网站投放广告的经营者也要遵守。

8.4.2　经营者可以收集的信息内容

按照信息与个人的联系程度，可把信息分为个人化信息和非个人化信息。对于非个人化信息，网络服务经营者可以不经消费者同意自行决定收集，这在业界已经成为惯例。如网络服务经营者为了进行客流量的统计和改进管理与服务，通过 IP 地址收集客户浏览器的性质、操作系统的种类、提供接入服务的网络服务商的域名等。这些信息尚不能构成对客户的个人身份的识别，所以并不侵犯客户的隐私权。但是个人化的信息即个人数据则与消费者的隐私权有关。

8.4.3　经营者收集个人数据的目的要求

经营者收集个人数据时必须明确告知客户收集的目的所在。1995 年通过的《欧盟个人数据保护指令》规定：个人数据的收集只能限于具体的合法的目的，收集的范围也必须与收集的目的有关。这种规定是合理的，应当为网络服务经营者共同遵守。同时，在征得客户同意以前，不得为促销的目的使用数据。

8.4.4　对客户个人数据的保密义务

网络服务经营者应该采取适当的步骤和技术措施保护个人数据的安全，应该采取合理的措施保证网络和基于网络提供的服务的物理上和逻辑上的安全，并应该对因为故意或过失造成的客户的个人数据的泄露负责，侵害客户隐私权的，应该承担相应的法律责任。

8.4.5　禁止经营者之间共享客户个人数据

除非法律另有规定，未经客户的明确同意，经营者不得向第三方提供客户的姓名、电子邮件地址等个人数据，不应当与其他经营者共享客户的个人数据。经营者之间应该特别禁止数据文档的互联和比较，所谓数据文档的互联和比较是指经营者把自己电脑中的客户个人数据和其他电脑中的个人数据相互比较。由于每一个经营者都把各自的客户的信息都贮藏在电脑之中，如果把各个电脑中的信息互相匹配和比较，等于在全国范围内事实上建立了一个个人数据资料库。任何人不问其业务性质如何，都可以得到个人的全部信息。这种情况最能侵犯个人的隐私权，是网络经营者必须杜绝的。因此，除非法律另有规定，经营者不得将自己收集的个人数据于其他经营者互联，不得通过链接、合并或下载包含有个人数据的个人数据文档，不得从第三方可查询的文件中建立新的文档。

8.5　电子商务中消费者的隐私保护

8.5.1　电子商务隐私权保护的核心问题

个人数据的保护是与信息技术的发展密切相关的，新技术、通信以及联机信息服务的发展使得国内和国家之间信息交换的可能性和能力大大增强。在网络环境下，任何信息的世界性传播成为瞬间就可以完成的事。新技术的使用者会从中获得很多的好处，同时也带来相当多的问题，个人权利保护就是其中之一。因为数字技术的发展特别是互联网应用的扩展，使得个人数据的采集和处理更加平常和普遍，从而给个人数据的保护带来极大的威胁。因而许多国家的立法都面临这样一个难题，即个人数据保护和信息利用的冲突和平衡：既要尊重和保护个人的隐私权利，又能保障有效地利用信息。

1. 个人数据应该得到尊重和保护

隐私权的实质在于：个人自由决定何时、何地以何种方式与外界沟通。就此而言，隐私权表现为个人对自身的支配权。对于纯粹属于私人性的事务，这种权利则是天经地义的，我们甚至可以说是一种与生俱来的"自然权利"。隐私权体现了现代文明的一种生存艺术。与此相联系，隐私权也就意味着对他人的尊重。只有文明教养达到一定程度的人才会认识到它的价值，进而珍视它。也就是说，社会越是文明进步，就越应保障隐私权，而不是相反。所以个人数据应该得到保护是人类和社会的必然要求。但同时社会的发展特别是科技的发展也对个人的隐私权构成了极大的威胁。因为信息技术的发展为个人数据的收集、整理和利用提供了极大的便利，使个人数据的大量收集和整理成为可能。这些信息也隐含着无数的商业利益，驱动者网络经营者大量收集和利用个人数据。因此，网上消费者被侵犯隐私权的现象非常严重。这些侵权行为主要有以下几种。

（1）经营者不合理地收集客户的个人数据。网络经营者一般都要求客户登记自己的个人数据，如姓名、性别、电话号码、地址、身份证号码、收入状况等，否则不提供服务，并且不说明收集资料的原因和资料的使用方式，也不说明消费者对这些资料所享有的权利。

（2）经营者不合理地利用个人数据。网络经营者常常将其收集到的资料用于合理的用途之外，包括将资料用于所声明收集的目的之外，不当泄露资料甚至出售资料给第三方牟利。例如美国在线公司（AOL）因将其订户的资料不当泄露给美国海军，结果导致一名有同性恋倾向的订户遭到海军的撤职处分。

（3）网络经营者侵犯个人数据的质量。消费者的个人数据是可变的，如职业、婚姻、财产状况、信用状况等会随着时间的改变而改变。但是网络经营者在收集了用户的资料后，往往使消费者不能再接触到自己的资料，也就没有机会对已有的资料进行修改。这样经营者所掌握的个人数据中有一部分可能是不符合实际的，对这些资料的传播和利用可能会给消费者的权益带来损害。

存储在计算机中的资料或通过网上行为泄露出来的个人数据在许多情况下都是片面而不是

系统或完整的，他人对之进行的搜集与加工整理，多数时候都要利用计算机软件对这些资料进行重新组合，而重新组合出来的结果可能与当事人本人的真实情况相差很远甚至与当事人的真实情况大相径庭。对这些资料的运用往往容易对当事人造成伤害。

（4）网络经营者侵害个人数据的安全。网络中的个人数据信息极易受到伤害，因此网络的安全性不高。很多经营者都没有采取必要的有效的安全措施，从而使客户的个人数据受到侵害。

消费者个人数据的保护迫在眉睫，如果听任对消费者个人数据的侵犯，则会打击他们上网购物的信心，而消费者的信心是发展网络商务的关键，对消费者信心的打击必然会妨碍电子商务的发展，所以消费者的个人数据必须受到尊重和保护。

2. 网络服务的个性化需要利用个人数据

网络促进了跨越国界的商品和思想交流，也改变了商业过程。网络服务正向着个性化的方向发展，网络公司也越来越看重个性化的服务，即收集、归类大量关于用户爱好的信息，事先了解人们的需求以便有针对性地直接提供所需商品和服务。

假如有一个从来也没有买到一条合适裤子的顾客，在网络环境中他就可以利用电脑与牛仔裤生产厂家联网。公司承诺给每个顾客合身的裤子，厂家的互联网主页详细地介绍如何量尺寸、如何在网上填写购货单、如何把购货单传出去。顾客可以在众多式样种选择一种，根据自己的体型定做一条，然后点击鼠标把购货单传到牛仔裤公司、服装定做公司和一家送货公司，3 天后商家就会把裤子送到门口。

有人说，前工业化时代是"定做"，工业化时代是"批量生产"，信息技术使企业可能把二者结合起来，更好地为客户提供服务，实现了大规模订制。用户可以根据自己的需要参与生产过程，从而可以自由的选择和设计自己满意的商品和服务，公司可以在产品付诸生产之前就准确地向用户显示各种设计的样子。网络为这一切提供了可能。消费者需要根据自己的条件、兴趣和爱好寻找最满意的服务，以满足自己个性化的多种多样的需求。因此网络消费者必然要向经营者提供一个关于自己的特定的个人数据，如兴趣、爱好、姓名、年龄、体重、三围、身份证号码、信用卡号码等，以便商家按照要求提供相应的服务。这些信息也可能被网络商滥用甚至出卖给第三人使用，从而引起极大的隐私权问题。

可见，无论是为网络经营者还是为消费者的利益，对个人数据的收集都是必要的，而且势在必行。但是对个人数据的搜集是一把双刃之剑，可以给人带来利益，也可以给人带来损害。所以在个人数据的收集、利用和隐私权的保护之间必须保持必要的平衡。这种平衡要求对网络经营者和消费者的权利进行合理的设计。

8.5.2　电子商务中消费者隐私权保护的对策

（1）制定保护网络隐私权的法律。网络隐私权保护可以参照国际组织以及一些国家的做法制定有关法律和原则。如美国总统克林顿在 1997 年 7 月发表《全球电子商务框架》，对保护个人隐私权问题作了较为透彻的剖析。美国第一部关于网络隐私的联邦法律《儿童网络隐私保护法》也于 2000 年 4 月 21 日生效，从即日起在网上搜集 13 岁以下儿童个人信息的行为被视为违法，可处以一万美元的罚款。这部旨在保护儿童隐私的法律规定，网站在搜集 13 岁以下儿童的个人信息前必须先征得其父母的允许。欧盟于 1999 年 10 月 25 日颁布保护网上有关个人资料的法令，该法令是为保护 15 个成员国网上个人资料不受侵犯而制定的。所谓个人资料，主要包括个人身份、居住、财产、健康状况及其他个人所拥有的一切资料，其中较为敏感的是个人信用卡账号和密码。欧盟法令规定了严格的个人隐私保护条款，以确保个人资料通过因特网在 15 个成员国之间自由流通。中国香港特别行政区政府也格外重视个人隐私权保护，为此专门颁布了《香港个人资料（私隐）条例》，其对网络隐私权保护主要采取以下政策：①针对企业规定，应为浏览网页者及消费者提供使用匿名身份的选择，制定个人资料隐私政策并在本企业网站上展示上述政策，在收集敏感性资料时应采取加密措施。②针对工商界规定，应按照个人资料隐私法律内载的原则，或根据政府及私营机构共同制定的认可准则，为会员制定资料隐私实务守则，同时负责监管和处理投诉。③针对政府规定，政府应设立专门的管理机构，保证《消费者权益法案》的执行。此外，还应在公众教育、服务市民、监督新科技的使用等方面起到应有的作用。

中国现有的立法对隐私权的保护比较零散，未能全面正确地贯彻宪法中保护公民隐私权的原则性规定。例如，在我国的《民法通则》中规定，公民和法人享有名誉权，公民的人格尊严受法律保护。虽然隐私权包含于名誉权中，但在《民法通则》中并未明确规定要保护隐私权。因此，应当首先在民法领域建构较为完善的隐私权保护制度，在民法典起草过程中，将隐私权在人格权制度中单列。由于修法和立法都是一项耗时的工作，为适应目前的需要，也可以考虑制定行政规章，或在其他规范电子商务的法规中先行规定经营者的个人资料保护义务，包括保证消费者个人资料在网上传送和储存过程中的安全性、向消费者声明收集个人资料的范围及使用方法、征得消费者的同意方可被第三方使用等。

（2）维护隐私权保护与电子商务经营者利益的平衡。消费者隐私权需要得到法律保护，但也不是无限的，存在着一个隐私权保护和经营者商业利益的冲突问题。对消费者的隐私加以保护也就意味着对经营者施加了义务，因此确定保护的限度，做到消费者权益与经营者利益双赢是至关重要的。例如，如何处理因特网上个人资料的收集利用与提供免费服务的关系是一个现实而紧迫的问题。在我国目前因特网与电子商务的特殊阶段，网上的许多服务都可以免费，但是必须登录个人的一些资料，如姓名、地址、工作、兴趣爱好等，这些信息不排除被相关服务者挪用甚至出卖的可能。因此，网络经营者应当制定一份隐私权保护声明并公布于其网站主页的显著位置上，声明一般包括以下几方面的内容：①告知网站将以何种方式收集用户的个人资料；②告知网站收集个人资料的范围；③对于个人资料的处理做出承诺，明确表示不会将当事人的任何个人资料以任何方式泄露给任何一方。网站可以说明在何种情况下可以对消费者的个人资料进行利用，这些情况包括：已取得当事人的书面同意；为免除当事人在生命、身体或财产方面之急迫危险；为增进公共利益；为防止他人权益之重大危害，且无害于当事人的重大利益；根据执法机关之要求或为公共安全之目的向相关单位提供个人资料。

（3）对已收集的消费者个人资料的安全做出承诺明确将对消费者所提供的个人资料进行严格的管理及保护，将使用相应的技术，防止个人资料丢失、被盗或遭篡改。

（4）告知消费者所拥有的权利随时查询及请求阅览的权利；随时请求补充、更正的权利；随时请求删除的权利；要求停止电脑处理及利用的权利；对隐私权保护政策投诉和建议的权利。

（5）对未成年人的隐私保护做出特别规定承诺建立特殊且合理的程序保护未成年人个人资料的安全。

（6）说明免责条款以下事例网站可以免除其可能的隐私权侵权责任：当政府机关依照法定程序要求网站披露个人资料时，根据执法机关之要求或为公共安全之目的提供个人资料，在此情况下的任何披露，网站均可免责；由于消费者自身的过错，例如将用户密码告知他人或与他人共享注册账户，由此导致的任何个人资料泄露，网站可免责；因政府管制而造成的暂时性关闭等影响网络正常经营的不可抗力造成的个人资料泄露、丢失、被盗用或被篡改等，网站可免责。

参考资料

各个国家与国际组织保护消费者个人隐私的法律对策

欧盟提出的《信息高速公路上个人数据收集、处理过程中个人权利保护指南》对网络服务经营者强调更多的就是其责任：要采用适当的步骤和技术保护消费者的个人隐私权，特别要保证数据的统一性和秘密性，以及网络和基于网络提供的服务的物理和逻辑上的安全；在消费者申请或开始使用服务时要告知使用互联网可能会带来对个人隐私权的危害；告知消费者可合法使用的降低风险的技术方法；告知用户匿名访问互联网的可能性；不阅读、修改或删除向他人传送的信息；仅仅为必要的准确、特定和合法的目的收集、处理和存储消费者的个人数据；不为促销目的而使用数据，除非所涉个人未予反对；对适当的使用数据负有责任，必须向消费者明确个人权利保护措施，在消费者开始使用服务或访问网络服务经营者的各个站点时告知其所采集、处理、存储的信息内容、方式、目的及使用期限；根据消费者的要求更正不准确的数据或删除多余的、过时的或不再需要的信息。避免隐蔽地使用数据；向消费者提供的信息必须准确、及时予以更新；在网上公布数据应三思而行，因为这很可能会侵害他人隐私权，也可能是法律所禁止的。另一项被禁止的活动是数据文档的互联与比较。

澳大利亚法律规定，除非国内法能提供相应的保护措施，应当禁止互联，特别是通过连接、合并或下载包含有个人数据的个人数据文档，禁止从第三方可查询的文件中建立新的文档，禁止将第三方掌握的文档或个人数据与公共机构掌握的一个或更多的文档进行对比或互连，以便丰富现有的文档或数据。

新加坡认为对网络服务经营者的法律责任风险加以限制非常必要，否则会损害本国新兴网络业的发展。新加坡的法律向来以严厉而著称，但是在保护网络服务经营者利益方面也顺应了国际潮流，采取了比较和缓的政策，值得我国立法或修法时参考。

8.5.3　通过互联网搜集个人数据的手段

互联网上存储了大量的资料，政府、法律执行机关、国家安全机关、各种商业组织甚至包括个人用户都可以通过各种各样的方法或途径对在线用户的资料，其中包括大量的用户个人的隐私材料进行搜集、下载、加工整理及至用作商业或其他方面的用途。比较常见的得到自己想要的数据或资料的方法有以下几种。

（1）可以通过用户的IP（internet protocol）地址进行。每当用户连接互联网时，该用户就会被分配给一个唯一的IP地址。IP地址的意义在于网上信息可以发送到这一地址上，同时，每一个被访问的站点都会得到用户的IP地址。这些地址可被用来产生出一份该用户的记录。

（2）通过Cookies获得用户的个人数据。Cookies是一种由站点直接发送到用户计算机上的小文件。这些文件可以容纳用户在随后访问中的任何信息，包括访问过的页面和下载过的信息。Cookies可以储存在用户的硬盘上，通常只能由站点才能阅读。Cookies可以最终形成个人数据的积累，从而对用户的身份和喜好形成一个比较准确的概念。

（3）网络服务提供商在搜集、下载、集中、整理和利用用户个人方面的隐私材料方面具有得天独厚的有利条件。因为所有通过它所提供的网络服务的信息和内容完全可以置于它的管理员的眼皮下面，管理员可以解读用户通过互联网发送的电子邮件，可以在第一时间搜集、存储用户在使用互联网上的服务时或者是根据其要求或者是在无意间泄露出来的个人隐私材料。一般的网络服务提供商还在自己的服务条款里面保留了自己有权删除他们所认为的不适合在网上传送的内容。

需要指出的是，以上所列的几种数据和资料的搜集方法仅仅指互联网上的一般用户和网络服务提供商所可能采取的方法。这种方法可以搜集有关个人隐私方面的信息和数据，并可以在权利人不知情的情况下用作商业或其他有可能是对权利人不利的目的。通常它不足以对个人的隐私权造成致命的打击或非常严重的后果。

对互联网上的用户来讲，其所有的网上行为都可以被置于网络服务提供商直接的监管和控制之下。例如，美国在线对用户进行的长达两年的跟踪监视便是很好的例子。而且更为可怕的是，政府可以和网络服务提供商勾结在一起，非常容易地对政府或政府的法律执行机关所认为的"捣乱分子"的所有的网上行为进行监控。我们不排除政府的这种做法可能用作有效地对付各种各样的严重的刑事犯罪活动，即用作维护社会治安和公共安全的目的。但是同时，我们又不得不承认，在此类问题上，如果用户完全处于一种被动和弱势的状态的话，就像政府或某个部门的权力过于集中后通常所产生的后果——权力被滥用一样，政府或政府的法律执行机构同样会滥用这一权力，网络服务提供商和其他的商业组织同样也会滥用这一权利，从而对个人的隐私权造成损害的同时，有可能对其他权利也造成损害，比如言论自由的权利。

8.5.4　个人数据收集使用的基本规范

消费者与市场调查一直是广告策略最本质的部分，而电子交易留下了信息记录，可以用来对潜在顾客进行剖析。例如，世界著名的 yahoo 网站不是在卖搜索服务，而是在卖消费者信息，这些信息是由监督并记录访问者的各种信息的服务器搜集到的。大量的消费者数据可由各种渠道获得，如电话记录、信用卡和浏览网页。计算机可以轻松地把这些数据编成数据库，供各种广告使用，这些关联信息通常被称为后信息——就是由信息产生的信息，是最有价值的信息。这些信息收集和使用必须合法或适当，否则即构成对他人隐私的侵犯。下面我们一起来看网站或在线企业（商店）个人数据收集、利用的规则。

这里我们主要解决以下两个问题：第一，在线经营者需要不需要许可；第二，在线经营者收集和利用个人数据的规则。

（1）在线经营者要不要事先取得许可。电子商务领域通行的规则是，在线经营者可以为了其本身开展的特定服务或交易的需要而自行收集客户或消费者的个人数据。这是经合组织资料定性等原则所揭示的基本规则。但是，对于一些特殊的行业，特别是与个人数据密切相联系的行业，是否可以自由收集却是一个值得讨论的问题。

在这一点上，我国台湾地区制定的《电脑处理个人数据保护法》（以下简称《保护法》）规定非公务机关收集个人数据必须事先取得许可。《保护法》的规范对象，从主体上可分为公务机关和非公务机关两种。一般企业原则上适用非公务机关之规范。

该法第十九条第一项规定，非公务机关未经目的事业主管机关依本法登记并发给执照者，不得为个人数据之收集、电脑处理或国际传递及利用。换言之，若电子商店非经登记并取得执照，从事上述处理个人数据行为则属于违法行为。由于征信业的业务行为比较容易侵犯个人隐私，有时甚至以提供个人数据作为其主要业务，与其他企业以个人数据作为行销的辅助工具不同，必须做严格的规范。因此，保护法对征信业采取许可制，必须事先取得目的事业主管机关许可并经登记才可以发给执照。其他行业则采取准则主义，只要依该法填具资料向目的事业主管机关登记，经审核无误后就可以发给执照。主管机关依行业不同，而有不同的部门主管。

（2）收集和使用个人数据的规则。对于一般从事在线交易或网上经营活动的企业而言，收集和使用个人数据应当遵循下列规则：

目的特定化原则。在线经营者采集个人数据或资料时必须明确并限定其用途或目的。一般而言，如果没有明确其他用途或领域，在消费者接受服务或缔结某项交易时所填报的个人数据只能用于这一服务或商品买卖。当然，各国均允许在线企业收集信息事先特别明确收集信息特定的用途，且这种用途可以超出在线企业业务范围或所从事的交易或服务。甚至我国台湾地区相关部门公布了"计算机处理个人数据保护法之特定目的"的文件，并列出了项"特定目的"，各企业登记时可以从中选择两项特定目的。当然，在线企业对于所收集的个人数据并非绝对地不能用于事先确定的目的范围以外的目的，但是必须符合一定的条件。

我国台湾地区的《保护法》第一百零一条规定，在线企业为收集特定目的以外的利用，必须符合下列条件：为增进公共利益者；为免除当事人之生命、身体、自主或财产上之急迫危险者；为防止他人权益之重大危害而有必要者；当事人书面同意者。除此之外，任意将客户的资料或名单泄露或出售则即可能构成违法行为。

公告或告知原则。个人数据虽然受法律保护，但绝对地不能使用将使许多商业和其他社会活动无法开展。一般来讲，收集他人信息者应当向被征集人说明为什么要收集该信息，该信息将用于何处，将采取哪些步骤来保护信息的秘密性、完整性和质量等。现在，这种公告可能包含在一个网站的隐私权政策中，也可能在网站或其他公司收集个人数据时就专项个人数据收集所做出的声明中。网站个人数据收集声明或隐私权政策声明大概包括以下内容：个人数据的收集范围，同时对网页浏览而导致的非个人数据的收集也可做出相应的声明；收集目的及其非经当事人同意而使用用户个人数据的声明；资料保密声明；用户权利；免责事由等。通告必须引人注意，使用明确清晰的语言，以使消费者顺利获得必要的信息，做出正确的判断，明白他们所期待的隐私权保护的水平是什么，他们能得到的又是什么。通告必须明确告诉消费者要他们做出选择，即在个人阅读这些信息后，应决定是否接受所提供的服务或同意使用。

当事人事先同意的原则。世界各国对于个人数据的收集大多要求事先征得当事人的同意或者让当事人知道其个人数据被收集用于特定目的。这便是事先同意规则。为防止当事人反言或以后难以举证其同意，这里的同意应当理解为事先书面同意。在现实操作中困难的是如何取得当事人的书面同意。因为客户的人数众多，要征询同意并取得书面资料，在操作上有相当的困难。一般来讲只要在线企业在客户所填写的个人数据表设置选项，询问当事人是否同意作特定目的之使用，可以不必单独签订同意书。或者可以建立这样的规则：只要当事人自愿填写其个人数据用于某项服务或交易，就可以推定其事先"书面同意"所登记的资料用于该项交易。但要用于其他用途的，另行设置选项，让其表示意见。

是不是所有的信息收集都要经当事人同意？实际上，法律设置同意条件主要是防止个人数据用于经营或营利目的，而对于公益性或无损于个人人格利益的个人数据收集无须征得个人同意。在这方面，我国台湾地区的《保护法》的规定可以借鉴。该法规定凡符合下列情形之一的即可以收集：经当事人书面同意者；与当事人有契约或类似契约之关系而对当事人权益无侵害之虞者；已公开之资料且无害于当事人之重大利益者；为学术研究而有必要，且无害于当事人之重大利益者；依本法第三条第七款第七目有关之法规及其他法律有特别规定者（参见《保护法》第十八条）。这也就是说，并不是所有的个人数据收集均得经当事人同意。

合理、合法使用个人数据的原则。对于收集的个人数据，资料收集者应当按照明确的目的和范围使用，并履行法律规定的义务。而且，除非经事先授权或同意，不得将资料转让他人供商业利用。

参考资料

美国隐私权立法历程

在美国，隐私权直接被认为是个人的宪法上的权利，因此对于隐私权的保护大多是公法性的。美国权利法案明确地限制政府对个人自由的干预。例如第一修正案确认个人自治权；第四修正案限制政府对个人的人身、房屋、文件和财物干预，以实现个人自治；第五修正案限制政府强迫个人揭露个人事务。

美国国会于 1970 年通过了《隐私法》，该法主要用来规范美国联邦政府机构收集和使用个人数据的权限范围和应当遵守的义务。该法规定政府机构不得在未经当事人同意的情况下公开或使用任何有关当事人的资料，并赋予个人查阅、复制和校正他们在联邦机构的记录的权利。

1980 年国会通过了《隐私保护法》。该法限制执法机构搜查或扣押记者和出版者的工作手段和文件材料，除非他们有充分理由相信拥有这些材料的人涉嫌犯罪或所拥有的材料应作为犯罪证据。同时也限制政府机构或其雇员在调查刑事犯罪过程中，对某人向公开的报刊、书籍、广播等媒体发表的文稿或工作手段实施扣押。1986 年国会重新修订了《电子通信隐私法》，涉及所有形式的数字通信（包括私人 e-mail）。该法总体上禁止未经授权的个人或私人组织获取服务提供者储存的电子信息或拦截传输的信息，但是政府享有获得这些信息的限制性权力，甚至可以强迫服务提供者公开传输或储存的信息，但政府的这种权力受严格的程序性审查和限定。

【本章小结】

在网络环境下，任何信息的世界性传播成为瞬间就可以完成的事。尽管新技术的使用者会从中获得很多的好处，但同时也带来相当多的问题，个人隐私权保护就是其中之一。因而我国在隐私权保护立法上面临这样一个平衡问题：既要尊重和保护个人的隐私权，又能保障信息得以有效合理的利用。

本章主要围绕隐私权的概述、电子商务中个人数据所有者的权利、网络服务经营者保护消费者隐私权的责任和义务和个人数据收集使用的基本规范等展开学习。

【复习与思考】

1. 网络服务经营者保护消费者隐私的责任和义务包含哪些方面？
2. 通过互联网搜集个人数据的手段有哪些？举例说明。
3. 结合我国台湾地区的《保护法》，简述个人数据收集使用的基本规范。
4. 查阅资料回答我国在开展电子商务过程中需要采取哪些措施保护消费者隐私。

第 **9** 章

特殊形态电子商务的法律规范

案例 9-1

搜索引擎关键词广告——商标侵权的法律看点

继 Google 在国外遭遇多起因不良厂商冒用竞争对手的商标购买关键词广告而引发的纠纷后，近期，国内也出现两起此类判例：

案例 1：广州第三电器厂（以下简称"第三电器厂"）向 Google 购买了"绿岛风"关键词广告，拥有"绿岛风"商标的广东台山港益电器有限公司（以下简称"港益电器"）遂以商标侵权为由将第三电器厂和 Google 诉至法院。2008 年 5 月，广州白云区人民法院对此案做出一审判决，判定第三电器厂败诉，并判定被告第三电器厂赔偿港益电器 2.1 万元；法院同时认定，网络信息不具备编辑控制能力，Google 对该网络信息的合法性没有监控义务，且在诉讼过程中已及时停止了涉案关键词广告服务，因而 Google 不构成侵权。

案例 2：上海大众搬场物流有限公司（以下简称"大众搬场公司"）发现百度"竞价排名"栏目网页中，存在大量假冒"大众搬场"名义招揽生意的同业竞争对手的网站链接，于是大众搬场公司以商标侵权和不正当竞争为由将百度告上法庭。2008 年 6 月，上海市第二中级人民法院判决认定，百度对于明显存在侵犯他人权益可能的注册用户未尽合理的注意义务，三被告主观上存在共同过错，客观上共同给两原告造成了损失，构成帮助侵权行为，应当就该侵权行为共同承担消除影响、赔偿损失的民事责任。

两起案件案情相似，判决结果对搜索引擎而言却冰火两重天。此类案件涉及以下几个法律问题：

（1）搜索引擎就关键词广告的合法性是否负有审查义务。上述两起案件中，原告均主张搜索引擎违反了《广告法》中关于广告发布者负有审查义务的规定；百度和 Google 则主张关键词广告和"竞价排名"服务只是一种具有正当用途的技术应用，搜索引擎服务商只是提供一个技术平台，搜索引擎无法也不应对被链接的第三方网站内容负责。法院最终判决也未对案件是否适用《广告法》做出明确认定。但是，考察搜索引擎提供的"竞价排名"和出售关键词服务可以看出，其符合《广告法》中对"广告"行为的界定，而搜索引擎应属于《广告法》所规定的"广告发布者"——为广告主或者广告主委托的广告经营者发布广告的法人或者其他经济组织。广告发布者负有查验广告主的证明文件、核实广告内容等义务。

（2）"避风港"不适用此类搜索引擎关键词商标侵权。在"大众搬场"一案中，百度最初强调，针对此类事件，任何个人或单位都可以书面方式向百度提交权利通知，百度将根据相关法规采取处理措施。百度的这种处理模式与"版权避风港"类似。然而，根据现行法规，"避风港"仅适用于版权保护，而非商标权保护。

（3）关键词广告合法性审查涉及的因素。搜索引擎负有对关键词进行合法性审查的义务，但是搜索引擎显然也不可能去界定某个特定的关键词是否是商标，那么搜索引擎在作这种审查时应注意的因素主要有：是否用于商业目的。《广告法》所规范的广告限于商业广告。如果搜索引擎出售的关键词也将被用于商业目的，则必须加以审核。

区别商品来源是商标最基本的作用，保护商标的立足点在于防止混淆。如果行为人购买他人商标关键词，并使用于与该商标相同或类似产品或服务，则可能造成混淆，使消费者误认为被链接网站与商标权人有某种联系，从而构成对商标权的侵犯或构成不正当竞争。

接连两起因搜索引擎关键词引发的商标侵权纠纷表明，商标权问题很可能将是继版权问题之后，搜索引擎必须面对并解决的又一个障碍。同时可以预计，在不远的未来，搜索引擎关键词广告所可能涉及的商号、企业名称等商业标识保护问题，都将逐步被纳入法律视野。

资料来源：http://china.stonebtb.com/industry/14189.shtml.

9.1　网络广告法律规范

9.1.1　网络广告及其类型

《中华人民共和国广告法》（以下简称《广告法》）第二条第二款规定："本法所称广告，是指商品经营者或者服务提供者承担费用，通过一定媒介和形式直接或者间接地介绍自己所推销的商品或者所提供的服务的商业广告。"2001年4月10日，北京市工商行政管理局发布了《北京市网络广告管理暂行办法》（以下简称《网络广告暂行办法》），该《网络广告暂行办法》第二条规定："本办法所称网络广告，是指互联网信息服务提供者通过互联网在网站或网页上以旗帜、按钮、文字链接、电子邮件等形式发布的广告。"据此，网络广告是指由商品或服务的提供者负担费用，为追求营利，通过互联网传播的以介绍其商品或服务为目的的资讯宣传。

网络的冲击造成了受众注意力在媒体上的重新分配，新兴的网络媒体正在不断占领众多传统媒体的受众注意力资源，自然而然，网络媒体吸引了众多广告主的眼球，网络广告以互联网为载体发布各种经营性广告，成了广告业的新宠。数字技术的多样化带来了网络广告表现形式的多样化。就目前而言，网络广告的形式主要有下面几种：

（1）通过ISP和其他网站发布广告。这种方式主要是在ISP的主页上发布广告，公众在访问ISP主页寻求服务时，必然会接触主页上的这些广告内容。有的ISP则集广告经营和发布于一身，从广告设计、制作到发布全面负责。

（2）通过网络出版物发布广告。这种方式采用电子媒体经营、发布广告，与传统广告的发布方式非常相似，采用较为普遍。目前绝大多数的报纸、杂志、期刊甚至电视台均有电子版，传统的广告业务同样可以移植到他们的电子版上，如我国内地的《人民日报》和香港特别行政区的《大公报》专门开设电子版，为公众提供广告服务。

（3）通过自行建设的网站发布广告。这种方法主要被一些著名企业所采用，其技术、经济实力雄厚，知名度高，甚至直接经营电子商务。为宣传自身形象或产品，往往自行架设或购买服务器空间，建设商业网站，依靠其知名度吸引社会公众来访问自己的站点，从而实现广告宣传的目的。

（4）通过个人网站或主页发布广告。一些个人网站或主页上常发布一些出卖私人财产、劳务的广告，它的数量非常大，涉及生活的方方面面。有些非商业性个人网站上发布的纯粹介绍性的内容，因不具备经营性，一般不能称之为网络广告。

（5）电子邮件广告。这种方式是通过电子邮件将广告发送到一定数量的网络使用者的电子邮箱中，当他们接收电子邮件时，广告同时被接收。电子邮件广告比传统的信函广告在操作和发送上要简便得多，受众范围也要广泛得多。

9.1.2 网络广告的特点

无论网络广告的形式如何，就广告自身而言，其性质与传统的广告并没有本质的差别。二者区别主要在于发布和传播所利用的媒介不同，即网络广告是通过互联网来发布和传播的。互联网同传统的大众传播媒介有很大的差异，使得网络广告与传统广告相比，具有其自身的特点。这些特点，也是网络广告问题产生的根本原因。

（1）具有很强的交互性。在互联网上，人们一般是主动去寻求有关资料，而且网络对信息没有容量限制。因此，制作者可以将网络广告做得很复杂，并提供给用户交互式的查询方式，使得网络广告受众认为所有的信息都是通过自己认真查询而得到的结果，从而更容易接受网络广告的内容，网络广告也更具有影响力。

（2）提供个性化服务。网络广告改变了传统的营销方式，针对用户的不同需求提供个性化的，针对性强的广告宣传。传统广告是采取"一对多"的传播方式，是一种单向的推介形式，用户被动地接受；而网络广告则是"一对一"的信息传播方式，而且用户可以直接参与其中，反馈意见。

（3）广告经营主体范围广。互联网是一个开放的网络，凡是有权使用该网络的一切单位和个人，都可以在网上发布信息，当然也包括在网络上进行广告活动。

（4）覆盖范围广泛。传统广告赖以传播的媒体，无论是广播、电视还是报纸、刊物，在发行和传播领域，都受到政府及其有关部门的严格管制，因而呈现出明显的地域性，传播范围很有限。而互联网的覆盖面不受国别和地域限制，从某种意义上说，网络广告是覆盖全世界的，覆盖范围远比传统广告广泛。

（5）法律适用上的冲突性。互联网是一个全球性的网络，往往一个网络广告同时牵涉几个国家的法律，而各国法律对同一内容和形式的广告可能会有不同甚至是截然相反的规定，这就导致了法律适用上的冲突。

网络广告的魅力是无限的，它拥有最具活力的消费群体；制作成本低、速度快；可以跟踪和衡量广告的效果，进行完善的统计；具有可重复性和可检索性。正因为网络广告有如此之多的优势，网络广告已成为众多厂家的争夺受众注意力的重要领域。

9.1.3 网络广告出现的问题和法律责任

在网络广告技术日益走向成熟的过程中，逐渐暴露出来一些道德层面和法律层面的问题。要真正规范网络广告行为，必须要制定完善的网络广告法律法规，搞好对网络广告的监管工作。我们首先得认清网络广告存在哪些问题。

1. 虚假广告及责任问题

（1）网络广告和传统广告的比较。对于传统广告，我国现行的《广告法》、《反不正当竞争法》、《消费者权益保护法》等法律都有明确的规定。《广告法》规定："广告应当真实、合法，不得含有虚假内容，不得欺骗和误导消费者。"这些规定一方面对虚假广告起到了一定的杜绝作用，另一方面也给因虚假广告而遭受损失的消费者提供了一个行之有效的法律救助手段。

互联网是广告的媒介之一，网络广告自然也在《广告法》的调整范围之列。在传统广告管理中，所有从事广告业的主体都必须取得相应的资格，至少要取得营业执照才能进行广告活动，个人是不允许从事广告发布活动的。而在互联网上，任何个人和单位都可以发布广告，进行广告活动。因此无论从主体范围，还是从发布方式上都打破了《广告法》中的相关规定，加上网络广告从数量上来说是相当巨大的，对监督管理机关来说，要对浩如烟海的网络广告逐一审查既不现实，也不可能。由于网络广告的新兴性和特殊性，使得传统广告管理模式受到了明显的冲击。

（2）网络广告的责任承担。网络广告受众一般是从 ISP 处看到广告信息，因此，要求 ISP 来承担由于虚假广告所产生的损失似乎是无可非议的。但如果要求 ISP 对利用其服务器所发布的一切信息，包括虚假广告都要承担责任，其结果必然会阻碍网络事业的发展。到底由谁来承担虚假广告的损失责任呢？首先要判断 ISP 是广告经营者还是广告发布者。按照已有的判例来看，一般认为如果 ISP 所提供的服务是单纯的信息传输，并且在收到通知后及时采取了移除虚假广告或者其他正确措施的，ISP 不承担由于虚假广告所造成的损失，而是由发布虚假广告的行为人承担损失责任。这主要是考虑到互联网是高度复杂的网络，要 ISP 绝对保证所传输的信息资料的正确性是不可能的，或者说成本过大。因为巨额的正确性检查成本投入必然会转嫁给网络使用者，最终结果是阻碍网络事业的发展进步。但是，如果 ISP 明知虚假广告仍不采取移除措施，或者直接参与了虚假广告的制作和发布活动的，要追究其连带责任。

网络广告还带来另外一个法律问题。任何一个国家的广告法都只具有域内效力，对本国广告行为可以进行规范和调整，而对于国外的广告行为则无法干预。而互联网是一个世界性的网络，不受国别的限制，任何一个广告都可以通过网络向全世界发布。虽然 ISP 一类的服务机构受其国内法的约束，但如果通过国外的 ISP 来发布广告或者利用国外的服务器设置域名和网页，则很难受到国内法的制约。

2. 对虚假网络广告的法律监管

网络广告的形式多样，但主要有如下几种形式：①将营业者介绍其产品或提供服务的必要资讯通过互联网上的主页向网民发布，在互联网上有独立的域名；②广告发布者选择访问率较高的网站设计相应栏目介绍其销售的商品或提供的服务；③通过搜索引擎发布介绍其销售的商品或提供的服务的资讯，便于网民通过互联网进行主动检索；④通过 BBS 或以其他形式发布介绍其销售的商品或提供的服务的资讯，使网民在聊天时也可以获得相应资讯。

由于缺乏有效技术对网络广告的发布予以监控，对营业者在发布网络广告时存在的违法行为的追究存在诸多障碍：①取证较为困难。网络资讯具有无形性、虚拟性特点，经网络技术处理的信息容易被更改或删除，对其是否变更或删改难以查清。对于监管者来说，只能依赖其发现违法广告及时下载取证，保证网络广告监测到位。②网络交易经营者通过网络会以虚拟主体的面目出现，当其通过网站或电子邮箱进行交易时，难以判定其真实状态是否具有发布广告的资格。③对以传统媒体形式发布广告进行监督的机构难以通过有效技术监督管理网络广告。④以传统媒体形式发布广告的营业者必须具有法定资格，并进行登记，不能从事广告业务的单位和个人不能随意发布广告，但个人或单位却可以通过网络不经登记或具有相应资格即可发布网络广告。⑤由于互联网的跨国传播性，以通常方法对采用传统媒体形式发布广告的营业者予以监管的机构难以按照既往的模式监管跨国传播的网络广告，国家主权原则难以令其监管权力超越地理上的国家领土范围。

我国的《广告法》作为目前我国调整广告的主要单行法，是针对采取传统媒体形式发布的广告的规范，并不能有效适用于具有许多区别于传统媒体形式特点的网络广告。随着电子商务在我国向纵深方向发展，我国也开始针对网络广告的特点对其进行特殊的法律规范。根据北京市工商行政管理局发布的《网络广告暂行办法》第三条、第四条、第九条、第十条等的规定，互联网信息服务提供者在其所辖行政区域内发布网络广告，应当遵守我国《广告法》、《中华人民共和国广告管理条例》（以下简称《条例》）和其他有关的法律、法规、规章以及该办法的规定。①北京市工商行政管理局负责本市网络广告的监督管理，并在 HD315 网站上建立"网络广告管理中心"。区、县分局（含直属分局）负责对辖区内互联网信息服务提供者发布的网络进行监督管理。②本市行政区域内经营性互联网信息服务提供者为他人设计、制作、发布网络广告的，应当到北京市工商行政管理局申请办理广告经营登记手续，取得《广告经营许可证》后，到原注册登记机关办理企业法人经营范围的变更登记。

非经营性互联网信息服务提供者不得为他人设计、制作、发布网络广告。在网站发布自己的商品和服务的广告，其广告所推销商品或提供服务应当符合本企业的经营范围。经营性互联网信息服务提供者申请办理网络广告经营登记，应当符合下列条件：企业法人营业执照具有从事互联网信息服务的经营范围；在北京市工商行政管理局指定的网站（HD315）备案；具有相应的广告经营管理机构和取得从业资格的广告经营管理人员及广告审查人员；具有相应的网络广告设计、制作及管理技术和设备。经营性互联网信息服务提供者设计、制作、发布网络广告应当依据法律、行政法规查验广告主有关的证明文件，核实网络广告的内容。对内容不实或者证明文件不全的网络广告，不得设计、制作和发布。经营性互联网信息服务提供者发布网络广告，应将制作完成并经过审查的网络广告上传至"网络广告管理中心"，同时附加网站注册得到的电子标识、企业所属审查员的代码以及广告发布点的计划。"网络广告管理中心"将根据广告发布计划将该网络广告发送至目标网站，并于计划执行完毕后，将该广告的相关资料自动返还提交广告的网站。对于已具有集中发布网络广告性质的网站或"网站联盟"性质的网络广告运作联合体，其广告发布部分的数据库应与"网络广告管理中心"实现联网。

互联网信息服务提供者不得在网站上发布下列商品或服务的广告：烟草；性生活用品；法律、行政法规规定生产、销售的商品或者提供的服务，以及禁止发布广告的商品或者服务。经营性互联网信息服务提供者应将发布的网络广告及相关资料保存留档一年，并不得隐匿、更改，在广告监督管理机关依法检查时予以提供。互联网信息服务提供者在网站上发布药品、医疗器械、农药、兽药、医疗、种子、种畜等商品的广告，以及法律、法规规定应当进行审查的其他广告，必须在发布前取得有关行政主管部门的审查批准文件，并严格按照审查批准文件的内容发布广告；审查批准文号应当列为广告内容同时发布。互联网信息服务提供者在网站上发布出国留学咨询、社会办学、经营性文艺演出、专利技术、职业中介等广告，应当按照有关法律、法规、规定取得相关证明文件，并按照出证的内容发布广告。互联网信息服务提供者应当将发布的广告与其他信息相区别，不得以新闻报道的形式发布广告。

2006 年 2 月 20 日，中华人民共和国信息产业部（以下简称信息产业部）公布了《互联网电子邮件服务管理办法》（信息产业部令第 38 号）（以下简称《管理办法》），防止行为人通过电子邮件广告侵害消费者。互联网电子邮件服务提供者对用户的个人注册信息和互联网电子邮件地址承担保密的义务。该《管理办法》第九条规定："互联网电子邮件服务提供者及其工作人员不得非法使用用户的个人注册信息资料和互联网电子邮件地址；未经用户同意，不得泄露用户的个人注册信息和互联网电子邮件地址，但法律、行政法规另有规定的除外。"

该《管理办法》第十三条规定："任何组织或者个人不得有下列发送或者委托发送互联网电子邮件的行为：①故意隐匿或者伪造互联网电子邮件信封信息；②未经互联网电子邮件接收者明确同意，向其发送包含商业广告内容的互联网电子邮件；③发送包含商业广告内容的互联网电子邮件时，未在互联网电子邮件标题信息前注明'广告'或者'AD'字样。"该《管理办法》第十四条规定："互联网电子邮件接收者明确同意接收包含商业广告内容的互联网电子邮件后，拒绝继续接收的，互联网电子邮件发送者当停止发送。双方另有约定的除外。互联网电子邮件服务发送者发送包含商业广告内容的互联网电子邮件，应当向接收者提供拒绝继续接收的联系方式，包括发送者的电子邮件地址，并保证所提供的联系方式在 30 日内有效。"

2007 年 3 月 7 日，商务部公布的《关于网上交易的指导意见（暂行）》（以下简称《指导意见（暂行）》）第三、第四部分针对网络交易的特点对交易参与方的行为集中予以规范指引，根据该《指导意见（暂行）》的规定，网络交易方应依法发布广告，防范违法广告。交易各方发布的网络广告要真实合法。浏览广告的一方要增强警惕性和鉴别能力，注意识别并防范以新闻或论坛讨论等形式出现的虚假违法广告。对于网络交易服务提供者来说，应具备相应的主体资格，服务提供者提供网上交易相关服务，应遵守国家有关法律规定；需要办理相关审批和登记注册手续的，应依法办理；需要具备一定物质条件的，包括资金、设备、技术、管理人员等，应符合要求的条件。服务提供者应注意监督用户发布的商品信息、公开论坛和用户反馈栏中的信息，依法删除违反国家规定的信息，减少垃圾邮件的传播。

案例 9-2

关于网上销售物品登记的合理性

《北京市信息化促进条例》第二十六条规定："在本市从事互联网信息服务活动的，应当按照国家规定办理相应的许可或者履行备案手续。利用互联网从事经营活动的单位和个人应当依法取得营业执照，并在网站主页面上公开经营主体信息、已取得相应许可或者备案的证明、服务规则和服务流程等相应信息。"有统计显示，目前，我国网上店铺数已达 50 多万个，绝大多数个人网店都没有营业执照，而每天都会有新开的店铺和倒闭的店铺，很难严格执行，而且这还会给工商部门的注册登记带来非常大的压力。请就该条规定的合理性进行分析。

资料来源：摘自新华网，2008 年 5 月。

《电子商务模式规范》明确规定了目前我国已经普遍存在的 4 种电子商务模式：B2B（企业之间）、B2C（企业和消费者之间）、C2C（个人之间）和 G2B（政府和企业之间），并对这 4 种电子商务模式的整个交易过程中所涉及的服务提供方、服务对象、中立第三方等的主体资格以互联网支付、售后服务、技术配套设施以及人员技能等销售产品或提供服务的各个环节都予以规范。

《网络购物服务规范》则对网络购物平台提供商、网络支付平台提供商、网络购物辅助服务提供商等主体的权利和义务进行了明确规范。这体现了对电子商务消费者权益的保护，有利于消费者通过交易记录的保存提供证据，进一步使从事电子商务的行为人有法可依。该规范要求电子商务经营者对其用户注册信息、交易数据记录等信息至少保存 10 年，网络购物平台经营者至少保存两年的规定对解决电子商务中所可能发生的纠纷起着非常重要的作用，同时在技术上也可以实现。但是否有必要保存这么长的时间仍有待于考虑。对于较小的电子商务网站来说，这样会造成较大的成本，可能影响其营业。

不正当竞争泛指一切违反国家法律规定，违反商业道德、善良风俗、诚实惯例的商品生产和经营行为。我国《广告法》规定："广告主、广告经营者、广告发布者不得在广告活动中进行任何形式的不正当竞争。"《反不正当竞争法》规定："经营者不得利用广告或者其他方法，对商品质量、制作成分、性能、用途、生产者、有效期限、产地等作引人误解的虚假宣传。"利用网络广告进行不正当竞争，其实质同样是违背"公平"和"诚实"的基本要求。

网络广告有其不同于传统广告的特点，且利用网络广告进行不正当竞争，一般来说并不体现在广告的内容或形式上，而是体现在网络广告的制作或发布上。这些行为主要有以下 3 种。

（1）利用超链接技术。所谓超链接技术是指某个网站以分割视窗的方式，将其他网站的内容呈现在该网站的网页上，当浏览者点击网页上的链接，他并未进入其他网站却能看到该网站的内容。超链接技术本身是一种方便用户对网络进行访问的手段，这种技术一般被用来优化页面设计，以方便用户查询操作，所以在网络上采用超链接技术是相当普遍的，也是非常自然和正常的。但是，随着网络广告的不断发展，一些人受潜在利益的驱动，为了自身利益，企图以极小的投入赚取巨额的广告收益，纷纷利用超链接技术来损害他人利益，使用他人站点的内容来增加自己站点的吸引力，招徕访问者，为自己谋取利益。从行为的性质来看，这无疑是一种广告侵权行为，属于广告经营的不正当竞争。

（2）抄袭他人网站的内容。这主要是剽窃抄袭他人网站的内容、主页的排版布局。这类抄袭固然有原封不动地照搬，但更常见的是类似于近似商标的行为——大部分相同，仅做小修小改。目的只有一个：使浏览者误认此网站为彼网站，以提高点击率，进行不正当竞争。

（3）利用关键字技术。这是指投机者利用一定的技术以关键字的方式把他人的驰名商标写入自己的网页，当浏览者利用搜索引擎搜索该关键字所属网站时，该投机者的网站和该驰名商标的网站便能一同显现，投机者以此来搭便车，提高点击率。

广告骚扰问题，是商品经济高度发展的市场经济条件下一个令人十分头痛的问题。在现实生活当中，广告骚扰问题早已在传统的广告宣传中广泛存在。互联网上的网络广告骚扰，一般有两种情况：一是利用电子邮件发布广告，这类网络广告多以群发方式发往各个电子信箱，而不顾用户是否需要。这类广告投资小、受众多、广告效应巨大；所以尽管令用户讨厌，却深得商家喜爱。二是插播网络广告。这类网络广告是在下载或浏览的过程中，突然出现的全屏或半屏的、可退出或不可退出的广告。目前这类广告相当普遍，相信每一个网络使用者都曾看到过。它们的确在一定程度上对用户造成了广告骚扰，妨碍了用户对网络的使用。

从各国的立法来看，无论是对普通邮件的广告骚扰问题，还是对电子邮件的广告骚扰问题，一般都没有做出明确的规定，对广告骚扰问题明显地缺乏适当的手段来进行规范和制约。

案例 9-3

美国首次对滥发电子邮件者判刑

据此间媒体报道，美国弗吉尼亚州一家法院以违反该州反垃圾邮件法，判处一名通过电子邮件系统滥发邮件牟利的男子 9 年监禁。这是美国首次对滥发电子邮件者施以刑罚。

检察官指控说，被告杰恩斯利用虚假电子邮件地址，通过美国互联网公司的服务器发送大量广告邮件，每天多达 1 000 万封。杰恩斯每月通过在邮件中销售商品和做广告牟取暴利高达 7.5 万美元。

　　劳登县巡回法官认定，杰恩斯违反了弗吉尼亚州的反垃圾邮件法。但杰恩斯并不会马上入狱服刑，他已提出上诉，而且美国联邦法律中还没有反垃圾邮件法。不过，专家指出，此案作为判例将影响国会对反垃圾邮件法的审议。

　　　资料来源：新华网，华盛顿。

　　"隐私权"概念是在19世纪末由美国法学家所提出的。我国《民法通则》中没有关于隐私权的明文规定，但通过最高法院的司法解释，将其放在名誉权中予以保护。一般认为，隐私权是指个人享有的对自己私人生活安宁与私人信息支配，并排除他人非法干涉、获取、公开或利用的权利。隐私权属于个人享有的人格权的一种。隐私是指私人生活不受他人非法干扰，私人资讯保密并不受他人非法获取、公开或使用。隐私是行为人不愿他人知悉的个人秘密资讯。

　　一般来说，隐私权主要包括个人信息的保密、个人生活的不受干扰、私人事务的决定自由。《中华人民共和国宪法》（以下简称《宪法》）第三十八条规定："中华人民共和国公民的人格尊严不受侵犯。禁止用任何方法对公民进行侮辱、诽谤和诬告陷害。"我国《宪法》的规定虽然没有明确规定具体的隐私权，但其关于人格尊严的规定内含着隐私权的精神。《中华人民共和国民法通则》（以下简称《民法通则》）第一百条规定："公民享有肖像权，未经本人同意，不得以营利为目的使用公民的肖像。"我国《民法通则》第一百零一条规定："公民、法人享有名誉权，公民的人格尊严受法律保护，禁止用侮辱、诽谤等方式损害公民、法人的名誉。"据此，在我国民事立法上，并没有明文规定隐私权，但曾在司法实践中将其放在名誉权中进行间接保护。根据1993年最高人民法院公布的《关于审理名誉权案件若干问题的解释》，对于侵害他人隐私，造成名誉权损害的，按照侵害名誉权追究其民事责任。最高人民法院《关于确定民事侵权精神损害赔偿责任若干问题的解释》第一条第二款规定："违反社会公共利益、社会公德，侵害他人隐私或者其他人格利益者，受害人以侵权为由向人民法院起诉请求赔偿精神损害的，人民法院应当依法受理。"

　　在传统交易方式下，商品或服务的经营者不会在交易时要求相对人提供姓名、住址、身份证、职业、电子邮件、职业等个人资讯，所以也不会在《消费者权益保护法》中规定消费者的隐私权保护。但在电子化交易方式下，消费者若通过网络接受商品或服务，一般经营者的网站通过网络格式合同设计往往预先要求其须以会员身份登录，当消费者按照电子商务的经营者所设计的内容录入姓名、出生日期、住址、月收入、电子邮箱地址等资讯后，才能通过其网站购买商品或接受服务。而消费者一旦向网络经营者提供涉及个人隐私的资讯后，该个人资讯就脱离了消费者本人，被服务器的提供者和网络交易的经营者实际支配和控制。更为严重的是，通过电子化交易方式直接获得消费者的个人隐私后，网络服务提供商或网络交易经营者会通过计算机软件等技术分析出具有识别性的个人数据。例如，通过对其收集到的如健康状况、婚姻状况、出生年月、住址等消费者个人隐私资讯的技术处理，可以从众多消费者中确定特定人的资讯。对隐私权的保护不应仅强调消费者个人对涉及其个人隐私的资讯的"独立享有"、"不愿公开"，而应强调消费者个人对涉及其隐私的个人资讯的利用和控制，这就需要采取特殊措施保护电子商务中消费者的隐私权。

　　在电子商务中对消费者隐私权的侵害主要包括以下方面。

　　（1）过合理范围收集消费者的个人资讯。网络服务商主要通过注册登记、开展网络调查或跟踪记录等方式收集消费者大量的个人资料，并对其进行信息加工，形成具有商业利用价值的资讯。资讯收集和处理可能使消费者隐私权受到侵害。

　　（2）对消费者个人资讯的二次开发利用。电子商务中对消费者个人资讯的二次开发利用是指网络服务商将通过网络交易方式收集到的个人资讯通过专门的数据库进行数据加工、数据挖掘，获得具有商业利用价值的资讯，用于其营业中，以争取竞争中的有利地位。行为人通过先进技术将消费者的资讯进行加工处理后，可以获得其消费偏好或习惯，据此可以开展针对性消费服务。这可能会适合部分消费者的要求，但也令消费者对自己的资讯安全深感担心。因此，对个人资讯的二次利用必须采取必要限制。首先，在利用程序上，应经消费者个人同意这种利用方式，这是行为人对涉及消费者隐私的资讯二次利用的必要前提和正当性基础；其次，行为人必须在消费者个人授权的范围内加工、处理和使用其个人资讯。

（3）对消费者个人数据资料进行交易。行为人对消费者个人数据资料的交易主要是以经营组织之间互换消费者个人资讯或买卖消费者个人资讯的形式进行的。其共同特点在于，交换或买卖涉及消费者个人隐私的资讯时往往不为消费者本人所知悉。这种运用方式对消费者个人隐私威胁较大。目前，大部分网站虽然都声明保护消费者个人的隐私权，并通过删除选择权方式予以处理，但实际上并不能对网络交易消费者的个人隐私权提供有效的保护。消费者隐私权在电子商务方式下若不能获得足够的保护，就会使消费者因对其个人资讯被不当利用的担心而不再选择通过网络进行交易，进而阻碍电子商务在我国的发展。

网络广告中侵犯隐私权的现象时有发生，通常是采取某些技术手段收集个人数据，然后针对用户特点发布网络广告。最常见的是采用 Cookies 技术保存用户在网站上留下的"蛛丝马迹"，诸如浏览路径、交易记录、问卷内容等。更有甚者，一些网站通过一些合法或非法途径收集用户个人数据，然后和广告商合作，根据 Cookies 中用户拜访的内容，设定网络广告播放的内容及频率，或利用不同广告内容，做到"一对一"式的针对性非常强的推销，让用户看到厂商希望其看到的信息。还有一种情况就是通过各种正当或不正当的途径收集大量用户个人数据后，将其作为商品出售给广告业务经营者，因为大量的用户个人数据对其而言具有非常大的商业价值。把用户个人数据作为商品出售是一种严重侵犯隐私权的行为。

为保护网络用户的隐私权，各国均已有所行动。美国政府已经公告所有政府网站不得使用 Cookies 技术来记录用户上网的信息。在我国，随着电子商务的不断发展，对消费者个人隐私的保护越加迫切。2005 年 4 月 18 日，在第八届中国国际电子商务大会上正式发布了我国电子商务第一个行业规范——《网络交易平台服务规范》，该规范文件的第二十一条规定："用户的个人信息归提供者所有，仅能用于与网络交易、提供网络交易平台服务等相关的活动，不得用于其他目的。网络交易平台提供商应当与用户签订隐私权保护协议，并采取妥善的安全保密措施保护所有涉及用户隐私的信息。未经用户同意，网络交易平台提供商不得以营利为目的向任何第三方披露、转让、使用或出售交易当事人名单、交易记录等涉及用户隐私或商业秘密的数据，但法律、行政法规另有规定的除外。"

案例 9-4

网络广告的不正当竞争行为

对于网络广告侵权案件来说，可能更多地还是需要在《广告法》中进行调整。目前《广告法》已经列入全国人大常委会的立法规划中，国家工商总局已经将《广告法》（修订送审稿）提交国务院法制办进行审议。在网络广告侵权领域，《侵权责任法》相对来说是一般法，规定的是普通意义上的侵权行为所应当承担的责任，而对于网络广告的规范主要还是应当适用《广告法》的有关条款规定。因此，在《侵权责任法》已获得通过的情况下，《广告法》（修订送审稿）在一定程度上将参考《侵权责任法》关于侵权原则的规定，对广告侵权行为做出具体的细化规定，以增强对广告违法行为给消费者或者其他主体所造成损失的民事责任追究力度。

国家工商行政管理总局局长周伯华2009年12月24日表示，2010年将持续深入推进广告市场整治工作，强化对电视购物广告和网上非法广告的治理力度。相信随着行政主管部门监管措施的不断加强、广告行业自律工作的不断深入开展，以及民事活动主体法律意识的不断提高，网络广告将得到不断规范，侵权行为将大幅度减少，最终还互联网广告市场一个干净的环境。《中华人民共和国侵权责任法》（第十一届全国人民代表大会常务委员会第十二次会议2009年12月26日通过，自2010年7月1日起施行）第三十六条规定，网络用户、网络服务提供者利用网络侵害他人民事权益的，应当承担侵权责任。

网络用户利用网络服务实施侵权行为的，被侵权人有权通知网络服务提供者采取删除、屏蔽、断开链接等必要措施。网络服务提供者接到通知后未及时采取必要措施的，对损害的扩大部分与该网络用户承担连带责任。网络服务提供者知道网络用户利用其网络服务侵害他人民事权益，未采取必要措施的，与该网络用户承担连带责任。

资料来源：中广协法律服务中心（有删节）http：//china. findlaw. cn/falvchangshi/falvredian/qinquanzerenfa/zuixin/3167_ 5. html. 作者：彭晔。

所谓隐性广告，是指采用公认的广告方式以外的手段，使受众产生误解的广告。在网络上可能表现为：以网络新闻形式发布广告；在BBS上发布广告；以新闻组形式出现的广告；关键词搜索中的隐蔽广告等。

我国《广告法》规定："广告应当具有可识别性，能够使消费者辨明其为广告。大众传播媒介不得以新闻报道形式发布广告。通过大众传播媒介发布的广告应当有广告标记，与其他非广告信息相区别，不得使消费者产生误解。"网络广告作为广告的一种形式，同样应符合这些规定。然而网络广告中采取以上各种隐蔽形式发布广告以规避法律和欺骗消费者的现象非常普遍，这不但极大地损害了消费者的切身利益，而且使得网络广告更难以控制和监管，迫切需要制定相关法规，对网络广告中的隐性广告予以调整和规范。

以上只是网络广告普遍存在的几个最基本的问题，这些问题的存在，已严重影响着公众的日常生活，妨碍了网络广告的健康发展。从全球网络广告来看，问题远不止这些，如广告诈骗问题、色情广告问题，在某些国家和地区已成为令人大伤脑筋的事情。虽然国内目前尚未出现这些情况，但是如果没有适当的规制手段，随着网络的进一步发展和普及，这些问题难免不会发生。因此，加强对网络广告的全方位管理，是一个不容忽视的紧迫问题。

即问即答：网络广告不正当竞争有哪些表现形式？

9.2　网上拍卖与网上竞买法律规范

9.2.1　网上拍卖与网上竞买的概念与特征

电子商务的迅猛发展，使得网上竞买和网上拍卖，尤其是网上竞买，极具发展潜力。人们在日常生活中有时对网上拍卖和网上竞买并不严格区分，一般笼统称之为网上拍卖。实质上，二者具有不同的运作机制和法律责任关系，在本书中我们区别进行分析和探讨。

电子商务领域存在一些特殊的商业形式，如网络广告、网上拍卖、网上证券交易等。广告、拍卖、证券交易这些在传统法律领域受特殊规范的商业形式，转移到互联网上进行后，由于互联网极强的开放性和交互性，产生了许多新的问题。电子商务法律必须要对这些新问题进行规范和管制，以促进这些特殊形态电子商务的健康发展。

　　为了更好地理解网上拍卖，我们先来看看传统的拍卖。根据我国《拍卖法》，拍卖是指以公开竞价形式，将特定的物品或者财产权利转让给最高应价者的买卖方式。传统形式上的拍卖当事人包括拍卖人、委托人和买受人。传统拍卖具有以下性质：

　　（1）从事拍卖必须要具有公安机关颁发的特种行业许可证，并依法设立拍卖实体企业；

　　（2）拍卖必须签订委托合同，拍卖属于经纪性质，拍卖行为皆因他人委托而建立；

　　（3）拍卖必须由具有资格证书的拍卖师主持；

　　（4）拍卖必须有数名买受人一起参加，并公开叫价。

　　（5）拍卖标的要经过严格审查。

　　网上拍卖指具有拍卖资格的主体单独或和他人合作，将传统拍卖模式搬到互联网上进行的拍卖，是传统拍卖在互联网上的开展，即纯粹的在互联网上进行的传统拍卖。网上拍卖操作规程、运作理念和《拍卖法》所规范的传统拍卖是一致的，经营行为也完全符合《拍卖法》，即先接受委托人的委托，然后对拍卖标的进行审查，最后在网站上以自己的名义进行拍卖，并收取佣金。拍卖网站以自己的名义进行拍卖，并负有《拍卖法》中规定的法律责任。例如中拍网（http：//www. a123. com）和嘉德在线（http：//www. artrade. com/）。

　　网上竞买是指网络服务商利用互联网通信传输技术，向商品所有者或某些权益所有人提供有偿或无偿使用的互联网技术平台，让商品所有者或某些权益所有人在其平台上独立开展以竞价、议价方式为主的互联网交易模式。开展网上竞买业务的网站（网络服务商）所采用的模式大多是用户将商品信息上传到交易平台，网上竞买的一切交易过程均由网站的程序自动完成，网站方不介入商品的质量、真实性、合法性的审查，亦不审查卖家出售物品的能力或买家购买物品的能力。目前，这种网上竞买活动的名义很多，如个人网上交易、互联网交易服务、网上竞价、网上争购等，大多数回避了"网上拍卖"这个字眼，以避免法律上的麻烦。网上竞买的特点主要有：

　　（1）网上竞买是电子商务的一种，是为了适应网络交易的特殊环境和特点而产生的一种新型交易模式。

　　（2）网上竞买一般是在专业网络公司提供的网络交易平台上进行。

　　（3）网上竞买的本质是在网络空间进行的互联网交易，是为了适应网络的特殊性，将传统拍卖交易方式引入网络而衍生的一种新的互联网交易模式。

　　（4）网上竞买的交易平台和交易程序提供者（即网络公司），本身不参与网上竞买，网上竞买的全部过程由卖方和买方完成，竞买商品一般无须严格审查。

　　可以看出，网上竞买交易活动本身与《拍卖法》中对拍卖活动所做的规定是有很大区别的，严格地说，网上竞买不是拍卖行为，《拍卖法》不适用于网上竞买。

参考资料

网上竞买服务提供商

　　淘宝网（www. taobao. com）是国内领先的个人交易网上平台，由全球最佳 B2B 公司阿里巴巴公司投资 4.5 亿元创办。淘宝网的创立，为国内互联网用户提供了良好的个人交易场所。

　　eBay 易趣（www. ebay. com. cn）是互联网交易服务提供商，通俗地说就是"网上的南京路"，个人和企业可以在 eBay 易趣上直接向消费者出售自己的物品，全球任何能够上网并懂得中文的消费者也可以不受时间与地域的限制，在 eBay 易趣上挑选到不同卖家出售的物品。同时，eBay 易趣一直致力于联合支付等各种合作伙伴，为买卖双方提供更完美的交易体验。

9.2.2 网上拍卖和传统拍卖的区别

划分网上拍卖和网上竞买的标准是各自主体及性质的不同。我们可以依据《拍卖法》的具体规定，对网上拍卖和网上竞买做出以下区别：

（1）标的或竞买物品。网上拍卖中，拍品一般局限于价值昂贵的物品，种类有限，虽然现在出现了民品拍卖，但它的种类也是有局限性的；网上竞买物品的范围很广泛，价格从几元到几万元，物品小到玩具，大到汽车，种类极其繁多。

（2）法律主体。网上拍卖中，拍卖人是指依照《拍卖法》和《公司法》设立的从事拍卖活动的企业法人，设立拍卖企业必须具备《拍卖法》所规定的条件，拍卖活动应当有拍卖师主持，拍卖师的资格取得也有严格的规定；网上竞买中，"拍卖人"和"委托人"同为卖方，"拍卖师"则被网络技术平台的交易程序所代替。

（3）程序。网上拍卖中，拍卖委托、拍卖公告与展示都应当遵循严格的程序与规定。拍卖人对委托人身份、拍卖标的不仅有审查的义务，也有审查的权利；网上竞买中，没有传统拍卖意义上的委托、公告与展示，其所有交易过程都按照技术平台预先设计的程序进行。因网络交易的环境和交易中卖方在交易中所处地位的特殊性，技术平台的提供者无法准确的审查卖方身份和物品的真实性。

（4）法律责任。网上拍卖中，拍卖全过程、拍卖活动产生的纠纷适用《拍卖法》；网上竞买中，交易各方的法律关系及其责任承担比较复杂。

9.2.3 网上拍卖和网上竞买中各方法律关系分析

传统拍卖中，委托人和拍卖人之间是一种委托合同关系，作为受托人的拍卖人是以自己的名义从事拍卖活动而不是以委托人的名义，委托人和买受人之间不直接发生关系；在拍卖活动中，拍卖人与买受人之间处于缔约关系，拍卖人在缔约过程中和买受人形成拍卖服务合同关系；拍卖成交后，拍卖人按照约定向委托人交付拍卖标的的价款，并按照约定将拍卖标的移交给买受人，在此过程中，拍卖人与买受人之间成立买卖合同关系，而拍卖人按照约定向委托人交付拍卖标的的价款的行为标志着委托合同的完成。即一个完整的拍卖合同应该由委托拍卖合同、拍卖服务合同和买卖合同三部分组成。网上拍卖当事各方的基本法律关系并没有因为采用网络这种特殊的媒体而改变。

网上竞买中的网络服务商（指技术平台提供商或网络公司）是向卖方（商品提供商）提供了一个网络交易技术平台，卖方在该技术平台上展示其要出售的商品，由买方竞价购买。交易平台很大意义上像一个互联网的网络商场，而交易平台提供商只是提供这个互联网商场的网络空间、发布服务和交易程序（交易系统），其本身并不发布商品信息，也不参与交易。网络交易平台提供商只是提供一种为买卖双方达成买卖合同的服务，它和买卖双方的法律关系均为基于这种服务而产生的服务关系。买卖双方在技术平台上达成买卖合同时，标志着网络交易平台提供商和买卖双方之间的民事法律关系结束。

网上竞买中的买卖双方之间成立的是买卖合同。买卖双方之间的民事法律行为适用《合同法》有关买卖合同的规定，他们所形成的商品买卖合同是由双方当事人直接履行，可以采取网上支付手段，也可以采用传统支付手段。而网络交易平台提供商提供的互联网支付系统是有别于交易服务的另一种性质的服务，即支付服务。

所以，网上竞买不是传统拍卖在网络上的延伸，更不属于传统拍卖。网上竞买是为适应互联网交易的特殊环境，为达到互联网交易目的而引入拍卖的部分概念所衍生的新的互联网交易方式；本质上是竞价或议价方式的互联网交易。

9.2.4 网上竞买的法律责任

网络交易平台提供商的平台服务本质上是互联网交易服务，属于网络服务中的特殊类型：交互式计算机服务提供商。一般情况下，对于网络服务提供商的归责原则是：网络服务提供商只对其知道信息侵权或违法，或被告知信息侵权或违法而不采取补救措施的行为承担责任；在网络上发布信息引起侵权或违法的行为，由信息发布人承担责任。

网上竞买合同的效力问题。供应商一般在网络竞买平台上明确展示其商品的价格，一旦竞买人点击竞买品、输入竞买价，即达成竞买合同，电子数据及其交换是这种合同的表现形式。供应商在平台上展示的商品内容和价格，构成网上竞买合同的要约；网上竞买人如按供应商要约内容点击商品、输入竞买价并传输至供应商即视为网上竞买合同的承诺。只要双方均具有签订民事合同的主体资格，双方即受这种电子合同的约束，并以此作为履行双方商品买卖合同的依据。一旦合同签订或履行过程中出现纠纷，应依据《合同法》和《民法通则》等法律中有关合同责任的规定，认定和处理双方的纠纷争议。

网上竞买的违约责任及承担。网上竞买合同的签订、履行中带来的违约责任、产品质量问题争议及责任的承担，属商品买卖合同争议范畴，应当也必须适用我国《民法通则》、《合同法》、《产品质量法》以及相关法律规定进行认定和处理。具体来说，如供应商或竞买人一方不履行合同义务或履行合同义务不符合约定条件的，对方当事人有权要求其继续履行该竞买合同。如供应商和竞买人双方均构成违约，应根据他们在合同中的约定或法律规定，分别承担相应的违约责任。如给对方造成经济损失，应当赔偿相应的经济损失；如双方均有经济损失，应根据自身过错责任的大小，自行承担相应的经济损失。对于商品质量问题，竞买人作为消费者，可以选择《产品质量法》和《消费者权益保护法》进行法律救济，如果竞买人就有关商品的网上买价与现实中相关商品差价问题提出返还差额主张的，应认定竞买人通过网上竞买行为已认可了该商品的网上价格，对其主张一般不予支持。

在网上竞买纠纷解决中，合同成立地点与合同纠纷管辖存在直接的联系。根据我国司法管辖原则，合同纠纷的管辖由被告住所地、合同履行地或者合同签订地法院管辖。网上竞买属于买卖合同，发生的纠纷适用我国法律规定的合同纠纷的管辖原则，一旦发生网上竞买合同纠纷，上述三地的人民法院对纠纷均有司法管辖权。在一些特殊情况下，还会出现网上竞买涉外纠纷。在我国已加入世界贸易组织的情况下，受理涉外网上竞买纠纷，特别需要注意与世贸组织的相关规则相符合。对于我国已缔结或加入的相关国际条约，应依照《民事诉讼法》之规定，优先适用国际条约确定涉外网上竞买纠纷案件的受理和审判。

即问即答：一般来说，网上竞买是否适用《拍卖法》的有关规定？

参考资料

网上竞买的尴尬

据中国互联网络信息中心（CNNIC）统计显示，有超过 1 680 万网民在过去半年中有过网上购物经历，这几乎相当于两个特大城市或者 16 个大城市的人口之和。随着个人互联网交易的急速上升，也碰到了安全与诚信的问题。据悉，2003 年美国平均每位网上购物被骗者损失 293 美元。在互联网的普及和应用还相对滞后的中国市场，用户、资金等市场环境因素都已经万事俱备的时候，安全与诚信问题就成为互联网交易巨头急于解决的头号问题。尽管各大购物网站都对网购诈骗讳莫如深，不愿提及，但从近期连续破获的网络诈骗案来看，网购诈骗行为多集中在手机、数码相机、笔记本电脑等价值较高的商品上，诈骗手段则五花八门，如收到货款不发货或寄出假冒伪劣商品、窃取对方密码等，而犯罪嫌疑人的地域分布也天南海北。

资料来源：http：//www.newscartoon.com.cn。

9.3　网上证券交易法律问题

电子证券的出现和无纸化证券市场的建立迄今不过 30 余年，对新兴的中国证券市场而言，也不过十余年时间。美国、加拿大、挪威等国作为较早关注电子证券法律问题的国家，其采取立法完善措施应对这一变化也只是在 20 世纪 90 年代开始的。因此，可以说，电子证券的法律规则问题是全球证券业界和法律界的新问题。

（1）关于电子证券的法律地位。如上所述，电子证券完全以电子数据形式储存在证券发行人、证券中介机构、证券中央登记和结算机构的计算机终端内。相比于凭证式证券，其存在形式是电子化的、无纸化的。证券市场的实践说明，电子证券存在形式的不同，并没有阻碍电子证券与凭证式证券一样实现证明证券上权益的功能。投资者在中介机构内的证券账户上所记录的电子簿记记录已经被证券市场接纳为证明其证券所有者地位的依据。与证券市场对电子证券地位的认同相比，证券法律制度对电子证券的法律地位没有做出确定性的回应。为避免因此而产生的法律风险，避免因证券法律制度的不明确使电子证券投资者产生恐慌和不必要的担心，一些国家的证券立法和研究者做出了有益的探索。

加拿大的资本市场委员会（CCMA）在其报告中曾明确指出，其国内尚未进行证券法改革的省立法部门，应该在立法中明确规定无纸化的证券（电子证券）是证券所有者持有证券的法定形式之一。对证券发行人而言，发行凭证式证券或者无纸化的证券（电子证券），只要购买证券的投资者接受，都可以在二者中任意选择。根据这一文件，可以判断在加拿大证券市场上，凭证式证券和电子证券具有完全等同的法律地位。电子证券因法律地位不明确的风险也由此解除。反观中国的证券立法，证券的定义和相关制度并没有体现出无纸化证券市场的特征。在技术上，中国的证券市场是领先的，但并没有在证券法律制度上将其确定下来。针对这一现象，中国证券法律制度有必要对以电子数据形式存在的电子证券的法律地位予以确定，明确其与凭证式证券一样是证明证券上权益的凭证，其所有者与凭证式证券所有者享有同等的证券上权益。这是证券法应该为无纸化的证券市场提供的根本性制度保障。

（2）关于电子簿记记录的法律效力。电子证券的法律地位明确后，需要进而在证券法律制度上予以明确的问题是：电子证券对应之电子簿记记录的法律效力。对凭证式证券而言，证券凭证能够直观和确定唯一的证明所有权的归属状态，即谁持有证券实物券谁就是证券所有者（以无记名证券为例）。对电子证券而言，电子证券对应的证券账户上的电子簿记记录是证明电子证券所有者权益的凭证。因此，证券电子簿记记录是关乎电子证券所有权归属状态的重要法律文件。记载的所有者享有证券所有权。

（3）关于电子证券所有者对间接持有的电子证券的权利。在无纸化的证券市场环境下，证券所有者通常是通过证券中介机构间接持有电子证券，并不能像持有凭证式证券那样直接向发行人主张权利。因此，在电子证券权益所有者间接持有电子证券时，其权利的行使方式与直接持有凭证式证券显著不同。2002 年海牙国际私法协会的会议通过了《中介机构持有证券若干权益的准据法公约》和研究报告，其中，对证券所有者直接持有凭证式证券时的权益问题的结论是：直接持有凭证式证券的所有者的权利性质是直接的财产权。对此，各国证券法律制度不存在争议。然而，在无纸化证券市场环境下，证券所有者持有电子证券的状况发生了根本性变化，虽然作为证券投资者所享有的证券上权益内容不应与凭证式证券的所有者有任何差别，但是，电子证券的间接持有本身已经使电子证券所有者与中介机构之间建立了法律关系。

9.3.1　网上证券内涵及其特点

网上证券交易通常是指投资者利用互联网资源，获取国内外各交易所的及时报价，查找国内外各类与投资者相关的经济金融信息，分析市场行情，并通过互联网进行网上委托下单，实现实时交易。网上证券交易起源于 20 世纪 90 年代初的美国，伴随着互联网的迅猛发展，向世界其他国家和地区迅速蔓延和渗透，给证券业带来了革命性的变革。电子化交易可以提高证券市场交易效率，减少交易成本；但同时也给证券交易市场监管带来了新的挑战，给证券交易纠纷的处理带来了新的难题。

网上证券交易的主体包括①证券公司。根据中国证监会《网上证券委托暂行管理办法》的规定，只有获得中国证监会颁发的《经营证券业务许可证》的证券公司，才可以向中国证监会申请开展网上委托业务。未经中国证监会批准，任何机构不得开展网上委托业务。②证券投资者。指那些与证券公司签订网上证券委托协议并在证券公司合法营业场所依法开户的投资者。③网络服务提供商。指那些为网上证券交易提供互联网接入及其他增值服务的企业。

与传统证券交易方式相比，网上证券交易有一些明显的特点：

（1）网上证券完全以电子数据形式储存于证券发行人或证券中央登记结算机构的计算机终端内，其存在形式是电子数据，是电子化的。因此，对应于纸质的凭证式证券而言，网上证券也被称之为无纸化证券。网上证券以电子数据的方式存在，不具备凭证式证券"物"的外观，因而容易与以电子介质为载体的电脑软件等无体财产（或称无形资产）混淆。网上证券与无体财产的区别在于，无体财产的价值依托于智力劳动的成果，电子介质只是智力劳动成果的表现手段。而网上证券的价值来源于其所代表的有价证券的价值，网上证券的电子簿记记录和凭证式证券的纸面凭证一样，都是证明有价证券价值的凭证，其价值依托于有价证券作为金融投资产品的价值。以股票为例，股票电子账户上记载的股票和凭证式证券所记载的持股数额都是证明持有人股东地位和股东权益的凭证。

（2）网上证券的发行和交易必须通过证券中介机构完成。在凭证式证券的发行和交易中，证券发行人和证券投资者、证券投资者之间的关系是直接的，投资者向发行人交付资金，而发行人则向投资者给付证券凭证，整个证券的发行和交易可以直接在双方之间完成。但是，在网上证券的发行和交易中，基于证券市场效率的考虑，一般不接受投资者直接参与交易结算，而必须通过证券中介机构。因此，要参与证券投资，证券投资者必须选定委托的证券中介机构，在其处开立证券账户和资金账户，通过证券中介机构的证券账户与证券交易所和证券结算交割机构相连。此时，对于证券投资者而言，参与网上证券的发行和交易必须通过证券中介机构。

（3）证券投资者持有网上证券的间接化。在有纸化的证券市场上，投资者直接持有凭证式证券。投资者可以直接向发行人出示证券凭证来主张自己的证券上权益。而在无纸化的证券市场上，投资者持有网上证券，发行人判定证券权利人的方式无法和证券凭证相对应。证券投资者主张其证券上权益只能通过自己开设账户的中介机构来完成，只能以这个账户上记载的电子数据为依据进行。此时，证券投资者享有证券上权益都必须以在中介机构处的电子账簿记录为前提和依据。因此，证券投资者持有证券的方式是间接化的。

（4）证券中介机构成为证券投资者网上证券的名义持有人。按照目前大多数国家（如中国）无纸化证券市场发行和交易模式的安排，证券中央登记结算机构处只面对证券中介机构进行证券的登记和结算，证券投资者不是中央登记结算机构的客户。因此，对证券发行人和证券登记结算机构而言，证券中介机构是投资者委托其保管的证券的名义持有人。证券发行人和证券登记结算机构依据证券中介机构所提供的资料，无法确知证券投资者，并不知道该托管证券的实际权益所有者。

网上证券交易打破了时空限制，降低了证券商的经营成本。从理论上说，证券商只要拥有一个网址就可以无限扩大自己的客户群体，更可以吸引大量的银行活期存款客户进行交易。另外，网上证券交易加快了证券市场信息流动速度，提高了交易效率。

9.3.2 网上证券交易的风险类型

网上证券交易所涉及的环节远多于营业部柜台交易，而且许多环节并不在证券公司控制之内。在目前的技术和法律环境下，网上证券交易比传统营业部柜台交易的风险性要大很多。从我国实践情况来看，网上证券交易的风险主要表现为以下几种情况：

（1）网上证券交易的安全性尚未完全解决。目前，网上证券交易的防火墙、操作系统、应用系统等还存在一些漏洞；网上证券交易宽带不够或服务器处理能力不足，当发生大量投资者同时进行网上委托时，可能会出现不能及时看到行情变化和发生堵单现象；另外，网上证券交易系统一般要与证券公司、网络服务公司、资讯公司、软件系统开发商等公司或部门相连；或者，虽然是自行配置网络服务器与互联网连接，但是仍然有多个中间环节，这就难免会出现纰漏。一旦出现差错，许多问题目前尚无一定法律法规可循，投资者权益很难得以完全保障。

（2）网上证券交易的数据在传递过程中，都是通过互联网或国内公共网来实现营业部与投资者之间的相互传输的。在数据输送过程中，有可能安全保障程序不当或设备发生故障，致使数据被重发、错发、更改、恶意跟踪和窃取或者资料遗失，使得交易无法进行，导致投资者经济损失。

（3）网上欺诈是证券网上委托纠纷发生率最高的风险类型。网上欺诈不仅包括一般意义上的对信息内容的恶意否认、发布虚假信息、误导投资者或操纵市场等行为，还包括利用网络进行银行存取款、电子划账、电子票据、电子签名时所进行的诈骗行为。网上证券交易与传统的柜台交易和电话委托不同，投资者进行网上委托时营业部不可能进行"三证"查验，也没有委托单或电话录音作为委托凭证，所以交易过程中的欺诈行为和操纵市场行为也远较传统交易更为复杂和难以查证。

案例 9-5

贾铁英诉中国银河证券有限责任公司北京安外证券营业部证券交易代理合同案

2006 年 9 月 12 日，北京市民贾某在银河证券北京安外营业部股票账户上的 1.2 万股"爱建"股份和 1 万股"华东医药"分别被盗卖，并于当日分两笔以人民币 22.45 元的成交价格被盗买了 1.7 万股"银广夏"。随即打印出来的交割单上显示，偷梁换柱买入"银广夏"股票的价格是 12 日"银广夏"第三个跌停板的价格，也就是人民币 22.45 元，导致其直接损失达人民币 30 万元左右。贾某认为，安外营业部作为证券公司管理混乱，不仅未履行保证投资者账户内资金、股票安全，提供投资者一个安全防范严密、管理措施完善的金融交易场所，也未按中国证监会要求配备管理人员，对内部局域网信息点无安全防护措施，给内部或外部人员进行恶意交易提供条件，而且在深圳证券交易所发现银广夏股票交易异常进行询问时，亦未尽到通知的义务，对其股票发生盗卖盗买不但负有责任，对不能及时采取有效措施减少损失亦负有不可推卸的责任。因此，要求安外营业部返还 1.2 万股"爱建"股份和 1 万股"华东医药"及红利和送股，还要求赔偿有关资金及利息、手续费、印花税、过户费及支付精神赔偿损害金等总计人民币 13 万余元。一审法院驳回了贾某的诉讼请求。随后，她又向北京市二中院提起上诉。合议庭认为，贾某的上诉请求缺少相关证据：其一，无证据证明本案股票交易的委托指令是安外营业部窃取其密码或利用自身技术服务优势所为；其二，也不能向法庭提供因安外营业部计算机交易系统不安全或管理不善，致使他人侵入系统或破解其交易密码进行涉案股票买卖的相应证据；其三，未能向法庭提供因安外营业部未尽及时通知之责给其造成经济损失的相应证据。简言之，法院认为，交易密码丢失，由股民承担责任而不是由证券商承担责任。故驳回原告上诉请求，维持原判。

资料来源：http://vip.chinalawinfo.com/.

9.3.3　网上证券交易风险防范措施

网上证券交易风险与纠纷问题，目前已引起世界各国证券市场的普遍重视。网上证券交易风险一方面来源于技术防范欠缺，另一方面要归结于不完善的管理制度。但归根结底，技术防范还是要靠法律制度来保障。我国《网上证券委托暂行管理办法》与《证券经营机构营业部信息系统技术管理规范》等法规相配套，对降低网上证券交易风险进行了最低限度的法律规定。证券公司应按照现有的法律制度，采取严格措施，防范可能出现的风险。目前，我国专门规范网上证券交易的立法主要是证监会于 2000 年 4 月颁布的《网上证券委托暂行管理办法》和《证券公司网上委托业务核准程序》等金融规章。这些规章对促进网上证券交易的健康发展具有积极作用。

1. 网上证券交易的风险的成因

网上证券的出现不仅仅是证券市场的技术性革命，更是对建立在凭证式证券基础上的证券法律制度的挑战。对整个证券市场而言，网上证券的出现和无纸化证券市场环境的形成无疑大幅度提高了证券发行和交易的效率，降低了费用，使证券所有者获得了更便利的交易条件。而对证券所有者而言，其拥有证券的方式已经不是持有一张证券凭证，而是通过证券中介机构处的证券账户来间接持有证券。网上证券的发行和交易也不再与纸面介质相联系，而是与电子数据的记录、交换和电子账簿的保管联系在一起。建立在凭证式证券基础上的证券法律制度显然对这些问题缺乏回应。

网上证券法律规则的缺失对于所有证券市场的参与者而言都是一种不确定性，所有证券市场的参与者将无法按照法律规则明确相互之间的权利和义务关系。如果产生纠纷，对于单个缠入纠纷的证券市场参与者而言，将会陷入因规则不明确所导致的纠纷或诉讼中去。这将是耗费资源的巨大负担。对于整个证券市场而言，这种情况的出现，暴露了市场制度缺陷所引起市场行为的不经济问题。法律规则缺失成为证券市场制度不健全和不稳定的表现。通过对证券市场运作程序的研究，网上证券法律规则缺失将引起的法律风险。

至少应该包括以下几个方面：

（1）当网上证券成为证券市场上的主要或者唯一证券，而网上证券的法律地位在证券法律制度上并没有予以相应明确时，将会形成对网上证券所有者权益的模糊判断：网上证券的所有者作为该证券财产的所有者，相比于凭证式证券所有者在证券权益的享有上是否完全一样？会不会在权益的行使上有差别，并因此差别的存在而形成事实上的权益受损？网上证券法律规则缺失对于投资者而言，会因为缺乏对自己未来所享有权益清楚的、有法律保障的认定，而对投资犹豫不决。因此，网上证券的法律地位不明确是影响投资者权益的法律风险。

（2）网上证券的所有者持有证券的方式与凭证式证券所有者不同，不是直接持有一张证券凭证，而是通过选定开立账户的证券中介机构持有证券。对于凭证式证券的所有者而言，其持有证券的风险主要表现为证券实物券灭失、毁损、被盗的风险。而对网上证券的所有者而言，中介机构证券电子簿记记录丢失、记录错误、中介机构的破产都会构成对其证券财产的灭失风险。当这些风险出现时，谁来承担证券财产灭失的法律责任？这就需要划分网上证券所有者与中介机构之间责任的法律规则，需要明确网上证券所有者对网上证券的权益，需要明确保管网上证券的中介机构对网上证券的法律权利和法律责任。如果这些法律问题不明确，在出现网上证券所有者与中介机构的纠纷时，将无法划分责任并处理纷争，将会减损网上证券所有者的权益，形成法律风险。

从一国证券市场的整体角度看，法律风险问题没有对应的制度性解决方案，将可能引发证券投资者为避免风险而选择其他证券市场进行投资，这极有可能严重影响一国证券市场的吸引力。一些发达国家和证券国际研究组织已经较早地注意到了这种因网上证券法律规则缺失或不完善而产生的法律风险。

2. 网上证券交易的风险防范措施

（1）建立对等实体认证服务制度和可靠的网上证券交易体系。为了保证网上证券交易的真实性、准确性、保密性、安全性和不可否认性，防范证券交易、清算与交割过程中的欺诈行为，在加强加密措施以保护信息传输的同时，必须在网上建立一种信任验证机制，使得证券公司营业部能对投资者身份的合法性、真实性进行认证。这就要求网上证券交易者有一个可以被验证的身份标识，即数字证书。我国证监会发布实施的《网上证券委托暂行管理办法》第十八条规定："证券公司应采用可靠的技术管理措施，正确识别网上投资者的身份，防止仿冒客户身份或证券公司身份；必须有防止事后否认的技术或措施。"

采用电子签名和身份认证能确保系统所有数据在传输时都有电子签名，那些由于传输错误或被恶意伪造的数据都不能通过检验。投资者的每个网上交易指令都应附有有效的交易密码，任何虚假的交易指令都会由于密码错误而无效，而密码正确的指令均视为投资者的正式指令。同时，电脑系统对每笔交易委托或银行存取款委托均有记载。如果由于投资者自己不慎致使密码泄露，则应承担由此产生的不利后果。交易密码是防止交易纠纷或纠纷发生后承担法律责任的基本依据。电子签名是对网上证券交易个人身份确认缺陷的弥补，以防止交易各方的相互猜疑、冒名顶替及恶意攻击者的造假行为。除此之外，还可以通过用户的数字证书，为该用户在应用系统中赋予相应的权限，以进行用户的资格认证。

（2）证券公司应在接受投资者网上委托业务时向投资者进行风险揭示，并明确各方的权利与义务。根据《管理办法》第二十二条规定："证券公司应在入口网站和客户终端软件上进行风险揭示。"第二十八条第八款规定，证券公司的《风险揭示书》范本应上报证监会，作为证券公司在申报网上证券交易时的必备文件。《管理办法》第六条规定："证券公司在为投资者办理网上委托相关手续时，应要求投资者提供身份证明原件，并向投资者提供证实证券公司身份、资格的证明材料，禁止代理办理网上委托相关手续。"这一条所规定的禁止代理办理网上委托手续的根本目的，就是证券公司必须向投资者本人进行风险揭示，在投资者了解网上证券交易的各种潜在风险后，再决定是否进行证券网上委托业务。投资者在对网上证券交易的优缺点进行了充分的了解后，如果投资者自愿采用网上委托，证券公司应与投资者本人签订专门的书面协议。协议应明确双方的权利和义务，具体内容包括证券的委托买卖、清算与交割、信息查询、客户资料保密、替代交易方式、资金存取、转账和转托管、风险防范、交易密码设置和法律责任的承担等。协议的详细约定能弥补法律规定欠缺的缺陷，以协议条款作为双方的行为准则，避免纠纷的产生。

（3）证券公司加强风险控制，严格业务管理制度。《管理办法》第七条规定："证券公司应制定专门的业务工作程序，规范网上委托。"第十一条规定："证券公司必须自主决策网上委托系统的建设、管理和维护。有关投资者资金账户、股票账户、身份识别等数据的程序或系统不得托管在证券公司的合法经营场所之外。"证券公司应制定严格的业务流程并定期向投资者提供书面对账单，限制单笔委托最大金额以及每日成交最大金额；严禁透支和信用交易，加强资金在账户之间划转与存取、指定交易的控制等；做到在开户、指定交易时的事前控制，交易委托的实时控制，对交易后的清算与交割的事后控制。证券公司在加强交易程序性制度建设的同时，应建立一系列必要的网络管理制度，如网络系统入网制度、系统数据共享制度、修改程序检查制度、用户信息存取制度、敏感数据安全制度和系统文件备份制度、安全稽核监察制度等。加强自律性管理，防止和减少网络交易各参与方可能出现的纠纷。

（4）加强投资者自我保护意识，提高其风险防范能力。投资者在做出网上证券交易决策前，首先应综合比较各证券公司和网上交易网站的安全防范措施、信息质量和技术服务等情况，选择一个技术力量雄厚，风险控制健全的证券公司和网站作为委托对象；其次必须对网上获取的各类信息进行客观地评价并辨明真伪，选择适应的安全防范措施，注意密码的设置和资料的存放等。应严格地依照法律规定和约定及时检查委托成交情况，并按时进行清算交割。如果发现问题要在第一时间与证券公司进行协商处理。

9.3.4　证券公司与投资者之间的权利与义务

（1）与传统证券交易相比，在网上证券交易中，证券公司对投资者义务的特殊之处主要有：①保证网上证券交易系统正常工作。证券公司须向投资者承诺已采用安全可靠的技术措施，保证网上证券交易能够顺利进行。②揭示网上证券交易的风险。这些风险一般包括：网上传输的数据可能会被他人通过某种途径获取；因网络的原因，交易指令可能会出现中断、停顿、迟延或错误等情况；网上发布的证券交易信息可能会滞后或错误；投资者的身份可能会被仿冒等。③准确、及时、有效地执行投资者的电子交易指令。④保存交易指令数据。证券公司每收到一条投资者的交易指令，都应在数据库中进行电子记录，以备查询。⑤为投资者提供网上交易信息、必要的替代交易方式等方面的服务。

（2）网上证券公司的权利主要表现为：①收取佣金及有关费用；②对故意影响证券公司网站运行或在网站内从事非法行为的投资者，终止其交易资格；情节严重的，交公安部门处理。

（3）网上证券交易的投资者的权利主要有：①了解网上交易操作规则及有关风险；②要求证券公司按照电子指令完成交易业务；③查证交易指令的操作结果，若有异议，可向证券公司提出并要求进行处理；对因证券公司的过错造成的交易损失向证券公司索赔。

（4）投资者除有义务向证券公司支付佣金和有关费用外，其特殊义务还有：①妥善保管和使用交易密码。如果密码遗失或泄露，应及时向证券公司和认证机构办理挂失手续。②按照网上交易规则下达电子交易指令。③网上交易系统发生异常时以有效方式通知证券公司。

即问即答：网上证券交易主体包括哪几部分？

【本章小结】

网络服务提供商在网络广告、网上拍卖、网上证券交易等这些受特殊规范的商业形式中发挥了重要的作用，具有特殊的法律地位。同时，也带来了许多新问题，电子商务法律必须要对这些新问题进行规范和管制，以促进这些特殊形态电子商务的健康发展。

网络广告与传统广告相比，具有其鲜明的特点。这些特点正是网络广告问题产生的根本原因。《广告法》仍然适用于网络广告。

网上竞买不是传统拍卖在网络上的延伸，也不同于网上拍卖。网上竞买本质上是竞价或议价方式的互联网交易。《拍卖法》不适用于网上竞买。

我国网上证券交易模式目前还不是很成熟，其风险防范主要有建立认证服务制度，严格证券公司业务管理制度，对投资者进行风险揭示和加强投资者自我保护意识等措施。

【复习与思考】

1. 什么是网络广告？主要有哪些表现形式？
2. 与传统广告相比，网络广告有什么特点？
3. 当前网络广告存在哪些问题？其法律后果如何承担？
4. 如何区别网上拍卖和网上竞买？
5. 网上竞买活动中各方当事人之间是什么法律关系？与网上拍卖有什么不同？
6. 我国在当前技术和法律环境条件下，如何有效防范网上证券交易风险？
7. 证券公司对网上委托投资者主要应承担哪些义务？
8. 课外查阅资料，论述如何用法律手段来保证我国网上证券交易健康发展。

第 **10** 章

电子商务税收的法律问题

税务局盯住网上拍卖　经营者以新作旧为偷税

在易趣网上，一双"耐克"篮球鞋标价只要 80 元，一条"LEE"的牛仔裤只卖 110 元，而一只路易威登的手提包最便宜的标价是 60 元。由于价格低廉，热心网上购物的人越来越多。

有买家，有卖家，市场就此形成。不仅如此，市场规模迅速膨胀的速度让人咋舌。网上交易市场的形成，与网上商品价格低廉有很大的关系。那么网上商品的价格为什么会有这么大的优势？一方面，不少网上商家没有固定店铺，只需一个仓库或在家里堆放货，而且在网上卖东西的成本就是交点手续费，一般只要十几元，连宣传费用也省掉了。成本低了，定价上确实有较大的空间。另外，还有一个业内不愿公开的秘密：网上交易大多数不交税。因此，在商品价格构成之中，本应上缴国家的税收，成为网上拍卖商店价格竞争和赚取盈利的法宝。

的确，在我国相关的增值税法规中曾指出，个人销售其使用过的旧货免税。这也成了许多网上拍卖店主们不缴税的借口。

但事实上，只要打开拍卖网站就可以发现，大多的网上拍卖商店销售的都是新货，还有一部分从事的是买旧货卖旧货的交易，甚至还有一些企业也在拍卖网站上以个人名义注册，打着 C2C（个人对个人）的旗号，其实进行的是 B2C 的交易。我国税法规定，网上销售新货的生产经营型企业应缴纳 17% 的增值税。而从事买进卖出，包括买进的是旧货，卖出的也是旧货的店家也要缴纳增值税，据《财政部国家税务总局关于旧货和旧机动车增值税政策的通知》，这些交易一律按 4% 的征收率减半征收增值税，且不得抵扣进项税额。

"以新作旧，成了现在网上拍卖商店最惯用的逃税手段。"一位税务专家明确告诉记者。

作为一种商业活动，电子商务是应当纳税的。而目前我国的现状是，无论是一些拍卖网站的经营者，还是一些网上商店的经营者们都以"目前国家并没有明确确定网上交易必须缴税，所以在网上开店不需缴税"为由，事实上在逃税。

资料来源：中国税收资讯服务网。

随着电子商务的日趋活跃,这个以知识和信息为基础,以信息高速传递、商业竞争和资本运营全球化为特征,完全有别于传统意义上的商业贸易模式和理念,不仅对传统贸易产生了巨大冲击,也给税收工作带来了新的课题。

税收作为国家实现其职能取得财政收入的一种基本形式,同样也受到电子商务的深刻影响。一方面,它拓展了税源空间;另一方面,它对传统的税收制度、政策和国际税收等产生了前所未有的冲击。我国也在不断探索电子商务的税收政策、征税税种及征税方式等。

作为一种商业活动,电子商务是应当纳税的。但同时无纸化、无国界化、开放性的电子商务又给传统税制与征管手段带来了极大挑战。本章我们主要介绍税法、电子商务给税收带来的影响及其相关的法律规制问题。

10.1　税法概述

10.1.1　税法的定义

税法是国家制定的用以调整国家与纳税人之间在征纳税方面的权利与义务关系的法律规范的总称。它是国家及纳税人依法征税、依法纳税的行为准则,其目的是保障国家利益和纳税人的合法权益,维护正常的税收秩序,保证国家的财政收入。

税法与税收密不可分,税法是税收的法律表现形式,税收则是税法所确定的具体内容。因此,了解税收的本质与特征是非常必要的。税收实质是国家为了行使其职能,取得财政收入的一种方式。它的特征主要表现在三个方面:

(1) 强制性。主要是指国家以社会管理者的身份,用法律、法规等形式对征收捐税加以规定,并依照法律强制征税。

(2) 无偿性。主要指国家征税后,税款即成为财政收入,不再归还纳税人,也不支付任何报酬。

(3) 固定性。主要指在征税之前,以法的形式预先规定了课税对象、课税额度和课税方法等。

因此,税法就是国家凭借其权力,利用税收工具的强制性、无偿性、固定性的特征参与社会产品和国民收入分配的法律规范的总称。

10.1.2　现行税收法律关系的构成

国家征税与纳税人纳税形式上表现为利益分配的关系,但经过法律明确其双方的权利与义务后,这种关系实质上已上升为一种特定的法律关系。在电子商务环境中,严格依法纳税、依法征税都具有重要的意义。

税收法律关系在总体上与其他法律关系一样,都是由权利主体、义务主体、权利客体、义务客体和法律关系内容几方面构成的,但在其内涵上,税收法律关系则具有特殊性。

(1) 权利主体。即税收法律关系中享有权利和承担义务的当事人。在我国现行的税收法律关系中,权利主体一方是代表国家行使征税职责的国家税务机关,包括国家各级税务机关、海关和财政机关;另一方是履行纳税义务的人,包括法人、自然人和其他组织,在华的外国企业、组织、外籍人、无国籍人,以及在华虽然没有机构、场所但有来源于中国境内所得的外国企业或组织。这种对税收法律关系中权利主体另一方的确定,在我国采取的是属地兼属人的原则。

在税收法律关系中权利主体双方法律地位平等，只是因为主体双方是行政管理者与被管理者的关系，双方的权利与义务不对等，因此，与一般民事法律关系中主体双方权利与义务平等是不一样的。这是税收法律的一个重要特征。

（2）义务主体。即纳税义务人，简称为纳税人，是税法规定的直接负有纳税义务的法人和自然人，法律术语称为课税主体。

纳税人是税收制度构成的最基本的要素之一，任何税种都有纳税人。从法律角度划分，纳税人包括法人和自然人两种。法人是指依法成立并能以自己的名义行使权利和负担义务的组织。作为纳税人的法人，一般系指经工商行政管理机关审查批准和登记、具备必要的生产手段和经营条件、实行独立经济核算并能承担经济责任、能够依法行使权利和义务的单位、团体。作为纳税人的自然人，是指负有纳税义务的个人，如从事工商营利经营的个人、有应税收入或有应税财产的个人等。

（3）权利客体/义务客体。即税收法律关系主体的权利、义务所共同指向的对象，也就是征税对象。例如，所得税法律关系客体就是生产经营所得和其他所得；财产税法律关系的客体即是财产，流转税法律关系客体就是货物销售收入或劳务收入。

税收法律关系客体也是国家利用税收杠杆调整和控制的目标，国家在一定时期根据客观经济形势发展的需要，通过扩大或缩小征税范围调整征税对象，以达到限制或鼓励国民经济中某些产业、行业发展的目的。

（4）税收法律关系的内容。税收法律关系的内容就是权利主体所享有的权利和所应承担的义务，这是税收法律关系中最实质的东西，也是税法的灵魂。它规定权利主体可以有什么行为，不可以有什么行为，若违反了这些规定，须承担什么样的法律责任。

国家税务主管机关的权利主要表现在依法进行征税、进行税务检查及对违章者进行处罚；其义务主要是向纳税人宣传、咨询、辅导税法，及时把征收的税款解缴国库，依法受理纳税人对税收争议申诉等。

纳税义务人的权利主要有多缴税款申请退还权、延期纳税权、依法申请减免税权、申请复议和提起诉讼权等。其义务主要是按税法办理税务登记、进行纳税申报、接受税务检查、依法缴纳税款等。

税收法律关系的保护对权利主体双方是对等的，不能只对一方保护，而对另一方不予保护，对权利享有者的保护，就是对义务承担者的制约。

10.1.3　税收的概念和特征

税收是国家为了实现其职能，依照法律规定，凭借政治权利参与国民收入分配和再分配，对满足法定课税要件的人征收的货币或实物，以取得财政收入的一种形式。税收是国家实现政治、经济、文化等职能的物质基础，是国家财政收入的重要来源。当前，我国的财政收入中税收收入已占 90% 以上。税收具有以下 3 个特征。

（1）强制性。税收是通过国家法律规定征收的，法律一经确定征税，纳税人即负有依法纳税的义务，不依法纳税者要受到法律的制裁。

（2）无偿性。国家征收的税款归国家所有，不再归还给纳税人，也不支付任何代价或报酬，是一种无偿所得。

（3）固定性。税收是国家按照法律预先规定的征税对象、征收标准和征收环节征收的，未经立法程序不得随意变更或修改。

10.1.4　税收的种类

（1）流转税。包括增值税、消费税、营业税、关税等。

（2）所得税。包括企业所得税、外商投资企业和外国企业所得税、个人所得税和农业税等。

（3）财产税。包括资源税、房产税、土地税、遗产赠与税等。

（4）行为税。包括车船使用税、屠宰税、城市维护建设税等。

10.1.5　税法的基本原则

1. 税法基本原则的定位

税法基本原则是指规定于或寓意于税收法律之中，对税收立法、守法、司法和税法法学研究具有指导和适用价值的根本准则。由于我国目前尚未制定一部税收基本法，对于税法基本原则的概括和表述不尽相同，从目前资料看至少有以下几项：税收法定原则；税收公平原则；税收效率原则；税收中性原则；财政原则；实质征税原则；社会政策原则；平等纳税原则；普遍纳税原则；合理负担原则；宏观调控原则；征税简便原则；维护国家主权原则；保护纳税人合法权益原则。

作为税法的基本原则，在语言表述上应具有严密性和完整性；在主观上应与税法的基本价值取向一致；在立法方面，税法的基本原则应该或已经体现在税收法规之中，以促使税法的协调统一；在守法方面，税法的基本原则应便于人们把握税法的精神；在司法方面，税法的基本原则应有利于克服成文法的局限性，是税法解释的依据。按照这样的标准衡量，借鉴已有的研究成果，可以将我国税法的基本原则概括为税收法定原则、税收公平原则和税收效率原则。

2. 税法基本原则的适用

（1）税收法定原则。又称税收法律主义，其基本精神是：法律明文规定为应税行为和应税标的物的，必须依照法律规定征纳税；法律没有明文规定的，不得征税。

（2）税收公平原则。我国税收学者认为，"税收公平原则就是指国家征税要使各个纳税人承受的负担与其经济状况相适应，并使各个纳税人之间的水平保持均衡"。一般来说包括横向公平和纵向公平。

横向公平强调情况相同，则税收相同；纵向公平指纳税能力不同，则缴税不同。税法公平作为税法基本原则之一对电子商务税收法律规范的制定也将产生直接的影响。

（3）税收效率原则。所谓税收效率原则，是指国家征税必须有利于资源的有效配置和经济机制的有效运行，必须有利于提高税务行政效率。具体包括税收经济效率原则和税收行政效率原则。

▌10.2　电子商务对税收的影响

对于电子商务这种可以深刻改变社会经济结构的新生事物，在其发展的初期通过一定的政策优惠的方式来促进其发展，正如某些高科技园区对高科技企业采取的所得税"二免三减"等优惠办法一样，是十分必要的。但在电子商务发展到一定阶段之后，作为一个朝阳产业、高回报产业，仍然实行免税就是没有道理也是不公平的了。或者说，对于电子商务这样一个既然如此有前途、能带来巨大效益的产业，就不应总是靠免税来实现利润或减少亏损。随着电子商务的发展，网上将实现大量的交易并且各行业都将实现一定程度的电子商务，在这种情况下，如仍免税，将形成极大的税收漏洞，对国家、对行业、对电子商务本身的发展将十分不利，国家也无法维持对电子商务的正常投入从而不能实现其良性循环。

电子商务税收的征管和现行税法的调整也被提上日程。接下来，我们将一起围绕电子商务对税收的影响展开学习。

10.2.1 电子商务对传统流转税的影响

（1）电子商务的无国界性使大量税款流失。电子商务的跨国性使互联网上国界概念日益模糊，从而导致一系列税收问题。用户足不出户即可购买外国厂商的成品，如网上软件，使正常渠道进出口货物和劳务数量受到了影响，造成各国关税、国内增值税等大量税款的流失。

（2）电子商务无纸化冲击着传统的以账册凭证为依据进行征纳税的方式。电子商务的特点就是无纸化，无纸化交易行为对于现行税制形成了强大的冲击，其中最主要的是动摇了纸面凭证作为计税和稽查的基础。传统的税收征管和稽查，税务机关必须要掌握大量有关纳税人应税事实的信息和精确的证据，作为税务机关判断纳税人申报数据准确性的依据。为此，各国税法普遍规定，纳税人必须如实记账并保存账簿、记账凭证及其他与纳税有关的资料若干年，以便供税务机关检查，这就从法律上奠定了以账证追踪审计作为税收征管的基础。而电子商务是通过大量无纸化操作达成交易，各种销售依据都是以电子形式存在，税收征管监控失去了最直接的实物对象。同时电子商务的快捷性、直接性、隐秘性、保密性等不仅使得税收征管技术变得滞后，更使得原来的一些税务稽查手段显得无能为力。此外，随着网上交易的发展促成了很多种电子货币的产生，对这些电子货币应怎样征税是电子商务中税务稽查的又一难题。

（3）大量的网上广告间接地造成税款流失。网上广告与传统媒体广告形式的最大区别之一是费用低，因而随着网络技术的发展，很多企业会把广告费投向网络，这将间接导致营业税收入的减少。

10.2.2 电子商务对所得税的影响

电子商务使传统的国际税收理论中一系列的基本概念受到冲击，跨国所得避税会更加严重。

（1）常设机构的概念和范围界定遇到了困难。国际经济合作与发展组织（OECD）税收协定范本规定：非居民在某国内设有代理人，且非居民在某国内的常设机构又有代表其从事经营活动的权利，则可以认定该非居民在某国设有常设机构。然而，许多客户通过互联网购买外国商品和劳务，外国销售商并没有在该国拥有固定的销售场所，其代理人也无法确定。这样，就不能依照传统的常设机构标准进行征税。

（2）国际税收管辖权的冲突。在传统环境下，如果政府行使属人管辖权，就要求纳税人具有该国公民或法人身份；如果行使属地管辖权，则要求纳税人的各种所得与征税国之间存在经济上的联系关系。一般来说，传统商业活动首先要确定税收管辖权，而确定税收管辖权的前提是确定纳税人居民身份和某一所得的来源地。而电子商务环境下存在的诸多不确定性，使其难以体现税收管辖权与网络交易者有稳定必然联系的传统因素。交易双方都以各自的网址为标志，但通过网址很难确定交易者的地理位置，所以电子商务的所得来源地、交易者身份所在地都难以确定，在处理相关问题的过程中极易造成重复征税或偷漏税的现象发生。此外，在网络空间里，交易双方可以采用匿名的电子货币交易，不向税务机关申报，这也使税收管辖权的行使受到了限制。在一国对非居民行使什么样的税收管辖权的问题上，目前国际上一般都坚持收入来源地税收管辖权优先的原则。随着电子商务的出现，各国对所得来源地的判定发生了争议。美国作为电子商务发源地，于1996年11月发表了《全球电子商务选择性的税收政策》一文，声称要加强居民（公民）税收管辖权。这样，发达国家凭借其技术优势，在发展中国家属地会强占其原属本国的税源，使发展中国家蒙受税收损失。

（3）国际投资所得避税问题将更加严重。随着电子商务的日益完善，导致网上国际投资业务的蓬勃发展，设在某些避税地的网上银行可以对客户提供完全的"税收保护"。假定某国际投资集团获得一笔来自全球的证券投资所得，为躲避所得税，就可以将其以电子货币的形式汇入此类银行。

10.2.3　电子商务对税收征管的影响

电子商务的无形化给税收征管带来了许多新问题。传统的税收征管是建立在各种票证和账簿的基础上，而电子商务实行的是无纸操作，各种销售依据都是以电子形式存在，税收征管监控失去了最直接的实物对象。同时电子商务的快捷性、直接性、隐匿性、保密性等，不仅使得税收源泉和扣缴的控管手段失灵，而且客观上促成了纳税人遵从税法的随意性，加之税收领域现行征管技术的滞后，都使依法治税显得无能为力。

10.2.4　电子商务对关税体制的影响

关税是一国经济主权的表现。传统交易方式下，关税征收比较容易，当进行国际贸易的商品和服务进出国境时，各国海关会对其数量和价格予以检查评估，征收相应的关税。然而，网络交易的独特性却对关税问题提出了新的挑战。网络交易一般包括两种形式，一种是离线交易（offline sale），指在网上达成交易的有关协议，而商品的交付、服务的提供却采用传统的有形货物的交易方式如托运、邮寄等进行。此时海关仍然可以对其进行查验，关税征收难度不大。另一种是在线交易（online sale），即不仅交易协议在网上达成，而且商品或服务的提供也可以经由网络进行电子化传送，例如数字化产品的交易、在线服务等。此时由于网络超越地域国界，传统的海关监控方式很难发挥作用，一国难以实际对之征收关税。这种情况已经在跨国公司之间的许可贸易中出现。现在一些大的计算机软件公司与其他跨国公司的总公司之间，往往存在着一种"一揽子"许可协议，软件公司根据作为自己用户的跨国公司在全球范围内所拥有的计算机数量的多少及其业务发展趋势，就其所需软件在一定时期内进行一次性许可，授权该跨国公司及其全球范围的子公司在许可的数额范围内进行合法复制，这就对传统的关税理念提出新的难题。因为作为软件用户的该跨国公司分布在全球范围的子公司在其母公司购买了许可之后，就可以合法地通过内部网络，从母公司的服务器上下载并安装该软件。从软件公司的角度来看，这种行为经过正当授权，并未违反法律；但是站在该子公司所在的国家的立场，却是规避关税的不正当行为。因为，如果所授权的软件不是从网上下载的，而是储存在光盘或其他载体上从海关运输进来的，一般而言必须缴纳相应的关税。在这种情形下，现有的关税体制几乎无法发挥作用。

10.2.5　电子商务对税法构成要素的影响

（1）对纳税人身份的认定。在传统贸易形式下，商品的流通一般是通过有固定场所的公司来完成的，而电子商务削弱了商品或劳务提供者与消费者之间地理位置上的联系，使商品或劳务的交易活动从有固定的场所转移到了没有固定场所的互联网上进行。更使企业之间摆脱了固定场所的束缚，而能在网上直接地进行交易。同时，传统的税制中无论从事商品生产、销售还是提供劳动、服务的单位和个人都要到税务机关进行税务登记，税务机关就可以根据登记的情况对纳税人实施管理并及时掌握税源的情况。然而电子商务的兴起使任何企业只需交纳很少的费用就可以在网上从事一定的商贸活动了。由于消费者和制造商都可以隐匿其名称和居住地，如何确认电子商务中从事经营活动的公司或个人的居民身份就成为一个的新难题。

（2）对征税客体的认定。征税客体又称征税对象，在税法中主要是指纳税人的应税所得。传统商业活动的征税客体因为在现实中有迹可寻，所以比较容易确定。而电子商务却改变了产品固有的存在形式，使征税对象有时不需要发生商品的实物转移，使政府难以全面掌握有关纳税人的活动信息。同时，电子商务中许多产品和劳务都是以数字化形式出现的，并以电子传递的形式转化，传统的计税方法在这里很难发挥作用，尤其网上的一些加密方法更使原来的方法无所适从。例如，某书店在现实中一个月内卖出 100 本书，税务机关就可以根据这 100 本书的价款对这个书店征收税款。如果书店将这本书的内容放到网上供人下载收费，由于很难确定这个书店一个月内销售了多少本书或多少字节的信息，从而很难确定应该征收的税款数额。

10.2.6　课税对象多元化

电子商务改变了产品的固有存在形式，使课税对象的性质变得模糊不清。现行税制设计着眼于有形产品的交易，互联网使得有形产品和服务的界限变得模糊，将原来以有形财产形式提供的商品转变为以数字形式提供。互联网中发展最快的领域就是网上信息和数据的销售业务，比如书籍、画册、报纸、CD 和计算机软件的在线交易。

企业可以通过任何一站点向用户发放书籍、画册、报纸、CD 和计算机软件等，当用户需要时，只需通过密码将产品打开或在网上拷贝一下就可以了。这时，产品的物质载体和销售数量按通常的销售概念而言都不存在。一方面，税收机关很难核实其销售收入；另一方面，对其按销售货物征收增值税还是按无形资产转让收取营业税，现行税法都没有明确规定，使税务机关无所适从。互联网使得税收对象多元化，并使以数字形式提供的数据、信息应视为提供服务所得还是销售商品所得难以判定。可以说，课税对象的多元化、虚拟化是电子商务对税收的一个重要影响。

10.2.7　义务主体虚拟化

在传统商务领域中，义务主体（纳税人）身份判定的问题就是税务机关应能正确判定其管辖范围内的纳税人及交易活动是以实际的物理存在为基础，因此在纳税人身份的判定上不存在问题。

在互联网的环境下，互联网上的商店不是一个实体的市场，而是一个虚拟的市场，网上的任何一种产品都是触摸不到的。在这样的市场中，看不到传统概念中的商场、店面、销售人员，就连涉及商品交易的手续，包括合同、单证、甚至资金等，都以虚拟方式出现；而且，互联网的使用者具有隐匿性、流动性，通过互联网进行交易的双方，可以隐匿姓名、居住地等，企业只要拥有一台电脑、一个调制解调器、一部电话就可以以某种角度轻而易举地改变经营地点，从一个高税率国家移至低税率国家。所有以上这些，都造成了在对纳税人身份判定上的难度。

10.2.8　财务信息无纸化

互联网络的发展将促使纳税人（企业）的财务信息不断地走向无纸化，这表现为：①数据输入的无纸化。无纸化的输入类型有两种：一种是像商品条码一样需人工参与的数据输入方式；另一种是像电子数据交换系统产生的发票和电子资金转账系统（EFT）产生的电子汇票，不需人工参与，直接可以从其他企业或部门获得。②处理过程的无纸化。③财务信息输出的无纸化。手工会计系统中，存储账表的是纸介质；传统财务软件中存储账表的是纸介质和磁碟，互联网财务软件中存储账表的越来越趋于网页方式和以网页为主体的多媒体方式，财务数据将变成网页数据。这使税收征管、稽查失去了最直接的纸制凭证，给税收工作带来了困难。

10.2.9　结算支付电子化

电子商务、网上采购的基本前提是网上支付电子化，即不需要支票，不需要汇票，不需要现金等纸张票据，直接将采购应付款项从企业账号或个人信用卡支付给对方的一种结算支付方式。结算支付电子化，一方面使税务机关可与银行、国库等部门建立网络链接，纳税人可将税款直接从其银行账户划入国库，加快资金的流动；另一方面也给税务机关监控纳税人的有关资金流动增加了困难。

10.2.10　税收申报方式多样化

税收电子申报包括电子申报和电子缴税。

电子申报是指纳税人利用各自的计算机和电话，通过电话网、分组交换网、互联网等通信网络系统，直接将申报资料发送给税务机关，从而实现纳税人不必亲临税务机关即可完成申报的一种方式。

电子缴税是指纳税人、税务局、银行、国库间通过计算机网络进行税款结算、划拨的过程。通过电子缴款，只需将数据信息传递到银行数据交换系统和国库，由银行进行划拨，并向税务机关及纳税人发送银行收款凭单，税务机关据此核对销号。该环节完成了纳税人、税务局、银行、国库间电子信息及资金的交换，实现了税款收付的无纸化。

为适应网络经济和电子商务的"无纸化"特点，有学者提出必须尽快建立电子纳税申报制度，并具体设计了如下的电子申报流程。税务部门应编制出专用的电子纳税申报表和申报软件，申报软件程序在纳税人填写完申报表之后，能自动先对申报表的数据进行逻辑审核，把好防止纳税人虚假申报的第一道关。凡是通过互联网进行交易的纳税人，必须按规定填制电子纳税申报表。税务机关可在互联网上开设主页，将规范的纳税申报表及其附表设置在主页中。纳税人通过计算机登录访问该主页，将需要的纳税申报表等下载到自己的计算机中，输入有关的申报数据，电子签章后，将数据发送到税务机关的数据交换中心，同时签发一封信件寄给税务机关，以确认该项申报的有效性。税务机关在收到确认信后，对电子信件进行安全性检查，然后转入税务机关计算机处理系统中进行审核验证，将受理结果返回纳税人。电子申报不仅减少了数据库录入所需的庞大人力、物力，也降低了输入的错误率，实现了申报的"无纸化"。但是电子申报不仅涉及税务系统与其他部门间的信息共享，还需要包括纳税人、税务局、银行、国库等部门在数据格式、传输频率、数据传输控制、安全机制等方面进行协调，建立部门间的数据交换系统与机制。此外，还会涉及税收电子申报数据、电子签名的法律效力等诸多问题。

10.2.11 税收优惠与电子商务的发展

税收基本原则中包括公平原则和中性原则。税收公平原则，是指国家征税要使各个纳税人承受的负担与其经济状况相适应，并使各个纳税人之间的负担水平保持均衡。税法公平原则具体包括横向公平和纵向公平两个层面：横向公平指经济情况相同，纳税能力相等的纳税人，税收负担也应相等；纵向公平指经济情况有差别，纳税能力不相等的纳税人，其税收负担也应该体现出相应的差别。税收中性原则包含两个最基本的含义：一是国家征税使社会所付出的代价以税款为限，尽可能不给纳税人或社会带来其他的额外损失或负担；二是国家征税应避免对市场经济正常运行的干扰，特别是不能使税收成为超越市场机制的资源配置的决定因素。

依据税收公平原则，从事电子商务的主体同从事传统贸易的主体一样，也进行了商品的交易，有应税行为和应税所得，理所当然应成为税收征管范围内的纳税人。根据税收中性原则，税收法律不能对不同的商务形式区别对待，不能由于征税阻碍新技术的发展，电子商务与传统贸易在税收上应受到同等对待。同时也不能由于对电子商务免税，使其与传统贸易税负不一致（税负不公）而导致对经济的扭曲，偏离税收中性原则。正像美国财政部税收政策办公室认为的那样，"税收中性原则排除了对电子交易开征新税或补充性税收，而要求税收制度对相似所得同等地加以处理，不管所得是通过电子手段或现有的商业渠道取得的"。

但是，对于电子商务这样一种崭新的、具有重大意义且具有强渗透性的产业，在其发展初期，尤其是其获利甚微的阶段，为了促进其迅速发展而通过税收优惠政策加以鼓励，这是否违背了税收中性原则和税收公平原则？在数字经济的背景下，怎样才能更好地遵循这两项原则？特别是对电子商务和信息技术发展缓慢的国家，怎样才算遵守税收中性原则？是一味地苛求，还是在不同的发展阶段下应有不同的要求？学者袁振宇指出："税收中性作为一个原则，其积极意义应当给予肯定，而且在实践中应尽可能遵循这一原则。但是，在具体运用时，不可将它绝对化。即使在那些市场经济发达的国家，税收中性原则也只是作为一个理想的原则，而在实践中，没有一个国家能够做到完全遵循这一原则。"所以，在研究对电子商务的税收优惠问题时，我们应该具体分析电子商务交易的内容、特点、形式和对象，以此来判断这样是否对整个经济的运行和资源的配置产生了负面影响。

10.2.12 电子商务税收问题国际解决动态

迅猛发展的电子商务浪潮所带来的税收问题，对现行的税务体制有很大冲击，因此各国政府、国际组织都高度重视，纷纷提出积极的应对措施，希望凭借各自的优势，在新一轮国际税收规则的制定上占据主动，并在电子商务对税务体制未造成破坏前对其加以有效的控制。

1. 美国

作为电子商务主导者的美国，喊出了"全球电子商务自由化"的口号，提出了全球电子商务免税方案，极力主张电子商务无国界、无限制，并提倡全面免税的优惠政策。在电子商务领域，美国无疑是最大的赢家。据统计，在全球从事电子商务的网络公司中，美国企业约占1/3；在全球电子商务销售额中，美国企业占主要份额，约为75%。美国的电子商务活动几乎涉及各个行业。显然，互联网的全球自由贸易体系的建立会给美国带来极大的利益。

1997 年 7 月 1 日，克林顿政府发表的《全球电子商务架构》报告中，对电子商务的征税提出以下原则：①不扭曲或阻碍电子商务的发展；②简易、透明，不增加网络交易的成本或保存记录的负担；③符合美国与国际社会的现行税收制度，不开征新税；④跨国交易的货物和劳务免征关税。

1998 年美国国会通过了《互联网税收豁免法案》，并作为《综合与紧急追加拨款法案》的一部分于 1998 年 10 月 21 日颁布实施。该法案确定了 3 年的豁免期，在此期间，各州及地方政府不得对"互联网接入服务"开征新税，也不能征收任何"针对电子商务的多重税收或歧视性税"。该法案的实施，表明了美国国会反对开征新的针对互联网的税种，反对所有针对互联网与电信业的国际税收、关税和管制的原则立场。

2000 年 3 月 20 日，美国电子商务咨询委员会会议以 11 票赞成 1 票反对 7 票弃权的微弱优势，将电子商务免税期延长至 2006 年，其目的是给网络一个时间和空间的发展机会。美国政府除颁布专门的法案为本国电子商务的发展提供经济、法律保障以外，还充分利用其在电子商务领域中的主导地位，积极展开一系列的国际行动，试图影响国际上关于电子商务的税收政策的制定，以便达成对自己最有利的国际税收政策。

1997 年 10 月的全球标准会议，支持了美国的由私人主导网络技术开发的立场。1997 年 12 月 9 日，美国和欧盟达成一项协议，制定了未来全球电子商务的发展纲要，提出了"信息空间免税"的原则。1998 年 2 月，美国向 WTO 的 132 个国家提出正式建议，要求对电子商务免税。1998 年 3 月 18 日在日内瓦召开 WTO 第一次部长级会议，在美国的努力下，WTO 通过了一项关于"对互联网延期一年征收关税"的提议，并表示，要用这一年的时间仔细研究美国提出的关于"永久性禁止征收互联网关税"的提议。1998 年美日互相承诺，对电子商务不作管制。荷兰、韩国、澳大利亚等国也发表共同宣言，支持美国的电子商务政策。

美国的做法严重地影响了其他国家的利益，影响了全球经济的协调发展，遭到世界上大多数国家包括其他一些发达国家的强烈反对。克林顿政府一直主张把电子商务领域建成免税区。在全球大多数国家的反对下，美国被迫同意对电子商务征收间接税，但坚持：①应在消费发生地征收间接税；②将通过电子网络供应给消费者的数字化产品视为劳务销售并征收间接税；③征收间接税（主要是增值税）必须确定征收范围。

总的来说，美国政府制定的电子商务税收政策，一是为了保持美国电子商务在世界上的优势地位，特别是免征数字化产品的关税，将使美国企业越过"关税壁垒"，长驱直入他国而获利；二是通过促进本国电子商务的迅速发展，带动相关行业的发展，从而促进经济发展，最终增加政府财政收入。

2. 澳大利亚

1996 年 5 月，澳大利亚税务局成立了电子商务项目组，研究电子商务环境，并就澳大利亚现行税制如何在新环境下解决征管等问题提出建议。1997 年 8 月电子商务项目组发表了一份名为《税与互联网》的讨论报告，就电子商务对税收环境的影响进行了详细论述，并在坚持税收中性原则的基础上提出了具体的建议。报告指出，由于带宽的限制以及电子支付系统尚不成熟，目前电子商务的实际应用受到限制，因而短期内电子交易还不会对税收体制造成大的影响和冲击，可以通过更改现有的税收规则来适应电子商务环境。就电子商务所面对的税收管理困难，如难以识别网络商业的交易当事人等问题，在该报告提出如下的一些建议：①澳大利亚公司的登记号码须展示在其网站上；②寻求适用管理电子货币之法令；③寻找网络商业适当的注册程序；④利用现有科技，确保交易资料的真实性；⑤在销售税方面，讨论数字化产品的产品归类情况。

税务当局认为在电子商务交易下，传统的所得来源原则、居住地及常设机构的概念均须修正，同时这也需要国际间的共同合作。

3. 经济合作与发展组织

经济合作与发展组织是税务领域里处于领先地位的国际组织，具有制定国际税务规范的长期专业经验，在电子商务税收问题的研究上也处于领先地位。

1997 年，OECD 受国际委托制定适用于电子商务的税务框架条件，提出了《电子商务税务政策框架条件》的报告。该报告制定了适用于电子商务的税务原则：中立、高效、明确、简便、有效、公平和灵活；概述了税务政策框架公认的条件，其中包括纳税人服务机会、身份确认、信息需求、税收和税收征管、消费税、国际税务安排与合作等内容。

1998 年 5 月 20 日，世界贸易组织 132 个成员方的部长在日内瓦达成一项协议，对在国际互联网上交付使用的软件和货物至少免征关税一年；但这并不涉及实物采购，即从一个网址订购产品，然后采取普通方式越过有形边界交付使用。在 1998 年渥太华会议与 1999 年巴黎会议上，OECD 就电子商务税收问题达成如下共识：保持税制的中性、高效、确定、简便、公平和灵活；明确电子商务中消费税的概念和国际税收规范；对电子商务不开征新税，而是采用现有的税种；提供数字化产品要与提供一般商品区别开来；在服务被消费的地方征收消费税；要确保在各方间合理分配税基，保护各方的财政权，并避免双重征税；在定义常设机构时，要区分计算机设备的硬件与软件，只有前者构成常设机构等。

OECD 还于 2000 年 5 月 8 日发表了对美国 2000 年经济的调查报告，建议美国各州应对电子商务及邮购销售征税。OECD 认为对电子商务不征销售税将对经济运行产生扭曲作用。因为现实中对不同贸易形式的征免税并存，这势必导致大量应税税源转向免税方面。

另外在增值税方面，OECD 国家除了美国和澳大利亚以外，都对产品征收增值税，这些增值税往往都由产品的最后销售商来代征，日益增长的国际电子商务对这些征收增值税的国家的财政带来了威胁。因此，这些 OECD 国家强烈主张征收增值税，并积极探讨制定互相帮助征收增值税的有关合作条约，即如果一家美国公司通过互联网在某欧洲国家销售某种商品，由于该欧洲国家无法对这家美国公司征收增值税，美国应替该国代征增值税，并转交给该国。

在关于电子商务的税收问题上，由于 OECD 的观点与美国有很大不同，总的来说，该组织赞同电子商务税收遵循中性原则，但强调电子商务不能侵蚀税基和破坏税收行政；赞同暂时以现行税制应对电子商务；赞同征税透明，不加重成本，避免双重征税，加强国际协调；反对免税区和放宽税收征管的主张；反对免征增值税，并坚持在电子商务发生地征税。

目前，OECD 正在与其他国际组织、地区性组织、商家和非成员方紧密合作，着力进行下面的工作：跟踪技术、协议和标准方面的相关进展，并在适当时候，投入力量以确保税务系统的稳定管理；根据要求进一步阐明相关的国际税务范式，为采用现有范式或管理办法提供指导以适应电子商务的未来发展。

4. 加拿大

加拿大国税局于 1997 年 4 月成立电子商务咨询委员会，研究国际和国内电子商务发展趋势，尤其是与电子商务有关税制的发展趋势。该委员会于 1998 年 4 月完成的《电子商务与加拿大租税》报告，就加拿大如何确保其租税制度的完整性提出了建议。该报告建议：①电子商务的发展、管理和推广应由私人企业主导；②为了电子商务的发展，政府应创造有利的政策法律环境，同时认识到尽快排除所有妨碍电子商务发展因素的重要性；③电子交易和一般传统交易，尽管其具备不同形式，仍然应被征同样的税；④政府应避免对电子商务有过多的规范、限制；⑤政府应认识互联网的特性，并应成为互联网和电子商务的模范使用者；⑥在税收政策上可采取经济中立、平等、简单可行的税务管理制度，避免多重课税，合理分配税收等。

另外，该报告还提出对于"比特税"问题，会与不对电子交易征收新税的原则相违背。"比特税"即对电子信息按其流量征税，对每发送100个大于1万位的电子邮件征收1美分税款，并将此项收入用于补贴发展中国家发展互联网贸易。据测算，全球每年能有700亿美元的"比特税"收入。"比特税"方案最早是由加拿大税收专家阿瑟·科德尔提出的。荷兰经济学家卢克·苏特领导的一个欧盟指定的独立委员会于1997年4月提交的一份报告中也建议开征"比特税"。但该方案受到大多数人的反对，主要原因是"比特税"难于区分信息流的性质，从而不符合税收的公平原则。虽然有一些外国管辖区域已经提出或开始研究"比特税"是否可行，然而委员会相信实施征收"比特税"将阻碍电子商务的发展。委员会还认为，一些问题主要来自于多重管辖权交易中的管辖权冲突问题。其建议的解决方法，将是国际间就竞争管辖权之间税收的合理分享并相互合作。委员会建议税务机关应检查电子商务环境中，所得税法关于从事商业的定义是否适用于电子商务，并强调现代电信技术对"居住"和"在加拿大境外从事商业"这两个概念的影响。此外，该报告还提出，在电子商务环境下常设机构这个概念是否有效？因为加拿大参加的相关国际条约规定，非加拿大居民在加拿大从事商业活动时，除非其收入来自于在加拿大有常设机构的商业才须缴税。至于关税，委员会认为实体商品转变成电子商品或交易，不应和相类似的实体商品有不同的课税待遇。

参考资料

电子征税的相关知识

电子征税是指利用电子信息网络对商家网上交易和网上交易征税的新方式，电子征税包括电子申报和电子结算两个环节。电子申报指纳税人利用各自的计算机或电话机，通过电话网、分组交线网、互联网等通信网络系统，直接将申报资料发送给税务局，从而实现纳税人不必亲临税务机关，即可完成申报的一种方式；电子结算指国库根据纳税人的税票信息，直接从其开户银行划拨税款的过程。第一个环节解决了纳税人与税务部门间的电子信息交换，实现了申报无纸化；第二个环节解决了纳税人、税务、银行及国库间电子信息及资金的交换，实现了税款收付的无纸化。

利用现代化计算机和网络技术，以电子方式进行申报、纳税，有着传统纳税方式不可替代的优势。同传统缴税方式比，电子征税提高了申报的效率和质量，降低了税收成本。对纳税人申报不受时间和空间的限制，方便、省钱，对税务机关来说，不仅减少数据录入所需的庞大的人力、物力，还大幅度降低了输入、审核的错误率。其次，由于采用现代化计算机网络技术，实现了申报、税票、税款结算等电子信息在纳税人、银行、国库间的传递。加快了票据的传递速度，缩短了税款在途中滞留的环节和时间，从而确保国家税收及时入库。

10.3 电子商务税收的法律规制

10.3.1 是否对电子商务征收新税

从企业到企业的电子商务（B2B）到企业到消费者的电子商务（B2C）、消费者到消费者的电子商务（C2C）；以电子商务中的电子商店、电子贸易、电子金融、电子营销到电子化的服务、电子广告；从网上直销、集团竞价、网上拍卖到网上服务；从汽车、计算机到软件、CD 等，电子商务涵盖了许多的交易方式、交易范围与交易产品，并且其中的一些交易方式是以往传统交易方式中所没有的。对待这些特定的交易范围、交易方式与交易产品，尤其是其中一些新的交易方式，是否有必要征收新的税种，自然成为首先摆在人们面前的一个问题。

美国在其《互联网免税法案》及相关的国际协议中，一直在倡导不对互联网或电子商务征收新的税种，当然会有其作为电子商务的推动者及最大受益者的特殊考虑。但是如果对电子商务中的某些交易行为征收新的税种，因有时很难明确地将电子形式的交易与实体的交易截然分开，就很可能会产生双重征税或发生对电子商务的歧视性待遇的问题。而不对电子商务双重征税及不对电子商务征收歧视性的税种，已是国际社会及各国普遍接受的原则之一。

10.3.2　是否对电子商务免征关税

在 WTO 1998 年的部长会议及 OECD 1998 年的部长会议上，都曾倡导不对电子商务征收关税。当然，这里的电子商务，还只是真正意义上的电子商务，即数字化产品的电子商务，而不包含实物的转移。所以，这种不对电子商务征收关税的倡导显然有三个基础：其一，旨在通过这一优惠措施极力推进电子商务这种新兴商业模式的推广与应用；其二，从实际操作的情况来看，其实即便是不这样做，我们也很难从税收的角度对数字产品的电子商务实行有力的控制；其三，我们所说的数字产品，其中计算机软件及信息服务占很大一部分，而对于这一部分产品，根据 WTO 组织协议中的 ITAA 协议，许多发达国家已经实现了对其零关税。而在我国，是否对电子商务征收关税及如何征收，还需要许多理论及实践中的探讨。

10.3.3　数字产品的电子商务税收

现行税制是建立在有形交易基础上的，而电子商务的数字产品如计算机软件、电子书籍、音乐作品等交易的出现极大地削弱了现行税制存在的基础。且现行税法的征税对象以物流为主，容易监控。现行税制对纳税环节的规定是基于有形商品的流通过程和经营业务活动的，主要适用于对流转额征税。

而纵观各种形式与产品的电子商务，数字产品的电子商务不仅具有一般形态的电子商务所具有的商流与信息流的虚拟性，更因其产品形态的特殊性，数字产品电子商务又具备物流的虚拟性的特点，这使得在其被转化为文字或图像以前，税务机关很难了解交易的内容和性质；即使税务当局掌握了数字化产品的内容，在线交易也往往带有混合销售的性质，根据现行税收政策也难以对该交易进行确切分类。因为这是商品销售还是特许使用权转让，将数字产品究竟界定为货物或服务，网上销售是属于商品销售应征收增值税，还是转让无形资产应征收营业税等都难以确定，从而使得税收征管的难度大大增加。

10.3.4　电子商务税务稽查

电子商务环境下，生产—销售—消费一条龙，特别是非记账式电子货币支付，不仅传输快捷，而且可实行匿名交易，从而使交易过程无法追踪。

在此情况下，税务稽查就成为保障电子商务税收的重要一环，即是否能定额征收的问题税务机关要进行有效的征管稽查，必须掌握大量有关纳税人应税事实的信息和精确的证据，作为税务机关判断纳税人申报数据准确性的依据。为此，各国税法普遍规定纳税人必须如实记账并保存账簿、记账凭证以及其他与纳税有关的资料若干年，以便税务机关检查，这就从法律上奠定了以账证追踪审计作为税收征管的基础。

在互联网这个独特的环境中，正像前文曾多次提到的，由于订购、支付甚至数字化产品的交付都可通过网上进行，使得无纸化的程度越来越高，订单、买卖双方的合同、作为销售凭证的各种票据都以电子形式存在，且电子凭证又可被轻易地修改而不留任何线索、痕迹，导致传统的凭证追踪审计失去了基础；并且，互联网贸易的发展刺激了支付系统的完善，网络银行和电子支付的出现，加大了税务机关通过银行的支付交易进行监控的难度；随着计算机加密技术的成熟，纳税人可以使用加密、授权等多种保护方式掩藏交易信息。如何对网上交易进行监管以确保税收收入及时、定额地入库是网上征税的又一难题。

网络经营的收款日期、发生日期、机构所在地以及劳务发生地都难以确认，这给纳税时间、纳税期限、纳税地点的确定带来困难，具体征税稽查工作更难进行。所以，现行税法也不能适应电子商务的纳税需要，应作修改。

征管在税收工作中占有重要地位，其能力和水平直接影响着税收收入水平。而电子商务给税收征管工作带来的影响是前所未有的：一方面，对传统的账表凭证计税方式带来冲击。传统意义上的税收征管是以纳税人的真实合同、账簿、发票、往来票据和单证为基础的；而在互联网上，电子商务的账簿和计账凭证是以网上数字信息形式存在的，而且网上凭证又有随时被修改而不留痕迹的可能，使税收征管失去可信的审计基础。另一方面，电子货币、电子支票、网上银行的出现和发展，更加大了税收征管难度，法律甚至不能对网上交易的偷逃税行为产生威慑作用。

10.3.5　电子商务税收管辖权

以信息流、商流、物流为特征的电子商务运作已经打破了传统的经营区域的概念，税收的区域管辖也变得复杂和模糊不清，以行政区域划分的税收管理机关如何管理及从哪个层面实施管理就变得极为棘手。

如果电子商务中的各环节不能有效地确认，或不能处理好依照电子商务中商流或信息流征税与根据物流征税的有效衔接的问题，那么由于互联网本身无国界区域之分，任何一个税收征管当局都能宣称对其有税收管辖权，而不同国家的税收征管当局同时行使税收征管权利，往往造成双重征税，阻碍了电子商务的正常发展。因此，现行的税法体制下，电子商务中的双重征税问题恐怕是无法避免的。另外，由于世界各国所确定的税收管辖权的标准不同，利用网上贸易，跨国公司操作利润、规避税收将更难防范。经营电子商务的公司往往可以选择在避税港建立"虚拟公司"等手段来逃避纳税义务，或利用电子货币在避税地的"网络银行"开设资金账户，开展境外投资业务，对税收管辖权的"选择"越来越灵活。总之，电子商务税收的征管与反征管使税务部门在技术、效率和速度上的难度进一步加大。也势必导致各国的电子商务中的偷漏税的矛盾加剧。

具体而言，电子商务税收管辖权主要牵涉到以下两方面的问题：

（1）常设机构位置的确定。在传统的税收中，交换的形式、固定商业的位置、企业机构所在地、管理中心、合同缔结地等概念都有着重要意义。如我国就规定固定业户应向其机构所在地主管税务机关申报纳税。电子商务的发展将会使这些概念受到新的挑战，在《联合国范本》和《经济合作与发展组织范本》中都规定，"常设机构"是指一个企业进行全部或部分营业活动的固定场所。在网络世界里，一个可以进行买卖的网络地址或服务器算不算"常设机构"？假设涉及的管理和销售系统被分别安置在不同的国家，那么法人的常设机构所在地如何确定？法人的居民身份如何判断？因而常设机构位置的确定问题是影响税收管辖权确立的一个重要的问题。

（2）商品供应地位置的确定。传统的消费税主要是以商品供应地为基础而享有管辖权。当货物发送和运输开始时，货物商品供应地规则意味着货物商品的存在地。另一个方面，商品供应服务地或者是供应商所在地或者是消费者所在地。在网络空间，从事电子商务的主要服务器的固定地可被认为是服务地，消费者所在的国家被认为是消费地。货物与服务在互联网上的处理降低了物理位置的重要性，同时，也使消费税征收管辖权变得模糊起来。一国规定在商品供应地缴纳消费税主要是为了征缴方便，而消费税的目的则是为了调节产品结构，引导居民的消费方向，保证国家的财政收入。但是，商品供应地不清晰，消费税的征收就变得复杂和困难起来。由于不同国家间的不同消费税体系也会造成税收的冲突。目前，美国采用了销售税系统而欧共体、中国等其他国家采用了增值税系统。在国家间不同税系环境下，互联网上的国际贸易极有可能导致双重征税或者偷漏税。

10.3.6　制定符合我国国情的电子商务税收政策和法律

我国应改革和完善现行税法政策和法规，重新修订和解释一些传统的税收概念，补充有关电子商务所适用的税收条款，对电子商务的纳税义务人、课税对象、纳税环节、纳税地点、纳税期限等税制的必备要素给予明确界定，以使对电子商务的税收征管有法可依。

（1）扩大增值税征税范围。电子商务交易的产品（数字化产品）是一种无形商品，现行税制对其纳税存在一定困难。为了减少税收对电子商务的负面影响，可适当扩大增值税的课税范围，对通过网络进行交易的数字产品征收增值税，使其与传统有形产品的税收待遇相同，从而保持税收中性的原则，这是法律应尽快予以明确的。在税法上将电子商务纳入增值税的征税范围，可以明确纳税义务，划清征管权限。为了平衡地域间的税源分布，将消费者居住地确定为电子商务的征税地，即通过互联网进行商品销售和提供劳务，无论商品和劳务是在线交易还是离线交易都由消费者居住地的税务机关征增值税，而消费地已缴纳税款可作为公司已纳税金予以抵扣。具体计算公式为"当期应纳税额 = 当期销项税额 - 当期进项税额 - 消费地已纳税额"。

这样不仅有助于消除重复课税的弊端，而且有助于加强服务贸易的流动性，并可防止出于财政利益考虑对网上贸易的干扰。

（2）使用电子商务交易专用发票。每次通过电子商务达成交易后，必须开具专用发票，并将开具的专用发票以电子邮件的形式发往银行，才能进行电子账号的款项结算。同时，纳税人在银行设立的电子账户必须在税务机关登记，并使用真实的居民身份证以便税收征管。

（3）采用独立固定的税率和统一税票。考虑到电子商务在线交易商品和提供劳务的特殊性，以及目前传统交易此类商品的税负情况，利润按独立公平的原则在消费者居住地进行分配，消费者居住地采用独立固定的税率征收，即"消费地当期应纳税额 = 销售额 × 固定税率"。

固定税率不宜过高，一般以 1% ~ 2% 为宜。这样既可以平衡地区利益，而且抵扣时又不会出现退税。由于电子商务的跨地域性，销售地税务机关与消费者居住地税务机关都有征税，而且消费地税务机关征的税可以用作抵扣，从征管角度出发要求使用统一的税票并逐步使用无纸票据，以及采取电子化的增值税纳税申报，这样便于税务机关通过本身局域网展开交叉稽查，防止逃骗税发生。

案例 10-2

北京地税局率先在全国应用安全电子印章

北京地税局已决定在内部系统率先试用安全电子印章，准备尽快在北京实行完全的网上电子报税。在"第八届中国国际电子商务大会"上，北京市地税局局长王纪平说："北京市实行网上电子报税已有两年多时间，但过去没有可以在互联网上使用的、有国家信用保证的安全电子印章，网上签章得不到法律认可。企业虽然是在互联网上申报，但必须下载并打印报税表格，再加盖企业公章后，才能将报表递送到税务部门。而签章电子化，则彻底实现了网上电子报税。地税部门和企业之间可以实现双向认证、双向传送，地税部门将企业上报的税单盖章后发回纳税人，双方都可以直接以电子版形式留存档案，便于双方查询和管理。同时，也为纳税人提供了有第三方认证的电子完税证明，真正实现电子报税。"《电子签名法》于 2005 年 4 月 1 日正式实施后为我国的电子税收奠定了基础。而公安部物证鉴定中心、中国电子商务协会、中国印章行业协会和中国金融认证中心研发的安全电子印章为网上完全无纸化电子报税铺平了道路。采用安全电子印章，可以从技术上解决税务系统网上电子报税难题。

资料来源：《电子商务法律法规》，作者：刘喜敏。

【本章小结】

税收作为国家实现其职能取得财政收入的一种基本形式，同样也受到电子商务的深刻影响。一方面，它拓展了税源空间；另一方面，它对传统的税收制度、政策和国际税收等产生了前所未有的冲击。我国也在不断探索电子商务的税收政策、征税税种及征税方式等。

【复习与思考】

1. 现行税收法律关系由哪些要素构成？
2. 简述电子商务对税收产生的积极影响和消极影响。
3. 试述电子征税的利与弊。
4. 查阅资料，试述我国电子商务税收制度（税收政策、征税税种及征税方式）的选择。

第 11 章

电子商务安全规范

互联网服务投诉创新高　　网络安全问题不容忽视

据《法制晚报》报道，7 月 22 日，中国消费者协会发布了 2010 年上半年全国消协组织受理投诉的情况分析。分析数据显示，2010 年上半年，互联网服务投诉量居投诉量的第七名，同比增长 74.6%，增长数量达到 3498 件，创历史新高。

中消协的数据向我们传达了这样一个信息：随着互联网的日益发展，互联网服务中所存在的问题也日渐浮出水面。那么，这些问题主要涉及哪些领域？最突出的问题是什么？又该如何解决这些难题？

1. 互联网发展迅速，凸显服务难题

互联网在中国的发展历程，大致可以分为三个阶段：第一阶段是 20 世纪 90 年代中期兴起，这一阶段，互联网在中国刚刚出现，还是一个比较新鲜的话题；第二个阶段是 2000 ~ 2005 年，中国互联网进入快速发展阶段；第三个阶段是 2005 年至今，这个阶段，互联网进入迅速壮大的阶段。据中国互联网络信息中心的数据显示，截至 2010 年第一季度，我国网民数量达 4.04 亿人，网站数量达到 323 万个，年增长率为 12.3%。

近年来，互联网在中国的发展更是呈一日千里之势，再加上移动互联网的异军突起，网络已经渗透到了人们生活的各个方面。与此同时，人们的生活方式也发生了翻天覆地的变化，网上娱乐、工作、购物……网络已经成为现代社会人们生活中不可或缺的一部分。

但是，随着互联网的飞速发展，互联网服务中所存在的各种问题也逐渐凸显。中消协发布的相关统计数据显示，2010 年上半年，互联网服务投诉量为 8187 件。与去年上半年相比，同比增长 74.6%，位居投诉增幅第四位。据悉，2009 年，互联网服务的投诉量尚在前十名之外，今年却一举"杀入"前十，名列第七。

投诉量激增七成，排名位列前七，在这些数据面前，互联网服务所存在的问题无处遁形，互联网发展之途显然不那么平坦。剥去外表风光无限的外衣，互联网发展中的服务"伤疤"清晰可见。据报道，消费者针对互联网服务反映的问题主要集中在个人信息丢失、泄露等网络安全问题；网络故障维护反应速度慢；网络宽带网速不稳、经常掉线等问题。

2. 网络安全问题频发，互联网遭遇发展之痛

在互联网服务所面临的诸多问题中，与用户关系最密切因而也最为用户关注的问题，毫无疑问是网络安全问题。近年来，互联网在中国的发展步伐越来越快，普及范围也越来越广。但是，伴随着e时代而来的，除了各种便利之外，还有不断升级的网络安全事件。电子商务平台被攻击、网页被篡改或仿冒、个人信息被泄露、木马病毒频现……网络安全已经成为互联网发展最过程中不可回避的话题，也成为影响互联网进一步发展的最大掣肘。

在网络无处不在的今天，互联网安全问题已经成为各国所面临的共同问题。例如，据国外媒体报道，社交网站"老大"Facebook近来也因频现"隐私泄露门"而深为苦恼。据悉，包含有个人信息、电邮地址和电话号码的1亿个Facebook用户配置文件，现被人做成种子文件供人下载。这个文件总容量高达2.8G，由Skull Security的罗恩·鲍文斯（Ron Bowes）使用一个网络爬虫程序创建，文件收集了那些没有更改过隐私设置，个人信息处于公开的Facebook用户信息。在中国，网络安全问题也并不鲜见。此前频现报端的QQ视频诈骗案便是其中例子之一。此外，网购陷阱频频、第三方支付被不法分子恶意利用等问题数不胜数，至于网络病毒、木马则更是经常发生，大量用户深受网络安全问题之害。

由此可见，安全问题已经成为互联网发展过程中无可回避的痛，严重妨碍了互联网作用的发挥。若医不好，互联网的发展前景堪忧。

3. 多方发力，破解网络安全难题

尽管互联网的发展道路上还有不少拦路虎挡道，但是这并不能掩盖互联网在人们生活中所发挥的各种重要作用。我们当然不能因为互联网尚存在不足就弃之不用，那么，目前能做的就只能是多方发力、破解网络安全难题。具体来说，可从以下几个方面做起。

首先，加强法律监管势在必行。相对而言，目前我国互联网的相关法律法规还比较欠缺，这也是网络安全问题肆虐的重要原因之一。当然，互联网环境的开放性与复杂性也使得网络犯罪难以界定、取证、定位。相关部门应根据网络体系结构以及网络安全的特点，尽快建立比较完善的网络应急体系，为破解网络安全难题提供法律方面的依据。

其次，网络安全架构的建设刻不容缓。构建一个比较完善的网络安全架构，不仅要从技术方面保障网络系统的安全性，还要加强对网络安全问题的监管，为用户创造一个良好的网络环境，尽可能预防网络安全事故的发生。此外，相关网站还要建立良好的事件响应与恢复机制，这样一旦网络安全事故发生，可以及时做出反应，将用户损失降低到最低限度。

最后，网民个人安全意识亟待提高。现实生活中，很多网络安全事故的发生，都是因为网民自身安全意识过低，使得不法分子钻了空子。网络安全难题的破解，网民自身也承担着不可推卸的责任。因此，广大网民一定要提高自己的网络安全意识，丰富自己的网络安全知识，以不变应万变，避免掉入不法分子处心积虑设置的网络"陷阱"中。

资料来源：http://www.enet.com.cn/article/2010/0805/A20100805703970.shtml.

11.1　电子商务网络安全概述

11.1.1　计算机网络安全

1. 计算机网络安全的概念

计算机网络安全是指网络系统的硬件、软件及其系统中的数据受到保护，不因偶然的或者

恶意的原因而遭受到破坏、更改、泄露，系统连续可靠正常地运行，网络服务不中断。网络安全从其本质上来讲就是网络上的信息安全。从广义来说，凡是涉及网络上信息的保密性、完整性、可用性、真实性和可控性的相关技术和理论都是网络安全的研究领域。网络安全是一门涉及计算机科学、网络技术、通信技术、密码技术、信息安全技术、应用数学、数论、信息论等多种学科的综合性学科。

网络安全的具体含义会随着"角度"的变化而变化。比如：从用户（个人、企业等）的角度来说，他们希望涉及个人隐私或商业利益的信息在网络上传输时受到机密性、完整性和真实性的保护，避免其他人或对手利用窃听、冒充、篡改、抵赖等手段侵犯用户的利益和隐私。

从网络运行和管理者角度说，他们希望对本地网络信息的访问、读写等操作受到保护和控制，避免出现"陷门"、病毒、非法存取、拒绝服务和网络资源非法占用和非法控制等威胁，制止和防御网络黑客的攻击。对安全保密部门来说，他们希望对非法的、有害的或涉及国家机密的信息进行过滤和防堵，避免机要信息泄露，避免对社会产生危害，对国家造成巨大损失。从社会教育和意识形态角度来讲，网络上不健康的内容，会对社会的稳定和人类的发展造成阻碍，必须对其进行控制。

随着计算机技术的迅速发展，在计算机上处理的业务也由基于单机的数学运算、文件处理，基于简单连接的内部网络的内部业务处理、办公自动化等发展到基于复杂的内部网（intranet）、企业外部网（extranet）、全球互联网（internet）的企业级计算机处理系统和世界范围内的信息共享和业务处理。在系统处理能力提高的同时，系统的连接能力也在不断地提高。但在连接能力信息、流通能力提高的同时，基于网络连接的安全问题也日益突出，整体的网络安全主要表现在以下几个方面：网络的物理安全、网络拓扑结构安全、网络系统安全、应用系统安全和网络管理的安全等。

因此计算机安全问题，应该像每家每户的防火防盗问题一样，做到防患于未然。甚至不会想到你自己也会成为目标的时候，威胁就已经出现了，一旦发生，常常措手不及，造成极大的损失。系统安全与性能和功能是一对矛盾的关系。如果某个系统不向外界提供任何服务（断开），外界是不可能对其构成安全威胁的。但是，企业接入国际互联网络，提供网上商店和电子商务等服务，等于将一个内部封闭的网络建成了一个开放的网络环境，各种安全包括系统级的安全问题也随之产生。构建网络安全系统，一方面由于要进行认证、加密、监听、分析、记录等工作，由此影响网络效率，并且降低客户应用的灵活性；另一方面也增加了管理费用。但是，来自网络的安全威胁是实际存在的，特别是在网络上运行关键业务时，网络安全是首先要解决的问题。选择适当的技术和产品，制订灵活的网络安全策略，在保证网络安全的情况下，提供灵活的网络服务通道。采用适当的安全体系设计和管理计划，能够有效降低网络安全对网络性能的影响并降低管理费用。

2. 计算机网络安全的特征

（1）保密性：信息不泄露给非授权用户、实体或过程，或供其利用的特性。

（2）完整性：数据未经授权不能进行改变的特性。即信息在存储或传输过程中保持不被修改、不被破坏和丢失的特性。

（3）可用性：可被授权实体访问并按需求使用的特性。即当需要时能否存取所需的信息。例如网络环境下拒绝服务、破坏网络和有关系统的正常运行等都属于对可用性的攻击。

（4）可控性：对信息的传播及内容具有控制能力。

（5）可审查性：出现安全问题时提供依据与手段。

3. 全方位的计算机安全体系

与其他安全体系（如保安系统）类似，企业应用系统的安全体系应包含以下几方面。

（1）访问控制：通过对特定网段、服务建立的访问控制体系，将绝大多数攻击阻止在到达攻击目标之前。

（2）检查安全漏洞：通过对安全漏洞的周期检查，即使攻击可到达攻击目标，也可使绝大多数攻击无效。

（3）攻击监控：通过对特定网段、服务建立的攻击监控体系，可实时检测出绝大多数攻击，并采取相应的行动（如断开网络连接、记录攻击过程、跟踪攻击源等）。

（4）加密通信：主动地加密通信，可使攻击者不能了解、修改敏感信息。

（5）认证：良好的认证体系可防止攻击者假冒合法用户。

（6）备份和恢复：良好的备份和恢复机制，可在攻击造成损失时，尽快地恢复数据和系统服务。

（7）多层防御：攻击者在突破第一道防线后，延缓或阻断其到达攻击目标。

（8）隐藏内部信息：使攻击者不能了解系统内的基本情况。

（9）设立安全监控中心：为信息系统提供安全体系管理、监控，保护及紧急情况服务。

4. 影响计算机网络安全性的因素

目前我国计算机网络安全存在一些隐患，影响计算机网络安全性的因素主要有以下几个方面。

（1）网络结构因素。网络基本拓扑结构有 3 种：星型、总线型和环型。一个单位在建立自己的内部网之前，各部门可能已建造了自己的局域网，所采用的拓扑结构也可能完全不同。在建造内部网时，为了实现异构网络间信息的通信，往往要牺牲一些安全机制的设置和实现，从而提出更高的网络开放性要求。

（2）网络协议因素。在建造内部网时，用户为了节省开支，必然会保护原有的网络基础设施。另外，网络公司为生存的需要，对网络协议的兼容性要求越来越高，使众多厂商的协议能互联、兼容和相互通信。这在给用户和厂商带来利益的同时，也带来了安全隐患。如在一种协议下传送的有害程序能很快传遍整个网络。

（3）地域因素。由于内部网既可以是 LAN，也可能是 WAN，网络往往跨越城际，甚至国际。地理位置复杂，通信线路质量难以保证，这会造成信息在传输过程中的损坏和丢失，也给一些"黑客"可乘之机。

（4）用户因素。企业建造自己的内部网是为了加快信息交流，更好地适应市场需求。建立之后，用户的范围必将从企业员工扩大到客户和想了解企业情况的人。用户的增加，也给网络的安全性带来了威胁，因为这里可能就有商业间谍或"黑客"。

（5）主机因素。建立内部网时，使原来的各局域网、单机互联，增加了主机的种类，如工作站、服务器，甚至小型机、大中型机。由于它们所使用的操作系统和网络操作系统不尽相同，某个操作系统出现漏洞（如某些系统有一个或几个没有口令的账户），就可能造成整个网络的大隐患。

（6）单位安全政策。实践证明，80%的安全问题是由网络内部引起的，因此，单位对自己内部网的安全性要高度重视，必须制定出一套安全管理的规章制度。

（7）人员因素。人的因素是安全问题的薄弱环节。要对用户进行必要的安全教育，选择有较高职业道德修养的人做网络管理员，制定出具体措施，提高安全意识。

（8）其他因素。如自然灾害等，也是影响网络安全的因素。

5．计算机网络安全分析

（1）物理安全分析。网络的物理安全是整个网络系统安全的前提。由于网络系统属于弱电工程，耐压值很低。因此，在网络工程的设计和施工中，必须优先考虑保护人和网络设备不受电、火灾和雷击的侵害；考虑布线系统与照明电线、动力电线、通信线路、暖气管道及冷热空气管道之间的距离；考虑布线系统和绝缘线、裸体线以及接地与焊接的安全；必须建设防雷系统，防雷系统不仅考虑建筑物防雷，还必须考虑计算机及其他弱电耐压设备的防雷。总体来说物理安全的风险主要有地震、水灾、火灾等环境事故；电源故障；人为操作失误或错误；设备被盗、被毁；电磁干扰；线路截获；高可用性的硬件；双机多冗余的设计；机房环境及报警系统、安全意识等，因此要尽量避免网络的物理安全风险。

（2）网络结构的安全分析。网络拓扑结构设计也直接影响到网络系统的安全性。假如在外部和内部网络进行通信时，内部网络的机器安全就会受到威胁，同时也影响在同一网络上的许多其他系统。通过网络传播，还会影响到连上 Internet/Intrant 的其他的网络；影响所及，还可能涉及法律、金融等安全敏感领域。因此，我们在设计时有必要将公开服务器（WEB、DNS、EMAIL 等）和外网及内部其他业务网络进行必要的隔离，避免网络结构信息外泄；同时还要对外网的服务请求加以过滤，只允许正常通信的数据包到达相应主机，其他的请求服务在到达主机之前就应该遭到拒绝。

（3）系统的安全分析。所谓系统的安全是指整个网络操作系统和网络硬件平台是否可靠且值得信任。目前恐怕没有绝对安全的操作系统可以选择，无论是 Microsoft 的 Windows NT 或者其他任何商用 Unix 操作系统，其开发厂商必然有其 Back-Door。因此，我们可以得出如下结论：没有完全安全的操作系统。不同的用户应从不同的方面对其网络作详尽的分析，选择安全性尽可能高的操作系统。因此不但要选用尽可能可靠的操作系统和硬件平台，并对操作系统进行安全配置。而且，必须加强登录过程的认证（特别是在到达服务器主机之前的认证），确保用户的合法性；其次应该严格限制登录者的操作权限，将其完成的操作限制在最小的范围内。

（4）应用系统的安全分析。应用系统的安全跟具体的应用有关，涉及面广。应用系统的安全是动态的、不断变化的。应用的安全性也涉及信息的安全性，它包括很多方面。

应用系统的安全是动态的、不断变化的。应用的安全涉及方面很多，以目前 Internet 上应用最为广泛的 E-mail 系统来说，其解决方案有 sendmail、Netscape Messaging Server、Software. Com Post. Office、Lotus Notes、Exchange Server、SUN CIMS 等二十多种。其安全手段涉及 LDAP、DES、RSA 等各种方式。应用系统是不断发展且应用类型是不断增加的。在应用系统的安全性上，主要考虑尽可能建立安全的系统平台，而且通过专业的安全工具不断发现漏洞、修补漏洞，提高系统的安全性。

应用的安全性涉及信息、数据的安全性。信息的安全性涉及机密信息泄露、未经授权的访问、破坏信息完整性、假冒、破坏系统的可用性等。在某些网络系统中，涉及很多机密信息，如果一些重要信息遭到窃取或破坏，它的经济、社会影响和政治影响将是很严重的。因此，对用户使用计算机必须进行身份认证，对于重要信息的通信必须授权，传输必须加密。采用多层次的访问控制与权限控制手段，实现对数据的安全保护；采用加密技术，保证网上传输的信息（包括管理员口令与账户、上传信息等）的机密性与完整性。

（5）管理的安全风险分析。管理是网络中安全最重要的部分。责权不明，安全管理制度不健全及缺乏可操作性等都可能引起管理安全的风险。当网络出现攻击行为或网络受到其他一些安全威胁时（如内部人员的违规操作等），无法进行实时检测、监控、报告与预警。同时，当事故发生后，也无法提供黑客攻击行为的追踪线索及破案依据，即缺乏对网络的可控性与可审查性。这就要求我们必须对站点的访问活动进行多层次的记录，及时发现非法入侵行为。

建立全新网络安全机制，必须深刻理解网络并能提供直接的解决方案，因此，最可行的做法是制定健全的管理制度和严格管理相结合。保障网络的安全运行，使其成为一个具有良好的安全性、可扩充性和易管理性的信息网络便成为了首要任务。一旦上述的安全隐患成为事实，所造成的对整个网络的损失都是难以估计的。

案例11-2

电子邮件订单效力难确定　民企状告沃尔玛

近几年，电子邮件正成为企业间的重要交流工具，一些协议、订单甚至采购行为都可以通过电子邮件确认并完成。但是，电子邮件相对于纸张这类传统的有形载体而言，某种程度上仍属于"虚拟"载体。电子邮件的法律效力和安全，已成为电子商务时代的一个重要话题。

最近，深圳市罗湖区法院受理了一宗罕见的涉及电子邮件订单法律效力的案件，引起广泛关注。

该案的原告是上海亚肯企业形象设计有限公司深圳分公司，被告则是世界连锁商业巨头沃尔玛（中国）投资有限公司。2005年9月29日，该案在深圳市罗湖区人民法院正式开庭审理。

争议的起因并不复杂。2004年，双方签约由亚肯公司为沃尔玛设计制作商场标牌，沃尔玛拖欠了原告大量钱款；此外由于沃尔玛通过电子邮件指示亚肯公司制作标牌，之后无故违约，致使大量标牌库存和半成品成为废品。在庭审中，沃尔玛最终承认欠款119万元，但认为，原告提供的电子邮件证据并不具备法律效力。

亚肯公司与沃尔玛签订合同后，双方合作较为顺利，亚肯公司一直按照沃尔玛的指示完成制作安装义务。2005年1月，双方召开工作评估会议，沃尔玛向亚肯提出，应根据沃尔玛年度市场计划，做好标牌备货安排，制作两间店的标牌库存。

2005年4月和5月，沃尔玛以电子邮件形式向亚肯公司下达了上海、武汉两家标准连锁店的标牌制作订单，并要求亚肯公司尽快制作，亚肯公司依照约定进行了实际制作。但是，2005年6月，沃尔玛突然中止合同，改为向他人订做，导致亚肯公司为沃尔玛制作的两家标准连锁店的库存标牌和即将完成的武汉、上海两家连锁店标牌成品和半成品全部成为废品。

法庭上，双方针锋相对。沃尔玛认为，实际金额难以确定，亚肯公司提供的电子邮件证据不具备法律效力。沃尔玛有严格的订货规范程序，都是先向客户发出正式订货单，不会通过电子邮件来订货。同时，沃尔玛辩称，沃尔玛与亚肯公司签订的合同有效期是1年，沃尔玛并没有口头通知中止合同，合同是到期自动终止，中途废止的指控不能成立。因此，沃尔玛不应承担废止合同和违约的责任。

亚肯公司则指出，合同期内正在执行的项目和已通知执行项目不能随意终止。亚肯公司当场出示两份电子邮件打印件，一份发送日期为2005年5月13日，邮件后缀为"@ wal-mart.com"并有电子签名的邮件上称"这个是武汉店的鲜食和非鲜食的部门牌清单，请尽快制作。" 在这份邮件附加的清单部分,不仅明确标示了部门牌的尺寸和数量,还标示了内容。而另一份邮件上,也有"这个是部门牌的清单,请仔细核对后尽快制作"字样。

发自沃尔玛网址的电子邮件订单是否具有证据效力,成为此案中的争议焦点之一。鉴于案情复杂,审判长宣布暂时休庭。

关于电子邮件的效力,中国国际私法学会常务理事、法学博士詹礼愿认为,电子邮件订单的法律效力在法律上并没有任何障碍,但确认的过程却有许多技术难题,企业若有不慎,可能就会陷入举证不能的窘境。我国《合同法》第十条明确规定,当事人订立合同,有书面形式、口头形式和其他形式。而第十一条规定,书面形式是指合同书、信件和数据电文(包括电报、电传、传真、电子数据交换和电子邮件)等可以有形地表现所载内容的形式。这两条规定确定了一个原则,基本上可以载体形式表现的合同表达方式,都属于法定形式。从这个角度看,我国《合同法》采用了国际惯例,属于开放性的合同法。因此,电子邮件订单是合法有效的,在法律上没有任何障碍。

如何确定电子邮件的法律地位,却存在大量技术难题。比如,目前许多外贸公司在与外商交往时愿意采取电子邮件的方式,因为这种方式不仅交流成本低,而且耗时短、交流方便。然而,问题也产生了,如何识别电子邮件发出者的身份和法律地位呢?对于国内公司,交往者可以通过有效的技术手段去核实,但是对于国外公司,交往者就很难核实了。有时,即使是发自一个交易者熟悉的地址的邮件,仍难以证明发出者就是交往对象。

詹礼愿建议,国内企业在进行电子邮件交往时一定要注意以下 4 点:

(1) 通过书面合同的形式确定双方电子邮件往来时有效的电子邮箱地址。

(2) 注意保存电子邮件,不要随便删除,以便应对不时之需。

(3) 如果交易中发生纠纷,可以在公证处进行电子邮件的公证,明确该电子邮件的法律效力。

(4) 通过邮件的后续行为确定电子邮件的存在,例如在发出电子邮件交易信息后,发出方在之后的交易单证中证明了前期电子邮件中的内容。

资料来源:http://china.findlaw.cn/jingjifa/dianzishangwufa/swal/1846.html.

11.1.2 电子商务风险

(1) 问题的提出。电子商务这种新型的商业运作模式,是当代信息网络技术、电子技术和数据处理技术在商贸领域综合应用的产物,是国民经济和社会信息化的一个重要组成部分。但是,网络社会中的种种威胁安全的风险问题,也成为阻碍电子商务发展的一大难题。在因特网上,不仅个人隐私权需要保护,而且,电子商务的各个环节,如在线数据传输、网上电子支付等,其安全保障则是命脉攸关的。因特网目前不能成为平稳固定的商务平台,其重要的原因之一,就是因特网上的用户不相信他们在网上的通信和资料是安全的、不会受到干扰和篡改。

(2) 电子商务风险分类。对于电子商务活动的参与人,包括商人、金融机构、网上服务提供商以及消费者而言,他们经常会遇到以下种种风险问题。

因电子商务交易的不确定性而引起的损失。黑客入侵、商业毁誉、通信线路瘫痪、电子系统失灵、电子商务中的交易惯例的不合理,以及工作人员的失误,都可能引起电子商务的中断,并给交易人带来不必要的损失。商业损失、信用及商誉的破坏、进行纠纷解决的费用都可能是相当巨大的,这笔费用应由谁来承担?这是每个交易人不能不考虑的问题。

因欺诈而产生的直接经济损失。外部入侵及内部管理不严，都有可能引起资金的错误划拨，以及金融交易记录的丢失。

因网络服务中断而导致的商业机会的丧失。对于某些必须以电子数据通信或交换为基础的交易，如果系统被遭受攻击或堵塞，而使交易停顿，则给交易人带来的损失可能是灾难性的。

保密信息的外泄。许多信息，对于某些机关或企业而言，是至关重要的，一旦泄露出去，对该机关或企业可能会造成致命的打击。这些信息，如技术诀窍、商业秘密等，在电子交易中，如果被外部攻击者获取，交易人就可能面临巨大的损失。

因非法使用而遭受的损失。攻击者可能非法使用交易人的网上资源，而使之遭受损失。在实践中常见的是，黑客通过某一交易人的计算机系统作为工作平台，转而攻击第三人的系统或网络，而让该交易人代为承担责任。

因系统被攻击而产生的损失。尽管各国都加强对消费者的保护，但是，电子储蓄或理财系统更易成为被攻击的对象。银行系统的紊乱，对于用户来说，无疑是使其最感不安的事情。电子商务安全是电子商务发展过程中一个重要问题，其重要性不亚于电子商务本身的发展。因此，商务交易的过程中，安全电子商务的概念已深入人心。

11.1.3　电子商务网络安全

1. 安全电子商务的含义

从动态系统考察，安全电子商务应为一种交易中力图达到的理想的状态。电子商务中的安全问题不仅涉及相关的法律问题，而且同时涉及管理问题和技术问题。而另一方面，即便做出相关的法律规定以确保交易的安全，但实际上，许多法律规定的效果也需要相关的技术方面的支持才能实现。开放性和资源共享性，是计算机网络的最大优势，但也成为电子商务发展中安全问题的主要根源。而其安全性主要依赖于加密、交易双方当事人的身份鉴别、数据信息存取控制策略等技术性手段。而其中第三方认证技术的作用尤为重要。

2. 安全电子商务的要求

电子商务所涉及的安全，并没有超出普通的网络安全问题，只是由于其全球化特性，使其安全问题更为突出而已。电子商务安全要求包括四个方面。

（1）数据传输的安全性与可控制性。对数据传输的安全性需求，即是保证在公共网络上传送的数据不被第三方窃取。而对数据的安全性保护，是通过采用数据加密（包括私人密码和公开密码）来实现的，数字信封技术是结合私人密码和公开密码加密技术实现的保证数据安全性的技术。

（2）数据的完整性与可用性。对数据的完整性需求，是指数据在传输过程中不被篡改。数据的完整性是通过采用安全的散列函数和数字签名技术来实现的。双重数字签名可以用于保证多方通信时数据的完整性。数据的可用性，指授权者可以随时使用信息和信息系统的服务。

（3）身份认证。由于电子商务双方当事人互不见面，必须在交易时（交换敏感信息时）确认对方的真实身份；在涉及支付时，还需要确认对方的账户信息是否真实有效。身份认证是采用口令技术、公开密钥技术或数字签名技术和数字证书技术来实现的。

（4）交易的不可抵赖性。网上交易的各方在进行数据传输时，必须带有自身特有的、无法被别人复制的信息，以保证交易发生纠纷时有所对证。这是通过数字签名技术和数字证书技术来实现的。也就是说，每个电子商务的交易人可以以有效的证据，证明其是否实施过交易数据交换和获取的行为。

3. 电子商务网络安全的分类

电子商务网络安全从整体上可分为两大部分：计算机网络安全和商务交易安全。

（1）计算机网络安全的内容包括以下 5 类。

未进行操作系统相关安全配置。不论采用什么操作系统，在缺省安装的条件下都会存在一些安全问题，只有专门针对操作系统安全性进行相关的和严格的安全配置，才能达到一定的安全程度。千万不要以为操作系统缺省安装后，再配上很强的密码系统就算安全了。网络软件的漏洞和"后门"是进行网络攻击的首选目标。

未进行 CGI 程序代码审计。如果是通用的 CGI 问题，防范起来还稍微容易一些，但是对于网站或软件供应商专门开发的一些 CGI 程序，很多存在严重的 CGI 问题，对于电子商务站点来说，会出现恶意攻击者冒用他人账号进行网上购物等严重后果。

拒绝服务（DoS, denial of service）攻击。随着电子商务的兴起，对网站的实时性要求越来越高，DoS 或 DDoS 对网站的威胁越来越大。以网络瘫痪为目标的袭击效果比任何传统的恐怖主义和战争方式都来得更强烈，破坏性更大，造成危害的速度更快，范围也更广，而袭击者本身的风险却非常小，甚至可以在袭击开始前就已经消失得无影无踪，使对方没有实行报复打击的可能。2004 年 2 月美国"雅虎"、"亚马逊"受攻击事件就证明了这一点。

安全产品使用不当。虽然不少网站采用了一些网络安全设备，但由于安全产品本身的问题或使用问题，这些产品并没有起到应有的作用。很多安全厂商的产品对配置人员的技术背景要求很高，超出对普通网管人员的技术要求，就算是厂家在最初给用户做了正确的安装、配置，但一旦系统改动，需要改动相关安全产品的设置时，很容易产生许多安全问题。

缺少严格的网络安全管理制度。网络安全最重要的还是要思想上高度重视，网站或局域网内部的安全需要用完备的安全制度来保障。建立和实施严密的计算机网络安全制度与策略是真正实现网络安全的基础。

（2）计算机商务交易安全的内容包括以下 4 类。

窃取信息。由于未采用加密措施，数据信息在网络上以明文形式传送，入侵者在数据包经过的网关或路由器上可以截获传送的信息。通过多次窃取和分析，可以找到信息的规律和格式，进而得到传输信息的内容，造成网上传输信息泄密。

篡改信息。当入侵者掌握了信息的格式和规律后，通过各种技术手段和方法，将网络上传送的信息数据在中途修改，然后再发向目的地。这种方法并不新鲜，在路由器或网关上都可以做此类工作。

假冒。由于掌握了数据的格式，并可以篡改通过的信息，攻击者可以冒充合法用户发送假冒的信息或者主动获取信息，而远端用户通常很难分辨。

恶意破坏。由于攻击者可以接入网络，则可能对网络中的信息进行修改，掌握网上的机要信息，甚至可以潜入网络内部，其后果是非常严重的。

4. 电子商务的安全保障体系

为了实现安全体系结构要求的安全服务，建议采用以下 8 种安全机制：①加密；②数字签名；③访问控制；④数据完整；⑤交换鉴别；⑥业务流量填充；⑦路由控制；⑧网络公证。

在电子商务的安全保护体系中，法律体系的建设是不可缺少的。就电子商务安全方面有关的法律，应考虑以下几个方面：电子数据信息安全法、互联网络法、电子信息犯罪法、电子信息知识产权保护法、电子信息个人隐私法、电子信息出入境法。

▎11.2　我国网络安全法律规定

我国目前还没有出台专门针对电子商务交易的法律法规，究其原因，还是相关方面的法律制度尚不完善，因而面对迅速发展的这种商品交易与计算机网络技术结合的新交易形式难以出台较为完善的安全保障规范性条文。所以，我们应当充分利用已经公布的有关交易安全和计算机安全的法律法规，保护电子商务交易的正常进行，并在不断地探索中，逐步建立适合中国国情的电子商务的法律制度。

11.2.1　我国涉及交易安全的若干法律法规

我国现行的涉及交易安全的法律法规主要有四类：①综合性法律，主要是民法通则和刑法中有关保护交易安全的条文；②规范交易主体的有关法律，如公司法、国有企业法、集体企业法、合伙企业法、私营企业法、外资企业法等；③规范交易行为的有关法律，包括经济合同法、产品质量法、财产保险法、价格法、消费者权益保护法、广告法、反不正当竞争法等；④监督交易行为的有关法律，如会计法、审计法、票据法、银行法等。

我国法律对交易安全的研究起步较晚，且长期以来注重对财产静态权属关系的确认和保护，未能反映现代市场经济交易频繁、活泼、迅速的特点。虽然上述法律制度体现了部分交易安全的思想，但大都没有明确的交易安全的规定，在司法实践中也没有按照这些制度执行。

11.2.2　我国涉及网络安全的行政法规

国务院颁布的《中华人民共和国计算机信息网络国际联网管理暂行规定》（以下简称《规定》）和公安部颁发的《计算机信息网络国际联网安全保护管理办法》（以下简称《办法》）就是两个对电子商务具有重大影响的重要行政法规。其指导思想主要包括以下几个方面：①体现促进经济发展的原则；②体现保障安全的原则；③体现严格管理的原则；④体现与国家现行法律体系一致性原则。

中华人民共和国境内任何单位和个人的计算机信息网络国际联网安全保护均适用于《规定》和《办法》。其中包括在华申请加入我国境内的国际互联网的外国人，在我国境内依法设立的"三资"企业和外国代表机构等单位的网络安全保护管理。香港特别行政区内计算机信息网络国际联网的安全保护管理，由香港特别行政区政府另行规定。内地与台湾、香港、澳门地区的计算机网络联网参照本《规定》和《办法》执行。

《规定》和《办法》的调整对象是中华人民共和国境内从事计算机信息网络国际联网业务的单位和个人。主要包括国际出入口信道提供单位和互联单位的主管部门或主管单位、国际出入口信道提供单位、互联单位、接入单位、适用计算机信息网络国际联网的个人、法人和其他组织。

计算机信息网络国际联网业务主要包括：提供国际出入口信道、接入服务、信息服务、适用计算机信息网络提供的各类功能，以及与计算机信息网络国际联网有关的其他业务。

（1）加强国际互联网出入信道的管理。《规定》规定，我国境内的计算机互联网必须使用国家公用电信网提供的国际出入信道进行国际联网，任何单位和个人不得自行建立或者使用其他信道进行国际联网。

（2）市场准入制度。《规定》规定了从事国际互联网经营活动和从事非经营活动的接入单位必须具备的条件。《中华人民共和国计算机信息系统安全保护条例》规定，进行国际联网的计算机信息系统，由计算机信息系统的使用单位报省级以上的人民政府公安机关备案。

（3）安全管理制度与安全责任。《规定》和《办法》对互联单位、接入单位及适用计算机信息网络国际联网的法人和其他组织应建立的基本安全制度作了具体规定，同时明确规定了单位和个人应尽的义务，规定了公安机关计算机管理监察机构在计算机信息网络国际联网安全保护方面的职责。从事国际互联网业务的单位和个人，应当遵守国家有关法律、行政法规，严格执行安全保密制度，不得利用国际互联网从事危害国家安全、泄露国家秘密等违法犯罪活动，不得制作、查阅、复制和传播妨碍社会治安的信息和淫秽色情等信息。

（4）行为处罚。《规定》和《办法》规定了必要的处罚措施，规定了警告、罚款、停止联网、取消联网资格等处罚。通过严格管理，提高全社会对计算机信息网络国际联网安全保护管理工作重要性的认识，自觉依法守法，服从管理，才能使计算机信息网络国际联网的安全保护得到充分保证。

（5）加强电子商务法律体系的建设。为了保证电子商务的交易安全，世界各国都加强了法律法规建设，利用司法力量，规范电子商务的交易行为。目前我国急需制定的有关电子商务的法律法规主要有以下内容。

买卖双方身份认证办法。参与电子商务的买卖双方互不相识，需要通过一定的手段相互认证，提供交易服务的网络服务中介机构也有一个认证问题。目前急需成立类似于国家工商局之类的机构统一管理认证事务，为参与网络交易的各方提供法律认可的认证办法。而且，目前各网络服务中介机构成立的虚拟交易市场为提高自身的可信度，大都冠以"中国××市场"的头衔。随着电子商务市场的急剧扩大，加强这方面的法律规范也迫在眉睫。

电子合同的合法性程序。电子合同是在网络条件下当事人之间为了实现一定目的，明确相互权利义务关系的协议，它是电子商务安全交易重要保证，其内容包括：①确证和认可通过电子手段形成的合同的规则和范式，规定约束电子合同履行的标准，定义构成有效电子书写文件和原始文件的条件，鼓励政府各部门、厂商认可和接收正式的电子合同、公证文件等。②规定为法律和商业目的而做出的电子签名的可接受程度，鼓励国内和国际规则的协调一致，支持电子签名和其他身份认证手续的可接受性。③推动建立其他形式的、适当的、高效率的、有效的合同纠纷调解机制，支持在法庭上和仲裁过程中使用计算机证据。

（6）电子支付。我国目前尚无有关电子支付的专门立法，仅有中国人民银行出台的有关信用卡的业务管理办法。为了适应电子支付发展的需要，需要用法律的形式详细规定出电子支付命令的签发与接受、接受银行对发送方支付命令的执行、电子支付的当事人的权利和义务，以及责任的承担等。

（7）安全保障。电子商务的迅速发展，对交易安全提出了更高的要求。强化交易安全的法律保护已是立法的一项紧迫任务。

在民法基本法的立法上，应反映出交易安全的理念。为此，要大胆借鉴和移植发达国家电子商务保护交易安全的成功经验和制度，并结合我国的实际情况，构造一套强化交易安全保护的法律制度。

在商事单行法的立法上，可以基于商法的特别法地位及其相对独立性，满足商法中商业行为较高的交易安全要求，在某些方面可以适当突破民法基本法中的某些制度，以期强化这方面的交易安全保护。

在计算机及其网络安全管理的立法上，应针对电子商务交易在虚拟环境中运行的特点，明确提出电子商务交易安全保护的法律措施。

在法律解释上，当务之急是全面清理最高人民法院所做出的司法解释，剔除不利于交易安全的结论，并在以后的解释中注重考虑交易安全的因素。

在条件成熟的时候，指定保护电子商务交易安全的专门法规文件。

此外，对于保密法、知识产权保护法、税法、广告法等，也有一个内容修改和范围扩充的任务。

11.3 网络安全的法律保障机制

虽然我国已颁布相当数量的信息网络安全方面的法律规范，但总的说来还有很多潜在的不安全因素。为确保网络安全，除技术安全措施和安全管理制度外，必须建立完善的法律保障机制。

（1）确立网络安全的保护理念。为使国家的政策法律能够适应社会存在的现实和需求，需要确立法制建设要保障和促进国家的信息化发展、法制建设为社会信息化发展提供全面服务的指导思想，修正传统的立法理念，从彻底改革国家传统的经济体制和保障机制入手，改变落后的调整方法，把信息网络安全法制保障的重点从单纯的规范和控制转移到首先为信息化的建设与发展扫障铺路上来，以规范发展达到保障发展，由保障发展促进发展，构筑促进国家信息化发展的社会环境，形成适于信息网络安全实际需要的法治理念。

（2）网络安全法律体系。信息化的社会秩序主要由三个基础层面的内容所构成，即信息社会活动的公共需求、信息社会生活的基本支柱和信息社会所特有的社会关系。国家信息化建设所应有的政策法律环境也就必然是由对应的指导政策、技术标准和法律规范等三项内容所共同构建的三位一体的能够发挥促进、激励和规范作用的有机的体系。

（3）网络安全法律效率。信息网络安全政策法律的促进作用不应仅仅是被动适应和滞后，更多地还应表现为对技术的主动规范性和前瞻性。网络安全政策法律必须促进信息技术的进步，因此要强化网络安全政策法律的效率。在制定政策和创设法律时应当注意政策和法律符合技术的特殊要求，同时为技术的发展和完善预留空间，排除阻碍技术发展的可能性，提高法律对信息社会的适应性。

（4）借鉴国际信息安全立法和加强合作。由于信息化是建筑在互联网的国际互联基础之上的，信息网络的政策和法律就必然具有国际化的属性，在制定政策和法律的时候，应该特别注意和现有的国际规则的兼容，包括在立法思想、方式方法上和具体法律规定等各方面的相互兼容；要积极主动地参与国际规则的创设，维护我国的实际利益。

11.4 电子商务安全和管理措施

11.4.1 电子商务信息安全问题

1. 电子商务信息安全

由于互联网本身的开放性，使电子商务系统面临着各种各样的安全威胁。目前，电子商务主要存在的信息安全隐患有以下几个方面。

（1）身份冒充问题。攻击者通过非法手段盗用合法用户的身份信息，仿冒合法用户的身份与他人进行交易，进行信息欺诈与信息破坏，从而获得非法利益。主要表现有：冒充他人身份；冒充他人消费、栽赃；冒充主机欺骗合法主机及合法用户等。

（2）网络信息安全问题。主要表现在攻击者在网络的传输信道上，通过物理或逻辑的手段，进行信息截获、篡改、删除、插入。截获，攻击者可能通过分析网络物理线路传输时的各种特征，截获机密信息或有用信息，如消费者的账号、密码等。篡改，即改变信息流的次序，更改信息的内容；删除，即删除某个信息或信息的某些部分；插入，即在信息中插入一些信息，让收方读不懂或接收错误的信息。

（3）拒绝服务问题。攻击者使合法接入的信息、业务或其他资源受阻。主要表现为散布虚假资讯，扰乱正常的资讯通道。包括虚开网站和商店，给用户发电子邮件，收订货单；伪造大量用户，发电子邮件，穷尽商家资源，使合法用户不能正常访问网络资源，使有严格时间要求的服务不能及时得到响应。

（4）交易双方抵赖问题。某些用户可能对自己发出的信息进行恶意的否认，以推卸自己应承担的责任。如发布者事后否认曾经发送过某条信息或内容；收信者事后否认曾经收到过某条信息或内容；购买者做了订货单不承认；商家卖出的商品质量差但不承认原有的交易。在网络世界里，无法为交易双方的纠纷进行公证、仲裁。

（5）计算机系统安全问题。计算机系统是进行电子商务的基本设备，如果不注意安全问题，它一样会威胁到电子商务的信息安全。计算机设备本身存在物理损坏、数据丢失、信息泄露等问题，计算机系统也经常会遭受非法的入侵攻击以及计算机病毒的破坏。同时，计算机系统存在工作人员管理的问题，如果职责不清、权限不明同样会影响计算机系统的安全。

2. 电子商务信息安全机制

（1）加密和隐藏机制。加密使信息改变，攻击者无法读懂信息的内容从而保护信息；而隐藏则是将有用的信息隐藏在其他信息中，使攻击者无法发现，不仅实现了信息的保密，也保护了通信本身。

（2）认证机制。网络安全的基本机制，网络设备之间应互相认证对方身份，以保证正确的操作权力赋予和数据的存取控制。网络也必须认证用户的身份，以保证正确的用户进行正确的操作并进行正确的审计。

（3）审计机制。审计是防止内部犯罪和事故后调查取证的基础，通过对一些重要的事件进行记录，从而在系统发现错误或受到攻击时能定位错误和找到攻击成功的原因。审计信息应具有防止非法删除和修改的措施。

（4）完整性保护机制。用于防止非法篡改，利用密码理论的完整性保护能够很好地对付非法篡改。完整性的另一用途是提供不可抵赖服务，当信息源的完整性可以被验证却无法模仿时，收到信息的一方可以认定信息的发送者，数字签名就可以提供这种手段。

（5）权力控制和存取控制机制。主机系统必备的安全手段，系统根据正确的认证，赋予某用户适当的操作权力，使其不能进行越权的操作。该机制一般采用角色管理办法，针对系统需要定义各种角色，如经理、会计等，然后对他们赋予不同的执行权力。

（6）业务填充机制。在业务闲时发送无用的随机数据，增加攻击者通过通信流量获得信息的困难。同时，也增加了密码通信的破译难度。发送的随机数据应具有良好模拟性能，能够以假乱真。

3. 电子商务中的信息安全技术

电子商务的信息安全在很大程度上依赖于技术的完善，这些技术包括密码技术、鉴别技术、访问控制技术、信息流控制技术、数据保护技术、软件保护技术、病毒检测及清除技术、内容分类识别和过滤技术、网络隐患扫描技术、系统安全监测报警与审计技术等。

（1）防火墙技术。防火墙（firewall）是近年来发展的最重要的安全技术，它的主要功能是加强网络之间的访问控制，防止外部网络用户以非法手段通过外部网络进入内部网络（被保护网络）。它对两个或多个网络之间传输的数据包和链接方式按照一定的安全策略对其进行检查，来决定网络之间的通信是否被允许，并监视网络运行状态。简单防火墙技术可以在路由器上实现，而专用防火墙提供更加可靠的网络安全控制方法。

防火墙的安全策略有两条。一是"凡是未被准许的就是禁止的"。防火墙先是封闭所有信息流，然后审查要求通过的信息，符合条件的就让通过。二是"凡是未被禁止的就是允许的"，防火墙先是转发所有的信息，然后再逐项剔除有害的内容，被禁止的内容越多，防火墙的作用就越大。网络是动态发展的，安全策略的制定不应建立在静态的基础之上。在制定防火墙安全规则时，应符合"可适应性的安全管理"模型的原则，即：安全=风险分析+执行策略+系统实施+漏洞监测+实时响应。防火墙技术主要有以下三类：

包过滤（packet filtering）技术。它一般用在网络层，主要根据防火墙系统所收到的每个数据包的源IP地址、目的IP地址、TCP/UDP源端口号、TCP/UDP目的端口号及数据包中的各种标志位来进行判定，根据系统设定的安全策略来决定是否让数据包通过，其核心就是安全策略，即过滤算法的设计。

代理（proxy）服务技术。它用来提供应用层服务的控制，起到外部网络向内部网络申请服务时的中间转接作用。内部网络只接受代理提出的服务请求，拒绝外部网络其他节点的直接请求。运行代理服务的主机被称为应用机关。代理服务还可以用于实施较强的数据流监控、过滤、记录等功能。

状态监控（state inspection）技术。它是一种新的防火墙技术。在网络层完成所有必要的防火墙功能——包过滤与网络服务代理。目前最有效的实现方法是采用（check point）提出的虚拟机方式（inspect virtual machine）。

防火墙技术的优点很多：①通过过滤不安全的服务，极大地提高网络安全和减少子网中主机的风险；②可以提供对系统的访问控制；③可以阻击攻击者获取攻击网络系统的有用信息；④防火墙还可以记录与统计通过它的网络通信，提供关于网络使用的统计数据，根据统计数据来判断可能的攻击和探测；⑤防火墙提供制定与执行网络安全策略的手段，它可以对企业内部网实现集中的安全管理。

防火墙技术的不足有：①防火墙不能防止绕过防火墙的攻击；②防火墙经不起人为因素的攻击，由于防火墙对网络安全实施单点控制，因此可能受到黑客的攻击；③防火墙不能保证数据的秘密性，不能对数据进行鉴别，也不能保证网络不受病毒的攻击。

（2）加密技术。数据加密被认为是最可靠的安全保障形式，它可以从根本上满足信息完整性的要求，是一种主动安全防范策略。数据加密就是按照确定的密码算法将敏感的明文数据变换成难以识别的密文数据。通过使用不同的密钥，可用同一加密算法，将同一明文加密成不同的密文。当需要时可使用密钥将密文数据还原成明文数据，称为解密。

密钥加密技术分为对称密钥加密和非对称密钥加密两类。对称加密技术是在加密与解密过程中使用相同的密钥加以控制，它的保密度主要取决于对密钥的保密。它的特点是数字运算量小，加密速度快；弱点是密钥管理困难，一旦密钥泄露，将直接影响到信息的安全。非对称密钥加密法是在加密和解密过程中使用不同的密钥加以控制，加密密钥是公开的，解密密钥是保密的。它的保密度依赖于从公开的加密密钥或密文与明文的对照推算解密密钥在计算上的不可能性。算法的核心是运用一种特殊的数学函数——单向陷门函数，即从一个方向求值是容易的，但其逆向计算却很困难，从而在实际上成为不可能。

除了密钥加密技术外，还有数据加密技术。一是链路加密技术。链路加密是对通信线路加密。二是节点加密技术。节点加密是指对存储在节点内的文件和数据库信息进行的加密保护。

（3）数字签名技术。数字签名（digital signature）技术是将摘要用发送者的私钥加密，与原文一起传送给接收者。接收者只有用发送者的公钥才能解密被加密的摘要。在电子商务安全保密系统中，数字签名技术有着特别重要的地位，在电子商务安全服务中的源鉴别、完整性服务、不可否认服务中都要用到数字签名技术。

在书面文件上签名是确认文件的一种手段，其作用有两点，一是因为自己的签名难以否认，从而确认文件已签署这一事实；二是因为签名不易仿冒，从而确定了文件是真的这一事实。数字签名与书面签名有相同相通之处，也能确认两点，一是信息是由签名者发送的；二是信息自签发后到收到为止未曾做过任何修改。这样，数字签名就可用来防止：电子信息因易于修改而有人作伪；冒用别人名义发送信息；发出（收到）信件后又加以否认。

广泛应用的数字签名方法有 RSA 签名、DSS 签名和 Hash 签名三种。RSA 的最大方便是没有密钥分配问题。公开密钥加密使用两个不同的密钥，其中一个是公开的，另一个是保密的。公开密钥可以保存在系统目录内、未加密的电子邮件信息中、电话黄页上或公告牌里，网上的任何用户都可获得公开密钥。保密密钥是用户专用的，由用户本身持有，它可以对公开密钥加密的信息解密。DSS 数字签名是由美国政府颁布实施的，主要用于与美国做生意的公司。它只是一个签名系统，而且美国不提倡使用任何削弱政府窃听能力的加密软件。Hash 签名是最主要的数字签名方法，跟单独签名的 RSA 数字签名不同，它是将数字签名和要发送的信息捆在一起，所以更适合电子商务。

（4）数字时间戳技术。在电子商务交易的文件中，时间是十分重要的信息，是证明文件有效性的主要内容。在签名时加上一个时间标记，即有数字时间戳（digital timestamp）的数字签名方案：验证签名的人或以确认签名是来自该小组，却不知道是小组中的哪一个人签署的。指定批准人签名的真实性，其他任何人除了得到该指定人或签名者本人的帮助，否则不能验证签名。

时间戳（time-stamp）是一个经加密后形成的凭证文档，包括三个部分：①需加时间戳的文件的摘要（digest），②DTS 收到文件的日期与时间，③DIS 数字签名。

时间戳产生的过程是：用户首先将需要加时间的文件用 Hash 编码加密形成摘要，然后将该摘要发送到 DTS，DTS 在加入了收到文件摘要的日期和时间信息后再对该文件加密（数字签名），然后送回用户。书面签署文件的时间是由签署人自己写上的，数字时间则不然，它是由认证单位 DIS 来加的，以 DIS 收到文件的时间为依据。

4. 数字认证及数字认证授权机构

数字证书也叫数字凭证、数字标识，它含有证书持有者的有关信息，以标识他的身份。数字证书克服了密码在安全性和方便性方面的局限性，可以控制哪些数据库能够被查看，因此提高了总体的保密性。

数字证书的内容格式是 CCTTTX. 509 国际标准规定的，通常包括以下内容：证书所有者的姓名；证书所有者的公共密钥；公共密钥（证书）的有效期；颁发数字证书单位名称；数字证书的序列号；颁发数字证书单位的数字签名。

数字证书通常分为三种类型，即个人证书、企业证书、软件证书。个人证书（personal digital）为某一个用户提供证书，帮助个人在网上安全操作电子交易。个人数字证书是向浏览器申请获得的，认证中心对申请者的电子邮件地址、个人身份及信用卡号等核实后，就发给个人数字证书，并安置在用户所用的浏览器或电子邮件的应用系统中，同时也给申请者发一个通知。企业证书，就是服务器证书（server ID），是对网上服务器提供的一个证书，拥有 Web 服务器的企业可以用具有证书的 Internet 网站来做安全的电子交易。软件证书通常是为网上下载的软件提供证书，证明该软件的合法性。

电子商务交易需要电子商务证书，而电子商务认证中心就承担着网上安全电子交易认证服务、签发数字证书并确认用户身份的功能。

CA 主要提供下列服务：有效实行安全管理的设施；可靠的风险管理以及得到确认和充分理解。接受该系统服务的电子商务用户也应充分信任该系统的可信度。CA 具有证书发放、证书更新、证书撤销、证书验证四大职能。

若未建立独立的注册机构，认证中心则在完成注册机构的功能以外还要完成下列功能：接收、处理证书申请，确立是否接受或拒绝证书申请，向申请者颁发或拒绝颁发证书，证书延期，管理证书吊销目录，提供证书的在线状况，证书归档；提供支持服务，提供电话支持，帮助用户解决与证书有关的问题；审核记录所有同安全有关的活动；提供灵活的结构，使用户可以用自己的名字对服务命名；为认证中心系统提供可靠的安全支持；为认证中心的可靠运营提供一套政策、程序及操作指南。

5. 电子商务信息安全协议

（1）安全套接层协议。安全套接层协议（secure sockets layer，SSL）是由 Netscape Communication 公司 1994 年设计开发的，主要用于提高应用程序之间的数据的安全系数。SSL 协议的整个概念可以被总结为：一个保证任何安装了安全套接层的客户和服务器之间事务安全的协议，该协议向基于 TCP/IP 的客户/服务器应用程序提供了客户端与服务的鉴别、数据完整性及信息机密性等安全措施。

SSL 安全协议主要提供三方面的服务。一是用户和服务器的合法性保证，使得用户与服务器能够确信数据将被发送到正确的客户机和服务器上。客户机与服务器都有各自的识别号，由公开密钥编排。为了验证用户，安全套接层协议要求在握手交换数据中作数字认证，以此来确保用户的合法性。二是加密数据以隐藏被传递的数据。安全套接层协议采用的加密技术既有对称密钥，也有公开密钥，在客户机和服务器交换数据之前，先交换 SSL 初始握手信息。在 SSL 握手信息中采用了各种加密技术，以保证其机密性与数据的完整性，并且经数字证书鉴别。三是维护数据的完整性。安全套接层协议采用哈希函数和机密共享的方法来提供完整的信息服务，建立客户机与服务器之间的安全通道，使所有经过安全套接层协议处理的业务能全部准确无误地到达目的地。

（2）安全电子交易公告。安全电子交易公告（secure electronic transactions，SET）是为在线交易设立的一个开放的、以电子货币为基础的电子付款系统规范。SET 在保留对客户信用卡认证的前提下，又增加了对商家身份的认证。SET 已成为全球网络的工业标准。

SET 安全协议的主要对象包括：消费者（包括个人和团体），按照在线商店的要求填写订货单，用发卡银行的信用卡付款；在线商店，提供商品或服务，具备使用相应电子货币的条件；收单银行，通过支付网关处理消费者与在线商店之间的交易付款；电子货币发行公司以及某些兼有电子货币发行的银行，负责处理智能卡的审核和支付；认证中心，负责确认交易对方的身份和信誉度，以及对消费者的支付手段认证。

SET 协议规范的技术范围包括：加密算法的应用，证书信息与对象格式，购买信息和对象格式，认可信息与对象格式。

SET 协议要达到五个目标：保证电子商务参与者信息的相应隔离；保证信息在互联网上安全传输，防止数据被黑客或被内部人员窃取；解决多方认证问题；保证网上交易的实时性，使所有的支付过程都是在线的；效仿 BDZ 贸易的形式，规范协议和消息格式，促使不同厂家开发的软件具有兼容性与交互操作功能，并且可以运行在不同的硬件和操作系统平台上。

（3）安全超文本传输协议（S-HTTP）。依靠密钥的加密，保证 Web 站点间的交换信息传输的安全性。S-HTTP 对 HT-TP 的安全性进行了扩充，增加了报文的安全性，是基于 SSL 技术的。该协议向互联网的应用提供完整性、可鉴别性、不可抵赖性及机密性等安全措施。

（4）安全交易技术协议（STT）。STT 将认证与解密在浏览器中分离开，以提高安全控制能力。

（5）UN/EDIFACT 标准。UN/EDIFACT 报文是唯一的国际通用的电子商务标准。在 ISO 发布的 ISO9735（即 UN/EDI – FACT 语法规则）新版本中，包括描述 UN/EDIFACT 中实施安全措施的 5 个新部分，即第五部分——批式电子商务（可靠性、完整性和不可抵赖性）的安全规则；第六部分——安全鉴别与确认报文（AUTACK）；第七部分——批式电子商务（机密性）的安全规则；第九部分——安全密钥和证书管理报告（KEYMAN）；第十部分——交互式电子商务的安全规则。

UN/EDIFACT 的安全措施通过集成式与分离式两种途径来实现。集成式的途径是通过在 UN/EDIFACT 报文结构中使用可选择的安全头段和安全尾段来保证报文内容的完整性、报文来源的不可抵赖性；分离式途径是通过发送三种特殊的 UN/EDIFACT 报文（即 AUTCK、KEY-MAN 和 CI – PHER）来达到安全目的。

（6）《电子交换贸易数据统一行为守则》（UNCID）。UNCID 由国际商会制定，该守则第六条、第七条、第九条分别就数据的保密性、完整性及贸易双方签订协议等问题做了规定。

11.4.2　电子商务网络安全管理

1. 威胁电子商务网络安全因素

威胁电子商务网络安全的因素有自然灾害、意外事故；计算机犯罪；人为行为，比如使用不当，安全意识差等；"客"行为：由于黑客的入侵或侵扰，比如非法访问、拒绝服务计算机病毒、非法连接等；内部泄密；外部泄密；信息丢失；电子谍报，比如信息流量分析、信息窃取等；信息战；网络协议中的缺陷，例如 TCP/IP 协议的安全问题等。

网络安全威胁主要包括两类：渗入威胁和植入威胁。渗入威胁主要有：假冒、旁路控制、授权侵犯；植入威胁主要有：特洛伊木马、陷门。陷门是指将某一"特征"设立于某个系统或系统部件之中，使得在提供特定的输入数据时，允许安全策略被违反。

2. 安全防范意识

拥有网络安全意识是保证网络安全的重要前提。许多网络安全事件的发生都和缺乏安全防范意识有关。

网络安全类型运行系统安全，即保证信息处理和传输系统的安全。它侧重于保证系统正常运行，避免因为系统的崩溃和损坏而对系统存储、处理和传输的信息造成破坏和损失，避免由于电磁泄漏，产生信息泄露，干扰他人，受他人干扰。网络上系统信息的安全包括用户口令鉴别，用户存取权限控制，数据存取权限、方式控制，安全审计，安全问题跟踪，计算机病毒防治，数据加密等。网络上信息传播安全，即信息传播后果的安全，包括信息过滤等。它侧重于防止和控制非法、有害的信息进行传播后的后果。避免公用网络上大量自由传输的信息失控。网络上信息内容的安全侧重于保护信息的保密性、真实性和完整性。避免攻击者利用系统的安全漏洞进行窃听、冒充、诈骗等有损于合法用户的行为。它本质上是保护用户的利益和隐私。

3. 网络安全的结构层次

（1）物理安全。

自然灾害（如雷电、地震、火灾等），物理损坏（如硬盘损坏、设备使用寿命到期等），设备故障（如停电、电磁干扰等），意外事故。对此类安全影响的解决方案有：防护措施，安全制度，数据备份等。

电磁泄漏，信息泄漏，干扰他人，受他人干扰，趁机而入（如进入安全进程后半途离开），痕迹泄露（如口令密钥等保管不善）。其解决方案是辐射防护，屏幕口令，隐藏销毁等。

操作失误（如删除文件，格式化硬盘，线路拆除等），意外疏漏。对此应该进行状态检测，报警确认，应急恢复等。

计算机系统机房环境的安全。其特点是：可控性强，损失也大。对此需要加强机房管理，运行管理，安全组织和人事管理。

（2）安全控制。

微机操作系统的安全控制，如用户开机键入的口令（某些微机主板有"万能口令"），对文件的读写存取的控制（如 Unix 系统的文件属性控制机制）。主要用于保护存储在硬盘上的信息和数据。

网络接口模块的安全控制，在网络环境下对来自其他机器的网络通信进程进行安全控制。主要包括身份认证、客户权限设置与判别、审计日志等。

网络互联设备的安全控制，对整个子网内的所有主机的传输信息和运行状态进行安全监测和控制。其主要通过网管软件或路由器配置实现。

（3）安全服务。包括对等实体认证服务、访问控制服务、数据保密服务、数据完整性服务、数据源点认证服务、禁止否认服务等。

（4）安全机制。包括加密机制、数字签名机制、访问控制机制、数据完整性机制、认证机制、信息流填充机制、路由控制机制、公证机制等。

（5）网络加密方式。主要有链路加密方式、节点对节点加密方式、端对端加密方式等。

（6）TCP/IP 协议的安全问题。TCP/IP 协议数据流采用明文传输，需要防止源地址欺骗（source address spoofing）或 IP 欺骗（IP spoofing）、源路由选择欺骗（source routing spoofing）、路由选择信息协议攻击（RIP attacks）、鉴别攻击（authentication attacks）、TCP 序列号欺骗（TCP sequence number spoofing）、TCP 序列号轰炸攻击（TCP SYN flooding attack，简称 SYN 攻击）、易欺骗性（ease of spoofing）等。

（7）网络安全工具。

扫描器是目前常用的网络安全软件。它是自动检测远程或本地主机安全性弱点的程序，一个好的扫描器相当于 1 000 个口令的价值。

工作原理：TCP 端口扫描器，选择 TCP/IP 端口和服务（比如 FTP），并记录目标的回答，可收集关于目标主机的有用信息（是否可匿名登录，是否提供某种服务）。扫描器能发现目标主机的内在弱点，这些弱点可能是破坏目标主机的关键因素。系统管理员使用扫描器，将有助于加强系统的安全性。

扫描器能够自动寻找一台机器或一个网络。一旦发现一台机器，它可以找出机器上正在运行的服务，然后测试哪些服务具有漏洞。

目前流行的扫描器：①NSS 网络安全扫描器；②stroke 超级优化 TCP 端口检测程序，可记录指定机器的所有开放端口；③SATAN 安全管理员的网络分析工具；④JAKAL；⑤XSCAN 等。

一般比较流行的网络安全硬件还有：入侵防御设备（IPS），入侵监测设备（IDS），一体化安全网关（UTM）。较早的安全硬件还有硬件防火墙，但随着 UTM 的出现，已经慢慢被替代。

（8）黑客常用的信息收集工具。

信息收集是突破网络系统的第一步。黑客可以使用下面几种工具来收集所需信息。

SNMP 协议。简单网络管理协议（simple network management protocol，SNMP）首先是由 Internet 工程任务组织（internet engineering task force，IETF）的研究小组为了解决 Internet 上的路由器管理问题而提出的。SNMP 被设计成与协议无关，所以它可以在 IP、IPX、AppleTalk、OSI 以及其他用到的传输协议上被使用。它可以用来查阅非安全路由器的路由表，从而了解目标机构网络拓扑的内部细节。

TraceRoute 程序。得出到达目标主机所经过的网络数和路由器数。Traceroute 程序是同 Van-Jacobson 编写的能深入探索 TCP\IP 协议的方便可用的工具．它能让我们看到数据报从一台主机传到另一台主机所经过的路由。Traceroute 程序还可以上我们使用 IP 源路由选项，让源主机指定发送路由。

Whois 协议。它是一种信息服务，能够提供有关所有 DNS 域和负责各个域的系统管理员数据（这些数据常常是过时的）。WHOIS 协议的基本内容是，先向服务器的 TCP 端口建立一个连接，发送查询关键字并加上回车换行，然后接收服务器的查询结果。DNS 服务器是 domain name system 或者 domain name service（域名系统或者域名服务）。域名系统为 Internet 上的主机分配域名地址和 IP 地址。用户使用域名地址，该系统就会自动把域名地址转为 IP 地址。域名服务是运行域名系统的 Internet 工具。执行域名服务的服务器称之为 DNS 服务器，通过 DNS 服务器来应答域名服务的查询。

Finger 协议。能够提供特定主机上用户们的详细信息（注册名、电话号码、最后一次注册的时间等）。

ping 实用程序。可以用来确定一个指定的主机的位置并确定其是否可达。把这个简单的工具用在扫描程序中，可以 ping 网络上每个可能的主机地址，从而可以构造出实际驻留在网络上的主机清单。它是用来检查网络是否通畅或者网络连接速度的命令。作为一个生活在网络上的管理员或者黑客来说，ping 命令是第一个必须掌握的 DOS 命令，它所利用的原理是这样的：网络上的机器都有唯一确定的 IP 地址，我们给目标 IP 地址发送一个数据包，对方就要返回个同样大小的数据包，根据返回的数据包我们可以确定目标主机的存在，可以初步判断目标主机的操作系统等。当然，它也可用来测定连接速度和丢包率。

（9）Internet 防火墙。

Internet 防火墙能增强机构内部网络的安全性。防火墙系统决定了哪些内部服务可以被外界访问；外界的哪些人可以访问内部的哪些服务，以及哪些外部服务可以被内部人员访问。要使一个防火墙有效，所有来自和去往 Internet 的信息都必须经过防火墙，接受防火墙的检查。防火墙只允许授权的数据通过，并且防火墙本身也必须能够免于渗透。

Internet 防火墙与安全策略的关系。防火墙不仅仅是路由器、堡垒主机，或任何提供网络安全的设备的组合，而且是安全策略的一个部分。安全策略建立全方位的防御体系，甚至包括告诉用户应有的责任，公司规定的网络访问、服务访问、本地和远地的用户认证、拨入和拨出、磁盘和数据加密、病毒防护措施，以及雇员培训等。所有可能受到攻击的地方都必须以同样安全级别加以保护。仅设立防火墙系统，而没有全面的安全策略，那么防火墙就形同虚设。

防火墙的好处。Internet 防火墙负责管理 Internet 和机构内部网络之间的访问。在没有防火墙时，内部网络上的每个节点都暴露给 Internet 上的其他主机，极易受到攻击。这就意味着内部网络的安全性要由每一个主机的坚固程度来决定，并且安全性等同于其中最弱的系统。

Internet 防火墙的作用。Internet 防火墙允许网络管理员定义一个中心"扼制点"来防止非法用户，比如防止黑客、网络破坏者等进入内部网络。禁止存在安全脆弱性的服务进出网络，并抗击来自各种路线的攻击。Internet 防火墙能够简化安全管理，网络的安全性是在防火墙系统上得到加固，而不是分布在内部网络的所有主机上。在防火墙上可以很方便地监视网络的安全性，并产生报警。（注意：对一个与 Internet 相连的内部网络来说，重要的问题并不是网络是否会受到攻击，而是何时受到攻击、谁在攻击。）网络管理员必须审计并记录所有通过防火墙的重要信息。如果网络管理员不能及时响应报警并审查常规记录，防火墙就形同虚设。在这种情况下，网络管理员永远不会知道防火墙是否受到攻击。Internet 防火墙可以作为部署 NAT（network address translator，网络地址变换）的逻辑地址。因此防火墙可以用来缓解地址空间短缺的问题，并消除机构在变换 ISP 时带来的重新编址的麻烦。Internet 防火墙是审计和记录 Internet 使用量的一个最佳地方。网络管理员可以在此向管理部门提供 Internet 连接的费用情况，查出潜在的带宽瓶颈的位置，并根据机构的核算模式提供部门级计费。

Internet 安全隐患的主要体现。Internet 是一个开放的、无控制机构的网络，黑客经常会侵入网络中的计算机系统，或窃取机密数据和盗用特权，或破坏重要数据，或使系统功能得不到充分发挥直至瘫痪。

Internet 的数据传输是基于 TCP/IP 通信协议进行的，这些协议缺乏使传输过程中的信息不被窃取的安全措施。

Internet 上的通信业务多数使用 Unix 操作系统来支持，Unix 操作系统中明显存在的安全脆弱性问题会直接影响安全服务。

在计算机上存储、传输和处理的电子信息，还没有像传统的邮件通信那样进行信封保护和签字盖章。信息的来源和去向是否真实、内容是否被改动，以及是否泄露等，在应用层支持的服务协议中是凭着君子协定来维系的。

电子邮件存在着被拆看、误投和伪造的可能性，使用电子邮件来传输重要机密信息会存在着很大的危险。

计算机病毒通过 Internet 的传播给上网用户带来极大的危害，病毒可以使计算机和计算机网络系统瘫痪、数据和文件丢失。在网络上传播病毒可以通过公共匿名 FTP 文件传送，也可以通过邮件和邮件的附加文件传播。

网络安全攻击的形式主要有四种：中断、截获、修改和伪造。中断是以可用性作为攻击目标，它毁坏系统资源，使网络不可用。截获是以保密性作为攻击目标，非授权用户通过某种手段获得对系统资源的访问。修改是以完整性作为攻击目标，非授权用户不仅获得访问而且对数据进行修改。伪造是以完整性作为攻击目标，非授权用户将伪造的数据插入到正常传输的数据中。

4. 电子商务网络安全管理对策

针对电子商务网络安全的特殊性，我们对电商网络安全应采取如下对策。

（1）提高对网络信息安全重要性的认识。信息技术的发展，使网络逐渐渗透到社会的各个领域，在未来的军事和经济竞争与对抗中，因网络的崩溃而促成全部或局部的失败，绝非不可能。我们在思想上要把信息资源共享与信息安全防护有机统一起来，树立维护信息安全就是保生存、促发展的观念。我国公民中的大多数人还是"机盲"、"网盲"，另有许多人仅知道一些关于网络的肤浅知识，或仅会进行简单的计算机操作，对网络安全没有深刻认识。应该以有效方式、途径在全社会普及网络安全知识，提高公民的网络安全意识与自觉性，学会维护网络安全的基本技能。

（2）加强网络安全管理。我国网络安全管理除现有的部门分工外，要建立一个具有高度权威的信息安全领导机构。只有在中央建立起这样一个组织，才能有效地统一、协调各部门的职能，研究未来趋势，制定宏观政策，实施重大决定。对于计算机网络使用单位，要严格执行《中华人民共和国计算机信息系统安全保护条例》与《计算机信息网络安全保护管理办法》，建立本单位、本部门、本系统的组织领导管理机构，明确领导及工作人员责任，制定管理岗位责任制及有关措施，严格内部安全管理机制。具体的安全措施，如把好用户入网关、严格设置目录和文件访问的权限，建立对应的属性措施，采用控制台加密封锁，使文件服务器安全可靠；用先进的材料技术，如低阻材料或梯性材料将隔离设备屏蔽起来，降低或杜绝重要信息的泄露，防止病毒信息的入侵；运用现代密码技术，对数据库与重要信息加密；采用防火墙技术，在内部网和外部网的界面上构造保护层。

（3）加快网络安全专业人才的培养。我国需要大批信息安全人才来适应新的网络安全保护形势。高素质的人才只有在高水平的研究教育环境中才能迅速成长，只有在高素质的队伍保障中不断提高。应该加大对有良好基础的科研教育基地的支持和投入，多出人才，多出成果。在人才培养中，要注重加强与国外的经验技术交流，及时掌握国际上最先进的安全防范手段和技术措施，确保在较高层次上处于主动。要加强对内部人员的网络安全培训，防止堡垒从内部攻破。

（4）开展网络安全立法和执法。首要的就是加快立法进程，健全法律体系。自 1973 年世界上第一部保护计算机安全法问世以来，各国与有关国际组织相继制定了一系列的网络安全法规。我国政府也十分重视网络安全立法问题，1996 年成立的国务院信息化工作领导小组曾设立政策法规组、安全工作专家组，并和国家保密局、安全部、公安部等职能部门进一步加强了信息安全法制建设的组织领导与分工协调。我国已经颁布的网络法规有《计算机软件保护条例》、《中华人民共和国计算机信息系统安全保护条例》、《中华人民共和国信息网络国际联网安全管理暂行规定》、《计算机信息网络国际联网管理办法》、《计算机信息系统国际联网保密管理规定》等。1997 年 10 月 1 日起生效的新《刑法》增加了专门针对信息系统安全的计算机犯罪的规定：违反国家规定，侵入国家事务、国防建设、尖端科学领域的计算机系统，处三年以下有期徒刑或拘役；违反国家规定，对计算机信息系统功能进行删除、修改、增加、干扰，造成计算机系统不能正常运行，后果严重的处五年以下有期徒刑，后果特别严重的处五年以上有期徒刑；违反国家规定，对计算机信息系统存储、处理或者传输的数据与应用程序进行删除、修改、增加操作，后果严重的应负刑事责任。这些法规对维护网络安全发挥了重要作用，但不健全之处还有许多。一是应该结合我国实际，吸取和借鉴国外网络信息安全立法的先进经验，对现行法律体系进行修改与补充，使法律体系更加科学和完善；二是要执法必严，违法必究。要建立有利于信息安全案件诉讼与公、检、法机关办案的制度，提高执法的效率和质量。

（5）抓紧网络安全基础设施建设。一个网络信息系统，不管其设置有多少道防火墙，加了多少级保护或密码，只要其芯片、中央处理器等计算机的核心部件以及所使用的软件是别人设计生产的，就没有安全可言。这正是我国网络信息安全的致命弱点。国民经济要害部门的基础设施要通过建设一系列的信息安全基础设施来实现。为此，需要建立中国的公开密钥基础设施、信息安全产品检测评估基础设施、应急响应处理基础设施等。

（6）把好网络建设立项关。我国网络建设立项时的安全评估工作没有得到应有重视，这给出现网络安全问题埋下了伏笔。在对网络的开放性、适应性、成熟性、先进性、灵活性、易操作性、可扩充性综合把关的同时，在立项时更应注重对网络的可靠性、安全性评估，力争将安全隐患杜绝于立项、决策阶段。

（7）建立网络风险防范机制。在网络建设与经营中，因为安全技术滞后、道德规范苍白、法律疲软等原因，往往会使网络经营陷于困境，这就必须建立网络风险防范机制。为网络安全而产生的防止和规避风险的方法有多种，但总的来讲不外乎危险产生前的预防、危险发生中的抑制和危险发生后的补救。有学者建议，网络经营者可以在保险标的范围内允许标保的财产进行标保，并在出险后进行理赔。

（8）强化网络技术创新。如果在基础硬件、芯片方面不能自主，将严重影响我们对信息安全的监控。为了建立起我国自主的信息安全技术体系，利用好国内外两个资源，需要以我为主，统一组织进行信息安全关键技术攻关，以创新的思想，超越固有的约束，构筑具有中国特色的信息安全体系。特别要重点研究关键芯片与内核编程技术和安全基础理论。

（9）注重网络建设的规范化。没有统一的技术规范，局部性的网络就不能互连、互通、互动，没有技术规范也难以形成网络安全产业规模。目前，国际上出现许多关于网络安全的技术规范、技术标准，目的就是要在统一的网络环境中保证信息的绝对安全。我们应从这种趋势中得到启示，在同国际接轨的同时，拿出既符合国情又顺应国际潮流的技术规范。

（10）建设网络安全研究基地。应该把我国现有的从事信息安全研究、应用的人才很好地组织起来，为他们创造更优良的工作学习环境，调动他们在信息安全创新中的积极性。一是要落实相关政策，在收入、福利、住房、职称等方面采取优惠政策；二是在他们的科研立项、科研经费方面采取倾斜措施；三是创造有利于研究的硬环境，如仪器、设备等；四是提供学习交流的机会。

（11）促进网络安全产业的发展。扶持具有中国特色的信息安全产业的发展是振兴民族信息产业的一个切入点，也是维护网络安全的必要对策。为了加速发展我国的信息安全产业，需要尽快解决资金投入、对外合作、产品开发、安全评测、销售管理、采购政策、利益分配等方面存在的问题。

【本章小结】

网络安全技术。网络安全主要运用下列技术解决：防火墙技术、VPN技术、病毒防范技术、入侵检测技术、黑客攻击防范技术等。

信息加密技术。加密方法主要有两类：一是对称密钥加密体制，二是非对称密钥加密体制。

安全交易认证技术。信息传输过程中主要是通过数字摘要、数字签名、数字时间戳、数字信封等技术解决信息的保密性、完整性和不可抵赖性，通过认证中心、数字证书解决交易各方的身份认证。为了保证电子支付的安全，还必须要采用安全交易协议SSL和SET。

【复习与思考】

1. 简述电子商务安全的含义及要求。
2. 简述电子商务安全的关键技术。
3. 简述网络安全的解决措施。
4. 查阅国外电子商务安全法律概况，说明对我国网络安全有何启示。

第**12**章

电子商务纠纷的法律解决

案例 12-1

电子商务纠纷解决之道——信用认证 PK 网上仲裁

　　据报道，由中国国际经济贸易仲裁委员会颁布的《中国国际经济贸易仲裁委员会网上仲裁规则》于 2009 年 5 月 1 日起正式施行。该规则特别适用于解决电子商务争议。案件的处理均通过网络进行，无论是投诉人的申诉、被投诉人的答辩，还是域名争议解决中心的程序处理、审案专家的案件处理及裁决书制作发布均通过网络进行。另外，中国 21315 信网也同时向全国企业发出了《关于开展信用认证以快速、安全获得订单》的通知：从即日起，信网将联合美国 CINWA 公司及世界三十多个国家信用管理机构，开展企业信用认证工作，以使在逆势中顽强搏击"风暴"的中小型企业，能够通过第三方信用机构的公正权威信用信息评估与认证，树立企业诚信形象，取得买家的信任，赢得订单。同时，这对于在"风暴"中航行的国内外采购商来说，无疑也是一剂"定心丸"。

　　资料来源：http://china. findlaw. cn/jingjifa/dianzishangwufa/swjf/jjfs/2915. html.

12.1　电子商务民事诉讼管辖权

　　由于互联网的跨地域性，从事电子商务的当事人很可能远隔万里，万一发生纠纷，如何确定管辖的法院和适用哪一国家的法律是当事人首要关注的问题。

1. 管辖权概述

　　所谓管辖权，是指各级法院之间和同级受理第一审民事案件的分工和权限。它是在法院内部具体落实民事审判权的制度，确定由哪个法院来具体行使审判权。只有确定了管辖才可以使审判权得到落实，使诉讼顺利开始，才有利于当事人行使诉讼权利，才可以使各级人民法院明确自己受理第一审民事案件的分工和权限，才有利于上级人民法院对下级人民法院实行监督，督促下级人民法院严格执行民事诉讼法关于管辖的各项规定。

　　我国目前的民事诉讼法规定的管辖权贯彻的原则有：便于当事人诉讼；便于人民法院审理案件和执行裁判；保证案件的公正审判；保证各级人民法院工作负担的均衡；确定性和灵活性

相结合；维护国家主权等。

我国目前的民事诉讼法规定了案件管辖方面的各种机制，其中重要的有级别管辖、地域管辖和裁定管辖等问题，这是我国确定电子商务民事诉讼管辖权所参照的主要依据。

2. 电子商务民事纠纷的管辖地确定

对于基于互联网的民事纠纷而言，管辖权问题即是解决由哪一个地点的法院对涉及互联网案件的管辖。虽然因电子商务而发生的民事诉讼的管辖有其自身的特点，但基本上还是适用民事诉讼法管辖的各方面原则性规定，不可能创造出另外一套法院系统和管辖规则。

根据我国民事诉讼法基本原理，确定侵权之诉讼管辖地主要依据侵权行为人（被告人）住所地、侵权行为地和侵权结果发生地。尽管网络世界的虚拟性给传统管辖提出了挑战，但是，民事诉讼法的管辖原则仍然能够解决网上侵权纠纷案件在法院的管辖分工问题。

根据我们第 2 章学习的内容，网上侵权行为人大致可分为两类：

第一类，网站所有者或经营者。网站在经营内容或其他行为有可能侵权其他当事人的权益，例如，页面设计抄袭，侵犯其他网站的网页著作权，或网站使用了他人数据库的内容，或实施了侵犯他人在先权利（抢注域名）及其他不正当竞争行为。

第二类，登录网站的任何第三人。侵权人也可能是网络服务提供商之外的第三方，该个人或机构可能通过某网站实施了针对其他人或其他网络经营者的侵权行为。在这里，网站很明显就成为了侵权的工具，并非该网络经营者侵权。但此种情形下，网络经营者并非侵权主体。

在讨论网络侵权纠纷的国内管辖之前，我们必须先认定我国《民事诉讼法》规定的侵权案件管辖权仍然适用于我国 Internet 侵权案件，其提供的管辖权依据仍然能够解决法院对 Internet 侵权案件的管辖权分工。依照我国《民事诉讼法》第二十九条确立的管辖规则，侵权纠纷由被告住所地或侵权行为地的人民法院管辖。

（1）被告住所地。侵权案件总是与侵权行为人直接相联系的，权利人诉讼的对象也是侵权人，最后的民事承担者也是侵权人。在法律上被告的住所只有一处，因此不难确定。在网络纠纷中被告人的住所地仍然是明确、有效、联系最密切的管辖标准。一般来说在网络侵权案件中对以被告住所地确定管辖的原则争议不大，在审判实践中也比较容易掌握，所以可以按照我国法律原有的规定以被告的住所地法院作为网络侵权纠纷案件管辖地。具体来说：

如果是网站所有者或经营者外的第三方，利用自己的终端设备，通过他人网站服务器实施侵权行为，此时，适用一般的民诉法上的住所地认定规则，则侵权人法定住所地或经常居住地即为被告住所地。

当被告是网站经营者时，被告住所地容易跟网站服务器地址、网址产生混淆，这里我们需要先弄清这几个基本概念。

网站本身并不具有民事主体资格，网站只是某个民事主体设立从事某种事业的工具。网站在现实世界中的地址即是网络服务器所在地，即装有网络服务器（web server）软件的硬件服务器设备所在地。网络服务器既可以在设立该服务器的公司、单位、组织或个人住所地处，也可以在虚拟主机（virtual hosting）服务提供商处，也可以在网络服务提供商处。

网络在虚拟世界的地址即网址，即是 IP 地址；IP 地址在现实中又转化为域名。经从带有国家或省区编码的域名上可以判断接入互联网的服务器所在地区，但是网址并不能作为管辖依据。

网站设立人即设立并经营网站的人，是网站的所有者或经营者，是享有网站经营的权利，承担相应义务的主体。该主体是有民事主体资格的人（自然人或法人）和组织。如果设立人是自然人，那么其地址为其住所地或经常居住地；如果是法人或其他组织，那么其注册地或主要办公地即为其住所地。

从这种分析，可见，在网站经营者发生侵权行为时，网站所有者或经营者的住所地而不是网站服务器地址或网址作为管辖的依据。

（2）侵权行为地。在网络环境下不容易把握的是如何确定侵权行为地。侵权行为地作为侵权案件的管辖地是传统的管辖权理论的一个重要内容。根据《最高人民法院关于适用〈中华人民共和国民事诉讼法〉若干问题的意见》第二十八条规定，侵权行为地包括侵权行为实施地和侵权结果发生地。因而侵权行为地的确定又会涉及两个方面：侵权行为实施地和侵权行为结果发生地。

第一，侵权行为实施地。根据网络活动的实质，侵权行为人必须通过一定的计算机设备进行，由此可以认定侵权行为实施地应当以被告为中心，以实施复制、传输等侵权行为的设备为线索，认定其为所实施行为的地点。通常来说，在著作权侵权纠纷案件中，被告通过计算机等设备实施的涉及网络的复制、传输等行为所在地即为侵权行为地。分得再细一点的话，那就是网络服务商的侵权行为地为网络服务商的服务器所在地，而对于一般的网上用户来说为其使用的设备终端的所在地。

不可否认的是侵权行为并不只是发生于一处，侵权行为往往是由一系列的行为构成，并且涉及不同的地点，因此在实践中应该明确侵权行为主要实施地为管辖权地。在多件的侵权案件中，由于涉及多个侵权环节、设备以及多个地点，受害人就可以选择一个地点起诉，该法院应当具有管辖权。在将侵权行为地确定为管辖权地的时候我们会不可避免地遇到案件侵权行为实施地的问题，由此应该坚持确立侵权行为主要实施地为管辖权地比较适宜。

第二，侵权结果发生地。侵权结果发生地是指造成损害后果的地点。

如果将受害人所在地均可以视为侵权结果发生地，则侵权结果发生地则完全演变为是以原告为核心的。由此，将会扩大原告住所的管辖范围。另者，由于计算机网络具有广泛联结、任意联结的特点，其侵权结果发生地往往呈现出扩散化的特征。以非法上载他人作品并在网上传播为例，从理论上说，该作品可以到达计算机网络所覆盖的全部范围——全世界，并可传播给全体网民。如果将该作品所能到达的地点都作为侵权结果发生地，则全世界的法院就都有管辖权了，这一推论显然与设立管辖制度的初衷相违背，因而是不可能成立的。

在这方面，美国法院在司法实践中形成了服务器接触管辖规则。在确定侵权结果发生地时，原告不仅在某地浏览到侵权信息，还可以与该站点有一定的交互联系，具体指，原告通过计算机终端设备在被告的网站上进行了订立合同、传递档案文件或下订单等互动行为时，该服务器所在地才能构成侵权结果发生地。

在网络纠纷案件中，侵权行为人由根据目前电子商务民事纠纷管辖权的实践和理论，现有如下几种主流的解决原则：

（1）以当事人国籍为基础的属人原则。以国籍作为管辖权的根据，通常被称之为"属人原则"，它是以当事人的国籍为联结点，认为不管当事人现在居住在境内还是境外，是原告还是被告，当事人的国籍国法院均对其享有管辖权。由于属人原则的目的在于保护本国当事人的利益，因而存在诸多的弊端：①有时使外国当事人处于不利地位而显失公平。②该当事人位于国外时一方面取证困难，另一方面也不方便诉讼。③现代社会人口流动频繁，有时国籍并不具有任何实质意义；④在遇到当事人国籍出现消极或积极冲突的情况下，容易发生管辖权冲突。

在网络空间，由于网络的不确定性，国籍作为管辖权基础与网址、行为地、住所等联结点与管辖法域的联系要弱得多，除了当事人从身份上隶属于该国外，诉因与法院地的联系极小，对外国当事人甚至居住于外国的本国当事人权益缺乏应有的保障，由此做出的判决也很难得到他国的承认与执行。同时，网络空间是一种面向任何国家任何人开放的一种独立自主的空间，任何一台与 Internet 相连的计算机都能够从事所有的网络活动，因此国家与当事人之间的联系是相当弱的。可以说，以当事人国籍为管辖权的基础在网络空间意义不大，只是对于严重的刑事犯罪及某些特定类型的行为，本国才可以主张国籍管辖。

（2）以地域为基础的属地原则。属地原则是指在法院管辖权的选择中，具有决定性意义的联结点，应该是诉讼中的案件事实和双方当事人与法院国的地域上的联系（如当事人的住所、诉讼标的所在地、执行地在法院国等）。根据属地原则，一个国家可以对其主权范围内从事网络空间活动的人和行为行使管辖权，有权要求其遵守本国法。

适用属地原则的最典型案例是 2000 年 5 月 22 日判决的法国两个民间组织诉"雅虎"网络公司案。原告指责"雅虎"网站销售纳粹制服、旗帜等上百种宣扬纳粹的物品。巴黎高级法院判决：限定"雅虎"在 7 月 24 日以前采取技术措施，使法国的网民无法进入宣传纳粹物品的美国网站；"雅虎"在法国的分公司必须通知它的用户，在连接"雅虎"网站时，他们的司法权限得以改变，其行为也受到法国法律的管辖。此案一经宣判，立即引起轩然大波。

属地原则又并非绝对的。因为网络空间活动的范围与影响具有全球性，难以有针对性地限定它的确切范围。正如"雅虎"案，作为"雅虎"网络公司在技术角度执行法国法院的判决存在一定的难度，以致只能撤销自己的某些站点以执行法院的判决，而这等于取消了全球所有用户进入该站点的通路。从而就产生了一个国家对 Internet 的司法干预的治外法权问题，这就违背了国际公法的基本原则，易引发国家争端。而且根据属地原则，一国只可以对本国境内的网上行为进行管辖，而不能直接对外国相关活动实施管辖，否则是有违属地原则的立法本意的。

由此可见，国际互联网打破了地域和时间的限制并将全球作为一个整体连接在一起，我们不可能运用分割物理空间的方法将网络空间依据一定的标准予以分割、标明边界，从而借以作为管辖权的基础。也就是说某一法院无法确定自己对网络空间的哪一部分享有管辖权还是对网络空间的全部享有管辖权。

在网络空间，我们不可能找到网络活动者的住所、财产等客观因素，也不可能确定活动者的国籍和其登录的确定地点，也难以识别登录者的身份，所以网络空间活动者的住所、国籍、财产等原来与物理空间密切联系的因素，在进入网络空间后已经失去其本身的意义。

（3）当事人意志（intention of parties）为基础的协议管辖根据。在现代国际社会中，由当事人意志决定某些案件管辖权的原则为许多国家所承认，这类管辖又称为协议管辖。它强调当事人在争议之前（诉前）共同选择管辖法院，这样可以使当事人对法院地国家的实体法和程序法有所了解，从而充分体现法律适用上的公平与平等。

Internet 用户在网络空间活动的前提是同意并履行了 ISP 规则，而 ISP 之间也是通过合意来统一和协调各自的规则和标准。根据 TCP/IP 协议，网络成员之间网络争议与纠纷由 ISP 以仲裁者的身份来协调解决（实际上，网络争议的当事人也有可能是非网络用户），最后的裁决结果也由 ISP 来执行。很显然，在这一过程中，法院的主管权丧失，法院的管辖权被否定，从而使得网络空间成为国家主权的空白地。所以对于一个主权国家而言，如何确定网络案件的管辖权就显得尤为重要。

可以说，在网络空间不论是使用者（网络用户）还是管理者（同时也是服务者、组织者，即 ISP）的活动都充分体现意思自治原则，通过订立协议来解决绝大多数网络争议。也正是如此，有人才会提出网络空间是独立于物理空间和世俗法律的自律空间。考虑到这一因素，我们认为在确定网络案件管辖权时应充分地考虑当事人的主观意志。这种以当事人意志为基础的管辖权完全符合网络空间的特点和要求，立法者所要做的是制定相应的限制性规定以防止体现国家主权的管辖权因此而旁落。

（4）以最低限度接触（minimum contacts）为基础的长臂管辖（long arm juris diction）。所谓最低限度接触（又称"最低联系"），是指与受诉地的任何联系，只要达到最低限度的接触也可以构成管辖权的根据。显然，这是一个十分灵活的根据，它可以包括上述的一切根据在内。它源于美国宪法的"适当程序"条款和联邦最高法院对此的解释。联邦最高法院在国际鞋业公司诉华盛顿州（International Shoe CoV. Washington）一案指出，如果被告与法院地州有着一些"最低限度之接触"，并且该诉讼之进行并不违反"平等对待和实际公正的传统观念"，只要是在宪法"适当程序（due process）条款"的范围内，该地法院对其就具有管辖权。从此以后，最低限度接触成为美国法院行使州际和国际管辖权的根据。各州据此纷纷制定"长臂法案"，确立了"长臂管辖权"。

这一管辖依据是美国为了扩大其司法管辖权而发展起来的，它因常常会侵犯他国的司法主权而受到有关国家的反对。这种管辖根据一旦适用于网络空间就会引起一系列问题：第一，由于网络活动的全球性、开放性，使得网络空间的所有活动都有可能与任何一个国家发生最低限度的接触，从而受到任何国家的司法管辖权约束；第二，网络活动者也会因此完全丧失对管辖的预测性。这一方面会发生管辖权冲突，另一方面对网络活动者也是不公平的。正如新型交通工具使"权力支配"理论显露缺陷一样，现代通信工具——Internet 也使"长臂管辖权"理论陷入困境。从长远看，在网络空间适用这一管辖原则会引起混乱和冲突，应予以抛弃。

参考资料

网上仲裁：电子商务纠纷有了快速解决途径

目前，我国法院推出的远程视频审案和网上案件审理，由于为双方当事人带来了很大便利，因此得到各类纠纷当事人的"力挺"。据悉，这种方式今后也将被仲裁部门所采用，中国国际经济贸易仲裁委员会制定的《中国国际经济贸易仲裁委员会网上仲裁规则》于2009年5月1日正式施行后，我国仲裁部门将依照该规则并通过互联网来审理电子商务争议等案件。

仲裁全程将实现电子化。据了解，此次颁布的《网上仲裁规则》中明确规定，网上仲裁的全过程可以通过电子技术及互联网络来进行。在案件的审理过程中，电子签名与传统的手写签名及盖章具有同等的效力。以电子、光学或者类似手段生成、发送、接收储存的文件均可以作为案件审理的证据。

对此，有关人士认为，《网上仲裁规则》的出台使国内电子商务争议有了最适合的仲裁解决方式，因为电子商务交易过程中交易双方虽然相隔距离遥远，但交易过程中却会保留完整的通信痕迹。

针对之前有关人士对网上仲裁是否可行的疑虑，中国国际经济贸易仲裁委员会上海分会副秘书长黄文表示，在《网上仲裁规则》出台之前，仲裁委员会设立的域名争议解决中心，已经通过网络电子方式仲裁解决了多起用户域名方面的争议案件。这些案件在仲裁的过程中，无论是投诉人的投诉、被投诉人的答辩，还是域名争议解决中心的程序处理、审案专家的案件处理及裁决书制作发布都是通过网络来进行。仲裁委员会在之前域名争议案件的网络仲裁中已经积累了大量的实际仲裁经验，因此《网上仲裁规则》出台后，实施网上仲裁不会有任何技术和程序上的问题。

资料来源：。http://china.findlaw.cn/jingjifa/dianzishangwufa/swjf/jjfs/2917.html，作者：金琳，沈丹青

12.2　电子商务诉讼中证据问题

2005 年 4 月 1 日，《中华人民共和国电子签名法》开始实施，开创了我国电子证据专门立法的先河，也标志着我国法制适应电子商务发展的新的里程。电子证据在我国还属于较新的事物。哪些数据电文或电子文件可以作为电子证据，作为什么类型的电子证据，其法律效力如何，都将成为解决电子商务纠纷迫切需要解决的问题。

12.2.1　电子证据概述及分类

1. 电子证据的概念

电子证据（electronic evidence）一词自被使用以来，在全球范围内就被赋予多种意义。美国学者古尔柏·乔丹认为，在电子环境中，从证据、技术或法庭的角度，音频或视频记录可以清晰而又易于理解地提供信息。电子证据是为那些在实践中使用、提供或面临此类电子记录的人们设计的。另一方面，电子证据一词在很多场合已经被"以计算机为基础的证据"（computer based evidence）一词所替代。美国档案学专家戴维·比尔曼提出，电子证据是与由计算机系统产生的电子文件等同的概念。加拿大证据法学家艾伦·戈哈坦也持与此相同的观点。这种学术上的分歧影响着各国的立法倾向。从现有的资料看，对"电子证据"大致有广义和狭义两种界定。联合国国际贸易法委员会及美国、德国、爱尔兰等国的立法主导意见持广义的理解。他们认为，"数据信息"是通过电子学手段、光学手段或其他类似的手段生成、发送、接收或储存的信息，它包括但不限于 EDI、E-mail、电报、电传或传真。与此不同，加拿大《统一电子证据法》与欧盟则持狭义的理解。"电子"一词在《欧洲电子商务提案》的语境中专指电子网络信息。我国《合同法》已经将电子证据作为合同的形式之一。"数据信息"是电子证据的重要形式，但是简单地把"数据信息"归结为电子证据显然有失科学性。电报、电传、传真是电子证据，但不一定被认为是电子证据。准确界定电子证据的内涵对证据立法具有重大意义，准确界定电子证据是讨论电子证据规则的理论出发点。

2. 电子证据的特点

（1）高科技性。计算机是现代的计算工具和信息处理工具，电子证据的产生、储存和传输都必须借助于计算机技术以及与之相关的储存技术、网络技术等。离开了高科技含量的技术设备，电子证据就无法保存和传输。这也就决定了对电子证据的收集和审查判断需要借助一定的科技手段。随着科技的发展、变化，电子证据对科学技术的依赖也越来越强。

（2）无形性。计算机内部所有信息都是单纯的以 0 和 1 组成的数字编码的二进制形式存在的，所有信息都被数字化了。在计算机对信息进行储存、处理的过程中，一切非二进制编码的信息都必须以二进制的特定编码表示。计算机正是通过二进制编码的形式体现的一系列电脉冲

来实现某种功能的。在进行电子商务交易的过程中,一切信息都由这些看不见、摸不着的无形的编码来传递。因此,电子证据必然是无形的。虽然附着电子证据的载体是有形的,但载体本身并不能证明案件事实,不能独立地作为证据使用。

(3)双重性。即电子证据同时具有较高的精密性和脆弱性。电子证据以技术为依托,很少受主观因素的影响,能够避免其他证据的一些弊端,如证言的误传、书证的误记等,相对来说比较准确;另一方面,由于计算机信息是用二进制数据表示的,以数字信号的方式存在,而数字信号是非连续性的,如果有人故意或因为差错对电子证据进行截收、监听、窃听、删节、剪接,从技术上讲难以查清。而且计算机操作人员的差错或供电系统、通信网络的故障等环境和技术方面的原因都会使电子证据无法反映真实的情况。此外,电子证据均以电磁浓缩的形式储存,使得变更、毁灭电子证据极为方便,且不易察觉。在日益普及的网络环境下,数据的通信传输又为远程操纵计算机,破坏、修改电子证据提供了更便利的条件。

(4)多媒性。电子证据在计算机屏幕上的表现形式是多样的,尤其是多媒体技术的出现,更使电子证据综合了文本、图形、图像、动画、音频及视频等多种媒体信息,这种以多媒体形式存在的电子证据几乎涵盖了所有传统证据类型。

(5)隐蔽性。电子证据在存储、处理的过程中,必须用特定的二进制编码表示,一切信息都由这些不可见的无形的编码来传递。因此,电子证据具有较强的隐蔽性,电子证据与特定主体之间的关系按照常规手段难以确定。

3. 电子证据分类

随着计算机和网络技术的普及,电子商务和其他许多基于网络的人际交往大量出现,电子文件已经成为传递信息、记录事实的重要载体。在这些方面一旦发生纠纷或案件,相关的电子文件就成为重要的证据。电子证据就是被作为证据研究的、能够证明案件相关事实的电子文件。

这里的电子文件(electronic records)是指基于电子技术生成、以数字化形式存在于磁盘、磁带等载体,其内容可与载体分离,并可多次复制到其他载体的文件。这个定义表述了电子文件的三个基本特征:①数字化的存在形式;②不固定依附特定的载体;③可以多次原样复制。

电子文件可以分为5类。

(1)字处理文件:通过文字处理系统形成的文件,由文字、标点、表格、各种符号或其他编码文本组成。不同类型的文字处理软件生成的文件不能兼容(如 Word 和 WPS),使用不同代码规则形成的文件也不能直接读取。所有这些软件、系统、代码连同文本内容一起,构成了字处理文件的基本要素。

(2)图形处理文件:由计算机专门的软件系统辅助设计或辅助制造的图形数据,通过图形人们可以直观地了解非连续性数据间的关系,使得复杂的信息变得生动明晰。

(3)数据库文件:由若干原始数据记录所组成的文件。数据库系统的功能是输入和存储数据、查询记录以及按照指令输出结果,它具有很高的信息价值,但只有经过整理汇总之后,才具有实际的用途和价值。

(4)程序文件:计算机进行人机交流的工具,软件就是由若干个程序文件组成的。

(5)影、音、像文件:即通常所说的"多媒体"文件,通常经过扫描识别、视频捕捉、音频录入等综合编辑而成。

当这些电子文件在诉讼中作为证据使用时就是电子证据,例如在电子商务中的电子合同、电子提单、电子保险单、电子发票等;电子证据的证据形式还包括电子文章、电子邮件、光盘、网页、域名等。

作为一类新型的证据，电子证据具有自身的几个基本特性：

（1）技术依赖性。电子证据的形成与存在必须依赖于现代电子技术设备和技术手段而实现；电子证据的调取与再现也必须借助一定的技术设备、通过一定的技术手段来实现。

（2）形式复合性。电子证据更多地表现为多媒体形式，集文本、影像、声音等多种形式于一身，在信息的表达上更为丰富、生动。

（3）储存与传递的隐蔽性。电子证据以电磁等形式存在于介质之上，它占位和传递的实体是电磁波和二进位数据编码，肉眼无法直接感受这些无形的信号，只有经专门的设备和技术才能显示为肉眼可见的形态。

（4）易于变造性。保存于磁性介质上的电子证据是可擦写的数据，在存储、传输和使用过程中，极易遭到截取、篡改、删除等破坏，且可不留痕迹（有人称此为"脆弱性"）。

正因为电子证据的隐蔽性和易于遭到篡改，给证据的审查、认定带来难度，所以一般认为其证明力相对低下。而且对于电子证据来说，"原件"不能为肉眼所见，当它以某种方式显示出来时，已经失去了原件的属性，案件当事人提交的只能是复制品，是"传来证据"。这也影响到电子证据的证明力。电子证据的认定给传统的民事诉讼的证据规则带来了极大挑战。

12.2.2　电子证据的法律效力

1. 电子证据的可采纳性

证据的可采纳性（admissibility）是指证据能力，证据是指依法收集的能够证明案件真实情况的一切事实材料，但是一切事实材料并不当然是诉讼证据。要成为诉讼证据的事实材料必须首先具备诉讼证据能力，诉讼证据能力是指在诉讼上可容许作为证据的资格。诉讼证据能力有时也称"可采信"、"证据能力"、"证据资格"、"证据容许性"、"证据的适格性"等。

自 20 世纪 90 年代起，EDI 数据交换方式以其便捷、高效、准确的特点而备受青睐。一些重要的国际组织针对电子商务等进行了大量的立法工作，欧美各国在实体上早已承认以数据电文方式订立合同、申报纳税与以信件、电报、传真等传统方式具有相同的效力，在程序法上也作了相应的规定。美国《联邦证据规则》通过重申现行判例和成文法的形式肯定了数据电文无论是人工做成的还是计算机自动录入的都可作为诉讼证据。英国 1968 年《民事证据法》规定，在任何民事诉讼程序中，文书内容只要符合法庭规则就可被接成为证明任何事实的证据，而不论文书的形式如何。在 1988 年修正的《治安与刑事证据法》（the police and criminal evidence act）中也做出了类似的规定。加拿大通过 R. v. McMullen（Ont. C. A.，1979）一案确立了新证据在普通法上的相关规则。联合国国际贸易法委员会在《电子商务示范法》中规定："不得仅仅以某项信息采用数据电文形式为由而否定其法律效力、有效性和可执行性。"又承认了以数据电文方式订立的合同的有效性，并且认为，在一定情况下数据电文满足了对原件的要求，在诉讼中不得否认其为原件而拒绝接受为证据。这些规定运用功能等同法（functional equivalent），认为只要与传统方式具有相同的功能，即可认定为具有同等效力。我国也与这一国际立法趋势相靠拢。例如，我国新修订的《海关法》中就规定了电子数据报关方式。更为重要的是，我国在《合同法》中已承认以电子数据交换方式订立的合同的有效性，承认其符合法律对合同书面形式的要求。要使实体法的修改有实际意义，就必须设定相应的程序规则，使在以实体规定为依据在诉讼中寻求救济时具有程序法基础，否则，实体法上的修改不啻为一纸空文。虽然数字证据并不单纯只是在电子商务关系中产生，其还可在其他社会关系中产生，但数字证据问题主要是由于电子商务的飞速发展而提出的。由于电子商务交易追求交易的快速、便捷、无纸化（paperless trading）流程，在很多交易过程中很少有甚至根本就没有任何纸质文件出现，电子商务交易中所存在的与交易相关的资料可能完全是以数字化形式存在于计算机等存储设备中。一旦产生纠纷，如果在程序法上不承认数字证据的证据力，当事人将没有任何证据来支持自己的权利主张，无法得到法律救济，商人对电子交易就难以产生依赖感，不利于电子商务的发展。

在法律上承认数字证据的可行性就在于法律能否将数字证据容纳进去，而与法律的价值理念不相冲突，并可与原有的法律规定相协调，重新建立的规则与原有的体系也并不矛盾。各国在证据立法上有3种模式：一是自由式，原则上不限制所有出示的有关证据；二是开列清单式，明确列举可作为证据的种类，此为我国所采；三是英美判例法证据模式。我国诉讼法对证据采取列举式的规定，只要立法将新的证据类型予以确认，即可使之成为合法的证据，可以在诉讼中有效使用。将原有的一些规则进行重新阐释或者进行规则的另行制定，即可建立起数字证据制度。法律是个不断进化、发展的而不是僵化的封闭体系，在有完善的必要时，或者修改立法，或者在未修改前对这种新证据以司法解释的形式进行扩大解释，予以诉讼上的许可也是合理的，既符合立法者的意图，也不违反我国程序法的相关规定，所以在我国法律上是可行的。传统的民事诉讼中的证据主要是书面证据、物证、视听材料、证人证言、当事人的陈述、鉴定结论及勘验笔录等。这一证据体系中，书面证据是最重要也是最具效力的证据形式。

我国诉讼法规定，任何证据都必须经过查证属实，才能作为认定事实（定案）的根据。提交法庭的电子证据是否具有证明力，同样要经过调查后才能认定。

从证据学原理来讲，某一证据要保证其真实可靠，必须在其运行的各个环节都有辅助证据加以证明，即构成证据锁链。一般来说，电子证据需要审查的环节包括以下几个方面：

（1）审查电子证据的生成环节：电子证据是否是在正常的活动中按常规程序生成的；生成电子证据的系统是否曾被非法人员控制；系统的维护和调试是否处于正常状态；生成电子证据的程序是否可靠；人工录入电子证据时，录入者是否被有效地监督并按照严格的操作程序合法录入等。这些因素都会影响生成的电子证据的真实可靠性，所以在认证时应一一加以分析判断。

（2）审查电子证据的存储环节：存储电子证据的方法是否科学；存储电子证据的介质是否可靠；存储电子证据的人员是否公正、独立；存储电子证据时是否加密；所存储的电子证据是否会遭受未经授权的接触等。

（3）审查电子证据的传送环节：经过网络传递、输送的电子证据，其间的任何一个环节都可能发生信息丢失、改变，从而降低电子证据的证明力。因此认证时要调查分析传递、接收电子证据时所用的技术手段或方法是否科学、可靠；传递电子证据的"中间人"（如网络运营商等）是否公正；电子证据在传递的过程中有无加密措施、有无可能被非法截获等。

（4）审查电子证据的收集环节：电子证据是由谁收集的，收集证据者与案件有无利害关系；收集电子证据的过程中是否遵守了法律的有关规定；收集、提取电子证据的方法（如备份、打印输出等）是否科学、可靠；收集者在对证据进行重组、取舍时是否客观公正，所采用的方法是否科学可靠等。

（5）电子证据是否被删改过。法官可以指派或聘请具有专门技术知识的人对证据进行鉴定。若将电子证据与其曾经由第三方保留的原件或备份进行比较核实，则是实践中可行的捷径。所以，事先公证无疑是最有效的措施。北京市高级人民法院颁行的《关于办理各类案件有关证据问题的规定（试行）》规定："用有形载体固定或者表现的电子数据交换、电子邮件、电子数据等电脑储存资料的复制件，其制作应经公证或者经对方当事人确认后，才具有与原件同等的证明力。"

以上的审查实际包含了对电子证据完整性的认定。完整性（integrality）是考察电子证据证明力的一个特殊指标。完整性共有两层意义：一是电子证据本身的完整性，指数据内容保持完整和未予改动（不包括不影响内容完整性的一些必要的技术添加）；二是电子证据所依赖的计算机系统的完整性，主要表现为：记录该数据的系统必须处于正常的运行状态；在正常运行状态下，系统对相关过程必须有完整的记录；该数据记录必须是在相关活动的当时或即后制作的。计算机系统的完整性实际上同电子证据的完整性密切相关，前者是为了保证后者而设置的一项标准。

2. 电子证据的法律地位

数字证据并非以其物理状态，而是以其记载的内容来证明案件事实，这与我国程序法中 7 种现有证据类型中的物证等并不相同，关于电子证据应该归入哪一类的问题，法学界一直未有定论。从目前争论的焦点看，主要有以下几种观点。

（1）视听资料说。诉讼法学界相当一部分学者从电子证据的可视性、可读性出发，对视听材料作了扩大解释，突破了视听材料关于录音带、录像带之类证据的局限，把计算机储存的数据和资料归于视听材料的范畴。其理由是：首先，视听资料是指可视的、可听的录音带、录像带等，电子证据的内容必须在计算机等终端上以图形、数字、符号等形式显示，表现为"可读形式"，因而也是"可视的"；其次，视听资料和电子证据在存在形式上有相似之处，都是以电磁或其他形式而不是以文字、符号形式储存在非纸质的介质上；再次，存储的视听资料以及电子证据都需要借助一定的工具或者一定的手段转化为其他形式后才能被人们直接感知；最后，两者的正本与复本都没有区别，把电子证据归于视听资料最能反映其证据价值。不过这种主张并不像将电子证据纳入书证的主张那样有国外立法例作为支持。

在我国诉讼中，视听资料一般不能成为独立定案的依据。但是，电子商务交易中往往只存在电子证据，很少有其他类型的证据，而根据最高法院的民事诉讼证据解释，视听资料的证据力仍然很弱，一旦将电子证据归属于视听资料之列，会致使案件中没有证据力强大的可独立定案的证据，于现实不利，这也是不能将电子证据归入证据力较弱的视听资料中的最关键的理由。

（2）书证说。书证是指以文字、图画、符号等方式表达的思想内容来证明案件事实的资料，与电子证据的相同之处在于，两者都以其表达的思想内容来证明案件事实情况，不同之处主要在于载体与证明手段。将电子证据归于书证之列在目前的学界论述中颇占上风，以书证规则对电子证据进行规制的声音也远多于以视听资料进行规制的声音，并有国外的立法例作为有力的论据。这种观点认为，电子证据应当归入"书证"的理由是：首先，根据我国《合同法》第十一条的规定，"书面形式是指合同书、信件和数据电文（包括电报、电传、传真、电子数据交换和电子邮件）等可以有形地表现所在内容的形式"，该规定明确了数据电文等电子形式也属于法律允许的书面形式，因此，按照立法的意图来说，我国《合同法》已经将"数据电文"这一典型的电子证据纳入了"书面形式"范围，这无异于已经在立法上明确了电子证据的归类。其次，普通的书证是将某一内容以文字、符号等方式记录在纸上，电子证据则只是以不同的方式将同样的内容记录在非纸质的存储介质上，两者的记录方式不同，记载内容不同，但功能却相同，即都能记录完全相同的内容。再次，电子证据通常也是以其代表的内容来说明案件中的某一问题，而且必须输出、打印到纸上，形成计算机打印材料之类的书面材料后，才能被人们看见、利用，因而具有书证的特点。

另外，联合国国际贸易法委员会《电子商务示范法》第八条与第九条对电子商务中产生的信息作为证据的可接受性做出了明确的规定："信息自首次生成之时起，除加上背书及再通常传递、存储、显示中发生的正常变动外，并无其他变动，始终保持了完整性，并根据生产信息的目的来评定所要求的可靠性标准，依此来判断是否为原件。"这种规定排除了电子证据归入书证之列的最大障碍——书证对于原件的要求，使电子证据归属于书证之列不存在大的矛盾。包括英国、美国、加拿大在内的许多判例法国家都将这种证据归于书证之中。

（3）独立证据说。这种观点认为，由于电子证据与物证、证人证言、勘验笔录、鉴定结论等证据类别有明显的区别，电子证据不可能成为它们中的一类。其理由是：首先，电子证据与书证在性质上有着巨大的差别。其次，电子证据与视听资料在内涵和外延上错位。这种观点代表了最新的思潮。但是，如果将电子证据作为一种独立的证据类型，就需要制定与其特征相应的证据规则。

（4）混合证据说。这种观点认为，电子证据既不属于某一种传统物证，也不是独立的新型证据，而是若干种传统证据的组合。该观点认为：首先，从承载介质来看，如果输入、存储的信息记录在硬盘、磁盘、光盘等介质上，就是准书证；如果输出到打印纸上，即为书证；如果以声音、图像形式表现，即为视听资料。其次，利用计算机模拟是根据已知条件和事实，依照法律程序和技术要求进行计算机演示，以确定犯罪的可能性概率。因而，模拟结果可以列为勘验、检查笔录。最后，对计算机及系统的测试是运用软件按照计算机程序对机器及系统的性能、受损情况进行测量、测算、鉴定，从而确定犯罪的危害程度，因此可以列为鉴定结论证据。除了以上观点外，还有少数人持"物证说"和"鉴定结论说"。以上的观点都有其各自的合理性，都从不同的角度反映了电子证据的特征，但是又都有其缺陷。

加拿大学者加顿曾经说过："在审判中使用电子证据的最大挑战在于，不能轻易地将其划归传统的证据类型。"这足以说明对电子证据进行合理定位的难度。总之，要正确解决电子证据的定位问题，一方面不能漠视我国现行的证据分类体系；另一方面必须找出电子证据同其他7种传统证据的真正差异。在此基础上才能得出科学的结论。

3. 电子证据的规则设计

对电子证据的证据规则进行设计时应充分考虑到电子证据产生的环境、生成方式、存储手段等技术性特点以及法律的传统与体系的内在逻辑。对电子证据的真实性保障，在技术上可以推进安全技术手段的发展，严格系统操作流程以及网络服务中心中转存、电子签名、网络认证等一系列信用保证手段来提升其安全性和可信度。不过，对电子证据真实性的保证主要应从法律角度着手。在法律上保证电子证据的真实性时，不应对电子证据所使用的技术进行限制，而应采取功能等价与技术中性原则，从而不至于使法律成为阻碍技术发展的桎梏。

首先，在其真实性的保障上，这一点在各国相关立法上均得到了体现，例如民事行为法，（1968 U.K.）、南澳大利亚行为法（1929～1976）、南非计算机行为法（1983）等主要规定的是电子证据的可接受性，其中便以大量篇幅来规定其真实性。不论电子证据是作为书证，还是作为一种新的证据类型，基于其自身特征，应当至少确立以下证据规则，以此保证电子证据的真实性：①审查数据资料的来源，包括形成的时间、地点、制作过程等；采用电子签名的电子证据的证据力强于无电子签名的电子证据；使用的签名技术安全性更高的电子证据的证据力大；保密性强的电子证据的证据力强于保密性弱的电子证据。②审查电子证据的收集是否合法。③审查电子证据与事实的联系。④审查电子证据的内容是否真实，是否有伪造、篡改情形；可以审查电子证据产生的硬件与软件运行环境、系统的安全性、内部管理制度；要考虑生成、储存或传递该数据信息的方法的可靠性，保护信息完整性的方法的可靠性，以及伪造、篡改情形出现的可能性大小等因素。⑤结合其他证据进行判断，尤其可以考虑无关第三方、CA 认证机构、网络服务商提供的电子证据。例如，《广东对外贸易实施电子数据交换暂行规定》规定，在进行电子数据交换协议时，双方发生争议的，以电子数据中心提供的数据为准。

其次，电子证据可以成为独立定案的依据。尤其是在目前无纸化的电子商务中，在不存在其他证据类型时，应当认可数字证据可以成为独立定案的依据。在数字证据与其他证据相矛盾时，由于数字资料较易篡改，所以在现阶段一般要承认物证、书证的证据力强于数字证据。不过，任何证据都有伪造的可能，因此，还要重视发挥法官在具体案件中的自由心证。

再次，当事人可对数字证据的真实性进行证明。当事人提供数字证据，如无相反事项证明其不真实，则其为真实；对方当事人可对其真实与否进行举证。即使数字证据变换了形式，只要在内容上保持了一致，仍可认可其证据力。

当事人可申请有关专家对数字证据进行证明。这种证明可以认为是专家证人性质的证据，用来对数字证据的真实性等进行证明。在有关数字证据的认定等问题较为复杂时，法院可依当事人申请而进行调查取证，也可指派或聘请专业人士或机关进行鉴定。美国存在一个影响较大的 EED（electronic evidence discovery）公司，其在为数据的认证、定位、处理、删除数据的恢复等方面提供专家证人领域得到了法院的认可，该公司为美国、加拿大、欧洲提供这种服务。专家在对受到怀疑的数字证据的真实性进行作证时，按照美国的联邦证据规则，其需对所采用的技术、处理流程等进行详细的说明，并接受交叉询问。

数字证据原始载体与复制件具有同等的证据力，数字信息在经过多次复制、传输以后仍然保持了一致性，而不似其他证据会有信息的丢失、缺损。数字证据的原始载体与复制件不相吻合并不能说明复制件为伪造，但应当说明其来源和制作经过，从多方面综合判断数字证据的真实性。美国《联邦证据规则》对"复制件的可采性"做出了这种规定。

数字证据公证。允许当事人请求公证机关对数字证据进行公证，在诉讼中进行使用，不过，进行公证的公证机关必须具备进行数字证据公证的能力，同时应规定相应的公证程序规则。

数字证据保全。数字资料的存储不同于其他证据，且常常是有关证据存储于当事人或者网络服务中心的服务器中，因此，在对证据进行保全时，法院如何进行保全，如何寻找到存储的数字资料，不能寻找到而当事人拒不提供，以及采取证据保全会影响当事人的服务器的正常运作而影响其正常的业务活动时，对当事人商业秘密的保护等，都应当设计相应的规则。

确定网络服务中心进行资料保存、证明的义务。信息在网络上进行传输需要服务器，服务器在传输信息时一般都对信息进行存储、中转，这些服务器大多由信息服务提供者与网络接入服务提供者控制。尤其在电子商务中，交易当事人一般是通过网络服务中心进行信息数据的传递与交换的。在诉讼中，网络服务中心为中立的第三方机构，且无论技术与设备，还是资信状况，均比较可靠。在当事人提供的证据相互矛盾无法认定时，法院可要求网络服务中心提供其留存的相关资料。在当事人提供的证据与网络服务中心提供的证据不相符合时，应认定网络服务中心提供的证据。在法律上要求网络服务中心在一定期限内留存相关交易资料备查，同时又要注意对交易当事人商业秘密的保护。《广东省对外贸易实施电子数据交换暂行规定》就规定，EDI 服务中心应有收到报文和被提取报文的回应和记录。凡是法律、法规规定文件、资料必须长期保存的，其表现形式的电子报文要予以存储，存储期最短不得少于 5 年。进行电子数据交换的协议双方发生争议时，以 EDI 服务中心提供的信息为准，双方可依照协议申请仲裁或按照法律、法规规定向人民法院起诉。

12.2.3 电子证据的保全措施

普通的计算机数据或电子文件难以作为直接证据，主要原因在于其易篡改性（非原始性）和信息与签发人之间关联性差。由于我国电子文件的加密、签名、认证体系还没有建立起来，而在现实生活中，已经在大量运用电子文件进行交易或其他商务活动。为了解决电子文件直接作为证据问题，现实中采用一些程序上的救济，以确保其证据效力，这便是网络公证和证据保全措施。

由于互联网上的内容可以随时间推移而不断变更，利用互联网进行的违法犯罪案件，例如互联网上的侵犯著作权案、造谣诽谤案、利用互联网泄露国家机密、煽动民族仇恨等，必须及时下载相关证据，并且为了证明真实性，应当通过公证将证据予以保全。一般是在公证员亲自在场监督的情况下，从电脑上下载作为证据的电子文件，由公证处进行公证，并应当采取录像手段保留下载的全过程；最好同时请专家或借助专门技术保存与该文件相关的电子信息。

（1）网络公证。"网络公证"（cyber notary authority，CNA），指由特定的网络公证机构，利用计算机和互联网技术，对互联网上的电子身份、电子交易行为、数据文件等提供认证和证明，以及证据保全、法律监督等公证行为的一个系统。网络公证，是为网络和电子商务服务的，是公证全面介入网络世界的标志。网络公证保全电子证据必须借助先进的网络技术和特定的软件程序进行，它具有快捷与远程保全的优势。当事人双方只需在自己的电脑中下达指令，数据电文就会被加密传送到网络公证（认证）机构。网络公证员对双方的数据核实无误后，加上自己的数字公证，并存档备查，公证完成。网络公证需要法律和技术两个方面的完善，所以我国法律规定，从事网络公证（电子认证）服务，应当向国务院信息产业主管部门提出申请，并提交相关材料，经国务院信息产业主管部门依法审查和决定批准。经过公证的数据电文直接作为证据，一般应当具备以下3个条件：第一，公证机构的介入必须是数据电文生成之时，或者必须是进行网上交易或其他法律行为之时，公证机构参与、见证行为过程或者有相应的技术措施可以达到这样的效果。第二，保存和存封数据电文，其保存方法可以是磁盘或其他电子介质，也可以直接打印成书面文件。第三，对数个取证过程、当事人资格及其所生成的数据电文出具公证书，证明其真实性和合法性。

（2）证据保全。为解决电子证据的有效性的另一个程序性措施便是证据保全。证据保全是在证据可能灭失或以后难以取得的情况下，诉讼参加人申请人民法院（或者人民法院依职权）对证据进行封存或采取其他保全措施。证据保全常常和网络公证合二为一。

（3）电子档案管理。电子档案管理是专门针对电子文件进行保全的有效措施。电子档案管理要遵循全宗原则。所谓"全宗"，是指"一个国家机构、社会组织、个人形成的具有有机联系的文件整体，是档案管档案的第一层分类、管理单位"。

参考资料

我国网络公证实践的发展

我国于2000年9月，由司法部组织北京、上海、广州等地的法律界、电子商务界、IT技术及银行、证券等相关行业的专家学者，在南京组成"网络公证研究课题组"。经深入探索研究，开发了中国公证网身份审核系统、互联网招投标公证应用系统，可在网上实现身份

确证、证据保全、安全交易、法律监督等公证业务；课题组专家还将网络公证研究拓展到大型
电子商务 B2B 交易网、大型企业自建电子商务网、行业性的专业电子商务交易网以及网上证
券等多方面的应用领域。

12.2.4　网络诉讼的举证责任

所谓举证责任，就是当事人对自己提出的主张加以证明的责任。根据我国《民事诉讼法》的
有关规定，举证责任一般来说是"谁主张谁举证"即当事人对自己提出的主张有责任提供证据。
所以原告必须就诉讼请求以及有关事实提供相关证据，被告反驳原告的诉讼请求、提出反诉也要
举证加以说明，第三人对自己提出的主张或者请求也应承担举证责任。

有一个情况值得注意，那就是举证责任的倒置。在一些特殊类型侵权案件和某些技术性、专
业性较强的案件中，权利主张人限于客观原因很难举证证明自己的主张，《民事诉讼法》规定，
由造成侵害的一方承担举证责任来证明自己无过错或损害由对方造成，如不能举证就要负担民事
责任。

根据法律规定和审判实践，适用这种情况的案件有 6 种，但并没有包含电子商务纠纷等新型
的以计算机与网络为基础的案件。由于电子证据的科技含量高，一般人员很难取证，有必要考虑
将此类案件也作为特殊情况，由造成侵害的一方承担责任来证明自己无过错或损害是由对方造成
的，以此来减轻原告的负担。

即问即答：请简述网络诉讼的举证责任归属原则。

12.3　电子商务纠纷解决的替代方式——互联网争议解决方式

12.3.1　替代性争议解决方式的产生

电子商务的发展提供了无限商机，它使商家可以轻松地把市场扩大到全世界，也使消费者足
不出户就能在全球市场进行消费。然而，这种网络上的商务活动与现实世界中的商务活动一样也
会产生纠纷，甚至会因为网络技术的运用而产生更多的纠纷。如果这些纠纷无法及时得到解决，
消费者就会对电子商务的可靠性产生怀疑，从而对参与电子商务缺乏信心。一旦全球消费者作为
一个整体对由于商务的可靠性缺乏信心，电子商务将失去生命力。

一般说来，电子商务的法律纠纷仍然可以和应当在原有法律体制下通过司法程序加以解决。
但由于电子商务的特殊性，传统的通过司法程序解决争议的方式受到挑战。因为对电子商务中产
生的纠纷，仅靠各国法院是远远不够的。

（1）电子商务纠纷的双方当事人很可能相隔万里，如果要在一方当事人所在地提起诉讼，成
本是惊人的。

（2）电子商务纠纷的管辖权和准据法如何确定，尚未有国际立法，各国的实践也不一致。因
此选择有管辖权的法院以及执行判决都是难题。

（3）即使上述两个问题都不存在，电子商务每天产生的大量纠纷对各国法院的人力物力来说
都是沉重的负担。

因此，在这种背景下，很多国家和国际组织都鼓励采用替代性争议解决方式（alternative dis-
pute resolution，ADR）来解决电子商务纠纷。它为解决这一难题提供了较好的思路，eBay 总部已

设立了专门的 ADR 部，ADR 的专著也已经开始摆上了 Amazon 网站的新书架。

12.3.2　替代性争议解决方式概述

1. 替代性争议解决方式含义

替代性争议解决方式（ADR），是指可以被法律程序所接受的，通过协议而非强制性的有约束力的裁定解决争议的任何方法。ADR 最早源于美国，而后盛行于欧洲大陆各国及日本、韩国、澳大利亚等国家。ADR 作为替代诉讼解决民商事争议的方法，已成为法律发展中的一大趋势。ADR 存在多种多样的形式。常见的有调解、微型审理、"高级行政长官评估"程序、早期审理评议、仲裁、简易陪审团程序、租借法官等。较之诉讼程序，ADR 具有如下优点：首先，当事人意思自治，ADR 是在当事人协商的基础上自愿进行的。其组成的程序规则由当事人双方自主决定，不像诉讼那样制度化或规范化。其次，ADR 程序快捷、及时且费用低。再次，ADR 程序以利益为导向，将焦点集中在实现双方根本利益的最大化上，通过管理层的直接参与，不仅能加速争端解决，而且更有可能达成具有前瞻性的协议，甚至可能通过争端解决而取得双方的谅解并增进双方间的信任，为双方新的商业交易打下良好的基础。最后，通过 ADR 达成的协议及决议不具有法律约束力。但事实上，基于 ADR 程序做出的决定是在双方友好协商、互谅互让的基础上达成的，故一般都能得到双方当事人的履行或遵守。使用"替代性"一词表明，在传统的争端解决中存在着一种原始模式——法庭诉讼。

基于这样的逻辑，脱机状态下的"替代性"争端解决方式就理所当然地成为在线争端解决的原始模式，是其在网络商务中的拓展与延伸，作为 ORD 可借鉴的模式，ADR 的快速、低廉、高效的特征将极大地促进 Online ADR——ODR 机制的发展。又称选择性争议解决方式，是除诉讼方式以外的其他各种解决争议方法或技术的总称，主要包括传统的仲裁、法院附属仲裁、建议性仲裁、调解仲裁、调解、微型审判、简易陪审审判、中立专家认定事实等。

2. 替代性争议解决方式

（1）仲裁。仲裁是指双方当事人自愿把他们之间的争议交给第三者进行评判或裁决，并约定自觉履行该裁决的一种制度。仲裁必须有当事人的仲裁协议，可以是合同中的仲裁条款，也可以是单独的仲裁协议书。仲裁协议必须明确交付仲裁的争议事项、规定仲裁地点和仲裁机构，并明确仲裁裁决的效力。仲裁程序一般都适用仲裁组织的仲裁规则，但有的仲裁机构也允许当事人合意选择仲裁规则。

一般而言，仲裁裁决是终局性的，而且具有强制执行力，一方当事人不自觉履行的，对方当事人可以申请法院强制执行，法院一般不对仲裁裁决进行实质性审查。

（2）调解。调解是双方当事人在共同选择的中立者的帮助下，对争议的问题相互妥协与让步，以达成协议解决争议的方法。调解虽然是非正式的争议解决方式，灵活性相当大，但是一般的调解机构也都有自己的调解规则，以确保调解程序的进行。

调解与和解不是同一概念。和解是指当事人双方互相协商、妥协以解决争议的程序，其中并没有引入中立的第三者。在和解程序中主要是谈判，由双方当事人的意思决定，并没有确定的规则。

在这一寻求替代性争议解决方式过程中，也孕育出运用网络技术解决互联网争议的方式，这便是互联网争议解决方式。

3. 国际著名网上替代争议解决机制介绍

（1）BBB Online（Better Business Bureau Online）是由 Better Business Bureau 延伸至网络上的一个解决争议的民间机构，可谓美国最负盛名的 ADR 业者。目前，BBB Online 的服务是接受消费者私人对于 BBB Online 的会员或非会员（主要是电子商务网站）的申诉。BBB Online 由于处理经验丰富，成为目前 Online ADR 中处理争议的流程发展最好的业者之一。

（2）Square Trade. com 是提供电子商务网上的顾客解决买卖纠纷的媒介。Square Trade. com 的宗旨在于避免让争执双方负担高额的诉讼费用，而又能提供类似网上法庭的机制，在网络上听取双方的争执意见。受理申诉的程序从接受申诉方申诉开始，而被申诉方将会收到电子邮件的通知，如果过程顺利，被申诉方会答复申诉。申诉是在 Square Trade 安全的网上进行的，双方可以安心地在网上利用业者提供的特别技术及程序自行尝试解决问题。如果双方无法自行达成协议，Square Trade 的调解人此时就会介入这项争议，并引导双方当事人进行调解，然后将纠纷处理结束。

（3）Cybercourt. org 是德国的一个提供网上争议解决的业者，主要针对网上活动所发生的纠纷，包括网上银行、电信服务以及有关保险的申诉在内。其处理的方式以调解为主。Cybercourt 机制的发动也是由一方当事人就网络行为发生争议的事件，以电子邮件方式向 Cybercourt 申诉。而程序的进行必须要以对方也同意经由 Cybercourt 来解决纷争为前提条件。Cybercourt 有一项特色，就是参与争议解决的双方均可以匿名方式进行程序。只要是由于网络行为发生纠纷的任何人，都符合适用 Cybercourt 的当事人资格，所以，调解的内容也不一定以买卖纠纷为限。程序开始之后，Cybercourt 会利用网际网络或电信会议方式与双方进行沟通，并询问另一方当事人是否有参加程序的意愿，若双方同意，下一步就将该案件分配给调解人处理。在程序进行中间，双方就一些证据或争执点也可以请求专家提出意见。在费用方面，Cybercourt 没有制定一定的收费标准，而是就申诉渐进情况来决定收费。而在效力方面，除非双方都同意利用 Cybercourt 解决争议，否则，Cybercourt 的处理在德国法院或立法机关对此做出解释前，推定对双方无约束力。

12. 3. 3　互联网争议解决方式

1. ODR 的含义

所谓互联网争议解决方式（online dispute resolution，ODR），是指争议解决的全部或主要程序都在互联网上进行的争议解决方式。具体地说，就是从争议解决程序的发起到进行裁判或协商甚至到做出裁决或达成解决协议以及支付有关费用等主要通过网络技术来实现，当事人之间及当事人与争议解决机构之间不进行面对面的会见。用网络技术仅仅实现文件的管理，程序的其余部分仍用传统方式来完成，不属于互联网争议解决的范围。

2. ODR 的基本特征

（1）ODR 程序的在线性。ODR 程序的发动以及运作都是以在线方式进行的。传统的 ADR 强调当事人通过面对面的沟通、谈判、调解等方式以求获得争端的解决。而 ODR 通过因特网超越了地域与时空界限，可以使不同地域的当事人异地同时或异地异时地进行虚拟的面对面的协商，当事人不必遵循严格的诉讼程序和诉讼时效规则，节省了解决争端的费用与时间。

（2）ODR 规则的灵活性。在传统的 ADR 中，往往存在"诉讼下谈判"或"法律的荫蔽"现象，即当事人依据法律的规定来决定谈判的策略。但在 ODR 中，由于网络的无国界特征，当事人无法预见应适用的法律，使 ODR 超脱了法院的管辖权以及法律的条条框框，有效避免了上述现象的发生。在实践中，提供 ODR 服务的各个网站逐渐形成了自己的网络法则，用户可以根据不同需要从中选择使用，并有权自主决定进入或退出 ODR 程序以及是否接受该规则的约束，充分体现了 ODR 规则的灵活性。

（3）ODR 信息的机密性。复制性强是国际互联网最为突出的特征，无论是网络终端之间的数据传输，还是上传下载信息，都必然会产生大量的复制。目前，ODR 主要采取两方面的措施以增加机密性：一是在争端未解决之前，不公布各方当事人解决争端的建议，以确保当事人的隐私得到尊重，同时由调解员负责及时删除程序中不必要的自动备份信息；二是采用"非对称秘密系统"，又称公共密钥加密技术，该系统采用公钥和私钥两种不同的密钥分别用于数据加密和解密，这是目前保证信息机密性的最佳方法。

（4）ODR 协议的非强制性。一般而言，除 Online arbitration 外，通过 ODR 达成的协议不具有法律约束力，除非当事人之间另有约定，甚至有些在线仲裁规则还允许当事人自己决定仲裁裁决的效力。ODR 程序的启动也不能阻止当事方寻求法院诉讼的途径以解决纠纷。尽管如此，由于 ODR 是当事方自愿选择参加的，故其决定一般易于得到当事方的遵守。

（5）不排除法院的实体审查。世界知识产权组织甚至建议不服裁决的一方当事人可以自由地在其本国法院要求下对该项裁决进行审查，但就传统仲裁来说，大多数国家规定，法院不对仲裁裁决进行实体审查，只对法律规定的特定情况下如涉及仲裁庭管辖权与程序是否公正等问题进行审查。

（6）不排除当事人起诉的权利。例如，在世界知识产权组织的网上仲裁程序中，当事人即使在仲裁员做出裁决后都仍保有向其本国法院起诉的权利。ICANN 的统一域名争议解决政策规定，当事人的网上争议解决程序不是排他的，不禁止当事人在开始仲裁之后或做出裁决后另行向法院起诉。

（7）传统仲裁裁决和法院判决优先。ICANN 的《统一域名争议解决政策》规定："如果域名注册机构收到对于该域名争议具有有效管辖的法庭或仲裁机构发出的要求域名注册机构撤销、转让和变更域名注册的判决或裁决，域名注册机构有权采取此行动。"由此可见，网上仲裁进行之中或裁决做出之后，当事人都可以将争议提交传统仲裁或诉讼。如果网上仲裁裁决和传统仲裁裁决或法院判决不同，则该争议最终的解决应以传统仲裁裁决或法院判决为准。

3. 互联网争议解决方式的主要形式

互联网争议解决方式主要有 4 种形式：互联网仲裁、互联网清算、互联网消费者投诉处理及互联网调解。

（1）互联网仲裁或网上仲裁（online arbitration）。目前最主要的互联网仲裁提供者是加拿大的 e Resolution，主要解决域名争议。国际互联网名址分配公司（ICANN）授权 e Resolution 以互联网方式解决域名争议，争议的解决以 ICANN 的"统一域名纠纷处理规则"为依据。解决域名争议的请求可以通过电子邮件提出，也可以通过填写安全网页上的申请表提交。仲裁委员会根据 ICANN 的规则、实施细则以及其自己的补充规则进行审理。在听取当事人双方的陈述后，仲裁员会做出具有约束力的裁决。

（2）互联网清算（online settlement）。Cyber settle 是最早提供互联网清算服务的，主要是针对保险索赔。Clickn-settle 紧随其后，适用于任何金钱纠纷。两者都有一种专门的系统，通过这一系统，争议双方各自报价，但无从知晓对方的出价。如果双方的报价符合事先约定的某一公式，则系统自动以中间价成交。Cyber settle 允许被诉人出价三次，原告可以还价三次；Clickn-settle 则允许双方在 60 天时间内进行任意次数的报价。如果在此期限内双方无法达成一致，则当事人仍然可以不受影响地进行谈判，因为他们在互联网清算系统中的报价是绝对保密的。这种系统的建立，可以大大缩短谈判和诉讼时间，降低解决争议的成本和费用。其他提供类似服务的还有 Ussettle、Settlesmart 等。

（3）互联网消费者投诉处理（online resolution of consumer complaints）。美国中央商业促进会互联网（BBB Online）是美国中央商业促进会（Central Better Business Bureau）的子公司，致力于发展以互联网方式处理消费者投诉。美国中央商业促进会下属有 132 个分会，最早的一家成立于 1912 年，其从事替代性争议解决方式已有 100 多年历史。通过 BBB Online，消费者可以以互联网方式提交投诉，但是目前对投诉的处理还没有完全做到互联网。一般情况下，在收到投诉后，BBB Online 首先会进行和解（conciliation），即与公司内部的有关人员联系，这种方法常常能马上解决问题。如果和解不成，在多数情况下会利用电子邮件和电话进行简易的调解（mediation）程序。如果这些非正式的、部分利用互联网方式的努力都不成功，BBB Online 会提供更加正式的离线争议解决方式，包括面对面的调解和仲裁。目前这种互联网消费者投诉处理还不成熟，仍需部分使用离线方式，但毕竟已向互联网解决方式迈出了步伐。

（4）互联网调解（online mediation）。所谓互联网调解，其基本原理同传统调解一样，只是其从程序的发起至争议解决协议的达成全部互联网发生。互联网调解是网上的调解。所以，它一方面与传统调解有紧密的联系，具有调解的一般特征，同时又具有传统调解所不具有的反映网络环境需要的互联网发展现状的一些特点。如互联网调解更能体现当事人的自愿，它可以自由决定是否采取调解的方式，也可以自由决定是否参与到程序中来，甚至可以在程序进行时中途退出而使调解终结。另外，互联网调解的程序也很自由，而且其受法律规范约束少，因为第三人并不试图运用现有的法律规范来解决双方的冲突，而是对冲突双方提出的观点和要求策划一种妥协与和解的办法。尤其在网络空间高度自治的情形下，调解人更注重自治规则的影响，互联网调解已以其能方便快捷而经济地解决争议吸引了更多的案源。

目前，互联网争议解决方式的 4 种主要形式中，互联网仲裁（或网上仲裁）是最重要的一种。同样，互联网仲裁活动在当前也面临着许多需要解决的适用障碍。

【本章小结】

本章主要讨论电子商务民事纠纷解决程序法上的主要问题，包括民事诉讼的管辖问题、法律适用、证据问题及互联网争议解决方式等。

根据我国民事诉讼法基本原理，确定侵权之诉讼管辖地主要依据侵权行为人（被告人）住所地、侵权行为地和侵权结果发生地。民事诉讼法的管辖原则仍然能够解决网上侵权纠纷案件在法院的管辖分工问题。

最常用的替代性争议解决方式有仲裁和调解两种。

电子证据就是被作为证据研究的、能够证明案件相关事实的电子文件。

互联网争议解决方式主要有 4 种形式：互联网仲裁、互联网清算、互联网消费者投诉处理及互联网调解。

【复习与思考】

1. 网络纠纷的举证责任如何归属？
2. 电子证据有哪些？电子证据的法律效力如何？
3. 替代性解决方式有什么优势？

参 考 文 献

［1］李瑞．电子商务法［M］．北京：北京大学出版社，2008.

［2］张楚．电子商务法［M］．北京：中国人民大学出版社，2006.

［3］吴佩江，王瑞飞．电子商务法律［M］．杭州：浙江大学出版社，2004.

［4］郭懿美．电子商务法律与实务［M］．北京：科学出版社，2004.

［5］尹衍波．电子商务法规［M］．北京：清华大学出版社，2007.

［6］李祖明．电子商务法教程［M］．北京：对外经贸大学出版社，2009.

［7］杨坚争．电子商务安全与电子支付［M］．北京：机械工业出版社，2007.

［8］唐春林，杜朝晖．电子商务基础［M］．北京：科学出版社，2009.

［9］姜红波．电子商务概论［M］．北京：清华大学出版社，2009.

［10］高富平，张楚．电子商务法［M］．北京：北京大学出版社，2004.

［11］安建，张穹，杨学山．中华人民共和国电子签名法释义［M］．北京：法律出版社，2005.

［12］黄建初．《中华人民共和国电子签名法》释义及实用指南［M］．北京：中国民主法制出版社，2004.

［13］杨坚争．中华人民共和国电子签名法释义［M］．北京：立信会计出版社，2004.

［14］欧阳武．中国电子签名法原理与条文解析［M］．北京：人民法院出版社，2005.

［15］李双元，王海浪．电子商务法［M］．北京：北京大学出版社，2004.

［16］孙晔，张楚．美国电子商务法［M］．北京：北京邮电大学出版社，2001.

［17］秦成德．电子商务法［M］．北京：科学出版社，2007.

［18］考夫曼，赖特．电子商务法［M］．4版．北京：北京邮电大学出版社，2002.

［19］高俊，胡皓渊，宋永泉．网络交易法律实务（下册）［M］．北京：法律出版社，2006.

［20］欧阳武．中国电子签名法原理与条文解析［M］．北京：人民法院出版社，2005.

［21］王越．电子支付法律问题研究［D］．大连：大连海事大学，2003.

［22］王勇．网络服务提供商侵权民事法律责任研究［D］．苏州：苏州大学，2007.

［23］刘心．网上银行电子支付法律问题研究［D］．长沙：湖南师范大学，2003.

［24］吴建创．电子支付法律制度初探［D］．上海：华东政法学院，2001.

电子商务

课程名称	书号	书名及作者	版别	定价
网络营销	978-7-111-23403-6	网络营销：战略、实施与实践（第3版）（查菲）	外版	60
电子商务案例	978-7-111-27749-1	电子商务典型案例–亚洲篇（李在奎）	外版	45
电子商务	978-7-111-24321-2	电子商务（第7版）（施奈德）	外版	58
电子商务	978-7-111-29969-1	电子商务：管理视角（第5版）（特班）	外版	79
电子商务	978-7-111-30696-2	电子商务：管理视角（英文版.第5版）（特班）	外版	98
现代服务学导论	978-7-111-22976-6	现代服务学导论（"十一五"国家级规划教材）（李琪）	本版	32
网上创业	978-7-111-22301-6	网上创业（兰宜生）	本版	32
网络支付与结算	978-7-111-22890-5	网络支付（黄超）	本版	30
网络支付与结算	978-7-111-30379-4	网上支付与电子银行（帅青红）	本版	29
网络支付与结算	978-7-111-23331-2	网上支付与结算（张宽海）	本版	30
网络营销	978-7-111-27337-0	网络营销实务（高凤荣）	本版	32
电子商务专业英语	978-7-111-27572-5	电子商务专业英语（王晔）	本版	26
电子商务系统设计	978-7-111-21804-3	电子商务系统设计与实现（精品课）（厉小军）	本版	35
电子商务物流管理	978-7-111-22151-7	电子商务物流管理（杨路明）	本版	35
电子商务物流管理	978-7-111-22150-0	电子商务与现代物流管理（顾穗珊）	本版	32
电子商务网站规划	978-7-111-21907-1	电子商务网站规划与建设（王宇川）	本版	28
电子商务其它专业课	978-7-111-28750-6	电子商务综合实训（肖红）	本版	28
电子商务其它专业课	978-7-111-27212-0	计算机网络技术（余棉水）	本版	30
电子商务经济学	978-7-111-21491-5	电子商务经济学（李莉）	本版	32
电子商务管理	978-7-111-27509-1	电子商务管理（吴清烈）	本版	36
电子商务法	978-7-111-21166-2	电子商务法（杨路明）	本版	35
电子商务安全管理	978-7-111-21350-5	电子商务安全管理（闫强）	本版	30
电子商务安全管理	978-7-111-20345-3	电子商务安全与电子支付（杨坚争）	本版	28
电子商务	978-7-111-23774-7	电子商务概论（精品课）（石鉴）	本版	36
电子商务	978-7-111-26531-3	电子商务概论（精品课）（孙军）	本版	32
电子商务	978-7-111-22974-2	电子商务概论（精品课）（尹世久）	本版	28
电子商务	978-7-111-23214-8	电子商务概论（精品课）（张宽海）	本版	32
电子商务	978-7-111-19812-3	电子商务概论（张忠林）	本版	34
电子商务	978-7-111-29768-0	电子商务应用案例（邹德军）	本版	26

高等院校电子商务专业规划教材系列

课程名称	书号	书名及作者	定价
现代服务学导论	978-7-111-22976-6	现代服务学导论（"十一五"国家级规划教材）（李琪）	32
网上创业	978-7-111-22301-6	网上创业（兰宜生）	32
网络支付与结算	978-7-111-22890-5	网络支付（黄超）	30
网络支付与结算	978-7-111-30379-4	网上支付与电子银行（帅青红）	29
网络支付与结算	978-7-111-23331-2	网上支付与结算（张宽海）	30
电子商务物流管理	978-7-111-22151-7	电子商务物流管理（杨路明）	35
电子商务经济学	978-7-111-21491-5	电子商务经济学（李莉）	32
电子商务管理	978-7-111-27509-1	电子商务管理（吴清烈）	36
电子商务法	978-7-111-21166-2	电子商务法（杨路明）	35
电子商务安全管理	978-7-111-21350-5	电子商务安全管理（闫强）	30
电子商务安全管理	978-7-111-20345-3	电子商务安全与电子支付（杨坚争）	28
电子商务	978-7-111-19812-3	电子商务概论（张忠林）	34

教师服务登记表

尊敬的老师：

您好！感谢您购买我们出版的＿＿＿＿＿＿＿＿＿＿＿＿＿＿＿＿＿＿＿＿＿＿＿＿＿ 教材。

机械工业出版社华章公司为了进一步加强与高校教师的联系与沟通，更好地为高校教师服务，特制此表，请您填妥后发回给我们，我们将定期向您寄送华章公司最新的图书出版信息！感谢合作！

个人资料（请用正楷完整填写）

教师姓名		□先生 □女士	出生年月		职务		职称：□教授 □副教授 □讲师 □助教 □其他
学校			学院			系别	

联系电话	办公： 宅电： 移动：	联系地址及邮编	
		E-mail	

学历		毕业院校		国外进修及讲学经历	

研究领域	

主讲课程	现用教材名	作者及出版社	共同授课教师	教材满意度
课程： □专 □本 □研 □MBA 人数： 学期：□春□秋				□满意 □一般 □不满意 □希望更换
课程： □专 □本 □研 □MBA 人数： 学期：□春□秋				□满意 □一般 □不满意 □希望更换

样书申请	
已出版著作	已出版译作
是否愿意从事翻译/著作工作 □是 □否 方向	
意见和建议	

填妥后请选择以下任何一种方式将此表返回：（如方便请赐名片）
地 址：北京市西城区百万庄南街1号 华章公司营销中心 邮编：100037
电 话：(010) 68353079 88378995 传真：(010)68995260
E-mail:hzedu@hzbook.com markerting@hzbook.com 图书详情可登录http://www.hzbook.com网站查询